MånPocket

IAN RANKIN

SVARTA SINNEN

ÖVERSÄTTARE:
EVA MAZETTI-NISSEN

MÅNPOCKET

Omslag av Anders Schmidt/Uniform
Omslagsfoto © Oote Boe/Great Shots
Originalets titel:
Black & Blue
© Ian Rankin 1997
First published by Orion Books Ltd
Published by arrangementt with Sane Töregård Agency
Översättning av Eva Mazetti-Nissen

www.manpocket.com

Denna MånPocket är utgiven enligt överenskommelse
med Mattias Boströms Förlag, Lund

Tryckt i Danmark hos
Nørhaven a/s 2000

ISBN 91-7643-572-5

O would, ere I had seen the day
That treason thus could sell us,
My auld grey head had lien in clay,
Wi' Bruce and loyal Wallace!
But pith and power, till my last hour,
I'll mak' this declaration;
We're bought and sold for English gold –
Such a parcel of rogues in a nation.

Robert Burns
"Fareweel to a' Our Scottish Fame"

If you have the Stones … to say I can rewrite
history to my own specifications, you can
get away with it.

James Ellroy
(Skrivningen med stor bokstav författarens egen)

Öde huvudstad

Weary with centuries
This empty capital snorts like a great beast
Caged in its sleep, dreaming of freedom
But with nae belief…

Sydney Goodsir Smith,
"Kynd Kittock's Land"

1

"Berätta igen varför du dödade dem."

"Det har jag ju redan sagt. Det är det här *behovet*."

Rebus tittade ner på sina anteckningar. "Det ord du använde var 'tvång'."

Den hopsjunkna gestalten i stolen nickade. Det luktade illa om honom. "Behov, tvång, skit samma."

"Är det?" Rebus släckte sin cigarrett. Askkoppen var så full med fimpar att några hamnade utanför på metallbordet. "Låt oss prata om det första offret."

Mannen mitt emot honom stönade. Han hette William Crawford Shand och kallades för "Craw". Han var fyrtio år, ogift och bodde ensam i ett kommunägt hus i Craigmillar. Han hade varit arbetslös i sex år. Han körde darrande fingrar genom mörkt flottigt hår, sökte upp och täckte över en stor kal fläck på hjässan.

"Det första offret", sa Rebus. "Berätta för oss."

"Oss" därför att det fanns en kriminalare till i förhörsrummet. Han hette Maclay, och Rebus kände honom inte särskilt väl. Rebus kände ingen på Craigmillar särskilt väl. Inte än. Maclay stod lutad mot väggen, med armarna i kors och ögonen minskade till springor. Han såg ut som en maskin i vila.

"Jag ströp henne."

"Med vadå?"

"Ett rep."

"Var fick du tag i repet?"

"Köpte det i någon affär, jag minns inte var."

Tre takters paus. "Vad gjorde du sedan?"

"När hon var död?" Shand rörde lite på sig i stolen. "Jag tog av henne kläderna och hade intimt umgänge med henne."

"Med en död kropp?"

"Hon var fortfarande varm."

Rebus reste sig. Stolens skrapande mot golvet tycktes göra Shand nervös. Inte svårt.

"Var dödade du henne?"

"I en park."

"Och var fanns den parken?"

"Inte långt från där hon bodde."

"Var är det?"

"Polmuir Road, Aberdeen."

"Och vad gjorde du i Aberdeen, Shand?"

Han ryckte på axlarna och drog nu med fingrarna längs bordskanten, lämnade ett spår av svett och flott.

"Jag skulle inte göra så där om jag var du", sa Rebus. "Kanterna är vassa, du kan skära dig."

Maclay fnös. Rebus gick bort mot väggen och såg på honom. Maclay nickade kort. Rebus återvände till bordet.

"Beskriv parken." Han lutade sig mot bordskanten, tog fram en ny cigarrett och tände den.

"En vanlig park bara. Träd, gräs, en lekplats åt ungarna."

"Var grinden låst?"

"Va?"

"Det var sent på kvällen. Var grinden låst?"

"Det minns jag inte."

"Du minns inte." Paus: två takter. "Var träffade du henne?"

Snabbt: "På ett disco."

"Du ser inte ut att vara discotypen, mr Shand." Ännu en fnysning från maskinen. "Beskriv stället för mig."

Shand ryckte på axlarna igen. "Som vilket disco som helst: mörkt, blinkande ljus, en bar."

"Och offer nummer två?"

"Likadant." Shands ögon var mörka, ansiktet magert. Men han började ändå trivas, gled in i sin berättelse igen. "Träffade henne på ett disco, erbjöd mig att följa henne hem, dödade henne och knullade henne."

"Ingen intimitet alltså. Tog du någon souvenir?"

"Va?"

Rebus slog av aska på golvet, flagor hamnade på hans sko. "Tog du med dig något från brottsplatsen?"

Shand funderade, skakade på huvudet.

"Och detta var exakt var någonstans?"

"Warristonkyrkogården."

"Nära hennes hem?"

"Hon bodde på Inverleith Row."

"Vad ströp du henne med?"

"Repet."

"Samma rep?" Shand nickade. "Vadå, hade du det i fickan?"

"Det stämmer."

"Har du det med dig nu?"

"Jag slängde det."

"Du gör det inte lätt för oss, va?" Shand skruvade förtjust på sig. Fyra takter. "Och det tredje offret?"

"Glasgow", rabblade Shand. "Kelvingrove Park. Hon hette Judith Cairns. Hon sa att jag skulle kalla henne Ju-Ju. Jag gjorde samma sak med henne som med de andra." Han lutade sig tillbaka på stolen, rätade på sig och lade armarna i kors. Rebus sträckte ut en hand tills den rörde vid mannens panna, som en helbrägdagörare. Sedan tryckte han till, inte särskilt hårt. Men det fanns inget motstånd. Shand och stolen föll baklänges på golvet. Rebus knäböjde framför honom och drog upp honom i skjortbröstet.

"Du ljuger!" väste han. "Allt du vet har du läst i tidningarna, och det du var tvungen att hitta på var rena skiten!" Han släppte taget och reste sig. Hans händer var fuktiga efter att ha hållit i skjortan.

"Jag ljuger inte", vädjade Shand, fortfarande raklång på golvet. "Det är sant vartenda ord!"

Rebus släckte den halvrökta cigarretten. Askkoppen tömde ut fler fimpar på bordet. Rebus tog en och sprätte iväg mot Shand.

"Tänker du inte väcka åtal mot mig?"

"Jodå. Du kommer att bli åtalad. För att ha slösat med polisens tid. En tid i Saughton med en stjärtgosse som rumskamrat."

"Vi brukar bara låta honom gå", sa Maclay.

"Sätt honom i en cell", befallde Rebus och lämnade rummet.

"Men jag är han!" envisades Shand när Maclay drog upp honom från golvet. "Jag är Johnny Bibel! Jag är Johnny Bibel!"

"Inte ens i närheten, Craw", sa Maclay och tystade honom med ett knytnävsslag.

Rebus behövde tvätta sig om händerna, skvätta vatten i ansiktet. Två uniformerade poliser stod inne på toaletten och kopplade av med en rolig historia och en cigg. De slutade skratta när Rebus kom in.

"Sir", frågade den ene, "vem hade ni i förhörsrummet?"

"En skämtare till", sa Rebus.

"Det här stället kryllar av dem", kommenterade den andre polisen. Rebus visste inte om han menade stationen, själva Craigmillar eller hela stan. Inte för att det fanns mycket till muntrationer på Craigmillars polisstation. Det var Edinburghs hårdaste kommendering. En tjänstgöringsperiod där varade max två år, ingen orkade längre. Tuffare distrikt fanns inte i hela den skotska huvudstaden, och stationen förtjänade sitt smeknamn – Fort Apache, Bronx. Den låg på en återvändsgata bakom en rad affärer, en inte särskilt hög byggnad med trist fasad och ännu tristare hyreshus bakom. Att den låg i en återvändsgränd innebar att pöbeln lätt kunde stänga av den från civilisationen, och stället hade varit under belägring ett flertal gånger. Craigmillar var verkligen en specialkommendering.

Rebus visste varför han var där. Han hade gjort vissa personer upprörda, personer med inflytande. Eftersom de inte kunnat ge honom en dödsstöt hade de istället skickat in honom i skärselden. Det kunde inte vara helvetet, eftersom han visste att det inte var för alltid. Kalla det botgöring. Brevet som underrättat honom om hans förflyttning hade förklarat att han ersatte en sjukskriven kollega. Det hade också meddelat att han skulle hjälpa till med att övervaka nerläggningen av den gamla Craigmillarstationen. Allt avvecklades, överfördes till en splitterny station i närheten. Stället var redan en enda röra av packlådor och plundrade skåp. Personalen lade inte precis ner någon större energi på att lösa aktuella fall. Och hade inte heller lagt ner någon energi på att välkomna kommissarie John Rebus. Stället kändes mer som en sjukhusavdelning än som ett tillhåll för snutar, och patienterna var fullproppade med lugnande medel.

Han gick tillbaka till kriminalens rum – "Skjulet". På vägen passerade han Maclay och Shand, den senare alltjämt bedyrande sin skuld medan han släpades till cellerna.

"Jag är Johnny Bibel! Det är ju för helvete jag!"

Inte ens i närheten.

Klockan var nio på kvällen en tisdag i juni och den enda personen i Skjulet var polisinspektör "Dod" Bain. Han tittade upp från sin tidning – *Offbeat*, L&B:s informationsblad – och Rebus skakade på huvudet.

"Trodde jag inte heller", sa Bain och vände blad. "Craw är känd för att tjalla på sig själv. Det var därför jag lät dig ta hand om honom."

"Du har lika mycket hjärta som en mattspik."

"Och är lika vass som en sådan. Glöm inte det."

Rebus slog sig ner bakom sitt skrivbord och övervägde att skriva sin rapport om förhöret. Ännu en lustigkurre, ännu mer slöseri med tid. Och Johnny Bibel var fortfarande fri.

Först var det Bibel-John, som hade terroriserat Glasgow i slutet av sextiotalet. En välklädd ung man med rödblont hår, som kunde sin bibel och gick på Barrowland Ballroom. Han tog med sig tre kvinnor därifrån, slog dem, våldtog dem, ströp dem. Sedan försvann han, mitt under Glasgows största förbrytarjakt, och dök aldrig upp igen. Fallet var fortfarande öppet. Polisen hade ett säkert signalement på Bibel-John, lämnat av systern till hans sista offer. Hon hade tillbringat nästan två timmar i hans sällskap, till och med delat taxi med honom. De hade släppt av henne. Systern hade vinkat adjö genom bakrutan... Hennes beskrivning hade inte hjälpt.

Och nu var det Johnny Bibel. Pressen hade varit snabb med namnet. Tre kvinnor: slagna, våldtagna, strypta. Det var allt de behövt för att göra jämförelsen. Två av kvinnorna hade blivit uppraggade på nattklubbar, diskotek. Det fanns vaga beskrivningar av en man som setts dansa med offren. Snyggt klädd, blyg. Det stämde med den ursprunglige Bibel-John. Utom att Bibel-John, om han fortfarande levde, skulle vara i femtioårsåldern, medan den här nye mördaren beskrevs vara mellan tjugofem och trettio. Därför: Johnny Bibel, andlig son till Bibel-John.

Det fanns förstås skillnader, men det var inget som massmedia hängde upp sig på. Bibel-Johns offer hade till exempel alla funnits på samma dansställe. Johnny Bibel flackade vida omkring i Skottland på jakt efter sina offer. Detta hade lett till de vanliga teorierna: han var långtradarchaufför; säljare åt något företag. Polisen uteslöt inget. Det kunde till och med vara Bibel-John själv, tillbaka igen efter ett kvarts sekel, beskrivningen mellan tjugofem och trettio kunde vara fel – det hade hänt förr med till synes vattentäta ögonvittnesuppgifter. De höll också tyst om en del beträffande Johnny Bibel – liksom de gjort med Bibel-John. Det gjorde det lättare att avfärda de många falska bekännelserna.

Rebus hade knappt börjat på sin rapport förrän Maclay vaggade in i rummet. Det var så han gick, gungade från sida till sida, inte för att han var berusad eller drogad utan för att han var rejält överviktig – något med ämnesomsättningen. Det var något fel på bihålorna också. Hans andetag kom ofta som ansträngda rosslanden, rösten som en slö hyvel mot träets ådring. På stationen kallades han "Tungviktarn".

"Eskorterat Craw ut ur huset?" frågade Bain.

Maclay nickade mot Rebus skrivbord. "Vill ha honom åtalad för att ha slösat bort vår tid."

"*Det* kallar jag slöseri med tid."

Maclay gungade i riktning mot Rebus. Håret var kolsvart med tjusarlockar runt om. Han hade antagligen vunnit priser i skönhetstävlingar för barn, fast inte på ett tag.

"Var hygglig", sa han.

Rebus skakade på huvudet och fortsatte skriva.

"För helvete."

"Ge fan i honom", sa Bain och reste sig. Han lyfte av sin kavaj från stolens ryggstöd. Till Maclay: "Något att dricka?"

Maclay väste ut en lång suck. "Precis vad jag behöver."

Rebus höll andan tills de hade gått. Inte för att han väntat sig att bli erbjuden att följa med. Det var det som var hela poängen. Han slutade skriva och sträckte sig ner i nedersta lådan efter Lucozadeflaskan, skruvade av locket, andades in fyrtiotreprocentig maltwhisky och hällde in en munfull. Med flaskan tillbaka i lådan stoppade han en mintkaramell i munnen.

Bättre. "I can see clearly now": Marvin Gaye.

Han drog upp rapporten ur skrivmaskinen och kramade ihop den till en boll, ringde sedan till mottagningen och sa åt dem att hålla kvar Craw Shand en timme och sedan släppa honom. Han hade just lagt på luren när den började ringa.

"Rebus."

"Det är Brian."

Brian Holmes, polisinspektör, kvar på St Leonard's. De höll kontakten. I kväll var rösten kraftlös.

"Problem?"

Holmes skrattade, utan glädje. "All världens."

"Berätta det senaste då." Rebus öppnade paketet med en hand, stoppade en i munnen och tände.

"Vet inte om jag kan säga det nu med tanke på den skiten du hamnat i."

"Craigmillar är inte så farligt." Rebus såg sig omkring i det instängda rummet.

"Jag menade det andra."

"Åh."

"Det är möjligt att… jag har ställt till det för mig."

"Vad hände?"

"En misstänkt, vi hade honom i häkte. Han jävlades med mig."

"Du lappade till honom."

"Det är vad han säger."

"Har han anmält dig?"

"Tänker göra det. Hans advokat vill gå till högsta instans."

"Ditt ord mot hans?"

"Ja."

"Personalutredarna kommer att skita i det."

"Jag antar det."

"Eller få Siobhan att skydda dig."

"Hon är på semester. Min partner vid förhöret var Glamis."

"Inte så bra. Han är feg som fan."

En paus. "Tänker du inte fråga om jag gjorde det?"

"Jag vill *aldrig någonsin* veta. Uppfattat? Vem var den misstänkte?"

"Mental-Minto."

"Det fyllot vet jävlar i det mer om lagen än allmänne åklagaren. Okej, vi kan väl snacka med honom."

Det kändes skönt att komma ut från stationen. Han hade bilrutorna nervevade. Vinden var nästan varm. Stationens Escort hade inte blivit städad på ett bra tag. Där fanns chokladpapper, tomma chipspåsar, tillplattade paket som innehållit apelsinjuice och Ribena. Den skotska dietens hjärta: socker och salt. Tillsätt alkohol och du hade hjärta *och* själ.

Minto bodde i en av hyreskasernerna på South Clerk Street, första våningen. Rebus hade varit där vid tidigare tillfällen, inget av dem något angenämt minne. Det var fullt med bilar längs trottoaren, så han dubbelparkerade. På himlen utkämpade bleknande rosenrött en hopplös kamp mot framryckande mörker. Och nedanför alltihop halogenorange. Gatan var stimmig. Bion en bit bort höll antagligen på att tömmas, och de första olycksfallen slet sig loss från de ännu öppna pubarna. Nattlig matlagning i luften: varm smet, pizzafyllning, indiska kryddor. Brian Holmes stod utanför en second hand-affär, med händerna i fickorna. Ingen bil. Han hade antagligen gått från St Leonard's. De två männen nickade till hälsning.

Holmes såg trött ut. För bara några år sedan hade han varit ung, frisk, på hugget. Rebus visste att hemmalivet krävt sitt pris. Han hade själv varit i samma sits, i sitt eget äktenskap som upplösts för många år sedan. Holmes kvinna ville att han slutade som polis. Hon ville ha någon som tillbringade mer tid tillsammans med henne. Rebus visste alltför väl vad hon ville. Hon ville ha någon som tänkte på henne när han var hemma, som inte var helt upptagen av sina fall och spekulerande, tankelekar och befordringsstrategier. Som polis stod man ofta närmare sin arbetspartner än sin livspartner. När man började vid kriminalen gav de en ett handslag och ett papper.

Pappret var ens hemskillnad.

"Vet du om han är där uppe?" frågade Rebus.

"Jag ringde till honom. Han svarade. Lät halvnykter."

"Sa du något?"

"Hur dum tror du jag är?"

Rebus tittade upp mot lägenhetens fönster. Bottenvåningen bestod av affärer. Minto bodde ovanpå en låssmed. Det låg ironi i det för den som var intresserad.

"Okej, du följer med upp, men stannar i trappan. Kom bara in om du hör att det blir bråk."

"Säkert?"

"Jag tänker bara ta ett snack med honom." Rebus rörde vid Holmes axel. "Lugn."

Porten var olåst. De gick uppför spiraltrappan utan att säga något. Rebus tryckte på ringklockan och tog ett djupt andetag. Minto började dra upp dörren och Rebus tryckte till den med axeln och pressade in sig själv och Minto i den svagt upplysta hallen. Han smällde igen dörren bakom sig.

Minto var beredd på våld tills han såg vem det var. Då morrade han bara och gick tillbaka in i vardagsrummet. Det var ett litet rum med kokvrå och ett smalt skåp som Rebus visste innehöll en dusch. Det fanns också ett sovrum och en toalett med dockskåpshandfat. En igloo var större.

"Fan vill du?" Minto sträckte sig efter en burk lager, med hög alkoholhalt. Han tömde den, stående.

"Snacka lite." Rebus såg sig omkring i rummet, nonchalant. Men han höll händerna utmed sidorna, redo.

"Det här är hemfridsbrott."

"Fortsätt babbla och jag ska visa dig vad hemfridsbrott är."

Minto skrynklade ihop ansiktet: inte imponerad. Han var cirka trettiofem men såg femton år äldre ut. Han hade hållit på med de flesta droger i sina dar: Billy Whizz, utblandat heroin, Morningside-amfetamin. Nu gick han på ett metadonprogram. Knarkpåverkad var han inga större problem, mest irriterande. Utan knark var han spritt språngande galen. Han var Mental.

"Efter vad jag hört har du redan gjort bort dig", sa han nu.

Rebus tog ett steg närmare. "Det stämmer, Mental. Så ställ dig själv frågan: vad har jag att förlora? Om jag redan har gjort bort mig, så varför inte göra det med besked."

Minto höll upp händerna. "Lugn, lugn. Vad är problemet?"

Rebus lät sitt ansikte slappna av. "Du är problemet, Mental. Som tänker anmäla en kollega till mig."

"Han gav sig på mig."

Rebus skakade på huvudet. "Jag var där och jag såg ingenting. Jag tittade in med ett meddelande till polisinspektör Holmes. Och jag stannade. Så om han hade gett sig på dig skulle jag ha känt till det, eller hur?"

De stod tysta och såg på varandra. Sedan gjorde Minto helt om och sjönk ner i rummets enda fåtölj. Han såg ut som om han tänkte tjura. Rebus böjde sig ner och tog upp någonting från golvet. Det var stans broschyr med inkvarteringsalternativ för turister.

"På väg till något trevligt ställe?" Han bläddrade igenom förteckningen med hotell, Bed & Breakfast, självhushåll. Sedan viftade han med broschyren mot Minto. "Om ett enda av de här ställena blir länsat kommer du att bli den förste vi söker upp."

"Trakasseri", sa Minto, men lågt.

Rebus släppte broschyren. Minto såg inte så galen ut nu. Han såg trött och nere ut, som om livet hade en hästsko i en av sina boxhandskar. Rebus vände sig om för att gå. Han var på väg genom hallen och sträckte sig mot dörren när han hörde Minto ropa hans namn. Den lille mannen stod i andra änden av hallen, bara fyra meter bort. Han hade dragit upp sin säckiga svarta T-shirt till axlarna. Efter att ha visat framsidan vände han sig om så att Rebus kunde se ryggen. Ljuset var dåligt – en fyrtiowatts glödlampa i en flugsmutsad skärm – men till och med Rebus kunde se. Tatueringar, tänkte han först. Men det var blåmärken: revben, sidor, njurar. Självförvållade? Det var möjligt. Det var alltid möjligt. Minto släppte ner tröjan och stirrade stint på Rebus, utan att blinka. Rebus lämnade lägenheten.

"Allt som det ska?" frågade Brian Holmes nervöst.

"Storyn är att jag kom in med ett meddelande. Satt med vid förhöret."

Holmes andades ut så ljudligt att det hördes. "Så det är klart?"

"Det är klart."

Kanske var det tonfallet som varnade Holmes. Han mötte John Rebus blick och var den förste som bröt ögonkontakten. Utanför sträckte han fram handen och sa: "Tack."

Men Rebus hade vänt sig om och gått.

Han körde genom den tomma huvudstadens gator, med bostäder värda sexsiffriga belopp på båda sidor om vägen. Det kostade en förmögenhet att bo i Edinburgh numera. Det kunde ruinera en. Han försökte låta bli att tänka på vad han hade gjort, på vad Brian Holmes hade gjort. Pet Shop Boys inne i huvudet: "It's a Sin". Övergång till Miles Davis: "So What?"

Han körde i riktning mot Craigmillar, men kom sedan på bättre tankar. Han skulle köra hem istället och hoppas på att inga journalister slagit läger utanför. När han åkte hem tog han natten med sig, och han var tvungen att tvätta och skrubba bort den, kände sig som en gammal stenplatta som alla trampat på. Ibland var det lättare att stanna på gatan, eller sova på stationen. Ibland körde han omkring hela natten, inte bara i Edinburgh: ner till Leith, förbi hororna och hallickarna, utmed vattnet, ibland South Queensferry och sedan upp över Forth Bridge, upp på M90 genom Fife, förbi Perth, hela vägen till Dundee, där han brukade vända och köra tillbaka, vid det laget i allmänhet trött, körde av från vägen om det var nödvändigt och sov i bilen. Alltsammans tog tid.

Han erinrade sig att han satt i en av stationens bilar, inte sin egen. Om de behövde den kunde de komma och hämta den. När han kom fram till Marchmont kunde han inte hitta någon parkeringsplats på Arden Street, hamnade till sist vid dubbla gula streck. Där fanns inga

journalister. De måste väl också sova någon gång. Han gick längs War-
render Park Road till sin favorit-fish-and-chips-butik – jätteportioner,
och de sålde tandkräm och toapapper också, om man behövde det.
Han vandrade långsamt tillbaka, en fin kväll för en promenad, och
hade hunnit halvvägs uppför trappan till lägenheten när personsöka-
ren började pipa.

2

Han hette Allan Mitchison och han drack på en bar i sin hemstad, inte skrytsamt, men med ett uttryck i ansiktet som sa att han inte bekymrade sig om pengar. Han kom i slang med de här två killarna. Den ene drog en vits. Det var en bra vits. De bjöd på nästa omgång, och han bjöd tillbaka på en. De torkade tårarna ur ögonen när han berättade sitt enda skämt. De beställde tre till. Han trivdes med sällskapet.

Han hade inte många kompisar kvar i Edinburgh. En del av hans före detta vänner var avogt inställda till honom, till pengarna han fortfarande tjänade. Han hade ingen familj, hade inte haft så länge han kunde minnas. De två männen var sällskap. Han visste inte riktigt varför han åkte hem, eller ens varför han kallade Edinburgh "hemma". Han hade en bostadsrätt, men hade varken inrett den eller ställt dit några möbler än. Det var bara ett skal, inget att komma hem till. Men alla åkte hem, det var så det var. De sexton dagar i sträck som man jobbade var det meningen att man skulle tänka på "hemma". Man pratade om det, talade om alla de saker man skulle göra när man kom dit – spriten, brudarna, umgänget. En del av männen bodde i eller i närheten av Aberdeen, men många hade fortfarande sina hem längre bort. De väntade otåligt på att de sexton dygnen skulle ta slut och tvåveckorsledigheten börja.

Det här var första kvällen på hans två veckor.

Dagarna gick långsamt till en början, sedan fortare mot slutet, tills man undrade varför man inte hade gjort mer av sin tid. Den här, den första kvällen, var den längsta. Det var den man var tvungen att ta sig igenom.

De fortsatte till en annan bar. En av hans nya vänner släpade på en gammaldags Adidasväska, röd plast med sidoficka och trasig rem. Han hade haft en sådan i skolan, när han var fjorton, femton.

"Vad har du i den där", skojade han, "dina sportgrejer?"

De skrattade och dunkade honom i ryggen.

På det nya stället gick de över till starksprit. Puben hävde sig och sänkte sig, som en gigantisk vagina.

"Ni måste ju tänka på det jämt", sa den ene av hans vänner, "där ute på riggarna. Jag skulle bli tokig."

"Eller blind", sa den andre.

Han flinade. "Jag får det jag behöver." Svepte ännu en Black Heart. Han var inte van vid att dricka mörk rom. En fiskare i Stonehaven hade gjort honom bekant med drycken. OVD eller Black Heart, men han tyckte bäst om Black Heart. Han gillade namnet.

De behövde köpa med sig, hålla igång festen. Han var trött. Tågresan från Aberdeen hade tagit tre timmar, och före det hade det varit helikoptern. Hans vänner beställde över bardisken: en flaska Bell's och en Black Heart, ett dussin burkar öl, chips och cigarretter. Det kostade en förmögenhet att köpa på det sättet. De delade lika på tre, så de var inte ute efter hans pengar.

Utanför var det problem med att få tag i en taxi. Där fanns massor, men alla var upptagna. De var tvungna att dra in honom från gatan när han försökte stoppa en. Han snubblade lite och föll på knä. De hjälpte honom upp igen.

"Så vad gör du exakt på riggarna?" frågade en av dem.

"Försöker hindra dem från att falla ihop."

En taxi hade stannat för att släppa av ett par.

"Är det din morsa eller är du bara desperat?" frågade han den manlige passageraren. Hans vänner sa åt honom att hålla käften och knuffade in honom i baksätet. "Såg ni henne?" frågade han dem. "Skrynklig som ett russin i ansiktet." De skulle inte till hans lägenhet, det fanns ingenting där.

"Vi åker hem till oss", hade hans vänner sagt. Så han behövde inte göra annat än luta sig tillbaka och se på alla ljusen. Edinburgh var som Aberdeen – små städer, inte som Glasgow eller London. Aberdeen hade mer pengar än stil, och stan var skrämmande också. Mer skrämmande än Edinburgh. Färden tycktes aldrig ta slut.

"Var är vi?"

"Niddrie", sa någon. Han kom inte ihåg vad de hette, och tyckte att det var genant att fråga. Till sist stannade taxin. Gatan utanför var mörk, såg ut som om hela jävla området smitit från elräkningen. Och det sa han.

Mer skratt, tårar, dunkar i ryggen.

Trevånings hyreshus, putsat med småsten. De flesta fönstren var förbommade med stålplattor eller hade fyllts igen med betongblock.

"Bor ni här?" frågade han.

"Alla har inte råd med bostadsrätt."

Nog så sant, nog så sant. Han var lyckligt lottad på många sätt. De gav porten en rejäl knuff och den gick upp. De klev in, en vän på varje sida om honom med varsin hand på hans rygg. Innanför var det fuktigt och eländigt, trappan halvt blockerad av trasiga madrasser och toalettsitsar, rör och bitar av trasig golvlist.

"Mycket hälsosamt."

"Det är okej när man väl kommer upp."

De gick två våningar upp. Det fanns ett par dörrar på trappavsatsen, båda öppna.

"In här, Allan."

Så han gick in.

Det fanns ingen elektricitet, men en av hans vänner hade en ficklampa. Stället var rena avskrädeshögen.

"Skulle inte ha trott att ni var lodisar, grabbar."

"Köket är okej."

Så de tog med honom dit. Han såg en trästol som en gång hade varit stoppad. Den stod på vad som fanns kvar av linoleumgolvet. Han nyktrade snabbt till, men inte tillräckligt snabbt.

De drog ner honom på stolen. Han hörde tejp dras från en rulle och surra fast honom vid stolen, runt, runt. Sedan runt huvudet, över hans mun. Därefter benen, hela vägen ner till vristerna. Han försökte skrika, fick kväljningar av tejpen. Ett slag träffade sidan av huvudet. Ögon och öron förlorade skärpan för ett ögonblick. Huvudet värkte, som om det just haft kontakt med en balk. Vilda skuggor fladdrade över väggarna.

"Ser ut som en mumie, tycker du inte?"

"Ja, fy farao."

Adidasväskan låg på golvet framför honom, öppen.

"Och nu", sa den ene av dem, "ska jag bara ta fram mina sportgrejer."

Tång, hammare, häftpistol, elektrisk skruvdragare och en såg.

Nattsvett, salt som sved i ögonen, sippade in, sippade ut igen. Han visste vad som hände men kunde fortfarande inte tro det. De två männen sa ingenting. De lade ett stycke kraftig etenplast på golvet. Sedan lyfte de upp honom och stolen på plasten. Han vred sig, försökte skrika, blundade hårt, slet i bojorna. När han öppnade ögonen såg han en genomskinlig plastpåse. De drog ner den över hans huvud och surrade fast den med tejp runt hans hals. Han andades in genom näsborrarna och påsen drogs ihop. En av dem tog upp sågen, lade sedan ner den och tog upp hammaren istället.

Driven av ren skräck tog sig Allan Mitchison på något sätt upp på fötter, fortfarande bunden vid stolen. Köksfönstret var rakt framför honom. Någon hade satt brädor för, men brädorna hade ryckts loss. Karmen var kvar, men av fönsterrutorna återstod bara fragment. De två männen donade med sina verktyg. Han snubblade mellan dem och ut genom fönstret.

De väntade inte för att se honom falla. De bara samlade ihop verktygen, vek ihop plasten till ett slarvigt byte, stoppade tillbaka allt i Adidasväskan och drog igen blixtlåset.

"Varför just jag?" hade Rebus frågat när han ringt till stationen.

"Därför", hade hans chef sagt, "att du är ny. Du har inte varit med tillräckligt länge för att ha fått fiender i området."

Och dessutom, kunde Rebus ha tillagt, kan ni inte hitta vare sig Maclay eller Bain.

Någon som rastat sin vinthund hade ringt in det. "Folk slänger ut en massa på gatan, men inte på det här sättet."

När Rebus kom till platsen stod där ett par polisbilar som ett slags spärr, vilket inte hindrat folk som bodde där från att samlas. Någon gjorde grymtande ljud för att härma en gris. De var inte mycket för det originella här omkring; traditionen satt djupt. Lägenheterna var i huvudsak tomma, väntade på rivning. Familjerna hade blivit tvångsförflyttade. I några av husen fanns det fortfarande ett fåtal bebodda lägenheter. Rebus skulle inte ha velat stanna.

Kroppen hade förklarats död, omständigheterna var minst sagt suspekta och nu samlades tekniker och fotografer. En representant för allmänne åklagaren talade med rättsläkaren, doktor Curt. Curt såg Rebus och nickade till hälsning. Men Rebus hade bara ögon för kroppen. Ett gammaldags staket med piggar löpte längs huset och kroppen var spetsad på staketet och droppade fortfarande blod. Först trodde han att kroppen var kraftigt deformerad, men när han gick närmare såg han vad det var. En stol, halvt krossad i fallet. Den var fastsurrad vid kroppen med en massa silvergrå tejp. Det satt en plastpåse över likets huvud. Påsen, som en gång varit genomskinlig, var nu till hälften fylld med blod.

Doktor Curt kom gående. "Jag undrar om vi kommer att hitta en apelsin i munnen på honom."

"Skulle det där vara roligt?"

"Jag hade tänkt ringa. Tråkigt att höra om din... tja..."

"Craigmillar är inte så farligt."

"Det var inte det jag menade."

"Jag vet." Rebus tittade upp. "Hur många våningar föll han?"

"Ser ut som ett par. Fönstret där."

Det hördes ljud bakom dem. En av de uniformerade poliserna kräktes på vägen. En kollega höll en uppmuntrande arm om hans axlar.

"Vi måste få ner honom", sa Rebus. "Få in den stackars djäveln i en liksäck."

"Ingen elektricitet", sa någon och räckte Rebus en ficklampa.

"Vågar man gå på golvet?"

"Än har ingen ramlat igenom."

Rebus gick runt i lägenheten. Han hade varit i sådana här kyffen ett otal gånger. Gäng hade varit inne och sprejat sina namn och sin urin på väggarna. Andra hade plockat bort allt med skymten av monetärt värde: golvbeläggning, innerdörrar, ledningar, takrosetter. Ett bord med bara tre ben hade vänts upp och ner i vardagsrummet. På det låg en skrynklig filt och några tidningssidor. Ett riktigt andra hem. Det fanns ingenting i badrummet, bara hål där inredningen suttit. I sovrumsväggen var det också ett stort hål. Man kunde titta genom det in till lägenheten bredvid, och se en identisk scen.

SOCO:s folk koncentrerade sig på köket.

"Vad har vi?" frågade Rebus. Någon lyste med sin ficklampa in i ett hörn.

"En påse med sprit, sir. Whisky, rom, några burkar och tilltugg."

"Fest på gång."

Rebus gick fram till fönstret. En uniformerad polis stod där och tittade ner på gatan, där fyra man försökte få ner kroppen från staketet.

"Mer borta än så kan man inte bli." Den unge konstapeln vände sig mot Rebus. "Vad tror ni, sir? Alkis som tar livet av sig?"

"Ta och vänj dig vid den där uniformen, grabben." Rebus gick tillbaka in i rummet. "Jag vill ha fingeravtryck från påsen och dess innehåll. Om den är från en spritbutik finns det antagligen prislappar. Om inte, kan den vara från en pub. Vi letar efter en, sannolikt två personer. Den som sålde spriten till dem kanske kan ge en beskrivning. Hur kom de hit? Med egen transport? Buss? Taxi? Det behöver vi veta. Hur kände de till det här stället? Lokalkännedom? Vi måste fråga grannarna." Nu gick han genom rummet. Han kände igen några unga kriminalare från St Leonard's, och såg ett antal Craigmillaruniformer. "Vi delar upp uppgifterna senare. Alltihop kan vara en ohygglig olyckshändelse eller ett skämt som gått snett, men vad det än var, så var offret inte här ensam. Jag vill veta vem som var här tillsammans med honom. Tack och godnatt."

Utanför togs de sista bilderna av stolen och tejpen runt den innan stol skildes från kropp. Stolen skulle också läggas i en säck, tillsammans med eventuella flisor som hittades. Lustigt hur ordentligt allt blev; ordning ur kaos. Doktor Curt sa att han skulle utföra obduktionen dagen därpå. Det var okej för Rebus. Han gick tillbaka till bilen och önskade att han haft sin egen: Saaben hade en halv flaska whisky instoppad under förarsätet. Många av pubarna skulle fortfarande vara öppna: licens till midnatt. Istället körde han tillbaka till stationen. Den låg bara en dryg kilometer bort. Maclay och Bain såg ut som om de just kommit in, men de hade redan hört nyheten.

"Mord?"

"Något i den stilen", sa Rebus. "Han var fasttejpad vid en stol med en plastpåse över huvudet och tejp för munnen. Kanske blev han knuffad, kanske hoppade han eller föll. Den eller de som var med honom fick bråttom därifrån – glömde spriten."

"Knarkare? Hemlösa?"

Rebus skakade på huvudet. "Jeansen såg nya ut, och nya Nikeskor på fötterna. Plånbok full med kontanter, bankkort och kreditkort."

"Så vi har ett namn?"

Rebus nickade. "Allan Mitchison, adress Morrison Street." Han skakade på en nyckelknippa. "Någon som vill hänga med?"

Bain följde med Rebus och lät Maclay hålla ställningarna. Bain sa att han inte var någon bra passagerare, så Rebus lät honom köra. Polisinspektör "Dod" Bain hade ett visst rykte. Det hade följt honom från Dundee till Falkirk och därifrån till Edinburgh. Dundee och Falkirk var inte heller några semesterorter precis. Han hade ett ärr under höger öga, minne från ett knivöverfall. Han rörde ofta vid det med ett finger; det var ingenting han var medveten om. Med sina dryga en och sjuttio var han en halv decimeter kortare än Rebus och kanske fem kilo lättare. Han hade varit amatörboxare i mellanvikt, southpaw, och som minne av det hade han ett öra som satt längre ner än det andra och en näsa som täckte halva ansiktet. Det kortklippta håret var gråsprängt. Gift, tre söner. Rebus hade inte sett mycket på Craigmillar som rättfärdigade Bains rykte som hårding. Han var korrekt, en sådan som fyllde i formulär och gjorde utredningar enligt reglementet.

Rebus hade just gjort sig kvitt en nemesis – kommissarie Alister Flower, befordrad till någon Bordersutpost, med uppgift att jaga tide-lagare och fortkörare i traktor – och var inte intresserad av att fylla va-kansen.

Allan Mitchisons lägenhet låg i ett arkitektritat husblock i vad som ville kallas "Finansdistriktet". Området vid Lothian Road hade förvandlats till ett konferenscenter och hus med "våningar". Ett nytt hotell var på gång, och ett försäkringsbolag hade flyttat sitt nya huvudkontor till Caledonian Hotel. Där fanns plats för mer ut-byggnad, fler vägbyggen.

"Vansinne", sa Bain och parkerade bilen.

Rebus försökte komma ihåg hur platsen sett ut förut. Han behövde bara tänka ett eller två år tillbaka, men klarade det ändå inte. Hade det bara varit ett stort hål i marken, eller hade de rivit saker? De befann sig sjuhundra meter, kanske mindre, från Torphichens polisstation; Rebus trodde att han kände till hela den här jaktmarken. Men nu insåg han att han inte alls var bekant med den.

Knippan innehöll ett halvt dussin nycklar. En av dem gick till por-ten. I den väl upplysta vestibulen fanns en hel vägg med brevfack. De hittade namnet Mitchison – lägenhet 312. Rebus använde en annan nyckel för att öppna facket och ta ut posten. Där fanns en del skräp – "Öppna nu! Du kan ha kammat hem ditt livs vinst!" – och en kredit-kortsrapport. Han öppnade redovisningen. Aberdeen HMV, en sport-affär i Edinburgh – 56 pund och 50 pence, Nikeskorna – och en indisk restaurang, också i Aberdeen. Ett uppehåll på knappt två veckor och sedan den indiska restaurangen igen.

De tog den trånga hissen upp till tredje våningen, med Bain skugg-boxande mot helfigursspegeln, och hittade lägenhet 12. Rebus låste upp dörren, såg att larmpanelen blinkade på väggen i den lilla hallen och använde en annan nyckel för att koppla ur det. Bain hittade strömbrytaren och stängde dörren. Lägenheten luktade färg och puts, mattor och fernissa – ny, obebodd. Där fanns inte en möbel, bara en telefon på golvet bredvid en utrullad sovsäck.

"Det enkla livet", sa Bain.

Köket var fullt utrustat – tvättmaskin, spis, diskmaskin, kylskåp –

men förseglingen satt kvar över luckan till torkmaskinen och kyl-skåpet innehöll bara sin bruksanvisning, en extra glödlampa och en uppsättning hyllor. Det fanns en sophink i skåpet under diskbänken. När man öppnade luckan öppnades hinklocket automatiskt. Inuti såg Rebus två hopkramade ölburkar och det rödfläckiga pappret från något som luktade kebab. Lägenhetens enda sovrum var tomt, inga kläder i den inbyggda garderoben, inte ens en klädhängare. Men Bain släpade ut någonting från det lilla badrummet. Det var en blå ryggsäck, en Karrimor.

"Ser ut som om han kom hem, tvättade sig, bytte om och snabbt stack ut igen."

De började tömma ryggsäcken. Förutom kläder hittade de en free-style och några band – Soundgarden, Crash Test Dummies, Dancing Pigs – och ett exemplar av Iain Banks *Whit*.

"Jag hade tänkt köpa den där", sa Rebus.

"Ta den nu. Vem tittar?"

Rebus såg på Bain. Blicken verkade oskyldig, men han skakade ändå på huvudet. Han kunde inte gå och ge mer ammunition till någon. Han drog upp en kasse ur en av sidofickorna: nya band – Neil Young, Pearl Jam, Dancing Pigs igen. Kvittot från HMV i Aberdeen.

"Min gissning", sa Rebus, "är att han jobbade i Furry Boot Town."

Ur den andra sidofickan tog Bain fram en hopvikt broschyr. Han vek upp den och lät Rebus se vad det var. Där fanns ett färgfoto av en oljeplattform på första sidan, under rubriken: "T-BIRD OIL – HÅLLER BALANSEN", och en underrubrik som löd: "Ta offshore-installationer ur drift – Ett anspråkslöst förslag". Inuti, intill några textstycken, fanns färgkartor, diagram och statistik. Rebus läste den första meningen:

"'I begynnelsen, för många miljoner år sedan, fanns det mikroskopiska organismer som levde och dog i floderna och haven.'" Han tittade på Bain. "Och de gav sina liv så att vi miljoner år senare kan åka omkring i bilar."

"Jag får en känsla av att Piggen kanske jobbade åt ett oljebolag."

"Han hette Allan Mitchison", sa Rebus lågt.

Det hade börjat ljusna när Rebus till sist kom hem. Han satte på stereon så att den precis hördes, sköljde sedan av ett glas i köket och hällde i några centimeter Laphroaig, plus några droppar vatten från kranen. Vissa whiskysorter krävde vatten. Han satte sig vid köksbordet och tittade på tidningarna som låg utbredda där, klipp om Johnny Bibel-fallet, fotokopior av gammalt Bibel-John-material. Han hade tillbringat en dag på nationalbiblioteket, där han gått igenom åren 1968-70, kört en massa mikrofilm genom maskinen. Nyhetsstoff hade hoppat fram. Rosyth skulle bli av med sin kommendörkapten; planer för en petrokemisk anläggning på 50 miljoner pund i Invergordon tillkännagavs; *Camelot* gick på ABC.

Reklam för ett häfte – "Hur Skottland borde styras" – och där fanns insändare om självstyrelse. En sälj- och marknadschef söktes, lön 2 500 pund om året. Ett nytt hus i Strathalmond kostade 7 995 pund. Grodmän letade efter ledtrådar i Glasgow, medan Jim Clark vann Grand Prix i Australien. Under tiden åkte medlemmar av Steve Miller Band fast i London för knarkinnehav, och det fanns inte plats att parkera fler bilar i Edinburgh…

1968.

Rebus hade exemplar av riktiga tidningar – köpta av en handlare för betydligt mer än det tryckta priset på sex pence. De fortsatte in på -69. Augusti. Veckoslutet när Bibel-John tog livet av sitt andra offer, när det hettade till i Ulster och 300 000 popfans dök upp (och tände på) i Woodstock. En snygg ironi. Det andra offret hittades av sin egen syster i en övergiven lägenhet… Rebus försökte låta bli att tänka på Allan Mitchison, koncentrerade sig istället på gamla nyheter, log åt en tjugonde augusti-rubrik: "Downing Street Declaration". Trålfiskare strejkar i Aberdeen … ett amerikanskt filmbolag efterlyser sexton säckpipor … affärer med Robert Maxwells Pergamon uppskjutna. En annan rubrik: "Antalet våldsbrott i Glasgow minskar kraftigt". Säg det till offren. I november rapporterades det att antalet mord i Skottland var dubbelt så högt som i England och Wales – rekordartade femtiotvå åtal under året. En debatt om dödsstraff pågick. Det var antikrigsdemonstrationer i Edinburgh, medan Bob Hope underhöll trupperna i Vietnam. Stones gjorde två shower i Los Angeles – med 71 000 pund i gage popvärldens mest lukrativa enkvällsengagemang.

Det dröjde till den 22 november innan det dök upp en fantombild av Bibel-John i pressen. Vid det laget *var* han Bibel-John: media hade hittat på namnet. Tre veckor gick mellan det tredje mordet och fantombilden: spåret hade kallnat. Det hade funnits en fantombild också efter det andra mordet, men först efter nästan en månad. Stora, stora förseningar. Rebus undrade över dem…

Han kunde inte riktigt förklara varför Bibel-John gick honom på nerverna. Kanske använde han sig av ett gammalt fall för att hålla ett annat ifrån sig – Spavenfallet. Men han trodde att det gick djupare än så. Bibel-John betydde slutet på sextiotalet för Skottland, han hade förbittrat slutet på ett årtionde och början på ett nytt. För en massa människor hade han nästan tagit död på den lilla rännil av fred och kärlek som nått så här långt norrut. Rebus ville inte att nittonhundratalet skulle sluta på samma sätt. Han ville att Johnny Bibel greps. Men någonstans längs vägen hade hans intresse för det aktuella fallet spårat ur. Han hade börjat koncentrera sig på Bibel-John, så till den grad att han dammade av gamla teorier och lade ner en smärre förmögenhet på tidningar från den tiden. 1968 och 1969 hade Rebus varit i armén. De hade lärt honom att lemlästa och döda och sedan skickat honom utomlands – till sist till Nordirland. Han kände att han missat en viktig del av den tiden.

Men han var åtminstone fortfarande vid liv.

Han tog med sig glas och flaska in i vardagsrummet och sjönk ner i sin stol. Han visste inte hur många lik han hade sett. Det enda han visste var att det inte blev lättare. Han hade hört skvaller om Bains första obduktion, om att Naismith uppe i Dundee varit obducent, en grym djävel när han var som bäst. Han hade antagligen vetat att det var första gången för Bain och hade verkligen jobbat på liket, som en skrothandlare som plockar isär en bil, lyft ut organ, sågat upp skallen, haft händerna fulla av glänsande hjärna – det gjorde man inte lika lättsinnigt nuförtiden, då rädslan för hepatit C fanns där. När Naismith började skala av könsorganen hade Bain fallit raklång. Men han hade stannat, han hade inte smitit eller dragit sig ur. Kanske kunde Rebus och Bain jobba ihop, när väl friktionen hade slipat av kanterna. Kanske.

Han tittade ut genom burspråkets fönster, ner på gatan. Han stod fortfarande parkerad vid dubbel gul linje. Det var tänt i en av lägenheterna på andra sidan gatan. Det var alltid tänt någonstans. Han smuttade på innehållet i glaset, ville inte jäkta, och lyssnade på Stones: *Black and Blue*. Svarta influenser, bluesinfluenser. Ingen stor Stones, men kanske deras mognaste album.

Allan Mitchison låg i en kylbox i Cowgate. Han hade dött fastsurrad vid en stol. Rebus visste inte varför. Pet Shop Boys: "It's a Sin". Övergång till Glimmer Twins: "Fool to Cry". Mitchisons lägenhet hade i vissa avseenden inte varit så olik Rebus egen: knappt använd, mer en bas än ett hem. Han hällde i sig resten av whiskyn, serverade sig lite till, svepte det också och drog upp duntäcket från golvet och upp till hakan.

Ännu en dag till ända.

Han vaknade några timmar senare, blinkade, reste sig och gick ut i badrummet. En dusch, rakning, klädbyte. Han hade drömt om Johnny Bibel, blandat ihop alltsammans med Bibel-John. Poliser på brottsplatsen klädda i trånga kostymer och smala svarta slipsar, vita nylonskjortor, flatkulliga hattar. 1968, Bibel-Johns första offer. För Rebus betydde det Van Morrison, *Astral Weeks*. 1969, offer nummer två och tre; Stones, *Let It Bleed*. Jakten fortsatte in på 1970, John Rebus som ville åka till Isle of Wight-festivalen, men inte lyckades med det. Fast vid det laget hade Bibel-John förstås försvunnit... Han hoppades att Johnny Bibel bara skulle dra och dö.

Det fanns inget att äta i köket, bara tidningar. Närbutiken på hörnet hade bommat igen. Det var inte mycket längre att gå till nästa affär. Nej, han kunde stanna någonstans på vägen. Han tittade ut genom fönstret och såg en ljusblå kombi stå dubbelparkerad utanför och blockera tre andra bilar. Utrustning baktill i kombin, två män och en kvinna som stod på trottoaren och drack kaffe ur muggar.

"Fan", sa Rebus och knöt slipsen.

När han fått på sig kavajen gick han ut, och in i frågorna. En av männen lyfte upp en videokamera på axeln. Den andre mannen talade.

"Kommissarien, kan vi få växla ett par ord? Redgauntlet Television, programmet *Lag och rätt.*" Rebus kände till honom: Eamonn Breen. Kvinnan var Kayleigh Burgess, programmets producent. Breen var författare/presentatör, älskade sig själv och var en FIA: finne i arslet.

"Spavenfallet, kommissarien. Några minuter av er tid, det är allt vi behöver, för att hjälpa alla att gå till botten med – "

"Jag är redan där." Rebus såg att kameran inte var klar än. Han gjorde snabbt helt om, snuddade nästan vid reporterns näsa med sin. Han tänkte på Mental-Minto som viskade ordet "trakasseri", utan att veta vad ordet trakasseri innebar, så som Rebus fått erfara det.

"Du kommer att tro att du ligger på förlossningen", sa han.

Breen blinkade. "Förlåt?"

"När läkarna plockar ut den där kameran ur arslet på dig." Rebus ryckte loss en parkeringslapp från sin vindruta, låste upp bilen och hoppade in. Videokameran var äntligen uppe och igång, men allt den fick med var en illa åtgången Saab 900 som snabbt backade från platsen.

Rebus hade ett morgonmöte med sin chef, överkommissarie Jim MacAskill. Chefens kontor såg lika kaotiskt ut som resten av stationen: packlådor som fortfarande väntade på att bli fyllda och försedda med etiketter, halvtomma hyllor, gamla gröna arkivskåp med öppna lådor som innehöll mängder av pappersarbete, vilket alltsammans måste fraktas bort i någorlunda ordning.

"Världens svåraste pussel", sa MacAskill. "Om allthop kommer fram oskadat kommer det att vara ett lika stort mirakel som när Raith Rovers vann UEFA-cupen."

Chefen var från Fife precis som Rebus, född och uppvuxen i Methil, på den tiden när varvet byggde båtar istället för borrplattformar till olje-industrin. Han var lång och välväxt och yngre än Rebus. Hans handslag var inte en frimurares, och han var fortfarande ogift, vilket gett upphov till det vanliga skvallret om att chefen kanske var en gillar-dina-loafers-typ. Det bekymrade inte Rebus – han bar själv aldrig loafers – men om chefen var gay hoppades han att det inte fanns skuldkänslor med i bilden. Det var när man ville att någonting förblev en hemlighet som man

föll offer för utpressare och skamhandlare, destruktiva krafter både in-
och utvändigt. Någonting Rebus väl kände till.

Hur som helst såg MacAskill bra ut, med en massa tjockt svart hår –
inget grått, inget som tydde på färgning – och ett finmejslat ansikte,
där ögonens, näsans och hakans geometri fick det att se ut som om
han log också när han inte gjorde det.

"Jaha", sa chefen, "hur tycker du att det verkar?"

"Jag är inte säker än. En fest som urartade, någon som föll igenom –
bokstavligt i det här fallet? De hade inte börjat på spriten."

"Min första fråga: kom de tillsammans? Offret kan ha kommit en-
sam och överraskat några som höll på med något de inte borde – "

Rebus skakade på huvudet. "Taxichauffören bekräftar att han släppt
av ett sällskap på tre. Lämnade signalement, av vilka ett stämmer väl
med den döde. Chauffören kom ihåg honom bäst, eftersom han upp-
förde sig värst. De andra två var tysta, till och med nyktra. Beskriv-
ningen av deras utseende kommer inte att leda oss långt. Han plocka-
de upp dem utanför Mal's Bar. Vi har talat med personalen. De sålde
spriten som vi hittade."

Chefen drog med en hand över slipsen. "Vet vi någonting mer om
den döde?"

"Bara att han hade Aberdeenanknytning, kanske jobbade i olje-
branschen. Han använde inte sin lägenhet i Edinburgh särskilt mycket,
vilket får mig att tro att han jobbade tunga skift, två veckor där, två le-
diga. Kanske kom han inte alltid hem mellan varven. Han tjänade till-
räckligt för att ha en bostadsrätt i finansdistriktet, och det är en lucka
på två veckor mellan hans senaste kreditkortsköp."

"Du tror att han kan ha varit på en oljerigg den tiden?"

Rebus ryckte på axlarna. "Jag vet inte om det fortfarande fungerar
så, men förr hade jag polare som sökte lyckan på oljeborrtornen. Pas-
sen brukade vara på två veckor, sju dar i veckan."

"Nå, det är värt att följa upp. Vi måste kolla familj också, närmast
anhörig. Prioritet för pappersarbete och formell identifiering. Min
första fråga: motiv. Handlar det om ett gräl?"

Rebus skakade på huvudet. "Det finns alldeles för mycket som ty-
der på uppsåt, alldeles för mycket. Råkade de bara hitta tejp och en

plastpåse bland skräpet? Jag tror att de hade det med sig. Minns du hur Krays tog hand om Jack "Hatten" McVitie? Nej, du är för ung. De bjöd honom på en fest. Han hade fått betalt för ett morduppdrag men misslyckats med det och kunde inte betala tillbaka. Det var i en källare, så han kommer ner där och hojtar på brudar och sprit. Inga brudar, ingen sprit, bara Ronnie som hugger tag i honom och Reggie som knivmördar honom."

"Så de här två männen lurade med sig Mitchison till den övergivna lägenheten?"

"Kanske."

"I vilket syfte?"

"Tja, det första de gjorde var att binda honom och sätta en plastpåse över huvudet på honom, så de hade inga frågor att ställa. De ville bara ha honom först skitskraj och sedan död. Jag skulle säga att det var ett rent mord, med inslag av elak grymhet."

"Kastades han ut eller hoppade han?"

"Spelar det någon roll?"

"Stor roll, John." MacAskill reste sig och lutade sig mot ett arkivskåp med armarna i kors. "Om han hoppade är det liktydigt med självmord, även om de *hade* tänkt döda honom. Med tanke på påsen över huvudet och på hur han var fastbunden har vi kanske ett straffvärt dråp. Deras försvar skulle vara att de försökte skrämma honom och att han blev *för* rädd och gjorde något som de inte hade väntat sig – hoppade ut genom fönstret."

"Vilket han måste ha varit vettskrämd för att göra."

MacAskill ryckte på axlarna. "Ändå inte mord. Den springande punkten är, försökte de skrämma honom eller ta livet av honom?"

"Jag lovar att fråga dem."

"Det känns som en gänggrej. Knark kanske, eller ett lån han slutat betala tillbaka på, någon han hade blåst." MacAskill återvände till sin stol. Han öppnade en låda och tog fram en burk Irn-Bru, öppnade den och började dricka. Han gick aldrig på puben efter jobbet, var inte med och delade på whiskyn när teamet uppnått ett resultat. Bara alkoholfria drycker: mer ammunition till gillar-dina-loafers-brigaden. Han frågade Rebus om han ville ha en burk.

"Inte när jag är i tjänst, sir."

MacAskill kvävde en rapning. "Skaffa fram lite mer om offrets bakgrund, John, och låt oss se om det leder någonstans. Kom ihåg att jaga teknikerna när det gäller identifikation av fingeravtryck på den medhavda spriten och obducenterna angående post mortem-resultat. Knarkade han? Det är min första fråga. Skulle underlätta för oss om han gjorde det. Olöst, och vi vet inte ens hur vi ska rubricera det – inte den sortens fall jag vill släpa med mig till den nya stationen. Uppfattat, John?"

"Absolut, sir."

Han vände sig om för att gå, men chefen var inte riktigt klar. "Det där problemet med… hur var namnet nu igen?"

"Spaven?" gissade Rebus.

"Spaven, ja. Lugnat ner sig än?"

"Helt lugnt", ljög Rebus och gick.

3

Den kvällen – ett åtagande inbokat sedan länge – var Rebus på rock-konsert på Ingliston Showground, en amerikansk stjärna med ett par stora brittiska namn som stöd. Rebus var en i ett team på åtta, fyra olika stationer var representerade, och backade upp (det vill säga skyddade) Trading Standards folk. De letade efter piratprylar – T-shirts och program, kassettband och CD-skivor – och hade ledningens fulla stöd. Det betydde passersedlar in bakom scen, fri tillgång till serveringstältets utbud, "godispåse" med officiella varor. Killen som delade ut påsarna log mot Rebus.

"Dina barn eller barnbarn kanske…" Och prackade på honom på-sen. Han hade hållit inne med sitt svar och gått raka vägen till sprit-tältet, där han inte kunde välja mellan dussinet spritsorter utan be-stämde sig för en öl, bara för att sedan önska att han tagit några droppar Black Bush, och smög ner den oöppnade flaskan i sin godispåse.

De hade två stora transportbilar parkerade utanför arenan, långt bakom scenen, som de fyllde med skumraskförsäljare och deras varor. Maclay vaggade tillbaka till bilarna medan han höll om ena handens knogar.

"Vem har du klippt till, Tungviktarn?"

Maclay skakade på huvudet och torkade svetten ur pannan, en ur-spårad Michelangelo-kerub.

"En kille som spjärnade emot", sa han. "Hade en resväska med sig. Jag slog ett hål rakt igenom den. Sedan spjärnade han inte emot längre."

Rebus tittade in baktill i en av bilarna, den med kroppar i. Ett par ungar, som redan höll på att bli förhärdade, och två stammisar, gamla nog att veta vad som gällde. De skulle få böter motsvarande en dagslön, det förlorade lagret blev bara ännu en skuld. Sommaren var ung, än återstod många festivaler.

"Ett förbannat oväsen."

Maclay menade musiken. Rebus ryckte på axlarna. Han hade börjat komma in i det, tänkt att han kanske skulle ta hem några av piratskivorna. Han höll fram Black Bush-flaskan mot Maclay. Maclay drack ur den som om det varit läsk. Rebus bjöd honom på en mintkaramell efteråt, och han slängde in den i munnen med en nick till tack.

"Obduktionsresultaten kom i eftermiddags", sa den store mannen.

Rebus hade tänkt ringa, hade inte fått tillfälle. "Och?"

Maclay krossade mintkaramellen till pulver. "Fallet dödade honom. Förutom det, inte mycket."

Fallet dödade honom: liten chans till att få någon fälld för mord. "Toxikologi?"

"De testar fortfarande. Professor Gates sa att det kom en stank av mörk rom när de skar upp magen."

"Det fanns en flaska i påsen."

Maclay nickade. "Den avlidnes dryck. Gates sa att det än så länge inte finns några tecken på narkotikabruk, men vi måste vänta på proverna. Jag tittade i telefonkatalogen efter folk som heter Mitchison."

Rebus log. "Jag med."

"Jag vet. Du hade redan ringt ett av numren som jag slog. Inget napp?"

Rebus skakade på huvudet. "Jag fick ett nummer till T-Bird Oil i Aberdeen. Deras personalchef ska höra av sig."

En av Trading Standards mannar kom emot dem med famnen full av T-shirts och program. Han var röd i ansiktet av ansträngning, den smala slipsen hängde lös nedanför halsen. Bakom honom kom en man från "F Troop" – Livingstondistriktet – med ännu en fånge.

"Snart klart, mr Baxter?"

Trading Standards-mannen släppte ner tröjorna, tog sedan upp en och torkade sig i ansiktet med den.

"Det får räcka nu", sa han. "Jag ska samla ihop mitt folk."

Rebus vände sig till Maclay. "Jag är hungrig som en varg. Kom så ser vi vad de har fixat åt världsstjärnorna."

Där fanns en del fans som försökte ta sig förbi säkerhetsvakten. Mest tonåringar, lika många pojkar som flickor. Några hade lyckats smita in. De strosade omkring bakom avspärrningen och spanade efter ansikten från affischerna på sina sovrumsväggar. Sedan när de verkligen upptäckte ett skulle de vara för imponerade eller blyga för att säga något.

"Barn?" frågade Rebus och såg på Maclay. De satt inne i serveringstältet och njöt av varsin flaska Beck's från en kylbox som Rebus inte lagt märke till första gången.

Maclay skakade på huvudet. "Skild innan det blev aktuellt. Du?"

"En dotter."

"Vuxen?"

"Ibland tror jag att hon är äldre än jag."

"Ungar växer upp snabbare nu än på vår tid." Rebus log åt det. Maclay var minst tio år yngre än han själv.

En vilt skrikande flicka släpades tillbaka mot avspärrningen av två bastanta vakter.

"Jimmy Cousins", sa Maclay och pekade ut den ene av säkerhetsbjässarna. "Känner du honom?"

"Han jobbade på Leith ett tag."

"Gick i pension förra året, bara fyrtiosju. Jobbat trettio år. Nu har han sin pension och ett jobb. Får en att fundera."

"Får mig att tro att han saknar polisjobbet."

Maclay log. "Det kan bli en vana."

"Var det därför som du skilde dig?"

"Det spelade en viss roll."

Rebus tänkte på Brian Holmes, oroade sig för honom. Stress började tära på den yngre mannen, påverkade både arbete och privatliv. Rebus hade varit med om det.

"Känner du Ted Michie?"

Rebus nickade: mannen som han ersatt på Fort Apache.

"Läkarna tror att det är obotligt. Han vägrar att låta dem skära, säger att knivar är emot hans religion."

"Han lär ha varit skicklig med batongen på sin tid."

Ett av stödbanden kom in i tältet till spridda applåder. Fem manliga individer, omkring tjugofem, med nakna överkroppar och handdukar om axlarna, höga på något – kanske bara av spelningen. Kramar och kyssar från ett gäng flickor vid ett bord, vrål och skrik.

"Vi tog fanimej död på dom där ute!"

Rebus och Maclay drack under tystnad, försökte att inte se ut som arrangörer av popgalor, lyckades.

När de kom tillbaka ut var det tillräckligt mörkt för att ljusspelet skulle vara värt att beskåda. Där var fyrverkeri också, vilket påminde Rebus om att det var turistsäsong. Snart dags för nattligt Tattoo, med fyrverkeri som kunde höras från Marchmont, också med fönstren stängda. Ett kamerateam, förföljt av fotografer, smög efter det främsta stödbandet som gjorde sig redo att gå upp på scenen. Maclay studerade processionen.

"Du är förstås förvånad över att de inte smyger efter *dig*", sa han retsamt.

"Äh, dra åt helvete", sa Rebus och satte kurs mot scenens ena sida. Passersedlarna var färgkodade. Hans var gul, och med den kom han så långt som till kulisserna, varifrån han tittade på underhållningen. Ljudanläggningen var ett skämt, men det fanns monitorer i närheten och han koncentrerade sig på dem. Publiken verkade ha roligt, gungade upp och ner, ett hav av huvuden utan kroppar. Han tänkte på Isle of Wight, på andra festivaler han missat, stjärnor som inte längre fanns.

Han tänkte på Lawson Geddes, hans före detta mentor, chef, beskyddare, minnet sökte sig tillbaka genom två årtionden.

John Rebus, runt tjugofem, kriminalassistent, som ville lägga åren i det militära bakom sig, spöken och mardrömmar. En fru och en nyfödd dotter som försökte vara hans liv. Och Rebus kanske letade efter en surrogatpappa, och hittade en i Lawson Geddes, kommissarie, Edinburghpolisen. Geddes var fyrtiosem, före detta militär, hade varit med under konflikten på Borneo och berättade historier om djungelkrig kontra Beatles, ingen hemma i Storbritannien var särskilt intresserad av en sista kolonial muskelryckning. De två männen fann att de hade samma värderingar, samma svettiga mardrömmar om fiasko. Rebus var ny på kriminalavdelningen, Geddes visste allt som fanns att veta. Det var lätt att minnas det första året av växande vänskap, nog så lätt att förlåta de få problemen: Geddes som stötte på Rebus unga fru, och nästan lyckades; Rebus som tuppade av på en fest hemma hos Geddes, vaknade i mörkret och pinkade i en byrålåda i tron att han hittat toaletten; några knytnävsslagsmål efter sista beställningen, med knytnävar som aldrig fick kontakt, och blev brottningsmatcher istället.

Lätt att förlåta så mycket. Men sedan hamnade de i en mord-utredning, där Leonard Spaven var Geddes misstänkte nummer ett. Geddes och Lenny Spaven hade lekt katt och råtta i några år – överfall, koppleri, kapning av några lastbilar med cigarretter. Det till och med viskades om ett mord eller två, gangstergrejer, trimning av konkurrensen. Spaven hade varit i skotska gardet samtidigt med Geddes, kanske hade illviljan börjat där, ingen av männen nämnde det någonsin.

Julen 1976, en ohygglig upptäckt på en åker i närheten av Swanston: en halshuggen kvinnokropp. Huvudet dök upp nästan en vecka senare, på nyårsdagen, på en annan åker i närheten av Currie. Vädret var kyligt, under noll. Graden av förruttnelse gjorde att obducenten kunde säga att huvudet hade förvarats inomhus en viss tid efter det att det avlägsnats från kroppen, medan själva kroppen hade dumpats direkt. Glasgowpolisen halvintresserad, Bibel-Johns akt fortfarande öppen efter sex år. Först identifikation med hjälp av kläder, någon hörde av sig och sa att beskrivningen lät som en granne som inte setts till på ett par veckor. Mjölkbudet hade fortsatt att leverera tills han bestämt sig för att ingen var hemma, att hon rest bort över julen utan att meddela honom.

Polisen bröt upp dörren. Oöppnade julkort på hallmattan; en gryta med soppa på spisen, fläckig av mögel; en radio som spelade tyst. Släktingar letades upp och identifierade kroppen – Elizabeth Rhind, kallad Elsie. Trettiofem år, skild från en sjöman i handelsflottan. Hon hade arbetat på ett bryggeri, med stenografi och maskinskrivning. Hon hade varit omtyckt, den utåtriktade sorten. Den före detta mannen, misstänkt nummer ett, hade ett vattentätt alibi: hans fartyg var i Gibraltar vid den aktuella tidpunkten. Listor med offrets vänner, särskilt pojkvänner, och ett namn dök upp: Lenny. Inget efternamn, någon som Elsie hade gått ut med några veckor. Kamrater lämnade ett signalement, och Lawson Geddes visste vem som dolde sig bakom det: Lenny Spaven. Geddes hade snabbt sin teori klar: Lenny hade siktat in sig på Elsie när han fått veta att hon arbetade på ett bryggeri. Han var antagligen på jakt efter insideinformation, funderade kanske på att kapa en lastbil eller på ett helt vanligt inbrott. Elsie vägrade att hjälpa till, han blev arg, och han dödade henne.

Det lät bra i Geddes öron, men han hade svårt att övertyga någon annan. Och det fanns inte heller några bevis. De kunde inte säga exakt när döden inträffat, gav ett dygns felmarginal, så Spaven behövde inte komma med alibi. Vid genomsökning av hans, och hans vänners, hem hittades inga blodspår, ingenting. Det fanns andra trådar de borde ha följt, men Geddes kunde inte sluta tänka på Spaven. Det höll på att göra John Rebus vansinnig. De grälade högt, mer än en gång, slutade gå ut och ta ett glas tillsammans. Chefen talade med Geddes, sa åt honom att hans fixa idé var till men för utredningen. Han blev tillsagd att ta semester. De hade till och med en insamling för honom i Mordrummet.

Sedan en kväll hade han kommit hem till Rebus och bett om en tjänst. Han såg ut att varken ha sovit eller bytt kläder på en vecka. Han sa att han hade skuggat Spaven och spårat honom till ett garage i Stockbridge. Han var antagligen kvar där om de skyndade sig. Rebus visste att det var fel. Men Geddes darrade, var vild i ögonen. Alla tankar på husrannsakningsorder och liknande gick upp i rök. Rebus insisterade på att köra, Geddes visade vägen.

I garaget fanns Spaven. Och bruna pappkartonger, i höga travar: resultatet av ett inbrott i ett South Queensferry-magasin i november. Digitala klockradioapparater: Spaven försåg dem med stickkontakter, gjorde sig redo att bjuda ut dem på pubar och klubbar. Bakom en trave lådor hittade Geddes en plastpåse. I den fanns en damhatt och en gulvit axelväska, som båda senare visade sig ha tillhört Elsie Rhind.

Spaven bedyrade sin oskuld från det ögonblick Geddes lyfte upp bärkassen och frågade vad den innehöll. Han fortsatte att bedyra sin oskuld under resten av utredningen, under rättegången och medan han släpades tillbaka till cellen efter att ha blivit dömd till livstid. Geddes och Rebus var med i rättssalen, Geddes åter sitt normala jag, strålande av belåtenhet, Rebus bara lite illa till mods. De hade varit tvungna att koka ihop en historia: ett anonymt tips om ett parti stulet gods, en upptäckt av en slump… Det kändes rätt och fel på samma gång. Lawson Geddes hade inte velat tala om det efteråt, vilket var konstigt: i allmänhet analyserade de sina fall – mer eller mindre framgångsrikt – över ett glas. Sedan hade Geddes till allas förvåning tagit avsked från polisen, med befordran bara ett eller två år bort. Istället hade han börjat arbeta i sin fars affär för utskottsvaror – med ständig rabatt för tjänstgörande poliser – tjänat en del pengar och pensionerat sig vid femtiofem. De senaste tio åren hade han och hans fru Etta bott på Lanzarote.

För tio år sedan hade Rebus fått ett vykort. Lanzarote hade "ont om färskt vatten, men tillräckligt för att blanda ett glas whisky, och Torresvinerna behöver inte späs ut". Landskapet var nästan månlikt, "svart vulkanaska, också en ursäkt för att slippa trädgård!", och det var ungefär allt. Han hade inte hört någonting sedan dess, och Geddes hade inte lämnat sin adress på ön. Det var okej, vänner kom och gick. Geddes hade varit bra att känna den gången, han hade lärt Rebus en massa.

Dylan: *Don't Look Back*.

Här och nu: ljusspelet stack Rebus i ögonen. Han blinkade tillbaka tårar, lämnade scenområdet, drog sig mot tältet. Popstjärnor med följe älskade mediaintresset. Fotoblixtar och frågor. Skummande champagne. Rebus borstade bort skumpastänk från axlarna och bestämde sig för att det var dags att leta upp bilen.

Spavenfallet skulle ha förblivit avslutat, hur ljudligt fången än själv bedyrat sin oskuld. Men i fängelset hade Spaven börjat skriva, och det han skrev hade smugglats ut av vänner eller mutade fångvaktare. En del hade kommit i tryck – först skönlitteratur, en tidig berättelse vann första pris i någon tävling i en tidning. När vinnarens identitet och vistelseort avslöjades fick tidningen en ännu större nyhet. Mer skrivande, mer publicering. Sedan en TV-pjäs, författad av Spaven. Den fick pris någonstans i Tyskland, ännu ett i Frankrike, den visades i USA, tjugo miljoner beräknades ha sett den. Det kom en fortsättning. Sedan en roman, och sedan började de icke skönlitterära berättelserna dyka upp – först Spavens tidiga år, men Rebus visste vart det skulle leda.

Vid det här laget fanns det ett starkt stöd i massmedia för en frigivning, ett stöd som upphörde när Spaven gjorde sig skyldig till ett brutalt överfall på en medfånge, tillräckligt allvarligt för att förorsaka hjärnskada. Spaven blev vältaligare än någonsin i sina skriverier från fängelset – mannen hade varit avundsjuk på all uppmärksamhet, hade försökt mörda Spaven i korridoren utanför hans cell. Självförsvar. Och den springande punkten: Spaven skulle aldrig ha hamnat i den här olyckliga situationen om det inte varit för att ett justitiemord blivit begånget. Andra delen av Spavens självbiografi slutade med Elsie Rhind-fallet och med omnämnande av de två poliser som satt dit honom – Lawson Geddes och John Rebus. Spaven reserverade sin verkliga avsky för Geddes, Rebus var bara en bifigur, Geddes lakej. Mer mediaintresse. Rebus såg det som en hämndfantasi, planerad under långa fängelseår. Spaven var rubbad. Men varje gång han läste det Spaven skrivit såg han hur läsaren blev manipulerad, och han tänkte tillbaka på Lawson Geddes utanför hans dörr den där kvällen, på hur de ljugit efteråt…

Och sedan dog Lenny Spaven, tog livet av sig. Förde en skalpell till halsen och sprättade upp ett gapande knytnävsstort sår. Fler rykten: Han hade blivit mördad av fångvaktare innan han kunde avsluta tredje delen av sin självbiografi och i detalj redogöra för sina år och härjningar i flera skotska fängelser. Eller så hade avundsjuka fångar fått tillträde till hans cell.

Eller så var det självmord. Han lämnade efter sig ett brev, tre hopskrynklade utkast på golvet, vidhöll in i det sista sin oskuld i fallet Elsie Rhind. Media började nosa upp sin story, Spavens liv och död var stora nyheter. Och nu… tre saker.

Ett: den halvfärdiga tredje delen av självbiografin hade getts ut – "hjärtslitande" enligt en kritiker, "en verklig bedrift" enligt en annan. Den låg fortfarande på bestsellerlistan, Spavens ansikte stirrade ut från bokhandelsfönstren längs Princess Street. Rebus försökte undvika vägen.

Två: en fånge blev frigiven och berättade för reportrar att han var den siste som såg eller talade med Spaven i livet. Enligt honom hade Spavens sista ord varit: "Gud vet att jag är oskyldig, men jag är så trött på att säga det om och om igen." För storyn fick den före detta fången 750 pund av en tidning, lätt att se som svammel avsett för en lättlurad press.

Tre: en ny programserie hade börjat i TV, *Lag och rätt*, en intensiv-granskning av brott, systemet och justitiemord. Höga tittarsiffror för första omgången – stilige presentatören Eamonn Breen lockade kvinnliga tittare – och nu var det dags för en andra omgång, och fallet Spaven – avskilt huvud, anklagelser och en mediaälsklings självmord – skulle inleda serien.

Och med Lawson Geddes utomlands, adress okänd, var det John Rebus som fick ta stöten.

Alex Harvey: "Framed". Övergång till Jethro Tull: "Living in the Past".

Han körde hem via Oxford Bar – en lång omväg, men alltid värd att ta. Ställningen med de upp och nervända flaskorna hade en stillsamt hypnotisk inverkan, den enda möjliga förklaringen till varför stamkunderna kunde stå och stirra på dem i timmar i sträck. Bartendern väntade på en beställning. Rebus tog inte "det vanliga" numera, ombyte förnöjer och allt det där.

"Mörk rom och en liten Best."

Han hade inte druckit mörk rom på åratal, betraktade det inte som en ung mans dryck. Ändå hade Allan Mitchison druckit det. En sjömans dryck, ett annat skäl till att tro att han jobbat offshore. Rebus betalade, svepte spriten i en besk klunk, sköljde munnen med öl och fann att han tömt den för snabbt. Bartendern vände sig om med hans växel.

"En stor den här gången, Jon."

"Och en rom till?"

"Nej, för sjutton." Rebus gnuggade sig i ögonen och tiggde en cigarrett av sin sömnige granne. Fallet Spaven… det hade släpat Rebus baklänges genom åren, tvingat honom att konfronteras med minnen, sedan fått honom att undra om minnet spelade honom spratt. Det var fortfarande en oavslutad affär, efter tjugo år. Som Bibel-John. Han skakade på huvudet, försökte befria det från historia, och fann sig tänka på Allan Mitchison, på att falla huvudstupa ner på ett staket med piggar, se dem närma sig, ha armarna fastsurrade vid en stol så att bara ett val återstod: ska du möta dem med öppna eller slutna ögon? Han gick runt bardisken för att använda telefonen, lade i pengar och kunde sedan inte komma på vem han skulle ringa till.

"Glömt numret?" frågade en dryckesbroder när Rebus fick tillbaka sitt mynt.

"Ja", sa han, "vad är det nu Länkarna har?"

Mannen överraskade honom, kunde numret direkt.

Fyra blinkningar från hans telefonsvarare betydde fyra meddelanden. Han tog upp instruktionshäftet. Det var uppslaget på sidan sex. "Uppspelning"-stycket var omringat med rödpenna, avsnitten understrukna. Han följde instruktionerna. Maskinen bestämde sig för att fungera.

"Det är Brian." Brian Holmes. Rebus öppnade Black Bush-flaskan och hällde upp medan han lyssnade. "Ville bara säga… ja, tack. Minto har tagit tillbaka sin anmälan, så jag klarade mig ur knipan. Hoppas jag kan återgälda tjänsten." Ingen energi i rösten, en mun trött på ord. Slut på meddelandet. Rebus smakade på whiskyn.

Pip: meddelande nummer två.

"Jag jobbade sent och tänkte att jag skulle slå en signal. Vi talades vid tidigare, Stuart Minchell, personalchef på T-Bird Oil. Jag kan bekräfta att Allan Mitchison var anställd hos oss. Jag kan faxa över detaljerna om ni ger mig ett nummer. Ring mig på kontoret i morgon."

Bingo. En lättnad att veta något om den avlidne förutom hans musiksmak. Det brusade i Rebus öron: konserten och alkoholen, blodet som bultade.

Meddelande nummer tre: "Howdenhall här, trodde att det var bråttom men kan inte hitta dig. Typiskt kriminalen." Rebus kände igen rösten: Pete Hewitt på Howdenhall, polisens laboratorium. Pete såg ut som femton men var antagligen några och tjugo, stor i käften och med ett intellekt som passade därtill. Fingeravtryck en specialitet. "Det mesta var ofullständigt men några var praktexemplar, och gissa vad? Deras ägare finns i datorn. Tidigare straffad för våldsbrott. Ring om du vill ha ett namn."

Rebus tittade på klockan. Pete retades som vanligt. Klockan var över elva, han skulle vara hemma eller ute och svira, och Rebus hade inget hemnummer till honom. Han sparkade till soffan, önskade att han stannat hemma: att jaga folk som sålde piratvaror var bortkastad tid. Fast han hade förstås Black Bush-flaskan och en påse med CD-skivor, T-shirts som han aldrig skulle använda och en affisch med fyra killar i aknenärbild. Han hade sett deras ansikten förut, kunde inte komma på var...

Ett meddelande kvar.

"John?"

En kvinnas röst, en röst han kände igen.

"Om du är hemma, så svara är du snäll. Jag avskyr de här prylarna." Paus, väntan. En suck. "Okej då. Jo, nu när vi inte är... jag menar, nu när jag inte är din chef, hur vore det att umgås? Middag eller något. Ring mig hemma eller på jobbet, okej? Medan tid är. Jag menar, du kommer ju inte att vara kvar på Fort Apache för evigt. Sköt om dig."

Rebus satte sig, stirrade på maskinen när den tystnade. Gill Templer, överkommissarie, före detta "viktig annan person". Det var först nyligen hon blivit hans chef, frost på ytan, inget tecken till annat än isberg inunder. Rebus tog sig en andra whisky och skålade med telefonsvararen. En kvinna hade just bett honom om en träff: när hade *det* senast hänt? Han reste sig och gick ut i badrummet, studerade sin bild i spegeln, gnuggade sig om hakan och skrattade. Halvmörka ögon, stripigt hår, händer som darrade när han höll dem vågrätt.

"Ser bra ut, John." Ja, och han kunde slåss för Skottland. Gill Templer, som såg lika bra ut nu som när de först träffats, ville *gå ut med honom?* Han skakade på huvudet, fortfarande skrattande. Nej, det måste finnas en hake... En dold plan.

Tillbaka i vardagsrummet tömde han godispåsen och fann att affischen med de fyra killarna matchade en av CD-skivornas omslag. Han kände igen det: Dancing Pigs. Ett av Mitchisons band, deras senaste inspelning. Han erinrade sig några ansikten från serveringstältet: *Vi tog fanimej död på dom där ute!* Mitchison hade ägt i varje fall två av deras album.

Konstigt att han inte haft en biljett till spelningen...

Det ringde på dörren: två korta signaler. Han gick ut i hallen, tittade på klockan. Fem i halv tolv. Satte ögat till titthålet, trodde att han såg i syne, öppnade dörren på vid gavel.

"Var är resten av gänget?"

Kayleigh Burgess stod utanför, med en tung väska hängande från axeln. Håret var instoppat i en alldeles för stor grön basker, lockar hängde ner bakom öronen. Söt och cynisk på en och samma gång: Retas-inte-med-mig-om-jag-inte-vill-att-du-gör-det. Rebus hade sett modellen förut.

"Antagligen hemma i sina sängar."

"Du menar att Eamonn Breen *inte* sover i en kista?"

Ett försiktigt leende. Hon rättade till väskremmen på axeln. "Det är faktiskt så", såg inte på honom, grejade med väskan istället, "att du gör dig själv en otjänst genom att vägra diskutera allt det här med oss. Får dig inte att framstå i någon fördelaktig dager."

"Jag var ingen pinupgosse från början heller."

"Vi tar inte ställning, det är inte det *Lag och Rätt* handlar om."

"Jaså? Det är trevligt med en pratstund så här på nattkröken men..."

"Du har inte hört, va?" Nu tittade hon på honom. "Nej, jag trodde inte det heller. För tidigt. Vi har haft ett gäng ute på Lanzarote, som försökt intervjua Lawson Geddes. De ringde nu i kväll..."

Rebus kände igen ansiktsuttrycket och tonfallet. Han hade själv använt dem vid många tillfällen när han försökt framföra tråkiga nyheter till familj, till vänner...

"Vad hände?"

"Han tog livet av sig. Han hade tydligen varit deprimerad sedan hans fru dog. Han sköt sig."

"Åh, gud." Rebus vände sig bort från dörren. Benen kändes tunga när han satte kurs mot vardagsrummet och whiskyflaskan. Hon följde efter, ställde ifrån sig sin väska på soffbordet. Han höll frågande upp flaskan och hon nickade. De klirrade med glasen.

"När dog Etta?"

"För ungefär ett år sedan. Hjärtattack, tror jag. Det finns en dotter som bor i London."

Rebus kom ihåg henne: uppnosig tio-, tolvåring med tandställning. Hon hette Aileen.

"Jagade ni Geddes på samma sätt som ni har jagat mig?"

"Vi 'jagar' inte, kommissarien. Vi vill bara att alla ska få komma till tals. Det är viktigt för programmet."

"Programmet." Rebus skakade på huvudet. "Men nu blir det inget program, eller hur?"

Whiskyn hade gett henne färg på kinderna. "Tvärtom. Geddes självmord skulle kunna tolkas som ett erkännande av skuld. Det blir en jäkla bra slutkläm." Hon hade hämtat sig snabbt. Rebus undrade hur mycket av den tidigare skyggheten som varit spelad. Det gick upp för honom att hon stod i hans vardagsrum: CD-skivor, tomflaskor, böcker i travar på golvet. Han kunde inte låta henne se köket: Johnny Bibel och Bibel-John utspridda över bordet, bevis för en besatthet. "Det är därför jag är här... delvis. Jag kunde ha berättat nyheten i telefon, men jag tänkte att det var en sak som helst bör sägas öga mot öga. Och nu när du är ensam kvar, det enda vittnet i livet så att säga..."

Hon stack ner händerna i väskan och tog upp en bandspelare som såg professionell ut och en mikrofon. Rebus ställde ifrån sig glaset och gick fram till henne med utsträckt hand.

"Får jag?"

Hon tvekade, men lämnade sedan över utrustningen. Rebus gick ut i hallen. Ytterdörren stod fortfarande öppen. Han steg ut i trapphuset, sträckte ut en hand över räcket och släppte bandspelaren. Den föll två våningar ner och krossades mot stengolvet. Hon var tätt bakom honom.

"Det där ska du få betala för!"

"Skicka räkningen, så får vi se."

Han gick tillbaka in och stängde dörren efter sig, lade på kedjan som en tydlig vink och kikade genom titthålet tills hon försvunnit.

Han satte sig i stolen vid fönstret och tänkte på Lawson Geddes. Som den typiske skotte han var kunde han inte gråta över det som hänt. Grät gjorde man över förluster i fotboll, berättelser om tappra djur, "Flower of Scotland" efter stängningsdags. Han grät över dumma saker, men nu förblev hans ögon envist torra.

Han visste att han satt i klistret. De hade bara *honom* nu, och de skulle fördubbla sina ansträngningar för att rädda ett program. Dessutom hade Burgess rätt: fånge som tar livet av sig, polis som tar livet av sig – det var en jäkla bra slutkläm. Men Rebus ville inte vara mannen som försåg dem med bränsle. Han ville, precis som de, veta sanningen – men inte av samma orsak. Han kunde inte ens säga *varför* han ville veta. Ett tillvägagångssätt: att dra igång en egen utredning. Enda problemet var att ju mer han grävde, desto större var risken att han grävde en grop åt sitt eget anseende – vad som återstod av det – men också, viktigare, åt sin före detta mentors, partners och väns. Det fanns ett problem som hängde ihop med det första: han var inte tillräckligt objektiv, han *kunde inte* utreda sig själv. Han behövde en stand-in, en medhjälpare.

Han tog telefonen och tryckte sju siffror. Ett sömnigt svar.

"Ja, hallå?"

"Brian, det är John. Ledsen att jag ringer så sent, men jag behöver den där tjänsten."

De träffades på parkeringsplatsen vid Newcraighall. Det var tänt i UCI:s biokomplex, någon sen föreställning. Mega Bowl var stängt, liksom McDonald's. Holmes och Nell Stapleton hade flyttat in i ett hus alldeles vid Duddingston Park, med utsikt över Portobellos golfbana och godsterminalen. Holmes sa att godstrafiken inte höll honom vaken om nätterna. De kunde ha träffats vid golfbanan, men det var för nära Nell för att Rebus skulle gilla det. Han hade inte sett henne på ett par år, inte ens på tillställningar – båda hade en förmåga att veta när den andra skulle eller inte skulle vara närvarande. Gamla sår. Nell pillade tvångsmässigt på skorpan.

Så de träffades några kilometer bort, i en ravin mellan stängda affärer – gör-det-själv-butik, skoaffär, Toys R Us – fortfarande poliser, också när de var lediga.

Särskilt när de var lediga.

Deras ögon rörde sig, använde sidospeglar och backspegel, tittade efter skuggor. Ingen i sikte, men de talade ändå lågmält. Rebus förklarade exakt vad han ville.

"Det är det här TV-programmet. Jag behöver ha lite ammunition innan jag talar med dem. Men det är för personligt för mig. Jag vill att du granskar Spavenfallet – anteckningar, rättegången. Bara läs igenom det, se vad du tror."

Holmes satt i Saabens passagerarsäte. Han såg ut som det han var: en man som klätt av sig och gått och lagt sig, bara för att strax därefter vara tvungen att stiga upp och sätta på sig kläderna igen. Håret var rufsigt, skjortan öppen i halsen, skor men inga strumpor. Han kvävde en gäspning och skakade på huvudet.

"Jag hänger inte med. Vad ska jag leta efter?"

"Bara se om någonting klingar falskt. Bara… jag vet inte."

"Så du tar alltså det här på allvar?"

"Lawson Geddes har just tagit livet av sig."

"Åh fan." Men Holmes blinkade inte ens; var bortom medlidande med män han inte kände, figurer ur historien. Han hade för mycket som tryckte honom.

"En annan sak", sa Rebus. "Du skulle kunna spåra upp en före detta fånge som säger att han var den siste som talade med Spaven. Jag har glömt namnet, men det stod i alla tidningar då."

"En fråga: tror *du* att Geddes ordnade så att Lenny Spaven blev oskyldigt dömd?"

Rebus låtsades fundera och ryckte sedan på axlarna. "Jag ska berätta hela historien för dig. Inte den historia som du kommer att hitta i mina skrivna anteckningar om fallet."

Rebus började tala: Geddes som kom hem till honom, kassen som upptäcktes alldeles för lätt, Geddes som var desperat före och onaturligt lugn efteråt. Historien de hittade på om ett anonymt tips. Holmes lyssnade under tystnad. Biografen började tömmas, omslingrade unga par svävade mot sina bilar, gick som om de hellre hade legat ner. En massa motorljud, avgaser och strålkastare, stora skuggor på ravinens väggar, parkeringsplatsen tömdes. Rebus avslutade sin version.

"En fråga till."

Rebus väntade, men Holmes hade problem med att forma orden. Till sist gav han upp och skakade på huvudet. Rebus visste vad han tänkte. Han visste att Rebus hade satt press på Minto, samtidigt som han trodde att Minto hade grund till en anmälan mot Holmes. Och nu visste han att Rebus hade ljugit för att skydda Lawson Geddes och för att säkra en fällande dom. Frågan i hans huvud var dubbel – var Rebus version sanningen? Hur smutsig var polisen som satt bakom ratten?

Hur smutsig skulle Holmes tillåta *sig* att bli innan han lämnade poliskåren?

Rebus visste att Nell tjatade på honom varje dag, stilla övertalning. Han var tillräckligt ung för en ny yrkeskarriär, vilken som helst, någonting rent och riskfritt. Han kunde fortfarande hoppa av. Men tiden kanske började bli knapp.

"Okej", sa Holmes och öppnade bildörren. "Jag sätter igång så fort som möjligt." Han gjorde en paus. "Men om jag hittar någon skit, någonting dolt i marginalerna…"

Rebus slog på ljuset. Helljus. Han startade bilen och körde därifrån.

4

Rebus vaknade tidigt. Det låg en uppslagen bok i hans knä. Han tittade på det sista stycket han läst innan han somnade och kom inte ihåg någonting av det. Det fanns post innanför dörren: vem ville vara brevbärare i Edinburgh, med alla dessa hyreshustrappor? Hans kreditkortsfaktura: två mataffärer, tre spritbutiker och Bob's Rare Vinyl. Impulsköp en lördag eftermiddag, efter en lunchsittning på Oxen – *Freak Out* på vinylsingel, som ny; *The Velvet Underground*, i förstklassigt skick; *Sergeant Pepper* i monoinspelning med utklippsarket. Han hade inte spelat någon av dem än, hade redan raspiga exemplar av Velvet och Beatles.

Han handlade på Marchmont Road, åt frukost vid köksbordet med Bibel-John/Johnny Bibel-materialet som duk. Johnny Bibel-rubriker: "Fånga monstret!"; "Babyansiktet kräver sitt tredje offer"; "Allmänheten varnas: Var försiktig". Ungefär samma jätterubriker som Bibel-John fått ett kvarts sekel tidigare.

Johnny Bibels första offer: i Duthie Park, Aberdeen. Michelle Strachan kom från Pittenweem i Fife, så alla hennes Furry Boot-kompisar kallade henne förstås för Michelle Fifer. Hon såg inte ut som sin nästan namne: liten och mager, musbrunt axellångt hår, utstående framtänder. Hon studerade vid Robert Gordon-universitetet. Våldtagen, strypt, en sko saknades.

Offer nummer två, sex veckor senare: Angela Riddell, Angie för sina vänner. Hon hade på sin tid arbetat åt en eskortagentur, åkt fast i ett svep i närheten av Leith-kajen och sjungit i ett bluesband, hes röst som dock ville för mycket. Nu hade ett skivbolag släppt bandets enda demo som CD-singel, för att tjäna pengar på nyfikna och folk med dragning åt det makabra. Edinburghpolisen hade lagt ner massor av tid – tusentals arbetstimmar – på att gå igenom Angie Riddells förflutna, leta upp gamla kunder, vänner, fans, på jakt efter en torsk som blivit mördare, en besatt bluesfan, vad som helst. Warristonkyrkogården, där kroppen hittats, var ett känt tillhåll för Hell's Angels, svartkonstamatörer, perversa individer och enstöringar. Dagarna efter upptäckten var det mer troligt att man mitt i natten skulle snubbla över ett sovande övervakningsteam än över en korsfäst katt.

En månadslång lucka, under vilken de första två morden kopplats samman – Angie Riddell hade inte bara blivit våldtagen och strypt utan saknade också ett speciellt halsband, en rad med fem centimeter långa metallkors, köpt på Coburn Street – sedan ett tredje mord, den här gången i Glasgow. Judith Cairns, Ju-Ju, levde på A-kassa, vilket inte hindrat henne från att jobba i en fish-and-chips-butik sent på kvällarna, i en pub ibland vid lunchtid och som hotellstäderska på lördags- och söndagsmorgnar. När hon hittats mördad fanns inget spår av ryggsäcken, som vänner svor på att hon bar med sig överallt, till och med till klubbar och ravefester.

Tre kvinnor, nitton, tjugofyra och tjugoett år gamla, mördade inom loppet av tre månader. Det var två veckor sedan Johnny Bibel slagit till. Ett uppehåll på sex veckor mellan offer nummer ett och två hade reducerats till en kalendermånad mellan två och tre.

Alla väntade, väntade på värsta tänkbara nyheter. Rebus drack sitt kaffe, åt sin croissant och studerade fotografier av de tre offren, hämtade ur tidningarna, korniga förstoringar, och alla de unga kvinnorna log, så som man bara log framför en kamera. Kameran ljög alltid.

Rebus visste så mycket om offren, så lite om Johnny Bibel. Även om ingen polis skulle tillstå det offentligt var de maktlösa, arbetade bara mekaniskt. Det var *hans* spel. De väntade på att *han* skulle dabba sig: självsäkerhet, eller leda, eller en enkel önskan om att åka fast, insikten om vad som var rätt och fel. De väntade på att en vän, en granne, skulle höra av sig, kanske ett anonymt samtal – ett som inte bara skulle visa sig illvilligt. De väntade alla. Rebus drog med ett finger över den

största bilden av Angie Riddell. Han hade känt henne, hade ingått i
det team som gripit henne och en massa andra prostituerade den där
natten i Leith. Stämningen hade varit fin, en massa skämt, gliringar till
gifta poliser. Flertalet av flickorna kunde rutinen, och de som gjorde
det lugnade dem som var nya i gamet. Angie Riddell hade strukit en
hysterisk tonåring, en knarkare, över håret. Rebus hade gillat hennes
stil, hade förhört henne. Hon hade fått honom att skratta. Några
veckor senare hade han kört nerför Commercial Street och frågat hur
hon hade det. Hon hade sagt att tid var pengar, och snack var inte bil-
ligt, men erbjudit honom rabatt om han ville ha någonting med mer
substans än varm luft. Han hade skrattat igen, bjudit henne på te och
paj på ett nattöppet café. Två veckor senare var han tillbaka nere i
Leith, men enligt flickorna hade hon inte synts till. Och så var det med
det.

Våldtagen, misshandlad, strypt.

Alltihop påminde honom om World's End-morden, om andra mord
på unga kvinnor, så många av dem ouppklarade. World's End: oktober
-77, året före Spaven, två tonåringar som drack på puben World's End
på High Street. Deras kroppar hittades morgonen därpå. Misshandlade,
bundna händer, strypta, väskor och smycken borta. Rebus hade inte
arbetat med fallet, men kände män som gjort det: de bar med sig
frustrationen över att ha lämnat ett jobb ogjort, och skulle bära den
med sig till graven. Många av dem såg det som att när man arbetade
med en mordutredning, då var den döde ens klient, tyst och kall, men
alltjämt skrikande på rättvisa. Och det måste vara sant, för ibland om
man lyssnade tillräckligt intensivt kunde man höra dem skrika. När
han satt i sin stol vid fönstret hade Rebus hört många förtvivlade rop.
En natt hade han hört Angie Riddell och det hade borrat sig in i hans
hjärta, eftersom han känt henne, tyckt om henne. I det ögonblicket
blev det personligt för honom. Han kunde inte annat än vara intresse-
rad av Johnny Bibel. Men han visste inte vad han kunde göra för att
vara till hjälp. Hans nyfikenhet på det ursprungliga Bibel-John-fallet
var antagligen inte till någon hjälp alls. Det hade sänt honom tillbaka i
tiden, fått honom att vistas allt mindre i nuet. Ibland fick han ta till all
kraft för att släpa sig tillbaka till här och nu.

Rebus hade samtal att ringa. Först: Pete Hewitt i Howdenhall.

"Morrn, kommissarien! Strålande morgon, va?"

En röst som dröp av ironi. Rebus tittade ut på grumligt solsken.
"Hård natt, Pete?"

"Hård? Den skulle ha knäckt den starkaste. Jag förmodar att du fick
mitt meddelande?" Rebus var redo med penna och papper. "Jag fick
ett par hyggliga avtryck från whiskyflaskan: tumme och pekfinger.
Försökte få från plastpåsen och tejpen som band honom vid stolen,
men det blev bara några ofullständiga, inget att bygga ett fall på."

"Kom igen, Pete, tala om vem det var."

"Tja, alla de där pengarna ni klagar över att vi lägger på datorer...
jag hittade rätt på en kvart. Namnet är Anthony Ellis Kane. Han finns
i straffregistret för mordförsök, misshandel och en del annat. Låter det
bekant?"

"Nej."

"Han brukade operera från Glasgow. Inga fällande domar de se-
naste sju åren."

"Jag ska kolla upp honom när jag kommer till stationen. Tack ska
du ha, Pete."

Nästa samtal: personalkontoret på T-Bird Oil. Fjärrsamtal; han fick
vänta och ringa från Fort Apache. En blick ut genom fönstret: inget
spår av Redgauntletgänget. Rebus drog på sig kavajen och satte kurs
mot dörren.

Han tittade in till chefen. MacAskill pimplade Irn-Bru.

"Vi har identifierat en person med fingeravtryck. Anthony Ellis
Kane, tidigare dömd för våldsbrott."

MacAskill slängde den tomma burken i papperskorgen. På hans
skrivbord låg högar med gamla papper – första lådan i arkivskåpet.
Det stod en tom packlåda på golvet.

"Några släktingar till den döde, vänner?"

Rebus skakade på huvudet. "Den avlidne jobbade åt T-Bird Oil. Jag
ska ringa personalchefen om detaljer."

"Gör det till arbetsuppgift nummer ett, John."

"Arbetsuppgift nummer ett, sir."

Men när han kom till Skjulet och satt vid sitt skrivbord övervägde han att först ringa till Gill Templer. Ändrade sig. Bain satt vid sitt skrivbord. Rebus ville inte ha åhörare.

"Dod", sa han, "ta och kolla upp Anthony Ellis Kane. Howdenhall hittade hans fingeravtryck på den medhavda spriten." Bain nickade och började skriva på datorn. Rebus ringde till Aberdeen, sa sitt namn och bad att få tala med Stuart Minchell.

"Godmorgon, kommissarien."

"Tack för ert meddelande, mr Minchell. Har ni Allan Mitchisons anställningspapper?"

"Liggande framför mig. Vad vill ni veta?"

"Närmast anhörig."

Minchell flyttade runt papper. "Tycks inte finnas någon. Jag ska kolla hans meritförteckning." En lång paus, och Rebus var glad att han inte ringde hemifrån. "Det verkar som om Allan Mitchison var föräldralös. Jag har detaljer om hans skolgång, och här nämns ett barnhem."

"Ingen familj?"

"Inget om någon familj."

Rebus hade skrivit Mitchisons namn på ett papper. Nu strök han under det, resten av sidan var tom. "Vad gjorde mr Mitchison på företaget?"

"Han var... låt mig se, han arbetade med plattformsunderhåll, särskilt som målare. Vi har en bas på Shetlandsöarna, det är möjligt att han jobbade där." Fler papper som flyttades runt. "Nej, mr Mitchison arbetade ute på plattformarna."

"Med att måla?"

"Och allmänt underhåll. Stål korroderar, kommissarien. Ni anar inte hur snabbt Nordsjön kan skala bort färgen från stål."

"Vilken oljerigg arbetade han på?"

"Ingen rigg, en produktionsplattform. Jag får ta reda på det."

"Kan ni vara hygglig och göra det? Och skulle ni kunna faxa över hans akt till mig?"

"Han är död säger ni?"

"Senaste gången jag tittade."

"Då bör det inte vara något problem. Ge mig bara ert nummer."

Rebus gjorde så och avslutade samtalet. Bain vinkade honom till sig. Rebus gick genom rummet och ställde sig bredvid Bain för att kunna se dataskärmen.

"Den här killen är helgalen", sa Bain. Hans telefon ringde. Bain lyfte luren och inledde ett samtal. Rebus läste på skärmen. Anthony Ellis Kane, kallad "Tony El", hade en meritlista som sträckte sig tillbaka till ungdomen. Han var nu fyrtiofyra år och välkänd för Strathclydepolisen. Större delen av sitt vuxna liv hade han varit i tjänst hos Joseph Toal, alias "Farbror Joe", som praktiskt taget *styrde* Glasgow med muskelkraft som tillhandahölls av hans son och män som Tony El. Bain lade på luren.

"Farbror Joe", tänkte han högt. "Om Tony El fortfarande jobbar åt honom kan det bli ett mycket speciellt fall."

Rebus erinrade sig vad chefen hade sagt: *Det känns som en gänggrej.* Knark eller utebliven avbetalning på lån. MacAskill hade kanske rätt.

"Du vet vad det här betyder?" sa Bain.

Rebus nickade. "En tripp till fiendeland." Skottlands två stora städer, som skildes åt av en femtiominuters motorvägsfärd, var vaksamma grannar, som om den ena för åratal sedan anklagat den andra för något och anklagelsen, grundlös eller ej, fortfarande låg och gnagde. Rebus hade några kontakter vid Glasgowkriminalen, så han gick bort till sitt skrivbord och ringde samtalen.

"Om du vill ha information om Farbror Joe", fick han veta under det andra samtalet, "bör du prata med Chick Ancram. Vänta, så ska du få hans nummer."

Charles Ancram visade sig vara överkommissarie och hade sin bas på Govan. Rebus ägnade en fåfäng halvtimme åt att försöka hitta honom, tog sig sedan en promenad. Affärerna utanför Fort Apache var av den vanliga sorten med metalljalusier och galler, mest asiatiska innehavare, även om butikerna var fulla med vita ansikten. Utanför på gatan stod karlar och hängde och rökte, i T-shirts och tatueringar. Ögon lika pålitliga som en vessla i ett hönshus.

Ägg? Inte jag, grabben, tål dem inte.

Rebus köpte cigarretter och en tidning. När han gick ut ur affären stötte en barnvagn till hans smalben. En kvinna sa åt honom att för helvete se sig för. Hon skyndade vidare, släpande en liten knatte efter sig. Tjugo, kanske tjugoett, blonderat hår, två framtänder borta. Hennes nakna överarmar pryddes också av tatueringar. På andra sidan gatan sa en affischtavla åt honom att lägga tjugotusen pund på en ny bil. Lågprisvaruhuset bakom var utan kunder, ungar använde deras parkeringsplats som skateboardbana.

När han kom tillbaka in i Skjulet satt Maclay i telefon. Han sträckte ut luren mot Rebus.

"Överkommissarie Ancram besvarar ditt samtal. Du hade sökt honom." Rebus lutade sig mot skrivbordet.

"Hallå?"

"Kommissarie Rebus? Ancram här. Ni ville visst snacka med mig."

"Bra att ni ringer. Bara två ord: Joseph Toal."

Ancram fnös. Han hade ett släpigt västkustuttal, nasalt, lyckades hela tiden låta lite nedlåtande. "Farbror Joe Corleone? Vår egen käre Gudfader? Har han gjort något som jag inte vet om?"

"Känner ni till en av hans mannar, en kille som heter Anthony Kane?"

"Tony El", bekräftade Ancram. "Jobbade åt Farbror Joe i många år."

"Imperfekt?"

"Han har inte hörts av på ett tag. Det sägs att han gick emot Farbror Joe och att Farbror Joe lät Stanley ta hand om saker. Tony El blev djupt sårad."

"Vem är Stanley?"

"Farbror Joes son. Det är inte hans riktiga namn, men alla kallar honom Stanley på grund av hans hobby."

"Som är?"

"Stanleyknivar. Han samlar på dem."

"Ni tror att Stanley släckte ljuset för Tony El?"

"Tja, kroppen har inte dykt upp, vilket brukar vara bevis nog på något bakvänt sätt."

"Tony El är högst levande. Han passerade här för några dagar sedan."

"Jag förstår." Ancram var tyst ett ögonblick. I bakgrunden kunde

Rebus höra ivriga röster, radioöverföringar, polisstationsljud. "En påse över huvudet?"

"Hur visste ni det?"

"Tony Els varumärke. Så han är med i svängen igen…? Ni och jag borde nog ha oss ett snack, kommissarien. Måndag förmiddag, hittar ni till Govanstationen? Nej, vänta, vi säger Partick, Dumbarton Road 613. Jag har ett sammanträde där klockan nio. Kan vi säga tio?"

"Tio blir bra."

"Då ses vi då."

Rebus lade på. "Måndag morgon klockan tio", sa han till Bain. "Partick nästa för mig."

"Din stackars fan", svarade Bain och lät som om han menade det.

"Ska vi skicka ut Tony Els signalement?" frågade Maclay.

"Omgående. Låt oss se om vi kan få tag på honom före måndag."

Bibel-John återvände till Skottland en vacker fredagsmorgon. Det första han gjorde på flygplatsen var att köpa några tidningar. I kiosken såg han att det hade kommit ut en ny bok om andra världskriget, så han köpte den också. I vänthallen bläddrade han igenom tidningarna utan att hitta något nytt om Uppkomlingen. Han lämnade kvar tidningarna på sin stol och gick bort till bagagebandet, där hans väskor väntade.

En taxi körde honom in till Glasgow. Han hade redan bestämt sig för att inte stanna i stan. Det var inte det att han hade något att frukta från sin gamla jaktmark, men ett uppehåll där skulle inte ge mycket. Glasgow väckte med nödvändighet bitterljuva minnen. I slutet av sextiotalet hade stan uppfunnit sig själv på nytt: rivit gamla slumkvarter, byggt betongmotsvarigheter i utkanterna. Nya vägar, broar, motorvägar – stan hade varit en jättelik byggplats. Han fick känslan av att processen alltjämt pågick, som om stan fortfarande inte hittat en identitet den kunde trivas med.

Ett problem Bibel-John visste en del om.

Från stationen på Queen Street tog han ett tåg till Edinburgh och använde sin mobiltelefon för att beställa rum på sitt vanliga hotell, satte upp det på företaget. Han ringde till sin fru för att tala om var han skulle finnas. Han hade sin laptop med sig och jobbade lite på tåget. Arbete lugnade honom; en sysselsatt hjärna var bäst. *Gån i stället till edert arbete. Halm skall man icke giva eder, men det bestämda antalet tegel måsten I ändå lämna.* Andra Mosebok. Massmedia den gången hade gjort honom en tjänst, och likaså polisen. De hade lämnat ut en beskrivning enligt vilken han hette John i förnamn och "tyckte om att citera bibeln". Ingetdera var särskilt sant: hans andra namn var John och han hade bara citerat högt ur Skriften någon enstaka gång. På senare år hade han börjat gå i kyrkan igen, men ångrade det nu, ångrade att han trott sig vara trygg.

Det fanns ingen trygghet i den här världen, lika lite som det fanns någon i nästa.

Han steg av tåget vid Haymarket – på sommaren var det lättare att få tag i en taxi där – men när han kom ut i solen bestämde han sig för att promenera till hotellet: det låg bara fem eller tio minuter bort. Resväskan hade hjul och axelväskan var inte särskilt tung. Han andades djupt: avgaser och en aning humle. Trött på att kisa stannade han och satte på sig solglasögon och tyckte genast bättre om världen. När han skymtade sin spegelbild i ett butiksfönster såg han bara ännu en affärsman utled på att resa. Det fanns inget minnesvärt hos vare sig ansikte eller figur, och klädseln var alltid konservativ: kostym från Austin Reed, skjorta av märket Double 2. En välklädd och framgångsrik affärsman. Han kände på slipsknuten och drog med tungan över de enda två löständerna i munnen – nödvändig operation utförd för ett kvarts sekel sedan. Som alla andra gick han över gatan vid trafikljuset.

Incheckningen på hotellet var snabbt avklarad. Sedan satt han vid det lilla runda bordet i sitt rum, öppnade den bärbara datorn, anslöt den till nätet, ändrade adaptern från 110 volt till 240. Han använde sitt lösenord och dubbelklickade på UPPKOM-filen. Där fanns hans anteckningar om Johnny Bibel, som han kallades, hans egen psykologiska profil av mördaren. Den utvecklades väl.

Bibel-John tänkte att han hade något som myndigheterna inte hade: insideinformation om hur en seriemördare fungerade, tänkte och levde, lögnerna han var tvungen att ta till, listen och förklädnaderna, det hemliga livet bakom vardagsansiktet. Det gav honom ett försprång i leken. Med lite tur skulle han hitta Johnny Bibel innan polisen gjorde det.

Han hade metoder att ta till. Ett: av Uppkomlingens arbetsvanor framgick tydligt att han hade kännedom om Bibel-John-fallet. Hur skaffade han sig den kunskapen? Uppkomlingen var i tjugoårsåldern, för ung för att minnas Bibel-John. Därför måste han ha hört talas om fallet någonstans, eller läst om det, och sedan fortsatt med att studera det mer i detalj. Det fanns böcker – en del nyutkomna, andra inte – om Bibel-John-morden eller med kapitel om dem. Om Johnny Bibel var noggrann skulle han ha konsulterat all tillgänglig litteratur, men eftersom en del av materialet sedan länge var slut på förlagen måste han ha letat i antikvariat eller använt bibliotek. Sökområdet smalnade av.

En annan metod: tidningar. Än en gång var det osannolikt att Uppkomlingen hade tillgång till tjugofem år gamla tidningar. Det betydde åter bibliotek, och ytterst få bibliotek behöll tidningar under så lång tid. Sökområdet smalnade av.

Sedan var det Uppkomlingen själv. Många rovlystna gjorde misstag på ett tidigt stadium, misstag som skedde antingen på grund av dålig planering eller helt enkelt dåliga nerver. Bibel-John själv var ovanlig: hans verkliga misstag hade kommit med offer nummer tre, med att han delat taxi med hennes syster. Fanns det offer i närheten som undkommit Uppkomlingen? Det innebar genomläsning av nyare tidningar, sökning efter överfall på kvinnor i Aberdeen, Glasgow, Edinburgh, för att spåra upp mördarens tjuvstart och tidiga misslyckanden. Det skulle vara ett tidsödande arbete. Men också terapeutiskt.

Han klädde av sig och duschade, satte sedan på sig lite ledigare plagg: marinblå blazer och kakifärgade byxor. Han bestämde sig för att inte ta risken att använda telefonen i sitt rum – numren skulle registreras av receptionen – och gick ut i solen. Inga telefonhytter nuförtiden hade telefonkataloger, så han gick in på en pub och beställde en tonic och frågade sedan efter telefonkatalogen. Flickan i baren – arton, nitton, piercad i näsan, skärt hår – lämnade över den med ett leende. Vid sitt bord tog han fram anteckningsbok och penna och krafsade ner några nummer, gick sedan längst in i lokalen där telefonen fanns. Den var placerad intill toaletterna – tillräckligt avskilt för syftet, i synnerhet nu när puben var nästan tom. Han ringde till två antikvariat och tre bibliotek. Resultatet var, i hans tycke, tillfredsställande om än långtifrån avslöjande. Men han hade redan för flera veckor sedan kommit fram till att detta kunde bli en utdragen process. Han hade självkännedom på sin sida, men polisen hade hundratals anställda och datorer och en PR-apparat. Och de kunde utreda *öppet*. Han visste att hans egen utredning kring Uppkomlingen måste företas med större diskretion. Men han visste också att han behövde hjälp, och det var riskabelt. Att blanda in andra var alltid en risk. Han begrundade dilemmat under långa dagar och nätter – i den ena vågskålen, hans önskan att spåra Uppkomlingen; i den andra, risken för att han därmed skulle utsätta sig själv – sin identitet – för fara.

Så han hade ställt sig frågan: hur gärna ville han ha tag i Uppkomlingen?

Och besvarat den: mycket gärna. Verkligen mycket gärna.

Han tillbringade eftermiddagen på och i närheten av George IV Bridge – Skottlands nationalbibliotek och Centrala lånebiblioteket. Han hade ett lånekort till nationalbiblioteket, hade bedrivit en del forskning där – jobb, plus att han läst en del om andra världskriget, hans stora hobby nuförtiden. Och han sökte också i några antikvariat, frågade om de hade något om verkliga brott. Han sa till personalen att Johnny Bibel-morden väckt hans intresse.

"Vi har bara en halv hylla med verkliga brott", sa expediten i den första affären och visade honom var. Bibel-John låtsades intresserad av böckerna och gick sedan tillbaka till disken.

"Nej, där fanns ingenting. Har ni sökning av böcker?"

"Inte direkt", sa expediten. "Men vi tar emot beställningar…" Hon tog fram en tung ålderdomlig liggare och öppnade den. "Om ni skriver vad ni är på jakt efter och namn och adress, så hör vi av oss om vi skulle få in boken."

"Utmärkt."

Bibel-John tog fram sin penna, skrev långsamt, studerade tidigare önskemål. Han bläddrade en sida tillbaka och lät blicken glida nerför listan med titlar och ämnen.

"Folk har då sannerligen skiftande intressen", sa han och log mot expediten.

Han försökte i ytterligare tre affärer, utan att hitta några spår av Uppkomlingen. Sedan promenerade han till nationalbibliotekets annex på Causewayside, där man hade nyare tidningar, och gick igenom den senaste månadens *Scotsman, Herald* och *Press and Journal*, gjorde anteckningar om vissa artiklar: överfall, våldtäkter. Fast även om det *fanns* ett tidigt, misslyckat offer betydde det naturligtvis inte att överfallet blivit anmält. Amerikanerna skulle kalla det han höll på med för *shitwork.*

Tillbaka i det riktiga nationalbiblioteket studerade han bibliotekarierna, letade efter någon speciell. När han trodde sig ha funnit det han sökte kollade han bibliotekets öppettider och bestämde sig för att vänta.

Vid stängningsdags stod han utanför nationalbiblioteket, med solglasögon på i seneftermiddagens ljus. Rader av långsamt framrullande fordon skilde honom från Centralbiblioteket. Han såg några ur personalen gå, ensamma och i grupp. Sedan fick han syn på den unge mannen som han tittat efter. När denne började gå nerför Victoria Street gick Bibel-John över gatan och följde efter. Där var fullt med fotgängare, turister, pubgäster, några på väg hem. Han blev en av dem, gick med raska steg, hela tiden med blicken på sitt byte. På Grassmarket svängde den unge mannen in på första tillgängliga pub. Bibel-John stannade och funderade: ett snabbt glas innan han fortsatte hem? Eller skulle bibliotekarien träffa vänner, kanske göra en helkväll? Han bestämde sig för att gå in.

Baren var mörk och stimmig, full av kontorsanställda: män med kavajerna hängande över axlarna, kvinnor smuttade ur höga tonicglas. Bibliotekarien satt vid bardisken, ensam. Bibel-John klämde sig in bredvid honom och beställde en apelsinjuice. Han nickade mot bibliotekariens ölglas.

"En till?"

När den unge mannen vände sig om för att se på honom lutade Bibel-John sig närmare och talade tyst.

"Jag har tre saker att säga. Ett: jag är journalist. Två: jag vill ge dig

500 pund. Tre: det finns absolut ingenting olagligt med i bilden." Han gjorde en paus. "Vill du ha den där ölen?"

Den unge mannen såg fortfarande på honom. Till sist nickade han.

"Är det där ja till ett glas eller ja till pengarna?" Bibel-John log.

"Glaset. Det andra får du berätta lite mer om först."

"Det är ett trist jobb, annars skulle jag göra det själv. Registrerar biblioteket vilka böcker som folk frågat efter och lånar?"

Bibliotekarien funderade på detta och nickade sedan. "En del datoriserat, en del fortfarande på kort."

"Datorn kommer att gå snabbt, men korten kan nog ta en stund. Det kommer ändå att vara lättförtjänta pengar. Tro mig. Och om någon kommer in och vill titta i gamla tidningar?"

"Bör vara registrerat. Hur långt tillbaka i tiden talar vi om?"

"De senaste tre till sex månaderna. Tidningarna de har tittat i bör ha varit från 1968 till 1970."

Han betalade för två glas med en tjugopundssedel, öppnade plånboken så att bibliotekarien kunde se mycket mer.

"Det kan ta en stund", sa den unge mannen. "Jag blir tvungen att kolla både Causewayside och George IV Bridge."

"Hundra till om du kan göra det snabbt."

"Jag kommer att behöva detaljer." Bibel-John nickade och lämnade över ett visitkort. Det hade namn och en falsk adress, men inget telefonnummer.

"Försök inte komma i kontakt med mig. Jag ringer dig. Vad heter du?"

"Mark Jenkins."

"Okej, Mark." Bibel-John tog fram två femtiopundssedlar och stoppade ner dem i den unge mannens bröstficka. "Här är lite förskott."

"Vad handlar det om förresten?"

Bibel-John ryckte på axlarna. "Johnny Bibel. Vi kollar upp ett möjligt samband med några gamla fall."

Den unge mannen nickade. "Så, vilka böcker är av intresse?"

Bibel-John gav honom en lista. "Plus tidningar. *Scotsman* och *Glasgow Herald*, februari -68 till december -69."

"Och vad vill du veta?"

"Vilka som har tittat i dem. Jag behöver namn och adresser. Kan du ordna det?"

"De riktiga tidningarna finns på Causewayside, vi lagrar bara mikrofilm."

"Vad menar du?"

"Jag kanske måste be en kollega på Causewayside om hjälp."

Bibel-John log. "Min tidning betalar gärna några pund för ett bra resultat. Hur mycket skulle din vän vilja ha…?"

Det viskande regnet

Mind me when mischief befalls me
from the cruel and the vain

The Bathers,
"Ave the Leopards"

5

Det skotska språket är särskilt rikt på ord som har med vädret att göra: *dreich* och *smirr* är bara två av dem.

Det hade tagit Rebus en timme att köra till Regnstan, men ytterligare fyrtio minuter att hitta Dumbarton Road. Han hade inte besökt stationen förut. Partick polisstation hade flyttats -93. På den gamla stationen, "Marinen", hade han varit, men inte på det nya stället. Att köra bil i Glasgow kunde vara en mardröm för den oinvigde, en labyrint av enkelriktade gator och dåligt skyltade korsningar. Två gånger blev Rebus tvungen att lämna sin bil och ringa in för att få instruktioner, båda gångerna fick han köa utanför telefonhytter i regnet. Det var bara det att det inte var riktigt regn, det var *smirr*, en fin stänkdimma som man blev genomsur av innan man visste ordet av. Den blåste in från väster, fukt direkt från Atlanten. Precis vad Rebus behövde en *dreich*, trist, måndagsmorgon.

När han kom fram till stationen lade han märke till en bil på parkeringen, med två figurer i, rök som böljade ut ur ett öppet fönster, radion som spelade. Journalister. Kunde inte vara annat. Gryningspasset. På det här stadiet av en story delade journalister in timmarna i skift, så att de kunde gå av och vistas någon annanstans. Den eller de som var kvar och rekade hade förbundit sig att omgående ringa kollegerna om eventuella öppningar i storyn.

När han till sist sköt upp stationsdörren hördes spridda applåder. Han gick fram till disken.

"Så ni hittade hit till sist?" undrade vakthavande. "Trodde att vi skulle behöva skicka ut spaningspatrullen."

"Var finns överkommissarie Ancram?"

"Sitter i möte. Han sa att ni skulle gå upp och vänta."

Så Rebus gick upp och såg att kriminalavdelningens kontor förvandlats till ett enda stort Mordrum. Det satt fotografier på väggarna: Judith Cairns, Ju-Ju, i livet och som död. Fler fotografier av platsen – Kelvingrove Park, ett skyddat ställe omgivet av buskar. En tjänstgöringslista hade satts upp – mest tråkigt intervjujobb, skosuleslit, ingen väntade sig några stora öppningar, men det måste ändå göras. Poliser knackade på tangentbord, använde kanske SCRO-datorn, eller till och med HOLMES – den stora utredningsdatorn. Alla mordfall – utom de som löstes direkt – matades in i Home Office Large Major Enquiry System, inrikesdepartementets stora utredningssystem. Det fanns speciella team – kriminalare och vanliga poliser – som skötte systemet, skrev in data, kollade och jämförde. Till och med Rebus – som inte var någon stor beundrare av ny teknologi – kunde se fördelarna framför det gamla systemet med kortindex. Han stannade till vid en datorterminal och såg någon mata in en uppgift. När han sedan tittade upp såg han ett ansikte han kände igen och gick fram till dess ägare.

"Tjena, Jack, trodde du var kvar i Falkirk?"

Kommissarie Jack Morton vände sig om och spärrade häpen upp ögonen. Han reste sig från skrivbordet, tog Rebus hand och skakade den.

"Det är jag", sa han, "men de har ont om folk här." Han tittade sig omkring i rummet. "Förståeligt nog."

Rebus granskade Jack Morton uppifrån och ner och kunde inte tro sina ögon. Senaste gången de träffats hade Jack haft tio kilos övervikt och varit storrökare med en hosta som kunde spräcka bilrutor. Nu hade han gjort sig av med de extra kilona, och den eviga cigarretten saknades i munnen. Dessutom var håret välklippt och han var klädd i en kostym som såg dyr ut, blankputsade svarta skor, slips och nystruken skjorta.

"Vad har hänt med dig?" frågade Rebus.

Morton log och klappade sig på den nästan platta magen. "Bara tittade mig själv i spegeln en dag och tänkte att det var konstigt att den inte gick i bitar. Slutade med spriten och cigarretterna och gick med i en hälsoklubb."

"Så där utan vidare?"

"Det var en fråga om liv eller död. Jag kunde inte kosta på mig att tveka."

"Du ser prima ut."

"Jag önskar jag kunde säga det samma, John."

Rebus försökte komma på ett dräpande svar när överkommissarie Ancram steg in i rummet.

"Kommissarie Rebus?" De skakade hand. Överkommissarien verkade inte angelägen om att släppa taget. Hans blick sög åt sig Rebus. "Ledsen att ni har fått vänta."

Ancram var strax över femtio och minst lika välklädd som Jack Morton. Han var nästan skallig, men med Sean Connerys stil och en tjock mörk mustasch till det.

"Har Jack visat dig runt?"

"Inte precis, sir."

"Det här är i alla fall Johnny Bibel-operationens Glasgowdel."

"Ligger den här stationen närmast Kelvingrove?"

Ancram log. "Närhet till platsen var bara en faktor. Judith Cairns var hans tredje offer och vid det laget hade massmedia redan tagit upp Bibel-John-kopplingen. Och det är här allt Bibel-John-material finns samlat."

"Skulle jag möjligen kunna få se det?"

Ancram tittade på honom en stund och ryckte sedan på axlarna. "Kom, så ska jag visa er."

Rebus följde Ancram genom korridoren till en annan länga kontorsrum. Det luktade unket, mer bibliotek än polisstation. Rebus förstod varför: rummet var fullt av gamla kartonger, pärmar med fjädergångjärn, buntar med gulnade papper ombundna med snören. Fyra poliser – två manliga, två kvinnliga – plöjde igenom allt som hade med Bibel-John-fallet att göra.

"Vi hade det här i ett förrådsrum", sa Ancram. "Ni skulle ha sett

hur det dammade när vi tog fram det." Han blåste på en pärm och ett
fint pulver lyfte från den.

"Ni tror alltså att det finns ett samband?"

Det var en fråga varenda polis i Skottland hade ställt till både sig
själv och andra poliser, för det fanns alltid den möjligheten att de två
fallen, de två mördarna, inte hade något gemensamt, och i så fall var
hundratals arbetstimmar bortkastade.

"Absolut", sa Ancram. Ja, det var vad Rebus också trodde. "Jag menar,
tillvägagångssättet är till att börja med likt och sedan är det souvenirerna
han tar med sig från platsen. Johnny Bibels signalement kan vara en
lyckträff, men jag är säker på att han imiterar sin hjälte." Ancram såg på
Rebus. "Är inte ni?"

Rebus nickade. Han tittade på mängden material och tänkte att han
gärna skulle ägnat några veckor åt det, kanske skulle kunna hitta något
som ingen annan upptäckt… Det var naturligtvis en dröm, en fantasi,
men under långa nätter var det ibland motivation nog. Rebus hade
sina tidningar, men de berättade bara så mycket av historien som poli-
sen hade velat offentliggöra. Han gick bort till en rad med hyllor, läste
på pärmarnas rygg: Dörrknackning; Taxifirmor; Frisörer; Skrädderier;
Tupéleverantörer.

"Tupéleverantörer?"

Ancram log. "Hans korta hår. De trodde att det kanske var peruk.
De talade med frisörer för att höra om någon kände igen klippning-
en."

"Och med skräddare på grund av hans italienska kostym."

Ancram såg på honom igen.

Rebus ryckte på axlarna. "Fallet intresserar mig. Vad är detta?" Han
pekade på ett väggdiagram.

"Likheter och olikheter mellan de två fallen", sa Ancram. "Dans-
ställen kontra klubbar. Och signalementen: lång, smal, blyg, rödbrunt
hår, välklädd… Johnny skulle nästan kunna vara son till Bibel-John."

"Det där är en sak jag har frågat mig. Antag att Johnny Bibel verkli-
gen baserar sig på sin hjälte, och antag att Bibel-John fortfarande finns
där ute någonstans…"

"Bibel-John är död."

Rebus höll kvar blicken på diagrammet. "Men bara antag att han inte är det. Jag menar, skulle han känna sig smickrad? Eller bli förbannad?"

"Fråga inte mig."

"Glasgowoffret hade inte varit på någon klubb", sa Rebus.

"Hon hade inte *setts* senast på en klubb. Men hon hade varit på en tidigare den kvällen. Han kan ha följt efter henne därifrån till konserten."

Offer nummer ett och två hade blivit uppraggade av Johnny Bibel på nattklubbar, nittiotalets motsvarighet till sextiotalets dansställe: högre ljudnivå, mörkare, farligare. De hade båda befunnit sig i sällskap som bara kunde ge en mycket vag beskrivning av mannen som vandrat bort i natten med deras vän. Men offer nummer tre, Judith Cairns, hade blivit uppraggad på en rockkonsert i ett rum ovanför en pub.

"Vi har haft andra också", sa Ancram. "Tre olösta i Glasgow under slutet av sjuttiotalet. Alla tre saknade ett personligt föremål."

"Som om han aldrig försvunnit", mumlade Rebus.

"Det finns alldeles för mycket att gå efter, ändå långtifrån tillräckligt." Ancram lade armarna i kors. "Hur väl känner Johnny till de tre städerna? Valde han klubbarna på måfå eller kände han redan till dem? Var varje plats utsedd i förväg? Kan det vara någon som kör ut öl? Eller en discjockey? Musikjournalist? Han kanske skriver resehandböcker…" Ancram skrattade ett glädjelöst skratt och masserade sin panna.

"Skulle kunna vara Bibel-John själv", sa Rebus.

"Bibel-John är död och begravd, kommissarien."

"Tror ni verkligen det?"

Ancram nickade. Han var inte ensam. Det fanns massor av poliser som trodde att de visste vem Bibel-John var och visste att han var död. Men det fanns andra som var mer skeptiska, och till dem hörde Rebus. Ett DNA-test skulle antagligen inte varit tillräckligt för att få honom att ändra sig. Möjligheten fanns att Bibel-John fanns där ute någonstans.

De hade ett signalement på en man mellan tjugofem och trettio, men vittnesutsagor var kända för att vara olika. Följden var att de ursprungliga identifierings- och fantombilderna av Bibel-John dammats av och åter satts i omlopp med hjälp av media. De vanliga psykologiska knepen användes också – vädjanden i pressen till mördaren om att ge sig till känna: "Du behöver hjälp, och vi vill att du kontaktar oss." Bluff, med tystnad som svar.

Ancram pekade på fotografierna på en vägg: en identifieringsbild från 1970, åldrad med hjälp av dator, skägg och glasögon och glesnande hår på hjässan och vid tinningarna. De hade också offentliggjorts.

"Skulle kunna vara vem som helst, eller hur?" konstaterade Ancram.

"Går er på nerverna, sir?" Rebus väntade på att Ancram skulle be honom att kalla honom vid förnamn.

"Självklart går det mig på nerverna." Ancrams ansikte slappnade av. "Varför så intresserad?"

"Ingen särskild anledning."

"Jag menar, vi är inte här med anledning av Johnny Bibel, eller hur? Vi är här för att tala om Farbror Joe."

"Jag är redo, sir, när ni är det."

"Kom då så ska vi se om vi kan hitta två lediga stolar i det här förbannade huset."

Det slutade med att de stod ute i korridoren, med kaffe köpt av maskinen längre bort.

"Vet vi vad han stryper dem med?" frågade Rebus.

Ancram spärrade upp ögonen. "Mer Johnny Bibel?" Han suckade. "Vad det än är, så lämnar det inte mycket spår. Den senaste teorin är en bit tvättlina. Sådan där plastklädd nylonsak, ni vet. Teknikerna har testat cirka tvåhundra alternativ, allt från rep till gitarrsträngar."

"Vad tror ni om souvenirerna?"

"Jag tycker att vi borde offentliggöra dem. Jag vet att vi hindrar en del knäppgökar från att komma in och bekänna genom att hålla tyst om dem, men jag tror ärligt talat att vi skulle ha större chans om vi bad allmänheten om hjälp. Jag menar, det där halsbandet. Inget kan vara mer karakteristiskt. Om någon har hittat eller sett det…"

"Ni har satt ett medium på fallet, har jag hört?"

Ancram såg förnärmad ut. "Inte jag personligen, någon idiot högre upp. Det är en tidningsgrej, men höjdarna nappade på det."

"Han har inte varit till någon hjälp?"

"Vi sa åt honom att vi behövde en demonstration, bad honom att tala om vem som skulle vinna kvart-över-två-loppet på Ayr."

Rebus skrattade. "Och?"

"Han sa att han kunde se bokstäverna S och P, och en jockey klädd i rosa med gula fläckar."

"Det var imponerande."

"Grejen är att det inte gick något kvart-över-två-lopp på Ayr, eller någon annanstans heller för den delen. All den här voodoon och snacket om profiler, bortkastad tid om ni frågar mig."

"Så ni har inga riktigt bra uppslag?"

"Inte mycket. Ingen saliv på platsen, inte så mycket som ett hårstrå. Den djäveln använder kondom, som han sedan tar med sig – inklusive emballage. Jag slår vad om att han använder handskar också. Vi har några trådar från en kavaj eller liknande, teknikerna jobbar fortfarande med dem." Ancram lyfte muggen till läpparna och blåste på innehållet. "Jaha, kommissarien, vill ni höra om Farbror Joe eller inte?"

"Det är därför jag är här."

"Jag började undra." Rebus ryckte på axlarna, och Ancram tog ett djupt andetag. "Okej, hör då på. Han kontrollerar en stor del av muskelkraften – och jag menar det bokstavligt; han är delägare i flera av kroppsbyggargymmen. Faktum är att han har del i ungefär allt som är det minsta skumt: penningutlåning, beskydd, prostitution, vadslagning."

"Knark?"

"Kanske. Det finns många kanksen när det gäller Farbror Joe. Det kommer ni att märka när ni läser akten. Han är hal som ett Thai-bad – han äger massageinstitut också. Sedan har han en massa taxibilar, de som inte slår på taxametern när man kliver i. Eller om de gör det, så har kilometerpriset höjts. Alla taxichaufförer säger sig vara nöjda, hävdar att de går med vinst. Vi har närmat oss flera av dem, men de har inte ett ont ord att säga om Farbror Joe. Grejen är att om DSS börjar snoka efter småfifflare, så får utredarna ett brev. Där redogörs i detalj för var de bor, äkta hälftens namn och dagliga rörelser, ungarnas namn, skolan de går i…"

"Jag förstår."

"Så de begär förflyttning till någon annan avdelning, och går under tiden till sin doktor därför att de har svårt att sova om nätterna."

"Okej, Farbror Joe är inte Årets man i Glasgow. Var bor han?"

Ancram tömde sin mugg. "Det är det bästa av allt: han bor i ett av allmännyttans hus. Men minns: Robert Maxwell bodde också i ett av allmännyttans hus. Ni skulle bara se stället."

"Tänker jag göra."

Ancram skakade på huvudet. "Han kommer inte att tala med er, ni kommer inte innanför dörren."

"Ska vi slå vad?"

Ancrams ögon smalnade. "Ni låter säker."

Jack Morton gick förbi dem och rullade med ögonen: en allmän kommentar till livet. Han letade i fickorna efter mynt. Medan han väntade på att maskinen skulle servera honom hans dryck vände han sig mot dem.

"Chick, The Lobby?"

Ancram nickade. "Klockan ett?"

"Utmärkt."

"Hur är det med medarbetare?" frågade Rebus. Han noterade att Ancram ännu inte sagt att han kunde kalla honom vid smeknamn.

"Han har massor. Hans vakter är kroppsbyggare, handplockade. Sedan har han några knäppgökar, verkliga dårar. Kroppsbyggarna kanske ser ut som verksamheten, men de här andra *är* verksamheten. Och så var det Tony El, plastpåsekillen med förkärlek för eldrivna verktyg. Farbror Joe har fortfarande en eller två av hans typ. Och så är det Joes son, Malky."

"Mr Stanleykniv?"

"Varenda akutmottagning i Glasgow kan vittna om *den* hobbyn."

"Men Tony El har inte synts till?"

Ancram skakade på huvudet. "Men jag har aktiverat mina tjallare för er räkning. Jag hör nog av dem under dagen."

Tre män sköt upp dörrarna längst bort i korridoren.

"Åhå", sa Ancram halvhögt. "Mannen med kristallkulorna."

Rebus kände igen den ene av männen från ett tidningsfotografi: Aldous Zane, det amerikanska mediet. Han hade hjälpt amerikansk polis i deras jakt på Muntre Mac, som fått det namnet för att någon som passerat platsen för ett av hans mord – utan att veta vad som pågick på andra sidan väggen – hört mörkt skrockande skratt. Zane hade meddelat sina intryck av var mördaren bodde. När polisen till sist grep Muntre Mac påpekade massmedia att boningsorten hade en slående likhet med den bild Zane hade tecknat.

Under några veckor var Aldous Zane nyhetsstoff runt om i världen. Det räckte för att en skotsk sensationstidning skulle frestas betala honom för att meddela sina intryck i Johnny Bibel-jakten. Och höjdarna inom polisen var tillräckligt desperata för att erbjuda sin medverkan.

"Godmorgon, Chick", sa den ene av de andra männen.

"Godmorgon, Terry."

"Terry" tittade på Rebus och väntade på att bli presenterad.

"Kommissarie John Rebus", sa Ancram. "Polisintendent Thompson."

Mannen sträckte fram en hand, som Rebus tog. Han var frimurare, som var och varannan polis. Rebus tillhörde inte brödraskapet men hade lärt sig att härma handslaget.

Thompson vände sig till Ancram. "Vi tar med mr Zane för att han ska få ta sig ännu en titt på en del av det fysiska bevismaterialet."

"Inte bara en titt", korrigerade Zane. "Jag behöver röra vid det."

Det ryckte i Thompsons vänstra öga. Han var tydligen lika skeptisk som Ancram. "Naturligtvis, den här vägen, mr Zane."

De tre männen fortsatte.

"Vem var den tyste?" frågade Rebus.

Ancram ryckte på axlarna. "Zanes barnvakt. Han är från tidningen. De vill vara med på allt Zane gör."

Rebus nickade. "Jag känner honom", sa han. "Eller kände i alla fall för åratal sedan."

"Jag har för mig att han heter Stevens."

"Jim Stevens", sa Rebus och fortsatte nicka. "Det finns förresten en skillnad till mellan de två mördarna."

"Vadå?"
"Alla Bibel-Johns offer hade menstruation."

Rebus lämnades ensam vid ett skrivbord med allt tillgängligt material om Joseph Toal. Det sa honom inte mycket mer än att Farbror Joe sällan såg insidan av en rättegångssal. Rebus tyckte det verkade underligt. Toal tycktes alltid veta när polisen hade honom eller hans operationer under uppsikt, när det började osa katt. Det gjorde att de aldrig hittade några bevis eller ens tillräckligt för att bura in honom. Böter några gånger, det var i stort sett allt. Flera stora satsningar hade gjorts, men de hade alltid avbrutits på grund av brist på bevis eller för att övervakningen avslöjats. Som om Farbror Joe hade sitt eget medium. Men Rebus visste att det fanns en troligare förklaring: någon inom polisen försåg gangstern med information. Rebus tänkte på de eleganta kostymerna som alla tycktes ha, de fina klockorna och skorna, den allmänna atmosfären av välstånd och förträfflighet.

Det var västkustskit, låt dem sopa ihop det eller fösa in det i ett hörn. Det fanns en handskriven anteckning i slutet av akten. Han gissade att det var Ancram som skrivit:

"Farbror Joe behöver inte längre ta livet av folk. Hans rykte är vapen nog, och den djäveln blir hela tiden starkare."

Han hittade en ledig telefon, ringde ett samtal till Barlinniefängelset och gick sedan en runda när Chick Ancram inte syntes till.

Som han vetat redan från början hamnade han i det dammluktande rummet, dominerat av det gamla monstret Bibel-John. Människor i Glasgow talade fortfarande om honom, hade gjort det redan innan Johnny Bibel dök upp. Bibel-John var skräckfiguren som blivit till kött och blod, en generations fasa. Han var din läskige granne; den tyste mannen som bodde två våningar upp; han var ilbudet med den fönsterlösa skåpbilen. Han var den du ville att han skulle vara. I början av sjuttiotalet hade föräldrar skrämt sina barn med: "Om du inte är snäll kommer Bibel-John och tar dig!"

Skräckfiguren som blivit till kött och blod. Och nu i ny upplaga.

Hela skiftet tycktes ha tagit kollektiv paus. Rebus var ensam i rummet. Han lämnade dörren öppen, osäker på varför, och stude-

rade dokumenten. Femtiotusen rapporter hade skrivits. Rebus läste
några av tidningsrubrikerna: "Danssalongernas Don Juan med mord
på hjärnan"; "100 dagars jakt på kvinnojägaren". Under jaktens för-
sta år hade mer än femtusen misstänkta förhörts och avförts. När det
tredje offrets syster gav sin detaljerade beskrivning visste polisen en
hel del om mördaren: blågröna ögon, jämna tänder med undantag
för höger framtand som delvis täckte sin granne; cigarrettmärket
han rökte var Embassy; han vittnade om sträng uppfostran, och han
citerade stycken ur bibeln. Men vid det laget var det för sent. Bibel-
John var historia.

En annan skillnad mellan Bibel-John och Johnny Bibel: luckorna
mellan morden. Johnny dödade med några få veckors mellanrum,
medan Bibel-John inte följt något vecko- eller ens månadsmönster.
Hans första offer hade hittats i februari -68. Sedan ett uppehåll på näs-
tan arton månader – augusti -69, offer nummer två. Och sedan två och
en halv månad senare, hans tredje och sista utflykt. Offer nummer ett
och tre hade blivit dödade på torsdagskvällar, det andra offret en lör-
dag. Arton månader var en helsickes lucka – Rebus kände till teo-
rierna: att han varit utomlands, kanske som sjöman i flottan, eller på
någon armé- eller RAF-kommendering; att han suttit i fängelse för
något mindre brott. Teorier, det var allt som fanns. Alla hans tre offer
var mödrar: det var hittills inget av Johnny Bibels offer. Var det av bety-
delse att Bibel-Johns offer hade haft menstruation eller att de hade
barn? Han hade stoppat in en sanitetsbinda i det tredje offrets armhåla
– en rituell handling. Mycket hade lästs in i detta av de olika psykolo-
ger som var inblandade i fallet. Deras teori: bibeln talade om för Bi-
bel-John att kvinnor var skökor, och han fick bevis när gifta kvinnor
lämnade ett dansställe tillsammans med honom. Det faktum att de
hade menstruation väckte på något sätt hans vrede, gav näring åt hans
blodtörst, och han mördade dem.

Rebus visste att det fanns folk där ute – alltid hade funnits – som
menade att det inte förelåg något samband, annat än ren slump, mellan
de tre morden. De tänkte sig tre mördare, och det var sant att bara till-
fälligheter band samman morden. Men Rebus, som inte brukade för-
svara tillfälligheter, trodde ändå på en enda, starkt motiverad mördare.

En del stora polismän hade varit involverade: Tom Goodall, mannen som jagat Jimmy Boyle, som hade varit med när Peter Manuel erkände. Sedan, när Goodall dog, hade det varit Elphinstone Dalgliesh och Joe Beattie. Beattie hade ägnat timmar åt att stirra på fotografier av misstänkta, ibland genom förstoringsglas. Han hade trott att om Bibel-John kom in i ett rum fullt med folk, så skulle han känna igen honom. Fallet hade blivit en fix idé hos några poliser och det hade sakta men säkert börjat gå utför med dem. Så mycket arbete, och inget resultat. Det var ett hån mot dem, deras metoder, deras system. Han tänkte på Lawson Geddes igen…

Rebus tittade upp och såg att han var iakttagen från dörren. Han reste sig och de två männen kom in i rummet.

Aldous Zane, Jim Stevens.

"Hur går det?" frågade Rebus.

Stevens ryckte på axlarna. "Det är lite för tidigt att säga än. Aldous kom med ett par saker." Han sträckte ut handen. Rebus tog den. Stevens log. "Du kommer ihåg mig, eller hur?" Rebus nickade. "Jag var inte säker där uppe i korridoren."

"Jag trodde du var i London."

"Jag flyttade tillbaka för tre år sedan. Frilansar mest numera."

"Och har vakttjänst, ser jag."

Rebus sneglade på Aldous Zane, men amerikanen hörde inte på. Han förde handflatorna över de papper som låg på det skrivbord som stod närmast. Han var kort, smärt, medelålders. Han hade stålbågade glasögon med blåtonade linser, och läpparna var lätt åtskilda och blottade små, smala tänder. Han påminde Rebus om Peter Sellers som Dr Strangelove. Han hade en vindjacka utanpå kavajen och gav ifrån sig svischande ljud när han rörde sig.

"Vad är det här?" sa han.

"Bibel-John, Johnny Bibels förfader. De plockade in ett medium också i hans fall. Gerard Croiset."

"*Paragnosten*", sa Zane tyst. "Lyckades de hitta något?"

"Han beskrev en plats, två affärsinnehavare, en gammal man som kunde bistå utredningen."

"Och?"

"Och", avbröt Jim Stevens, "en journalist hittade vad som såg ut att vara bostaden."

"Men inga affärsinnehavare", lade Rebus till, "och ingen gammal man."

Zane tittade upp. "Cynism hjälper inte mycket."

"Kalla mig par-agnostiker."

Zane log och sträckte fram handen. Rebus tog den och kände intensiv hetta i mannens handflata. En stickande känsla spred sig uppför armen.

"Läskigt, va?" sa Jimmy Stevens som om han kunnat läsa Rebus tankar.

Rebus gjorde en handrörelse mot materialet på alla fyra skrivbord. "*Känner* ni någonting, mr Zane?"

"Bara sorg och lidande, en ofattbar mängd av båda." Han tog upp en av de senaste identifieringsbilderna av Bibel-John. "Och jag tyckte att jag kunde se flaggor."

"Flaggor?"

"Stjärnbaneret, ett hakkors. Och en koffert full med föremål..." Han blundade, ögonlocken skälvde. "På vinden i ett modernt hus." Ögonen öppnades. "Det är allt. Avståndet är stort, mycket stort."

Stevens hade tagit fram sin anteckningsbok. Han stenograferade snabbt. Nu stod någon annan i dörröppningen och tittade förvånat på sällskapet.

"Kommissarien", sa Chick Ancram, "det är dags för lunch."

De tog en av tjänstebilarna och åkte in i de västra stadsdelarna, med Ancram bakom ratten. Han var förändrad på något sätt. Han verkade på en och samma gång både mer intresserad av Rebus och mer på sin vakt mot honom. Deras samtal komprimerades till poängräkning.

Till sist pekade Ancram på en randig trafikkon vid trottoarkanten. Den skyddade det enda lediga parkeringsutrymmet som fanns kvar på gatan.

"Kan ni hoppa ut och flytta den där?"

Rebus löd och placerade konen på trottoaren. Ancram backade elegant in på platsen.

"Verkar som ni har vanan inne."

Ancram rättade till slipsen. "Stamgästernas parkering."

De gick in på The Lobby. Det var en trendigt inredd bar med alldeles för många höga barstolar, svartvita tegelväggar och elektriska och akustiska gitarrer hängande i taket.

Det fanns en svart tavla med menyn bakom bardisken. Tre anställda jobbade hårt med lunchträngseln. Mer parfym än alkohol i luften. Kontorsflickor med färgglada drinkar gallskrek för att överrösta musiken. Ibland en eller två män tillsammans med dem, leende, tysta, äldre. De hade kostymer som sa "direktion": sirenernas chefer. Det fanns fler mobiltelefoner och personsökare på borden än det fanns glas. Till och med personalen tycktes vara utrustad med dem.

"Vad vill ni ha?" undrade Ancram.

"En stor stark", sa Rebus.

"Att äta?"

Rebus såg på matsedeln. "Finns det något med kött?"

"Viltpaj."

Rebus nickade. Det stimmades vid baren, men Ancram hade fångat en bartenders uppmärksamhet. Han stod på tå och ropade sin beställning över tonåringarnas sönderpermanentade huvuden. De vände sig om och blängde fientligt: han hade gått före i kön.

"Okej, damerna?" hånlog Ancram. De vände sig bort igen.

Han lotsade Rebus genom baren bort till ett hörn, där ett bord dignade av grön mat: sallader, quiche, guacamole. Rebus letade upp en stol åt sig. Det fanns redan en åt Ancram. Tre kriminalpoliser satt runt det, inte någon av dem med öl framför sig. Ancram presenterade.

"Jack känner ni redan." Jack Morton nickade och tuggade pitabröd. "Det där är polisinspektör Andy Lennox och kommissarie Billy Eggleston." De två männen nickade kort, mer intresserade av sin mat. Rebus tittade sig omkring.

"Vad hände med drickan?"

"Lugn, bara lugn. Den kommer här."

Bartendern närmade sig med en bricka: Rebus öl och viltpaj, Ancrams sallad med rökt lax och gin och tonic.

"Tolv pund och tio shilling", sa bartendern. Ancram gav honom tre fempundssedlar och sa åt honom att behålla växeln. Han lyfte sitt glas mot Rebus.

"*Her's tae us.*"

"*Wha's like us*", fyllde Rebus i.

"*Gey few, and they're a'deid*", sa Jack Morton och höjde sitt glas med något som var misstänkt likt vatten. De drack allihop, högg in på maten, utbytte dagens skvaller. Det fanns ett bord med kontorsflickor intill. Lennox och Eggleston försökte med jämna mellanrum dra in dem i samtalet. Flickorna fortsatte med sitt eget skvaller. Det var inte alltid, tänkte Rebus, som kläderna gjorde mannen. Han kände sig kvävd, illa till mods. Bordet var för litet; hans stol stod för nära Ancrams; musiken använde honom som slagpåse.

"Så vad tror ni om Farbror Joe?" frågade Ancram till sist.

Rebus tuggade på en hård degkant. De andra tycktes vänta på hans svar.

"Jag räknar med att hälsa på hos honom någon gång i dag."

Ancram skrattade. "Säg till om ni menar allvar, så ska vi låna er en rustning." De andra skrattade också och började äta igen. Rebus undrade hur mycket av Farbror Joes pengar som flöt omkring hos Glasgowkriminalen.

"John och jag", sa Jack Morton, "jobbade ihop med *Knots and Crosses*-fallet."

"Verkligen?" Ancram såg intresserad ut.

Rebus skakade på huvudet. "Det är gammalt."

Morton uppfattade tonfallet, böjde ner huvudet över maten och sträckte sig efter vattnet.

Gammalt; och alldeles för plågsamt.

"På tal om gammalt", sa Ancram. "Låter som om ni har fått lite problem med Spavenfallet." Han log spjuveraktigt. "Jag läste om det i tidningen."

"Det är bara PR för TV-programmet", var Rebus enda kommentar.

"Vi har fått fler problem med DNA, Chick", sa Eggleston. Han var lång, mager, stel. Han påminde Rebus om en revisor; han kunde slå vad om att karln var bra på pappersarbete och usel på gatan – varje station behövde minst en sådan.

"Det sprider sig som en epidemi", morrade Lennox.

"Samhällets problem, mina herrar", sa Ancram, "vilket också gör dem till vårt problem."

"DNA?"

Ancram vände sig till Rebus. "Den Nya Anpassningen. Kommunen har slängt ut en massa 'problemkunder', vägrar att hysa dem, ens i natthärbärgen – knarkare mest, mentalt obalanserade individer, de 'psykiskt störda' som skickats tillbaka ut i samhället. Det är bara det att samhället säger åt dem att dra åt helvete. Så de finns på gatorna, hittar på sattyg och ger oss problem. Tar en fix offentligt, får överdoser på vanligt Temazepam, allt man kan tänka sig."

"Jävligt chockerande", sa Lennox. Han hade smålockigt rödblont hår och röda kinder, ansiktet var fräknigt och ögonbryn och ögonfransar var ljusa. Han var den ende vid bordet som rökte. Rebus tände en cigarrett för att göra honom sällskap. Jack Morton tittade förebrående på honom.

"Så vad ska ni göra åt det?" frågade Rebus.

"Jo, det ska jag tala om", sa Ancram. "Vi tänker samla ihop dem nästa veckoslut, i en lång rad av bussar, och sedan ska vi släppa av allihop på Princes Street."

Mer skratt vid bordet, riktat mot gästen –Ancram höll i taktpinnen. Rebus tittade på klockan.

"Någon tid att passa?"

"Ja, och det är bäst att jag ger mig av."

"Okej", sa Ancram, "och om ni *får* komma hem till Farbror Joe, så vill jag bli underrättad. Jag kommer att finnas här i kväll, från sju till tio. Okej?"

Rebus nickade, vinkade ett allmänt adjö och lämnade stället.

När han väl kommit ut kändes det bättre. Han började gå, osäker på i vilken riktning han var på väg. Stans centrum var amerikanskt till sin planering, ett rutnät av enkelriktade gator. Det var möjligt att Edinburgh hade sina monument, men Glasgow var byggt i monumental skala och fick huvudstaden att framstå som en leksaksstad. Rebus gick tills han såg någonting som mer liknade en bar i hans stil. Han visste att han behövde ladda upp inför utflykten han skulle göra. En TV mumlade lågt, men ingen musik. Och de samtal som fördes var dämpade, lågmälda. Han förstod inte vad de två männen närmast honom sa, deras uttal var grötigt. Den enda kvinnan på stället var bartendern.

"Vad får det vara i dag?"

"Grouse, en dubbel. Och en halvflaska att ta med."

Han hällde vatten i glaset och tänkte att om han hade ätit ett par pajer här och druckit ett par whisky, så skulle det inte ha varit hälften så dyrt som på The Lobby. Men å andra sidan hade Ancram betalat på The Lobby. Med tre nya fempundssedlar från fickan i en elegant kostym.

"En Coca-Cola, tack."

Rebus vände sig mot den nye gästen: Jack Morton.

"Skuggar du mig?"

Morton log. "Du ser sliten ut, John."

"Och du och dina polare ser lite *för* välmående ut."

"Jag kan inte köpas."

"Inte? Så vem kan?"

"Kom igen, John. Jag skojade." Morton satte sig bredvid honom. "Jag hörde om Lawson Geddes. Betyder det att det kommer att lugna ner sig?"

"Hoppas kan man alltid." Rebus tömde sitt glas. "Titta på den där", sa han och pekade på en maskin i barens ena hörn. "Geléböneatomat, tjugo pence stycket. Två saker som skottarna är berömda för, Jack: vårt godisbegär och vår alkoholkonsumtion."

"Vi är berömda för två saker till", sa Morton.

"Vadå?"

"Att undvika kärnfrågan och att jämt ha dåligt samvete."

"Du menar kalvinism?" skrockade Rebus. "Herregud, Jack, jag trodde att den ende Calvin du kände till nuförtiden var mr Klein."

Jack Morton såg på honom, sökte ögonkontakt. "Ge mig ett skäl till varför man ska missköta sig."

Rebus fnös. "Hur mycket tid har du på dig?"

Morton till Rebus: "Så mycket som behövs."

"Räcker inte på långa vägar, Jack. Här, ta något riktigt att dricka."

"Det här är en riktig dryck. Det där som du dricker, det är egentligen ingen dryck."

"Vad är det då?"

"Ett kryphål."

Jack sa att han kunde köra Rebus till Barlinnie, frågade inte vad han skulle där att göra. De tog M8:an till Riddrie; Jack kände till alla vägar. De sa inte mycket under färden, inte förrän Jack ställde frågan som hängt i luften mellan dem.

"Hur är det med Sammy?"

Rebus dotter, nu vuxen. Jack hade inte sett henne på nästan tio år.

"Bara bra." Rebus var redo med ett nytt samtalsämne. "Jag är inte säker på att Chick Ancram gillar mig. Han… *studerar* mig hela tiden."

"Han är en slug fan, var trevlig mot honom."

"Något särskilt skäl?"

Jack Morton svalde sitt svar och skakade på huvudet. De lämnade Cumbernauld Road och närmade sig fängelset.

"Du, jag kan inte vänta", sa Jack. "Tala om hur lång tid du behöver, så skickar jag en bil att hämta dig."

"En timme bör räcka."

Jack Morton tittade på klockan. "Om en timme." Han sträckte ut handen. "Roligt att se dig igen, John."

Rebus tog handen och tryckte den hårt.

6

"Big Ger" Cafferty väntade när han kom till samtalsrummet.

"Nämen, Strawman, vilket oväntat nöje."

Strawman: Caffertys namn på Rebus. Den fängelsevakt som kommit med Rebus verkade obenägen att gå, och det fanns redan två vakter i rummet som höll ett öga på Cafferty. Han hade rymt en gång från Barlinnie, och nu när de väl fått tillbaka honom tänkte de behålla honom.

"Tjena, Cafferty." Rebus satte sig mitt emot honom. Cafferty hade åldrats i fängelset, blivit av med solbrännan och en del muskulatur, blivit tjock på fel ställen. Håret var tunt och höll snabbt på att bli grått, och han hade skäggstubb på haka och kinder. "Jag har med något till dig." Han tittade på vakterna och drog försiktigt upp halvbuteljen ur fickan.

"Inte tillåtet", fräste en av vakterna.

"Ingen fara, Strawman", sa Cafferty. "Jag har massor av kröken, det här stället fullkomligt simmar i sprit. Det är tanken som räknas, va?"

Rebus släppte tillbaka flaskan ner i fickan.

"Jag antar att du tänker be mig om en tjänst."

"Ja."

Cafferty lade benen i kors, fullkomligt lugn. "Vad gäller det?"

"Du känner Joseph Toal?"

"Alla känner till Farbror Joe."

"Ja, men du *känner* honom."

"Och?" Det fanns skärpa i Caffertys leende.

"Jag vill att du ringer till honom, får honom att prata med mig."
Cafferty begrundade önskemålet. "Varför?"

"Jag vill fråga honom om Anthony Kane."

"Tony El? Jag trodde han var död."

"Han lämnade sina fingeravtryck på en mordplats i Niddrie." Oavsett vad chefen sa behandlade Rebus detta som ett mord. Och han visste att ordet skulle göra större intryck på Cafferty. Det gjorde det. Hans läppar formades till ett O och han visslade.

"Det var dumt av honom. Tony El brukade inte vara så korkad. Och om han fortfarande jobbade åt Farbror Joe… Det skulle kunna få biverkningar." Rebus visste att kopplingar gjordes i Caffertys hjärna, och alla ledde de till att Joseph Toal blev hans Barlinnie-granne. Det fanns säkert skäl för Cafferty att vilja ha Toal innanför murarna: gamla mellanhavanden, obetalda skulder, intrång på annans mark. Cafferty fattade sitt beslut.

"Du blir tvungen att fixa en telefon."

Rebus reste sig, gick bort till vakten som morrat "Inte tillåtet" och smög ner whiskyn i mannens ficka.

"Vi måste fixa en telefon åt honom", sa han.

De lät Cafferty marschera vänster och höger genom korridorerna tills de kom till en telefonautomat. De var tvungna att passera genom tre olika grindar.

"Det här är det närmaste utsidan jag har varit på ett tag", skojade Cafferty.

Vakterna skrattade inte. Rebus tog fram pengar till samtalet.

"Då så", sa Cafferty, "nu ska vi se om jag kommer ihåg…" Han blinkade till Rebus, tryckte in sju siffror och väntade.

"Hallå?" sa han. "Vem är det?" Han lyssnade till namnet. "Aldrig hört talas om dig. Hör du, säg åt Farbror Joe att Big Ger vill snacka med honom. Bara säg det." Han väntade, sneglade på Rebus, slickade sig om läpparna. "Vad säger han? Hälsa honom att jag ringer från Bar-L och att pengarna håller på att ta slut."

Rebus stoppade i ett mynt till.

"Okej", Cafferty började bli förbannad, "hälsa honom att han har en tatuering på ryggen." Han höll handen för luren. "Inget Farbror Joe snackar om."

Rebus ställde sig så nära luren han kunde och hörde ett dovt raspande av en röst.

"Morris Gerald Cafferty, är det du? Jag trodde någon drev med mig."

"Hallå där, Farbror Joe? Hur går affärerna?"

"Uselt. Vem hör på?"

"Senast jag räknade, tre plitar och en snutdjävel."

"Du har alltid gillat publik, det är ditt stora problem."

"Ett klokt råd, Farbror Joe, men många år för sent."

"Så vad vill de?" De: snutdjäveln Rebus och de tre plitarna.

"Snutdjäveln är en kriminalare från Edinburgh, och han vill snacka med dig."

"Om vad?"

"Tony El."

"Vad finns det att säga? Tony har inte jobbat åt mig på ett år."

"Säg då det till den snälle polisen. Verkar som Tony har fuskat i sitt gamla jobb. Det finns en döing i Edinburgh, och Tonys fingeravtryck på platsen."

Ett lågt morrande: mänskligt.

"Har du en hund där, Farbror Joe?"

"Säg åt snuten att jag inte har något med Tony El att göra."

"Jag tror han vill höra det själv."

"Så låt mig tala med honom."

Cafferty tittade på Rebus, som skakade på huvudet.

"Och han vill se dig i ögonen när du säger det."

"Är han bög, eller?"

"Han är av den gamla skolan, Farbror Joe. Du kommer att gilla honom."

"Varför kom han till dig?"

"Jag är hans sista chans."

"Och varför i helvete ställde du upp?"

Cafferty var snabb med svaret. "En halvflaska *usquebaugh.*"

"Bar-L måtte jävlar i det vara torrare än jag trodde." Rösten inte fullt så sträv.

"Skicka över en helflaska så ska jag be honom dra åt helvete."

Ett hest skratt. "Herregud, Cafferty, jag saknar dig. Hur lång tid har du kvar?"

"Fråga mina advokater."

"Har du fortfarande ett finger med i spelet?"

"Vad tror du?"

"Det är vad jag har hört."

"Inget fel på din hörsel."

"Skicka hit fanstyget, säg att han får fem minuter. Jag kommer kanske och hälsar på dig någon dag."

"Eller låt bli, Farbror Joe. När besökstiden är slut har de kanske tappat bort nyckeln."

Mer skratt. Förbindelsen bröts. Cafferty lade på luren.

"Du är skyldig mig en gentjänst, Strawman", morrade han. "Och jag ber dig om en sak: bura in den djäveln."

Men Rebus var redan på väg mot friheten.

Bilen väntade på honom, Morton höll sitt ord. Rebus sa adressen som han hade memorerat från Toals akt. Han satt i baksätet, två uniformerade poliser där framme. Mannen i passagerarsätet vände sig om.

"Är det inte där Farbror Joe bor?"

Rebus nickade. De uniformerade utbytte en blick.

"Bara kör mig dit", beordrade Rebus.

Trafiken var tät, folk på väg hem. Elastiska Glasgow, sträckte sig i fyra riktningar. Bostadsområdet, när de väl kom dit, såg ut ungefär som vilket område som helst av samma storlek i Edinburgh: grå väggputs med småsten, nakna lekytor, asfalt och en handfull befästa affärer. Ungar på cykel som stannar för att titta på bilen, blickar lika skarpa som vaktposters; pigga barnvagnar, formlösa mammor med blonderat hår. Längre in i området, långsamt: människor tittar bakom fönstren, män i trottoarhörnen, muttrande överläggningar. En stad i staden, likformig och förslöande, energiberövad, bara halsstarrighet kvar: orden NO SURRENDER, ingen kapitulation, på en gavel, ett budskap från Ulster som var lika relevant här.

"Vet han att du kommer?" frågade föraren.

"Han vet att jag kommer."

"Tack och lov för det åtminstone."

"Några andra polisbilar i närheten?"

Passageraren skrattade nervöst. "Detta är gränslandet, sir. Gränslandet upprätthåller sin egen lag och ordning."

"Om du hade hans pengar", sa föraren, "skulle du bo här?"

"Han är född här", sa Rebus. "Och hans hus lär vara lite speciellt."

"Speciellt?" Föraren fnös. "Ja, avgör själv."

Han stannade vid infarten till en återvändsgränd. I slutet av gränden såg Rebus två hus som skilde sig från sina grannar på bara ett sätt: de var klädda med sten.

"Ett av dem?" frågade Rebus.

"Ta vilken dörr som helst."

Rebus steg ur bilen och lutade sig sedan in igen. "Våga inte köra härifrån." Han smällde igen dörren och gick återvändsgränden fram. Han valde den vänstra av parhusets två identiska halvor. Dörren öppnades inifrån och en jättekarl i svällande T-shirt visade honom in.

"Är det du som är snuten?" De stod i en trång hall. Rebus nickade. "In där."

Rebus öppnade dörren till ett vardagsrum, och studsade till. Väggen mellan de två halvhusen hade slagits ut och gett en dubbelt så stor, öppen yta. Rummet sträckte sig också längre in än man skulle ha trott var möjligt. Rebus kom att tänka på Dr Who's Tardis och gick, ensam i rummet, mot husets baksida. En stor utbyggnad hade tillkommit, inklusive en ansenlig vinterträdgård. Detta borde ha minimerat det utrymme som återstod för en trädgård, men gräsmattan sträckte sig långt åt alla håll. Bollplaner gränsade till husets baksida, och Rebus såg att Farbror Joe hade tagit en bit av dessa ytor till sin trädgård.

Byggnadslov var givetvis uteslutet.

Men vem behövde byggnadslov?

"Jag hoppas dina öron inte behöver rensas", sa en röst. Rebus vände sig om och såg att en liten böjd man hade kommit in i rummet. Han höll en cigarrett i ena handen, medan den andra hanterade en käpp. Han hasade fram i filttofflor mot en väl använd fåtölj och sjönk ner i den, händer kramade om flottiga armstöd, käppen vilade över knäet.

Rebus hade sett fotografier av honom, men de hade inte förberett honom på verkligheten. Joseph Toal *såg* verkligen ut som någons farbror. Han var i sjuttioårsåldern, undersätsig, med en före detta kolgruvearbetares händer och ansikte. Pannan var idel räfflad hud, och det tunna grå håret var tillbakastruket och insmort med Brylcreme. Hakan var fyrkantig, ögonen vattniga och glasögonen hängde i ett snöre om halsen. När han förde cigarretten till munnen såg Rebus nikotinfingrar, med trasiga smutsiga naglar. Han hade en formlös kofta utanpå en lika formlös pikétröja. Koftan var lappad och det hängde lösa trådar från den. Byxorna var bruna och säckiga, med fläckar på knäna.

"Det är inget fel på mina öron", sa Rebus och gick närmare.

"Bra, för jag tänker bara säga det en gång." Han drog in luft genom näsan, kontrollerade sin andning. "Anthony Kane arbetade åt mig i tolv, tretton år, inte hela tiden – korttidskontrakt. Men så för ett år sedan, kanske lite mer, meddelade han att han tänkte sluta, ville bli sin egen. Vi skildes som vänner, och jag har inte sett honom sedan dess."

Rebus gjorde en gest mot en stol. Toal nickade som tecken på att han kunde slå sig ner. Rebus satte sig till rätta, utan brådska.

"Mr Toal – "

"Alla kallar mig Farbror Joe."

"Som i Stalin?"

"Tror du att det där var ett nytt skämt? Ställ din fråga."

Okej: "Vad tänkte Tony göra när han lämnade sin tjänst hos dig?"

"Han gick inte in på några detaljer. Vårt avskedssamtal var… kort."

Rebus nickade. Han tänkte: Jag hade en farbror som såg ut ungefär som du. Jag minns inte ens vad han hette.

"Jaha, om det var allt…" Toal gjorde min av att vilja resa sig.

"Kommer du ihåg Bibel-John, Farbror Joe?"

Toal rynkade pannan, förstod frågan men inte avsikten med den. Han sträckte sig ner mot golvet efter en askkopp och fimpade cigarretten i den. "Jag minns mycket väl. Hundratals snutar på gatan, det var dåligt för affärerna. Vi samarbetade till hundra procent. Jag hade folk ute och letade efter den djäveln. I *månader*! Och nu dyker den här nye upp."

"Johnny Bibel?"

Pekade på sig själv: "Jag är affärsman. Slakten på oskyldiga äcklar mig. Jag har sagt åt alla mina taxichaufförer – " han gjorde en paus – "jag har intressen i ett lokalt taxiföretag – och jag har sagt åt varenda förare: höll ögon och öron öppna." Han andades tungt. "Om jag får veta något går det direkt till polisen."

"I god samhällsanda."

Toal ryckte på axlarna. "Samhället är mitt arbetsfält." Ännu en paus, rynkad panna. "Vad har allt det här med Tony El att göra?"

"Ingenting." Toal såg inte övertygad ut. "Tankarna flyger. Är det okej om jag röker?"

"Du kommer inte att stanna tillräckligt länge för att hinna njuta av det."

Rebus tände ändå en cigarrett, och satt kvar. "Vart tog Tony El vägen?"

"Han skickade inget vykort."

"Du måste ha någon aning."

Toal tänkte efter, när han inte borde ha behövt det. "Söderut, tror jag. Kanske London. Han hade vänner där nere."

"London?"

Toal såg inte på Rebus. Han skakade på huvudet. "Jag hörde att han stack söderut."

Rebus reste sig.

"Redan dags?" Toal tog sig mödosamt upp på fötter, stabiliserade sig med käppen. "Och vi som just har börjat lära känna varann. Hur är det i Edinburgh nuförtiden? Vet du vad vi brukade säga? Päls och inga trosor, det är Edinburgh." Ett hackigt skratt blev till hackig hosta. Toal grep om käppen med båda händer, knäna vek sig nästan.

Rebus väntade tills han slutat. Den gamle mannen var röd i ansiktet, svetten bröt fram. "Det är möjligt att det är sant", sa han, "men här ser jag då varken pälsar eller trosor."

Toals ansikte sprack upp i ett leende och visade gula löständer. "Cafferty sa att jag skulle gilla dig, och vet du vad?"

"Nej, vadå?"

Leendet förvandlades till en bister min. "Han hade fel. Och nu när jag har träffat dig undrar jag mer än någonsin varför han skickade hit dig. Inte bara för priset av en halvbutelj, inte ens Cafferty är så billig. Bäst du ser till att pallra dig tillbaka till Edinburgh, unge man. Och ta väl vara på dig, jag har hört sägas att där inte är lika säkert som förr."

Rebus gick mot vardagsrummets bortre del, inställd på att ge sig av via den andra ytterdörren. Det fanns en trappa intill den, och någon kom dunsande ner och var nära att kollidera med honom. En stor karl i anskrämlig klädsel, ett ansikte som sa att han inte var alltför klipsk, armar tatuerade med tistlar och säckpipeblåsare. Han kunde vara cirka tjugofem, och Rebus kände igen honom från fotografier i akten: Mad Malky Toal, alias "Stanley". Joseph Toals fru hade dött i barnsäng, egentligen för gammal för att få barn. Men deras första två hade dött, ett i spädbarnsåldern, det andra i en bilolycka. Så nu fanns bara Stanley, arvtagare, och långt bak i kön när intelligenskvoterna delats ut.

Han gav Rebus en lång blick, full av agg och hot, och gick med långa kliv mot fadern. Han hade på sig byxor från en kritstrecksrandig kostym och till det T-shirt, vita sockar och gymnastikskor – Rebus hade hittills aldrig träffat en gangster med sinne för kläder: de gjorde av med pengar, men utan stil – och i ansiktet hade han ett halvdussin stora vårtor.

"Du, farsan, jag har tappat bort nycklarna till bilen, var är extranycklarna?"

Rebus öppnade dörren och steg ut, fann till sin lättnad att polisbilen stod kvar. Pojkar cirklade runt den på cyklar, ett cherokeegäng med skalper i tankarna. På väg ut ur återvändsgränden studerade Rebus bilarna: en ny snygg Rover; en BMW i 3-serien; en äldre Merca, en av de stora, och ett par mindre seriösa utmanare. Om det varit ett försäljningsställe för begagnade bilar skulle han ha behållit sina pengar och tittat på annat håll.

Han klämde sig mellan två cyklar, öppnade bakdörren, klev in. Föraren startade motorn. Rebus såg sig om, Stanley var på väg mot BMW:n, studsande på hälarna.

"Innan vi åker", sa mannen i passagerarsätet. "Har du räknat efter att du har kvar alla fingrar och tår?"

"Västerut", sa Rebus, lutade sig tillbaka i sätet och slöt ögonen. Han behövde något att dricka.

Horseshoe Bar först, ett järn och sedan ut efter en taxi. Han sa till chauffören att han ville komma till Langside Place i Battlefield. Från det ögonblick han steg in i Bibel-John-rummet hade han vetat att han skulle göra den här extraresan. Han kunde låtit polisbilen köra honom, men ville slippa förklara sitt intresse.

Langside Place var den plats där Bibel-Johns första offer hade bott. Hon hade arbetat som sjuksköterska, bott hos sina föräldrar. Fadern tog hand om hennes lille son när hon gick ut och dansade. Rebus visste att hennes ursprungliga destination hade varit Majestic Ballroom på Hope Street, men någonstans på vägen hade hon bestämt sig för Barrowland istället. Om hon bara hållit fast vid sitt första val. Vilken kraft hade fört henne mot Barrowland? Kunde man bara kalla det ödet och nöja sig med det?

Han sa åt chauffören att vänta, steg ur bilen och gick gatan fram och tillbaka. Hennes kropp hade hittats i närheten, utanför ett garage på Carmichael Lane, utan kläder och handväska. Polisen hade lagt ner mycket tid och möda på att leta efter dem. De hade också gjort sitt bästa för att fråga ut människor som varit på Barrowland den kvällen, men det fanns ett problem: torsdagskvällen där var beryktad. Det var Över Tjugofem-kväll, och en massa gifta män och kvinnor gick dit och lämnade äkta hälfter och ringar hemma. En massa människor borde inte ha varit där, och var ovilligt vittnesmaterial.

Taximotorn var fortfarande på – och taxametern. Rebus visste inte vad han väntat sig att finna här, men han var ändå glad att han hade kommit. Det var svårt att titta på gatan och se 1968, svårt att få någon känsla för den tiden. Allt och alla hade förändrats.

Han kunde den andra adressen: Mackeith Street, där det andra offret hade bott och dött. Det var en sak med Bibel-John: han hade fört offren så nära deras hem, ett tecken antingen på självförtroende eller obeslutsamhet. I augusti 1969 hade polisen mer eller mindre lagt ner den första utredningen, och Barrowland blomstrade igen. Det var en lördagskväll, och offret lämnade sina tre barn hos sin syster, som bodde tvärs över farstun. På den tiden låg det hyreshus på Mackeith Street, men när taxin nådde sitt mål såg Rebus radhus, parabolantenner. Hyreshusen hade försvunnit för längesedan, 1969 hade de väntat på rivning och många av dem hade stått tomma. Hon hade hittats i ett av de övergivna husen, strypt med sina egna strumpbyxor. En del av hennes saker var borta, bland annat handväskan. Rebus steg inte ur taxin, såg ingen mening med det. Chauffören vände sig mot honom.

"Är det Bibel-John?"

Rebus nickade, överraskad. Chauffören tände en cigarrett. Han kunde vara omkring femtio, tjockt lockigt grått hår, rödblommig, en pojkaktig glimt i de blå ögonen.

"Jag körde taxi den gången också", sa han. "Tycks ha fastnat i hjulspåren."

Rebus kom ihåg pärmen med "Taxiföretag" på ryggen. "Ställde polisen frågor till er?"

"Ja. Fast de ville mest att vi skulle ha ögonen med oss, ifall vi skulle få honom i baksätet någon gång. Men han såg ut som vilken kund som helst, det fanns dussintals som stämde in på beskrivningen. Vi hade nästan några lynchningar. De blev tvungna att dela ut kort till några av dem: 'Den här mannen är inte Bibel-John', undertecknat av polischefen."

"Vad tror du hände med honom?"

"Vem vet? Men han slutade åtminstone, och det är huvudsaken, eller hur?"

"Om han slutade", sa Rebus tyst. Den tredje adressen var Earl Street i Scotstoun, offrets kropp hittad på allhelgonahelgen. Systern, som hade varit tillsammans med offret hela kvällen, hade målat upp en mycket skarp bild av den där kvällen: bussen till Glasgow Cross, promenaden uppför Gallowgate... affärer de stannade vid... något att dricka på Traders' Tavern... sedan Barrowland. De träffade båda män som hette John. De två männen tycktes inte komma överens. Den ene gick för att ta en buss, den andre stannade och delade deras taxi. Pratade. Det gnagde på Rebus, så som det gnagt på så många före honom: varför skulle Bibel-John lämna efter sig ett så ypperligt vittne? Varför hade han fortsatt och tagit livet av sitt tredje offer, när han visste att systern skulle kunna teckna ett så levande porträtt av honom: hans kläder, vad han hade pratat om, tänderna som satt snett? Varför hade han varit så obetänksam? Hade han hånat polisen, eller fanns det något

annat skäl? Han kanske var på väg bort från Glasgow och kunde kosta
på sig denna nonchalanta attityd? Men på väg vart? Någonstans där
hans signalement inte skulle betyda något – Australien, Kanada, USA?

Halvvägs till Earl Street sa Rebus att han hade ändrat sig och diri-
gerade istället chauffören till "Marinen". Den gamla Partickstationen
– som varit centrum för Bibel-John-utredningen – var tom och näs-
tan öde. Det gick fortfarande att komma in i huset om man låste upp
hänglåsen, och ungar hade utan tvekan kommit på att de kunde ta sig
in utan att låsa upp några lås. Men det enda Rebus gjorde var att sitta
utanför och stirra. En massa män fördes till Marinen, förhördes och
utsattes för konfrontation. Man arrangerade femhundra formella upp-
ställningar för identifiering, och ännu fler informella. Joe Beattie och
det tredje offrets syster stod där och koncentrerade sig på ansikten,
kroppsbyggnad, tal. Sedan en skakning på huvudet och Joe var tillbaka
på ruta ett.

"Och nu vill du se Barrowland?" frågade hans chaufför. Rebus
skakade på huvudet. Han hade fått nog. Barrowland skulle inte säga
honom något som han inte redan visste.

"Känner du till en bar som heter The Lobby?" sa han istället. Man-
nen nickade. "Då kör vi dit."

Han betalade chauffören, lade till en femma i dricks och bad om ett
kvitto.

"Inga kvitton. Beklagar."

"Du jobbar väl händelsevis inte åt Joe Toal?"

Mannen blängde på honom. "Aldrig hört talas om honom." Sedan
lade han i ettan och körde snabbt därifrån.

Inne på The Lobby stod Ancram vid bardisken och såg avspänd ut,
fokus för en massa uppmärksamhet: två män och två kvinnor i en
klunga runt honom. Baren var full av byråkrater efter jobbet, karriä-
rister som konspirerade, kvinnor på jakt.

"Kommissarien, vad vill ni ha?"

"Det är min tur att bjuda." Han pekade på Ancrams glas, sedan på
de andras, men Ancram skrattade.

"De ska inte bjudas på drinkar, det är journalister."

"Det är ändå min omgång", sa en av kvinnorna. "Vad vill du ha?"

"Min mamma sa åt mig att aldrig ta emot drinkar av okända."

Hon log: läppglans, ögonskugga, trött ansikte som försökte utstråla entusiasm. "Jennifer Drysdale." Rebus visste varför hon var trött: det var hårt slit att vara "en av killarna". Mairie Henderson hade berättat om det för honom – mönstret förändrades bara långsamt. En massa jämlikhetsfernissa som skvättes ut över samma gamla tapet.

Jeff Beck i ljudanläggningen: "Hi-Ho Silver Lining". Korkad text, och en melodislinga som stått sig i över två årtionden. Det tröstade honom att ett ställe med The Lobbys anspråk fortfarande höll fast vid gamla låtar.

"Faktum är", sa Ancram, "att vi borde ge oss av. Eller vad säger du, John?"

"Jo." Att använda förnamnet var en vink: Ancram ville därifrån.

Journalisterna såg inte lika glada ut längre. De kastade fram frågor till Ancram: Johnny Bibel. De ville ha en story, vilken story som helst.

"Jag skulle ge er något om jag kunde, men det finns inget." Ancram höll upp händerna, försökte lugna de fyra. Rebus såg att någon hade placerat en inspelande Walkman på bardisken.

"Vad som helst", sa en av männen. Han till och med sneglade mot Rebus, men Rebus höll sig utanför.

"Om ni vill ha en story", sa Ancram och trängde sig mellan kropparna, "så skaffa er en detektiv med medial förmåga. Tack för drinkarna."

Utanför föll leendet av Ancrams ansikte. Teater, det var allt det hade varit. "De är värre än iglar."

"Och liksom iglar har de sina funktioner."

"Sant, men vem skulle ni helst dricka ett glas med? Jag har ingen bil, har ni något emot att gå?"

"Vart?"

"Till nästa bar vi hittar."

Men de blev i själva verket tvungna att gå förbi tre pubar – inte ställen där en polis kunde dricka och känna sig säker – innan de hittade en som Ancram kunde godta. Det regnade fortfarande, men stillsamt. Rebus kunde känna hur svetten klistrade fast hans skjorta vid ryggen.

Trots regnet var *Big Issue*-försäljare ute i stort antal. Inte för att någon köpte: folk var trötta på att offra till Goda Ändamål.

De skakade sig torra och satte sig på pallar vid baren. Rebus beställde – malt, gin och tonic – och tände en cigarrett, höll fram paketet mot Ancram, som skakade på huvudet.

"Så var har ni varit?"

"Hos Farbror Joe." Bland annat.

"Hur gick det?"

"Jag snackade med honom." Och betygade honom min aktning…

"Öga mot öga?" Rebus nickade. Ancram studerade honom. "Var?"

"I hans hus."

"Ponderosa? Och han släppte in er utan husrannsakningsorder?"

"Stället var helt rent."

"Han hade antagligen ägnat en halvtimme innan ni kom åt att flytta upp allt tjuvgods på övervåningen."

"Sonen var där uppe när jag kom."

"Stod på vakt vid sovrumsdörren, utan tvivel. Såg ni Eve?"

"Vem är det?"

"Farbror Joes flickvän. Låt dig inte luras av flåsande gamma1 pensionär-numret. Eve är omkring femtio, fortfarande i fin form."

"Jag såg henne inte."

"Ni skulle ha kommit ihåg henne i så fall. Nå, rasslade det loss något från den darrige gamle fan?"

"Inte mycket. Han svor på att Tony El inte funnits med på avlöningslistan det senaste året, och att han inte sett honom."

En man kom in i baren, upptäckte Ancram, och tänkte göra en U-sväng. Men Ancram hade redan sett honom i barspegeln, så mannen gick fram till honom medan han strök regnet ur håret.

"Tjena, Chick."

"Dusty, hur är läget?"

"Synd att klaga."

"Så du klarar dig?"

"Du känner mig, Chick." Mannen höll huvudet nerböjt, talade med dämpad röst och hasade bort till bardiskens bortre del.

"Bara en bekant", förklarade Ancram: betydde, en tjallare. Mannen beställde whisky med en liten starköl att skölja ner den med. Han öppnade ett paket Embassy, bemödade sig väl mycket om att inte titta längs bardisken.

"Så var det allt Farbror Joe gav er?" frågade Ancram. "Ni gör mig nyfiken. Hur kom ni fram till honom?"

"En polisbil släppte av mig, jag gick sista bn."

"Ni vet vad jag menar."

"Farbror Joe och jag har en gemensam vä Rebus tömde sin malt.

"En likadan?" frågade Ancram och tittad Rebus tomma glas. Rebus nickade. "Ja, jag vet att ni besökte E.'" Hade Jack Morton skvallrat? "Och jag kan inte komma på särsnänga där som kan ha Farbror Joes förtroende... Big Ger Caffertyebus applåderade tyst. Ancram skrattade på riktigt den här gången t spel för journalister. "Och den gamle fan berättade ingenting fö"

"Bara att han trodde att Tony El hade at söderut, kanske till London."

Ancram fiskade upp citronen ur sitt glas slängde den. "Verkligen? Det var intressant."

"Varför?"

"Därför att mina vänner har avgett rapp." Ancram gjorde den allra minsta rörelse med huvudet, och tjalla vid bardiskens bortre del gled ner från sin pall och kom bort till de "Berätta för kommissarie Rebus vad du berättade för mig, Dusty."

Dusty slickade sina icke-existerande läpp Han såg ut som den sorten som tjallade för att känna sig betydelseill, inte bara för pengar eller hämnd.

"Det ryktas", sa han med ansiktet fortfarane nerböjt så att Rebus tittade på hans hjässa, "att Tony El har jobbat uppe i norr."

"Norr?"

"Dundee... nordöst."

"Aberdeen?"

"Åt det hållet, ja."

"Och gjort vadå?"

En snabb axelryckning. "Egen företagare, inte vet jag. Han har bara synts till."

"Tack, Dusty", sa Ancram. Dusty drog sig tillbaka till sin del av bardisken. Ancram vinkade på bartendern. "Två till", sa han, "och vad det nu är Dusty dricker." Han vände sig till Rebus. "Så vem tror ni på, Farbror Joe eller Dusty?"

"Ni tror att han ljög bara för att blåsa mig?"

"Eller för att lura er på avvägar."

Ja, ända ner till London, ett falskt spår som kunde ha frätt sig in i utredningen: bortkastad tid och möda.

"Offret arbetade utanför Aberdeen", sa Rebus.

"Alla vägar leder till…" Drinkarna hade anlänt. Ancram sträckte fram en tjugopundssedel. "Glöm växeln, använd den till det Dusty dricker och ge honom sedan resten. Plus ett pund till dig."

Hon nickade, kunde rutinerna. Rebus tänkte intensivt, rutter som ledde norrut. Hade han lust att köra till Aberdeen? Det skulle hålla honom borta från *Lag och rätt*-programmet, kanske hindra honom från att tänka på Lawson Geddes. I dag hade varit som rena semestern i det avseendet. Edinburgh var alldeles för fullt av spöken. Men det var Glasgow också – Jim Stevens, Jack Morton, Bibel-John och hans offer…

"Var det Jack som berättade för er att jag hade besökt Bar-L?"

"Jag utnyttjade min ställning, skyll inte på Jack."

"Han har förändrats en hel del."

"Har han varit på er? Jag undrade varför han följde efter er på lunchen. Den omvändes nit."

"Jag hänger inte med." Rebus lyfte glaset till munnen, hällde lugnt i sig.

"Har han inte sagt det? Han har gått med i AA." Ancram gjorde en paus. Det var något irriterande över hans leende. Det var som om han kände till hemligheter och motiv – ett nedlåtande leende.

Ett typiskt glasgowleende.

"Han var alkoholist", fortsatte Ancram. "Är fortfarande. En gång alkis, alltid alkis, säger man ju. Det hände någonting med honom i Falkirk, han hamnade på sjukhus, nästan i koma. Svett, spyor, slem droppande från taket. Skrämde honom halvt från vettet. Det första han gjorde när han kom ut var att leta upp telefonnumret till Län-

karna, och de kopplade honom till Juicekyrkan." Han tittade på Rebus
glas. "Jädrar vad det gick fort. Här, ta en till." Bartendern höll redan ett
glas i handen.

"Tack gärna", sa Rebus och önskade att han inte känt sig så lugn.
"Eftersom ni verkar att ha det så gott ställt. Snygg kostym också."

Det skämtsamma försvann från Ancrams blick. "Det finns en skräd-
dare på Argyle Street. Tio procents rabatt för poliser." Ögonen smal-
nade. "Fram med det."

"Nej, det är egentligen inget, bara det att när jag gick igenom Toals
akt, så kunde jag inte låta bli att notera att han alltid verkade ha
insiderinformation."

"Ta det lugnt, grabben."

"Grabben" irriterade. Det var meningen.

"Tja", fortsatte Rebus, "alla vet att västkusten är öppen för mutor.
Inte alltid kontanter, efter vad jag förstår. Kan vara klockor, armband,
ringar, kanske till och med en och annan kostym…"

Ancram såg sig omkring i baren, som om han tiggde om vittnen till
Rebus kommentarer.

"Kan *kommissarien* nämna några namn, eller är hörsägen tillräckligt
för Edinburghpolisen? Efter vad jag hört finns det ingen plats kvar i
skåpen i Fettes, eftersom de är så fullproppade med skelett." Han lyfte
sitt glas. "Och hälften av de skeletten tycks vara fulla med *era* finger-
avtryck."

Leendet igen, glittrande ögon, skrattrynkor. *Hur kunde han veta?*
Rebus vände sig om för att gå. Ancrams röst följde honom ut ur pu-
ben.

"Vi kan inte alla springa till vänner i Barlinnie! Vi ses, kommissa-
rien…"

7

Aberdeen.

Aberdeen betydde bort från Edinburgh. Inget *Lag och rätt*-program, inget Fort Apache, ingen skit för honom att kliva i. Aberdeen verkade bra.

Men Rebus hade saker att uträtta i Edinburgh först. Han ville se brottsplatsen i dagsljus, så han körde dit ut, riskerade inte sin egen Saab. Lämnade den vid Fort Apache och tog stationens Escort. Jim Mac-Askill ville ha honom på fallet därför att han inte varit där tillräckligt länge för att ha skaffat sig fiender. Rebus undrade hur man någonsin skaffade sig vänner i Niddrie. Stället var om någonting ännu dystrare på dagen: igenbommade fönster, glas som granatsplitter på asfalten, ungar som lekte i solen utan verklig entusiasm, ögon och munnar som smalnade när bilen rullade förbi.

De hade rivit en stor del av området. Bakom det fanns bättre bostäder, parhus. Parabolantenner som statussymbol: ägarnas status – arbetslösa. Området kunde skryta med en övergiven pub – brandhärjad för att att få ut försäkringspengarna – och en närbutik, med fönstren fulla av videoaffischer. Ungarna gjorde denna sistnämnda till sin bas. BMX-banditer blåste tuggummibubblor. Rebus körde långsamt förbi, med ögonen på dem. Mordlägenheten låg inte alldeles i utkanten av området, gick inte att se från Niddrie Mains Road. Rebus tänkte: Tony El var inte härifrån, och om han valt platsen av en slump, så fanns det andra tomma lägenheter närmare huvudgatan.

Två män plus offret. Tony El och en medbrottsling.

Medbrottslingen hade lokalkännedom.

Rebus gick uppför trappan till lägenheten. Stället hade plomberats, men han hade nycklar till båda hänglåsen. Vardagsrummet som förut, upp och nervänt bord, filt. Han undrade vilka som sovit där, de hade kanske sett någonting. Han gissade att chansen att hitta dem var runt en procent, den att få dem att prata ännu mindre. Kök, badrum, sovrum, hall. Han höll sig intill väggarna för att inte ramla igenom golvet. Ingen bodde i huset, men nästa hus hade glas i några av fönstren: ett på första våningen, ett på andra. Rebus knackade på den första dörren. En ovårdad kvinna öppnade, med ett barn klängande om halsen. Han behövde inte presentera sig.

"Jag vet ingenting och jag har varken sett eller hört något." Hon gjorde min av att stänga dörren.

"Är ni gift?"

Hon öppnade dörren igen. "Vad angår det er?"

Rebus ryckte på axlarna. Bra fråga.

"Han är antagligen nere på puben", sa hon.

"Hur många barn har ni?"

"Tre."

"Måste vara trångt."

"Det är det vi säger till dem hela tiden. Allt de säger är att vårt namn finns på listan."

"Hur gammal är er äldsta?"

Ögonen smalnar. "Elva."

"Kan han ha sett något?"

Hon skakade på huvudet. "Han skulle ha berättat det för mig."

"Er man då?"

Hon log. "Han skulle ha sett allting *dubbelt*."

Rebus log också. "Ja, om ni hör något... av ungarna eller er man..."

"Visst." Långsamt, för att inte väcka anstöt, drog hon igen sin dörr.

Rebus gick upp till nästa våning. Hundskit på trappavsatsen, en använd kondom: han försökte låta bli att koppla ihop de två. Graffiti på dörren – Runkare, HMFC, serieteckningssamlag. Hyresgästen hade slutat försöka ta bort det. Rebus tryckte på ringklockan. Ingen reaktion. Han försökte igen.

En röst inifrån: "Stick!"

"Kan vi prata lite?"

"Vem är det?"

"Polisen."

En kedja rasslade och dörren öppnades en halv decimeter. Rebus såg hälften av ett ansikte: en gammal kvinna, eller kanske en gammal man. Han visade sin polisbricka.

"Ni kan inte få mig att flytta. Jag kommer att vara kvar här när de river stället."

"Jag vill inte få er att flytta."

"Va?"

Rebus höjde rösten. "Ingen vill få er att flytta."

"Jo, det vill de visst det, men jag flyttar inte, det kan ni hälsa dem." Dålig andedräkt slog emot Rebus, en köttaktig lukt.

"Har ni hört vad som hänt här intill?"

"Va?"

Rebus kikade in genom öppningen. Hallen var täckt med tidningspapper, tomma kattmatskonserver. Ett försök till.

"Någon blev dödad i huset bredvid."

"Försök inte med era knep!" Ilska i rösten.

"Jag försöker inte med några... äh, glöm det." Rebus vände och började gå nerför trappan. Plötsligt såg världen utanför behaglig ut i det varma solskenet. Allting var relativt. Han gick bort till närbutiken, ställde några frågor till ungarna, delade ut mintkarameller till dem som ville ha. Han fick inte veta något, men hade en ursäkt för att gå in. Han köpte en förpackning extrastarka, stoppade den i fickan för senare bruk, ställde några frågor till den asiatiska flickan bakom disken. Hon var femton, kanske sexton, mycket söt. En video rullade på TV:n, högt upp på väggen. Hongkonggangsters sköt loss stora stycken ur varandra. Hon hade ingenting att berätta för honom.

"Tycker du om Niddrie?" frågade han.

"Det är okej." Uttalet var rent edinburghskt, ögonen på TV:n.

Rebus körde tillbaka till Fort Apache. Skjulet var tomt. Han drack en mugg kaffe och rökte en cigarrett. Niddrie, Craigmillar, Wester Hailes, Muirhouse, Pilton, Granton... För honom framstod de allihop som ohyggliga experiment i social ingenjörskonst: vetenskapsmän i vita rockar som sätter ner familjer i den ena eller andra labyrinten för att se vad som ska hända, hur starka de måste vara för att klara sig, om de ska hitta utgången eller inte... Han bodde i en del av Edinburgh där sexsiffriga belopp köpte dig en fyrarummare. Det roade honom att han kunde sälja och plötsligt vara rik... utom att han då förstås inte skulle ha någonstans att bo och inte ha råd att flytta till något trevligare ställe i stan. Han insåg att han satt lika mycket i fällan som någon i Niddrie eller Craigmillar, en snyggare fälla bara.

Hans telefon ringde. Han lyfte luren och önskade att han inte gjort det.

"Kommissarie Rebus?" En kvinnas röst: administrativ. "Kan ni komma till ett möte på Fettes i morgon?"

Rebus kände en rysning längs ryggraden. "Vad för slags möte?"

En svalt leende röst. "Det känner jag inte till. Önskemålet kommer från biträdande polismästarens kontor."

Biträdande polismästaren, Colin Carswell. Rebus kallade honom "CC Rider". Från Yorkshire – så nära en skotte en engelsman kunde bli. Han hade tillhört Lothian & Borders i två och ett halvt år, och hittills hade ingen haft ett ont ord att säga om honom, vilket borde ha gett honom en plats i *Guinness rekordbok*. Det hade varit några besvärliga månader efter det att den senaste vice polismästaren avgått och innan de utsett en ny, men Carswell hade klarat det. En del ansåg att han helt enkelt var *för* bra och därför aldrig skulle bli polismästare. Lothian & Borders brukade ståta med en vice och två biträdande polismästare, men en av de biträdande befattningarna hade nu blivit "Director of Corporate Services", om vilken ingen inom polisen tycktes veta ett dugg.

"När?"

"Klockan två. Det kommer inte att ta så lång stund."

"Blir det te och kakor? Annars kommer jag inte."

En chockad paus, sedan en utandning när hon insåg att han skojade. "Vi ska se vad vi kan ordna, kommissarien."

Rebus lade på. Det ringde igen och han lyfte luren.

"John? Det är Gill, fick du mitt meddelande?"

"Ja, tack."

"Åh. Jag tänkte att du kanske hade försökt ringa mig."

"Mmm."

"John? Är det något på tok?"

Han skakade på sig. "Jag vet inte. CC Rider vill träffa mig."

"Varför det?"

"Det är det ingen som säger."

En suck. "Vad har du nu hittat på?"

"Absolut ingenting, Gill, jag lovar."

"Skaffat dig några fiender än på ditt nya jobb?" Medan hon talade klev Bain och Maclay in genom dörren. Rebus nickade till hälsning.

"Inga fiender. Tror du att jag gör något fel?" Maclay och Bain tog av sig jackorna, låtsades inte vara intresserade.

"Jo, beträffande det där meddelandet jag lämnade…?"

"Ja, överkommissarien?" Maclay och Bain slutade låtsas.

"Kan vi träffas?"

"Varför inte? Middag i kväll?"

"I kväll… ja, varför inte?"

Hon bodde i Morningside, Rebus i Marchmont… det fick bli ett Tollcross-rendezvous.

"Brougham Street", sa Rebus, "det där indiska stället med jalusier. Halv åtta?"

"Bra."

"Då ses vi där, överkommissarien."

Bain och Maclay satte igång med sitt, sa ingenting på en minut eller två. Sedan hostade Bain, svalde, talade.

"Hur var det i Regnstan?"

"Jag kom levande därifrån."

"Luskat ut något om Farbror Joe och Tony El?" Bains finger gick till skåran nedanför ögat.

Rebus ryckte på axlarna. "Kanske något, kanske inget."

"Okej, berätta inte för oss", sa Maclay. Han såg komisk ut där han satt vid sitt skrivbord. Ett par centimeter hade sågats av från varje stolsben, så att hans lår skulle få plats under skrivbordskanten. När Rebus först kommit hade han frågat varför Maclay inte helt enkelt lyft upp bordsbenen ett par centimeter. Maclay hade inte tänkt på det – att såga av stolsbenen hade varit Bains idé.

"Finns inget att berätta", påstod Rebus. "Utom det här – det sägs att Tony El jobbar i egen regi, uppe i nordöst, så vi får ta och kontakta Grampianpolisen och höra oss för om honom."

"Jag faxar över detaljerna till dem", sa Maclay.

"Inga spår, förmodar jag?" sa Rebus.

Bain och Maclay skakade på huvudena.

"Men jag ska berätta en hemlighet", sa Bain.

"Vadå?"

"Det finns minst *två* indiska restauranger med jalusier på Brougham Street."

Rebus såg dem skratta gott åt detta och frågade sedan vad bakgrundskollen på den avlidne hade gett.

"Inte mycket", sa Bain och lutade sig tillbaka i stolen och viftade med ett papper. Rebus reste sig och tog ifrån honom pappret.

Allan Mitchison. Enda barnet. Född i Grangemouth. Mamman död i barnsäng. Det gick utför med fadern, följde henne två år senare. Lille Allan togs om hand – ingen annan nära släkting funnen. Barnhem, sedan en fosterfamilj. Föreslagen för adoption, men var ett besvärligt barn, en bråkstake. Raserianfall, sedan långa perioder av tjurighet. Han rymde alltid till sist, hittade alltid tillbaka till barnhemmet. Växte upp till en tyst tonåring, fortfarande med benägenhet för att tjura, ett och annat utbrott, men talangfull i vissa skolämnen – engelska, geografi, konst, musik – och mestadels lätthanterlig. Föredrog alltjämt barnhemmet framför fosterhemsliv. Tyckte efter att ha sett en dokumentär om livet på en plattform i Nordsjön att det verkade tilltalande. Långt från allt, och en existens inte olik den på barnhemmet – organiserad. Han tyckte om gruppliv, sovsalar, delade rum. Målare. Hans arbetsmönster var ojämnt – han hade tillbringat tid både på land och till sjöss – en kort utbildningsperiod vid RGIT-OSC…

"Vad är RGIT-OSC?"

Maclay hade väntat på frågan. "Robert Gordon Institute of Technology's Offshore Survival Centre."

"Är det samma sak som Robert Gordon-universitetet?"

Maclay och Bain såg på varandra och ryckte på axlarna.

"Glöm det", sa Rebus och tänkte: Johnny Bibels första offer hade studerat vid RGU.

Mitchison hade också arbetat vid Sullom Voe-terminalen på Shetlandsöarna, och några andra platser. Vänner och arbetskamrater: massor av de senare, ganska få av de förra. Edinburgh hade visat sig vara en återvändsgränd: ingen av hans grannar hade någonsin sett honom. Och underrättelser från Aberdeen och ställen norrut var bara aningen mer uppmuntrande. Ett par namn: ett på en produktionsplattform, ett på Sullom Voe...

"Går de här två med på en intervju?"

Bain: "Du funderar väl för fan inte på att resa *dit* upp? Först Glasgow och nu höglandet – har du inte haft semester i år?"

Maclays gälla skratt.

Rebus: "Jag verkar vara allmän måltavla här nere. En tanke slog mig i dag – den som valde den där lägenheten kände till området. Kanske någon som bor där. Någon av er har kanske någon tjallare i Niddrie?"

"Självklart."

"Ta då ett snack med dem, en man som passar in på Tony Els beskrivning, han kan ha hållit till på pubarna och klubbarna, på jakt efter någon lokal begåvning. Finns det något om den dödes arbetsgivare?"

Bain lyfte upp ett annat papper och viftade leende med det. Rebus var tvungen att resa sig igen och gå och hämta det.

T-Bird Oil hade fått sitt namn av Thom Bird, som grundat företaget tillsammans med "major" Randall Weir.

"Major?"

Bain ryckte på axlarna. "Han kallas så: major Weir."

Weir och Bird var båda amerikaner, men med starka skotska rötter. Bird hade dött 1986 och lämnat Weir som ensam ansvarig. Det var ett av de mindre företag som sög upp olja och gas ur havsbotten...

Rebus insåg att han knappt visste någonting om oljeindustrin. Han hade några bilder i huvudet, mest katastrofer – Piper Alpha, tankern *Braer*.

T-Bird hade sin brittiska bas i Aberdeen, nära Dyce flygplats, men det globala huvudkontoret låg i USA, och företaget hade andra olje- och gasintressen i Alaska, Afrika och Mexikanska golfen.

"Tråkigt, va?" försökte Maclay.

"Skulle det där föreställa ett skämt?"

"Konverserar bara."

Rebus reste sig och satte på sig kavajen. "Jag skulle gärna stanna och lyssna på era ljuva stämmor hela dagen, men tyvärr…"

"Vart ska du?"

"Från en station till en annan."

Ingen verkade särskilt intresserad av hans återkomst till St Leonard's. Några uniformerade poliser stannade för att hälsa – det visade sig att de inte ens visste att han blivit förflyttad.

"Jag vet inte vem det säger mest om – mig eller er."

Inne på kriminalen såg han Siobhan Clarke sitta vid sitt skrivbord. Hon talade i telefon och vinkade till honom med pennan när han passerade. Hon hade på sig en vit kortärmad blus, och de bara armarna var kraftigt solbrända, liksom hals och ansikte.

Rebus fortsatte att spana, och besvarade några ljumma hälsningar. Ja jäklar, men det kändes fint att vara "hemma". Han tänkte på Allan Mitchison och hans tomma lägenhet: han hade kommit tillbaka till Edinburgh därför att det var det närmaste ett hem han kunde komma.

Till sist fick han syn på Brian Holmes, som snackade in sig hos en kvinnlig polis. Med stor energi.

"Hallå, Brian, hur är det med frugan?"

Den kvinnliga polisen rodnade, mumlade fram en ursäkt och försvann.

"Ha, ha, ha", sa Holmes. Nu när den kvinnliga kollegan gått såg han helt slut ut, slokande axlar, grå hy, skäggstubb på vissa ställen efter en alltför slarvig rakning.

"Den där tjänsten…" sa Rebus.

"Jag håller på."

"Och?"

"*Jag håller på!*"

"Ta det lugnt, grabben. Vi är på samma sida."

Luften tycktes gå ur Holmes. Han gnuggade sig i ögonen, körde fingrarna genom håret.

"Förlåt", sa han. "Jag är lite nere, det är allt."

"Skulle kaffe hjälpa?"

"Bara om det finns att köpa fatvis."

Kantinen kunde sträcka sig till en "extra stor". De satte sig. Holmes rev upp portionspåsar med socker och hällde i.

"Hör på", sa han. "Beträffande häromkvällen, Mental-Minto…"

"Vi pratar inte om det", sa Rebus bestämt. "Det är historia."

"För mycket historia här omkring."

"Vad annat har skottarna?"

"Ni två ser lika muntra ut som nunnor på en Club 18–30." Siobhan Clarke drog ut en stol och satte sig.

"Trevlig semester?" frågade Rebus.

"Avkopplande."

"Jag ser att vädret var uselt."

Hon drog med en hand uppför ena armen. "Krävdes många timmars slit på stranden för att få det här."

"Du har alltid varit samvetsgrann."

Hon smuttade på sin Pepsi Light. "Så varför är alla så dystra?"

"Det vill du inte veta."

Hon höjde ett ögonbryn, men sa ingenting. Två trötta, grå män. En ung kvinna, solbränd och sjudande av liv. Rebus visste att han måste rycka upp sig inför kvällen.

"Okej", sa han nonchalant till Holmes, "den där grejen jag bad dig att titta på…?"

"Det går långsamt. Om du vill veta min åsikt", han tittade upp på Rebus, "så var den som skrev ihop anteckningarna en mästare i omskrivningar. Det är en massa cirklande runt ämnet. En tillfällig läsare skulle nog hellre ge upp än plöja vidare."

Rebus log. "Varför skulle författaren ha gjort det?"

"För att få folk att låta bli att läsa det. Han trodde antagligen att de skulle bläddra vidare till sammanfattningen, hoppa över skräpet i mitten. Grejen är att man kan göra sig av med saker på det sättet, begrava dem i texten."

"Ursäkta mig", sa Siobhan, "har jag råkat hamna på ett frimurarmöte? Är det här någon kod som det är meningen att jag ska förstå?"

"Inte alls, broder Clarke", sa Rebus och reste sig. "Broder Holmes berättar säkert för dig."

Holmes tittade på Siobhan. "Bara om du lovar att inte visa mig dina semesterbilder."

"Det hade jag inte tänkt", sa Siobhan. "Jag vet att du inte uppskattar naturiststränder."

Rebus kom avsiktligt tidigt till sitt rendezvous. Bain hade inte ljugit: det *fanns* två restauranger med träjalusier. De låg åttio meter ifrån varandra, och Rebus vandrade fram och tillbaka mellan dem. Han såg Gill runda hörnet vid Tollcross och vinkade till henne. Hon hade inte klätt upp sig alltför mycket för kvällen: jeans som såg nya ut, enkel krämvit blus och en gul kashmirtröja knuten om halsen. Solglasögon, guldkedja och höga klackar – hon gillade att väsnas när hon gick.

"Hej, John."

"Tjena, Gill."

"Är det här?"

Han tittade på restaurangen. "Det finns en till en bit bort, om du föredrar den. Och så finns det en fransk, Thai…"

"Den här blir bra." Hon drog upp dörren och gick in före honom. "Har du beställt bord?"

"Trodde inte att det skulle vara fullt", sa Rebus. Restaurangen var inte tom, men det fanns ett ledigt bord för två vid fönstret, rakt nedanför en högtalare som inte lät som den skulle. Gill tog av sig den bruna axelväskan och lade den under sin stol.

"Någonting att dricka?" frågade deras kypare.

"Whisky och soda för mig", sa Gill.

"Whisky, inga tillsatser", beställde Rebus. När den förste kyparen gått dök näste upp med matsedlar, poppadum och pickles. Sedan han försvunnit tittade Rebus sig omkring, såg att ingen vid de andra borden intresserade sig för dem, och sträckte sig upp för att rycka till i högtalarsladden och dra loss den. Musiken ovanför dem tystnade.

"Bättre", sa Gill leende.

"Jaha", sa Rebus och lade sin servett över låren, "är detta jobb eller privat?"

"Båda", tillstod Gill. Hon tystnade när drinkarna kom. Kyparen märkte att något var fel, kom till sist på vad det var och tittade upp på den tysta högtalaren.

"Det är lätt att laga", sa han till dem. De skakade på huvudena och studerade sedan matsedlarna. När de hade beställt lyfte Rebus sitt glas.

"Slàinte."

"Skål." Gill tog en klunk och andades ut.

"Då så", sa Rebus, "etiketten avklarad… nu till ditt ärende."

"Vet du hur många kvinnor som blir överkommissarie inom den skotska polisen?"

"Det kan inte kan röra sig om många fler än fingrarna på en blind snickares hand."

"Exakt." Hon gjorde en paus, flyttade om besticken. "Jag vill inte göra bort mig."

"Vem vill det?"

Hon sneglade på honom, log. Rebus: världsrekord i floppar, hans liv ett magasin fyllt upp till taksparrarna med dem.

"Okej", sa han. "Jag är väl expert då."

"Och det är bra."

"Nej." Han skakade på huvudet. "För jag gör fortfarande bort mig."

Hon log. "Fem månader, John, och jag har inte gjort något bra gripande än."

"Men det ska det bli ändring på?"

"Jag vet inte." Ännu en klunk mod. "Någon gav mig information om en knarkaffär… en stor grej."

"Som du enligt protokollet bör vidarebefordra till narkotikaroteln."

Hon gav honom en blick. "Och låta de slöfockarna få äran? Kom igen, John."

"Jag har aldrig själv varit någon anhängare av protokollet. Ändå…" Ändå: han ville inte att Gill skulle göra bort sig. Han märkte att det här var viktigt för henne: kanske för viktigt. Hon behövde perspektiv. Precis som han på Spaven.

"Vem gav dig informationen?"

"Fergus McLure."

"Fege Fergie?" Rebus trutade med munnen. "Var inte han en av Flowers tjallare?"

Gill nickade. "Jag tog över Flowers lista när han flyttade."

"Herregud, hur mycket klämde han dig på?"

"Bry dig inte om det."

"De flesta av Flowers tjallare är värre än dem de skulle kunna tjalla på."

"Hur som helst, han gav *mig* sin lista."

"Fege Fergie, där ser man!"

Fergus McLure hade åkt in och ut på privata sjukhus i halva sitt liv. Ett nervvrak som inte drack någonting starkare än Ovaltine och inte kunde titta på någonting mer upphetsande än *Hur smart är ditt husdjur?* Hans konstanta medicinförbrukning bidrog starkt till den brittiska läkemedelsindustrins goda vinster. Och han drev ett litet snyggt imperium precis inom lagens råmärken: var juvelerare till yrket men ordnade också utförsäljning av persiska mattor, brand- och vattenskadade varor, konkursförvaltares auktioner. Han bodde i Ratho, en by i stans utkant. Fege Fergie var homosexuell, men levde stillsamt – i motsats till vissa domare Rebus kände till.

Gill bet sönder en poppadum, droppade chutney på den resterande biten.

"Så vad är problemet?" frågade Rebus.

"Hur väl känner du Fergus McLure?"

Rebus ryckte på axlarna, ljög. "Bara ryktesvägen. Hur så?"

"För att jag vill att det här ska vara vattentätt innan jag agerar."

"Problemet med tjallare, Gill, är att man inte alltid kan vara säker."

"Nej, men jag kan få höra någon annans åsikt."

"Du vill att jag talar med honom?"

"John, trots alla dina brister – "

"För vilka jag är berömd."

" – är du en god människokännare, och du vet tillräckligt om angivare."

"Min räddning i *Trivial Pursuit*."

"Jag vill bara veta om du tycker att han är schysst. Jag vill inte göra mig allt besvär med att dra igång en ny utredning, kanske ordna med bevakning, telefonavlyssning, till och med en fälla, bara för att sedan uppleva hur marken rycks undan under mina fötter."

"Självklart. Men du vet att knarkspanarna kommer att bli irriterade om de inte får veta något. De har folket och erfarenheten för en sådan här grej."

Hon bara såg på honom. "Sedan när följer du reglementet?"

"Vi talar inte om mig. Jag är L&B:s svarta får – och de tycker säkert att ett är mer än nog."

Maten kom in och bordet fylldes av fat och tallrikar och ett nanbröd stort nog att smida planer på världsherravälde. De tittade på varandra och insåg att de inte var så hungriga längre.

"Två likadana", sa Rebus och gav kyparen sitt tomma glas. Till Gill: "Berätta vad Fergie har sagt."

"Det är inte mycket. Knark kommer norrut med en sändning antikviteter. Det ska lämnas över till knarklangarna."

"Och knarklangarna är…"

Hon ryckte på axlarna. "McLure tror att det är amerikaner."

Rebus rynkade pannan. "Vilka? Säljarna?"

"Nej, köparna. Säljarna är tyskar."

Rebus gick igenom Edinburghs storlangare och kunde inte komma på en enda amerikan.

"Jag vet", sa Gill som läste hans tankar.

"Nya killar som försöker bryta sig in?"

"McLure tror att varorna ska längre norrut."

"Dundee?"

Hon nickade. "Och Aberdeen."

Aberdeen igen. Herregud. Ondskans stad. "Och på vilket sätt är Fergie inblandad?"

"En av hans utförsäljningar skulle vara den perfekta täckmanteln."

"Han är bulvan?"

En ny nickning. Hon tuggade på en bit kyckling och doppade nanbröd i såsen. Rebus såg henne äta och mindes små saker om henne: hur hennes öron rörde sig när hon tuggade, hur hennes blick fladdrade över de olika rätterna, hur hon gned fingrarna mot varandra efteråt… Hon hade ringar runt halsen som inte funnits där för fem år sedan, och när hon var hos frissan så kanske rötterna fick lite färg. Men hon såg bra ut. Hon såg strålande ut.

"Så?" frågade hon.

"Var det allt han berättade för dig?"

"Han är rädd för de där langarna, alltför rädd för att be dem flyga och fara. Men det sista han vill är att vi kommer på dem och burar in honom som medbrottsling. Det är därför han tjallar."

"Trots att han är rädd?"

"Mmm."

"När ska allt det här hända?"

"När de ringer till honom."

"Ja, jag vet inte, Gill. Om det var en krok, så skulle du inte kunna hänga upp minsta handduk på den, än mindre din kappa."

"Färgstarkt formulerat."

Hon stirrade på hans slips när hon sa det. Det var en skrikig slips. Avsiktligt: den var tänkt att dra bort uppmärksamheten från hans ostrukna skjorta och knappen som saknades.

"Okej, jag ska ta ett snack med honom i morgon och se om jag kan krama ur honom något mer."

"Men försiktigt."

"Han kommer att smälta som vax i mina händer."

De åt bara hälften av maten och kände sig ändå uppsvällda. Kaffe och mintchoklad kom in: Gill stoppade båda chokladbitarna i sin väska till senare. Rebus drack en tredje whisky. Han tänkte framåt, såg hur de stod utanför restaurangen. Han kunde erbjuda sig att följa henne hem. Han kunde be henne följa med hem till hans lägenhet. Men hon kunde inte sova över: det kunde stå journalister utanför på morgonen.

John Rebus: övermodig fan.

"Varför ler du?" frågade hon.

"Det sägs att man ska passa på när man kan."

De betalade hälften var, drinkarna kostade lika mycket som maten. Och sedan stod de utanför. Kvällen hade blivit kylig.

"Vad tror du om mina chanser att hitta en taxi?" Gill såg sig om på gatan.

"Pubarna stänger inte än, så det ordnar sig nog. Min bil står hemma…"

"Tack, John, jag klarar mig. Titta, här kommer en." Hon vinkade. Föraren signalerade och svängde in till sidan med tjutande bromsar. "Berätta hur det går", sa hon.

"Jag ringer direkt efteråt."

"Tack." Hon gav honom en puss på kinden, stödde sig med en hand på hans axel. Sedan hoppade hon in i taxin och stängde dörren, gav sin adress till chauffören. Rebus såg bilen göra en långsam U-sväng in i trafiken på väg mot Tollcross.

Rebus blev stående ett ögonblick och tittade på sina skor. Hon hade velat att han gjorde henne en tjänst, det var allt. Bra att veta att han fortfarande gick att använda till något. "Fege Fergie", Fergus McLure. Ett namn ur det förflutna, tidigare vän till en viss Lenny Spaven. Definitivt värt en morgontripp till Ratho.

Han hörde en taxi till komma – omisskännligt motorljud. Den gula lampan var tänd. Han vinkade till sig den och klev in.

"Oxford Bar", sa han.

Ju mer Bibel-John tänkte på Uppkomlingen… ju mer han fick veta om honom… desto mer övertygad blev han om att Aberdeen var nyckeln.

Han satt i sitt arbetsrum, med dörren låst mot yttervärlden, och stirrade på UPPKOM-filen i sin dator. Luckan mellan offer ett och två var sex veckor, mellan offer två och tre bara fyra veckor. Johnny Bibel var en hungrig liten fan, men hittills hade han inte dödat mer. Eller om han gjort det, så lekte han fortfarande med kroppen. Men det var inte Uppkomlingens sätt. Han dödade snabbt, och överlämnade sedan kropparna åt världen. Bibel-John hade arbetat sig bakåt och hittat två tidningsartiklar – båda i Aberdeens *Press and Journal*. En kvinna överfallen på väg hem från en nattklubb, en man som försökte släpa in henne i en gränd. Hon hade skrikit, han hade gripits av panik och flytt. Bibel-John hade kört ut till platsen en kväll. Han stod i gränden och föreställde sig hur Uppkomlingen stod där och bidade sin tid tills nattklubben stängde. Det fanns ett bostadsområde i närheten och hemvägen gick förbi grändens mynning. Ytligt sett var det den perfekta platsen, men Uppkomlingen hade varit nervös, dåligt förberedd. Han hade antagligen väntat där en timme eller två, stått inne i skuggan, rädd att någon skulle stöta på honom. Modet hade kommit och gått. När han till sist valt ett offer hade han inte handlat snabbt nog. Ett skrik hade varit allt som behövts för att han skulle fly.

Ja, det kunde mycket väl vara Uppkomlingen. Han hade granskat sitt misslyckande, hittat på en bättre plan: gå *in* på nattklubben, prata med offret… få offret att känna sig väl till mods, sedan slå till.

Den andra tidningsnotisen: en kvinna klagade över en fönstertittare i trädgården. När polisen kom till platsen hittade de märken på hennes köksdörr, klumpiga försök att ta sig in. Kanske fanns där ett samband med den första historien, kanske inte. Incident ett: åtta veckor före det första mordet. Incident två: ytterligare fyra veckor tillbaka. Ett månadsmönster framträdde. Och ett andra mönster ovanpå det första: fönstertittare blir angripare. Det kunde naturligtvis finnas andra artiklar som han missat, från andra städer, som talade för andra teorier, men Bibel-John lät sig gärna nöja med Aberdeen. Första offret: första offret var ofta lokalt. När mördaren sedan fått självförtroende sträckte sig längre bort.

En försagd knackning på dörren. "Jag har gjort kaffe."

"Jag kommer snart."

Tillbaka till datorn. Han visste att polisen skulle vara i full gång med att sammanställa sitt eget material, sina psykologiska profiler, mindes den en psykiater sammanställt om *honom*. Man förstod att det var en "auktoritet" på grund av alla förkortningar efter hans namn: BSc, BL, MA, MB, ChB, LLB, DPA, FRACPat. Betydelselöst i ett större sammanhang, liksom hans rapport. Bibel-John hade läst den i en bok för många år sedan. De få saker om honom som stämde försökte han att råda bot på. Seriemördaren förmodades vara tillbakadragen, med få nära vänner, så han hade tvingat sig att bli sällskaplig. Typen var känd för bristande initiativkraft och rädsla för vuxenkontakter. Vad resten av teorin beträffade… skräp, det mesta.

Seriemördare hade inte sällan homosexuella erfarenheter – icke skyldig.

De var vanligtvis ogifta – säg det till Uppskäraren från Yorkshire.

De hörde ofta två röster inne i huvudet, en god och en ond. De samlade vapen och gav dem namn. Många klädde sig i kvinnokläder. Vissa intresserade sig för svart magi eller monster, och samlade på sadistisk pornografi. Många hade en "hemlig plats", där de förvarade sådana föremål som huvor, dockor och dykardräkter av gummi.

Han tittade sig omkring i arbetsrummet och skakade på huvudet.

Det var bara på några punkter som psykiatern hade rätt. Ja, han skulle säga att han var egocentrisk – i likhet med halva befolkningen. Ja, han var snygg och proper. Ja, han var intresserad av andra världskriget (men inte bara av nazism och koncentrationsläger). Ja, han var en förtroendeingivande lögnare – eller snarare, människor var lättlurade lyssnare. Och ja, han planerade sina utgallringar långt i förväg, så som Uppkomlingen nu tycktes göra.

Bibliotekarien var ännu inte klar med hans tidningslista. En koll av vilka som efterfrågat Bibel-John-litteratur hade inte gett något. Det var de dåliga nyheterna. Men det fanns goda också. Tack vare det nyvaknade intresset för det ursprungliga Bibel-John-fallet hade han nu tidningsdetaljer om andra olösta mord, sju av dem. Fem inträffade 1977, ett -78 och ett mycket senare. Detta gav honom en andra teori. Enligt den första hade Uppkomlingen just inlett sin karriär. Enligt den andra började han på nytt efter ett långt uppehåll. Han kunde ha varit utomlands, eller på någon institution, eller haft ett förhållande som gjort att det inte känts nödvändigt att döda. Om polisen var noggrann – vilket han betvivlade – skulle de titta efter nyskilda män som hade ingått äktenskap -78 eller -79. Bibel-John hade ingen möjlighet att göra det, vilket var frustrerande. Han reste sig och tittade på sina bokhyllor, utan att egentligen se dem. Det fanns de som menade att Uppkomlingen *var* Bibel-John, att ögonvittnesbeskrivningarna hade brister. Till följd av det hade polisen och pressen dammat av sina fantombilder.

Farligt. Han visste att det enda sättet att få stopp på den sortens spekulerande var att hitta Uppkomlingen. Imitation var *inte* den högsta formen av smicker. Det var potentiellt livsfarligt. Han måste hitta Uppkomlingen. Antingen det eller leda polisen till honom. Det måste fixas, på ett eller annat sätt.

8

Han befann sig inne på ett ställe som hade öppet från klockan sex på morgonen och drack bort en god natts sömn.

Han hade vaknat alldeles för tidigt, klätt på sig och bestämt sig för att ta en promenad. Han sneddade över Meadows, gick nerför George IV Bridge och High Street och tog av till vänster in på Cockburn Street. Cockburn Street: shoppingmecka för tonåringar och hippies. Rebus kom ihåg Cockburn Street-marknaden när den haft betydligt sämre anseende än nuförtiden. Angie Riddell hade köpt sitt halsband i en affär på Cockburn Street. Kanske hade hon haft det på sig den där dagen när han tagit henne med till caféet, men han trodde inte det. Han kopplade bort tanken, vek av in i en gång, en brant trappa, och tog en annan till vänster på Market Street. Han befann sig mitt emot Waverley Station, och där hittade han en öppen pub. Den serverade nattskiftsjobbare, ett glas eller två innan det var dags att gå hem och lägga sig. Men man såg också affärsmän där, som stärkte sig inför den kommande dagen.

Eftersom det låg tidningsredaktioner i närheten bestod stamkunderna av tryckeriarbetare och redigerare, och där fanns alltid förstaupplagor, som trycksvärtan knappt hunnit torka på. Rebus var känd här, och det var aldrig någon som besvärade honom. Även om en reporter tog sig ett glas, så var de aldrig på honom för att få nyhetsstoff eller citat – det var en oskriven lag, som ingen bröt mot.

Den här morgonen satt tre tonåringar hopsjunkna vid ett bord, rörde knappt innehållet i sina glas. Deras ovårdade och sömniga tillstånd sa Rebus att de just fullbordat en "tjugofyra": festande dygnet runt. Dagen var lätt: man började sex på morgonen – på något ställe som det här – och pubarna hade öppet till midnatt eller ett. Efter det fick det bli klubbar, casinon, och man avslutade maratonloppet på en pizzeria på Lothian Road, öppen till sex på morgonen, varefter man återvände hit för det sista glaset.

Det var tyst i baren, ingen TV eller radio, den enarmade banditen ännu inte inkopplad: ytterligare en oskriven lag. Det man gjorde på det här stället, vid den här tiden på dygnet, var att dricka. Och läsa tidningarna. Rebus hällde en skvätt vatten i whiskyn och tog den och en tidning med sig till ett bord. Solen utanför fönstren var hudskär mot en mjölkvit himmel. Det hade varit en skön promenad. Han tyckte om när stan var tyst: taxibilar och morgonpigga, de första hundarna blev rastade, klar, ren luft. Men den gångna natten klibbade fortfarande fast: en upp och nervänd papperskorg, en bänk på Meadows med trasig rygg, trafikkoner uppslängda på busskurstak. Det gällde också baren: nattens kvalmighet hade ännu inte hunnit skingras. Rebus tände en cigarrett och läste sin tidning.

En artikel på insidan fångade hans uppmärksamhet: Aberdeen var värd för ett internationellt konvent om offshore-miljöförstöring och oljeindustrins roll. Delegater från sexton länder väntades närvara. En mindre notis var fogad till artikeln: Bannocks olje- och gasfält, 30 mil nordost om Shetlandsöarna, närmade sig slutet av sitt "användbara ekonomiska liv" och stod inför nerläggning. Miljöaktivister gjorde stor affär av Bannocks viktigaste produktionsplattform, en stål- och betongkonstruktion på 200 000 ton. De ville veta vad ägarna, T-Bird Oil, tänkte göra med den. Så som lagen föreskrev hade bolaget lämnat in ett avvecklingsprogram till handelsdepartementets olje- och gasdivision, men dess innehåll hade inte blivit offentliggjort.

Miljöaktivisterna sa att det fanns över 200 olje- och gasinstallationer på den brittiska kontinentalsockeln, och de hade alla ett begränsat produktionsliv. Regeringen tycktes stödja ett alternativ enligt vilket flertalet djupvattenplattformar lämnades kvar på plats, med endast minimalt underhåll. Det talades till och med om att sälja av dem för annan användning – planer inkluderade fängelser och casino/hotell-komplex. Regeringen och oljebolaget talade om kostnadseffektivitet och om att hitta en balans mellan kostnad, säkerhet och miljö. De protesterandes linje var: miljön till *varje* pris. Stärkta av sin seger över Shell med Brent Spar planerade påtryckargrupperna att också göra Bannock till en stor fråga och skulle arrangera marscher, möten och en friluftskonsert inte långt från platsen för Aberdeenkonventet.

Aberdeen: höll snabbt på att bli centrum i Rebus universum.

Han drack ur sin whisky, bestämde sig för en andra och ångrade sig sedan. Bläddrade igenom resten av tidningen: ingenting nytt om Johnny Bibel. Det fanns en bostadsdel med annonser. Han kollade Marchmont/Sciennes-priserna och skrattade sedan åt några av Newtown-annonserna: "luxuöst hus mitt i stan, elegant boende på fem etage…", "garage till salu separat, 20 000 pund". Det fanns fortfarande platser i Skottland där man kunde köpa ett helt hus för 20 000 pund, kanske till och med inklusive garage. Han lät blicken följa listan med "Hus på landet", såg fler fantastiska priser, med vidhängande smickrande fotografier. Där fanns ett ställe vid kusten sydost om stan, panoramafönster och havsutsikt, för priset av en Marchmontlägenhet. Drömma går ju…

Han gick hem, satte sig i bilen och körde ut till Craigmillar, en bit av stan som ännu inte var representerad i bostadsdelen och knappast skulle bli det på ett bra tag.

Nattskiftet höll just på att gå av. Rebus såg poliser som han inte sett förut. Han gjorde lite förfrågningar: det hade varit en lugn natt, cellerna var tomma, likaså förhörsrummen. I Skjulet slog han sig ner vid sitt skrivbord och såg nytt pappersarbete stirra upp på honom. Han hämtade en mugg kaffe och lyfte upp det första pappret.

Fler återvändsgränder i fallet Allan Mitchison. Föreståndaren för barnhemmet intervjuad av lokal polis. En koll av hans bankkonto, allt som det skulle. Inget från Aberdeenpolisen om Tony El. En uniformerad polis kom in med ett paket adresserat till Rebus. Poststämplat Aberdeen, en tryckt etikett: T-Bird Oil. Rebus öppnade det. PR-material, med hälsningar från Stuart Minchell, personalavdelningen. Ett halvt dussin A4-broschyrer, hög kvalitet på layout och papper, allt i färg, fakta nerskuret till ett minimum. Rebus, författare till femtusen rapporter, kände igen svammel när han såg det. Minchell hade bifogat ett exemplar av "T-BIRD OIL – HÅLLER BALANSEN", identisk med den i sidfickan på Mitchells ryggsäck. Rebus öppnade den, såg en karta över Bannockfältet, lagd över ett rutsystem som visade vilka block det bestod av. En not förklarade att Nordsjön hade delats in i block på 250 kvadratkilometer, och oljebolag hade fått lägga bud på provborrningsrätten till dessa block. Bannock låg ända upp mot den internationella gränsen – några kilometer österut och man kom till fler oljefält, men den här gången norska istället för brittiska.

"Bannock kommer att bli det första T-Bird-fältet som avvecklas", läste Rebus. Det tycktes finnas sju möjliga alternativ, från Lämna Kvar På Platsen till Fullständig Bortflyttning. Bolagets "anspråkslösa förslag" var att lägga i malpåse: låta alltihop vara för att tas om hand vid ett senare datum.

"Vilken överraskning", mumlade Rebus och noterade att malpåse "skulle innebära att kapital lämnades tillgängligt för framtida prospektering och utveckling".

Han lade tillbaka broschyrerna i kuvertet, stoppade ner det i en låda och återgick till sitt skrivbordsarbete. Ett fax låg gömt långt ner i högen. Han drog fram det. Det var från Stuart Minchell, skickat föregående dag klockan sju på kvällen: fler detaljer om Allan Mitchisons två arbetskamrater. Den som jobbade på Sullom Voe-terminalen hette Jake Harley. Han var på fotvandrings/fågelskådnings-semester någonstans på Shetlandsöarna och hade antagligen inte hört något än om vännens frånfälle. Den som jobbade offshore hette Willie Ford. Han var halvvägs igenom ett sextondagarspass och hade "självklart" hört om Allan Mitchison.

Rebus tog telefonen och sträckte sig ner i lådan efter Minchells hälsningsrader. Han hittade telefonnumret och tryckte in siffrorna på telefonen. Det var tidigt, men...

"Personalavdelningen."

"Jag skulle vilja tala med Stuart Minchell."

"Det är jag." Bingo: Minchell var ambitiös, tidigt på jobbet.

"Mr Minchell, det är kommissarie Rebus igen."

"Ni har tur, kommissarien. Jag brukar låta det ringa. Enda sättet att få någonting gjort innan rushen börjar."

"Ert fax, mr Minchell – varför skriver ni att Willie Ford 'självklart' hört talas om Allan Mitchisons död?"

"Därför att de arbetade ihop. Har jag inte sagt det?"

"Offshore?"

"Ja."

"Vilken plattform, mr Minchell?"

"Har jag inte berättat det heller? Bannock."

"Den som ska läggas i malpåse?"

"Ja. Vårt PR-team har haft fullt sjå där." En paus. "Är det viktigt, kommissarien?"

"Antagligen inte", sa Rebus. "Tack i alla fall." Rebus lade på luren, trummade med fingrarna mot den.

Han gick ut till affärerna, köpte sig en fylld fralla till frukost – corned beef och lök. Brödet var alldeles för mjöligt och fastnade i gommen. Han köpte kaffe att skölja ner det med. När han kom tillbaka till Skjulet satt Bain och Maclay vid sina skrivbord, med fötterna upp, och läste skräpnyheter. Bain åt en munk, Maclay rapade korvkött.

"Tjallarrapporter?" frågade Rebus.

"Ingenting hittills", sa Bain utan att ta ögonen från tidningen.

"Tony El?"

Maclays tur: "Signalementet har gått ut till alla skotska polisinstanser. Inget har kommit tillbaka."

"Jag ringde själv till Grampianpolisen", lade Bain till, "och sa åt dem att kolla upp Mitchisons indiska restaurang. Verkar som om han var stamkund, de kanske vet något."

"Snyggt jobbat, Dod", sa Rebus.

"Han är mer än ett vackert ansikte, eller hur?" sa Maclay.

Väderrapporten talade om sol och spridda skurar. Det förefoll Rebus, när han körde ut till Ratho, som om de kom med tio minuters mellanrum. Livliga svarta moln, solstrålar, blå himmel, sedan moln som hopade sig igen. Vid ett tillfälle började det regna när inte ett moln verkade finnas på himlen.

Ratho var omgiven av odlad mark, med Union Canal som gräns i norr. Byn var populär på sommaren. Man kunde göra en båtutflykt på kanalen, eller mata änderna, eller äta på en restaurang vid vattnet. Ändå låg den bara någon kilometer från M8 och tre kilometer från Turnhouse flygplats. Rebus körde ut längs Calder Road, förlitade sig på sitt goda lokalsinne. Fergus McLures hus låg på Hallcroft Park. Han visste att han kunde hitta det: det fanns bara ett dussin gator i hela byn. McLure var känd för att arbeta hemifrån. Rebus hade bestämt sig för att inte ringa i förväg: han ville överraska Fergie.

När han kom fram till Ratho tog det honom fem minuter att lokalisera Hallcroft Park. Han hittade Fergies hus, stannade bilen och gick fram till dörren och ringde på. Där fanns inga tecken till liv. Han ringde på klockan en andra gång. Nätgardiner hindrade honom från att kika in genom fönstret.

"Borde ha ringt", muttrade Rebus.

En kvinna promenerade förbi, med en terrier som drog i kopplet. Den lilla hunden gav ifrån sig hemska kvävda ljud medan den nosade på trottoaren.

"Är han inte inne?" frågade hon.

"Nej."

"Konstigt, hans bil står här." Hon hann nicka mot en parkerad Volvo innan hunden drog iväg med henne. Det var en blå 940 kombi. Rebus kikade in genom bilrutorna, men det enda han såg var hur ren interiören verkade. Han tittade på antalet körda mil: få. En ny bil. Däcksidorna hade inte ens hunnit tappa glansen.

Rebus gick tillbaka till sin egen bil – den hade gått femtio gånger så långt som Volvon – och bestämde sig för att köra tillbaka till stan via Glasgow Road. Men när han skulle köra över kanalbron fick han syn på en polisbil i bortre änden av restaurangens parkering. Den stod på avfarten ner till kanalen. En ambulans var parkerad bredvid. Rebus bromsade, backade och svängde in på parkeringsplatsen, kröp fram. En uniformerad polis kom gående för att avvisa honom, men Rebus hade sin polisbricka redo. Han parkerade och steg ur.

"Vad handlar det om?" frågade han.

"Någon tog sig ett dopp med kläderna på."

Polismannen följde med Rebus ner till bryggan. Där låg kryssningsbåtar förtöjda, och ett par turisttyper såg ut att ha tänkt sig en utflykt med en av dem. Det hade börjat regna igen, och kanalens yta blev koppärrig. Änderna höll sig på avstånd. En kropp hade dragits upp ur vattnet, genomvåta kläder, och placerats på de brädor som utgjorde bryggan. En man som såg ut att vara läkare tittade efter livstecken, inte mycket hopp i hans ansikte. Köksdörren in till restaurangen var öppen, delar av personalen stod där, ansikten som var intresserade men fulla av skräck.

Läkaren skakade på huvudet. En av turisterna, en kvinna, började gråta. Hennes sällskap, en man, kramade om sin videokamera och lade en arm om henne.

"Han måste ha halkat och fallit i", sa någon. "Slagit i huvudet."

Läkaren undersökte den dödes huvud, hittade ett gapande sår.

Rebus tittade upp mot personalen. "Någon som har sett något?" Huvudskakningar. "Vem anmälde händelsen?"

"Jag." Den kvinnliga turisten, engelsk accent.

Rebus vände sig mot läkaren. "Hur länge har han legat i vattnet?"

"Jag är bara allmänpraktiker, ingen expert. Men om du vill ha en gissning... inte länge. Definitivt inte över natten." Någonting hade rullat ut ur den drunknade mannens kavajficka och kilat in sig mellan två brädor. En liten brun flaska med vitt plastlock. Tabletter. Rebus såg på det uppsvällda ansiktet, placerade det på en mycket yngre man, en man han förhört 1978 angående hans samröre med Lenny Spaven.

"Han är från byn", sa Rebus till de församlade. "Han heter Fergus McLure."

Han försökte ringa till Gill Templer, kunde inte få tag i henne och lämnade till sist meddelanden åt henne på ett halvdussin olika platser. Väl hemma igen borstade han skorna och bytte om till sin bästa kostym, valde den minst skrynkliga skjortan och hittade den mest sobra slips han hade (med undantag för begravningsslipsen).

Han tittade sig i spegeln. Han hade duschat och rakat sig, torkat håret och kammat det. Slipsknuten såg okej ut och för en gångs skull hade han hittat två likadana strumpor. Han såg bra ut, men kände sig minst av allt bra.

Klockan var halv två, dags att köra till Fettes.

Trafiken var inte alltför tät, och han hade trafikljusen på sin sida, som om de inte ville sinka hans möte. Han kom i god tid till L&B:s högkvarter, övervägde att köra omkring en stund men visste att det bara skulle göra honom nervös. Istället gick han och letade upp Mordrummet. Det låg på andra våningen, en stor central kontorsyta, med mindre bås för högre tjänstemän. Detta var Edinburghsidan av den triangel Johnny Bibel hade skapat, centrum för Angie Riddell-utredningen. Rebus kände igen några av ansikten i tjänst, log, nickade. Väggarna var täckta med kartor, fotografier, diagram – ett försök till ordning. Så mycket polisarbete gick ut på att systematisera: slå fast kronologi, se till att få detaljerna rätt, snygga upp efter den röra som var människors liv såväl som deras död.

De flesta som var i tjänst den här eftermiddagen såg trötta ut, saknade entusiasm. De väntade vid telefoner, väntade på det gäckande tipset, på länken som fattades, ett namn eller en iakttagelse, väntade på *honom*... De hade väntat länge. Någon hade skojat med en fantombild av Johnny Bibel: horn krökte sig på huvudet, rök ringlade ur vidgade näsborrar, huggtänder och en orms kluvna tunga.

Skräckfiguren.

Rebus tittade närmare. Fantombilden var gjord på dator. Utgångspunkten hade varit en gammal konstruerad identifieringsbild av Bibel-John. Med hornen och huggtänderna var han lite lik Alister Flower...

Han studerade fotografierna av Angie Riddell i livet, höll ögonen borta från obduktionsbilderna. Han kom ihåg henne den natten när han gripit henne, kom ihåg hur hon suttit i hans bil och pratat, nästan för full av liv. Håret verkade att ha olika färg på nästan alla bilder, som om hon aldrig var riktigt nöjd med sig själv. Kanske hade hon bara haft behov av förändring, flytt från den person hon varit, skrattat för att inte gråta. Cirkusclown, påmålat leende...

Rebus tittade på klockan. Fan: det var dags.

9

Det var bara CC Rider själv, Colin Carswell, som väntade på Rebus i det bekvämt inredda kontoret.

"Vill du inte slå dig ner?" Carswell hade rest sig till hälften för att välkomna Rebus och satte sig nu igen. Rebus sjönk ner mitt emot honom, studerade skrivbordsytan, tittade efter ledtrådar. Yorkshiremannen var lång, med en kropp som sluttade ner mot en ölmage. Håret var brunt, höll på att bli tunt, liten näsa, nästan platt som en boxares. Han andades in. "Beklagar, kan inte tillmötesgå ditt önskemål om kakor. Men det finns te eller kaffe om du vill ha."

Rebus erinrade sig telefonsamtalet: *Blir det te och kakor? Annars kommer jag inte.* Kommentaren hade vidarebefordrats.

"Det är bra som det är, tack."

Carswell öppnade en mapp och tog upp någonting, ett tidningsklipp. "Förbaskat tråkigt med Lawson Geddes. Han lär ha varit en enastående polis på sin tid."

Artikeln handlade om Geddes självmord.

"Ja, sir", sa Rebus.

"Det sägs att det är den feges utväg, men jag vet att *jag* aldrig skulle våga." Han tittade upp. "Eller vad säger du?"

"Jag hoppas att jag aldrig ska behöva ta reda på det."

Carswell log, lade tillbaka klippet, stängde mappen. "John, vi får hård kritik av massmedia. Först var det bara det där TV-gänget, men nu tycks alla vilja vara med i cirkusen." Han stirrade på Rebus. "Inte bra."

"Nej."

"Så vi har bestämt oss för – polismästaren och jag – att *vi* ska göra en insats."

Rebus svalde. "Ni tänker ta upp Spavenfallet igen?"

Carswell borstade bort osynligt damm från mappen. "Inte genast. Det finns inga nya bevis och därför inget verkligt behov av det." Han tittade snabbt upp. "Såvida du inte vet något skäl till varför vi borde göra det."

"Det var klappat och klart."

"Försök säga det till media."

"Det har jag, tro mig."

"Vi tänker dra igång en internundersökning, bara för att förvissa oss om att inget blev förbisett eller… olyckligt skött… den gången."

"Och *jag* blir misstänkt." Rebus kände hur han ilsknade till.

"Bara om du har någonting att dölja."

"Om ni tar upp en gammal utredning börjar *alla* se skumma ut. Och eftersom Spaven och Lawson Geddes är döda blir det jag som får bära hundhuvudet."

"Bara om det finns ett hundhuvud att bära."

Rebus for upp på fötter.

"*Sitt ner, kommissarien. Jag är inte klar med dig än!*"

Rebus satte sig, tvingade händerna att gripa om stolssidorna. Han kände att om han släppte taget skulle han flyga rätt genom taket. Carswell tog en sekund på sig för att själv återfå fattningen.

"För att hålla allt på ett objektivt plan kommer undersökningen att ledas av någon utanför Lothian & Borders, någon som rapporterar direkt till mig. De kommer att gå igenom de ursprungliga akterna…"

Varna Holmes.

"… göra de eventuella uppföljande intervjuer som bedöms som nödvändiga och sammanställa en rapport."

"Kommer detta att offentliggöras?"

"Inte förrän jag har den färdiga rapporten i min hand. Det får inte se ut som ett rentvående, det är allt jag kan säga. Om någon har brutit mot reglerna någonstans utmed vägen, så kommer vi att ta itu med det. Är det uppfattat?"

"Ja, sir."

"Och nu… finns det något som du skulle vilja tala om för mig?"

"Bara oss emellan, eller vill ni hämta in gorillan?"

Carswell accepterade detta som ett skämt. "Jag är inte säker på att det är rätt benämning på honom."

Honom.

"Vem leder arbetet?"

"En polis från Strathclyde, överkommissarie Charles Ancram."

Åh, jävlars jävlar. Hans adjö till Ancram: en mutanklagelse. Och Ancram hade *vetat*, hela den där dagen hade han vetat att detta var på gång, hans sätt att le, som om han haft en hemlighet, hans sätt att studera Rebus, som om de skulle kunna bli motståndare.

"Det är möjligt att det finns en viss ovilja mellan överkommissarie Ancram och mig."

Carswell stirrade på honom. "Vill du förklara?"

"Nej, helst inte."

"Tja, jag antar att jag skulle kunna få överkommissarie Flower istället. Han är i högform just nu, satte dit den där parlamentsledamotens son för att ha odlat cannabis…"

Rebus svalde. "Jag föredrar Ancram, sir."

Carswell blängde ilsket. "Det är inte upp till dig att bestämma, eller hur, kommissarien?"

"Nej, sir."

Carswell suckade. "Ancram är redan informerad. Låt oss hålla oss till honom… om det är okej för din del?"

"Tack, sir." Hur har jag hamnat här, tänkte Rebus: tackar karln för att han sätter Ancram på att bevaka mig… "Kan jag gå nu?"

"Nej." Carswell tittade i mappen igen, medan Rebus försökte få hjärtat att slå lugnare. Carswell läste en notering, talade utan att titta upp.

"Vad gjorde du i Ratho i dag på förmiddagen?"

"Förlåt?"

"En kropp drogs upp ur kanalen. Jag hörde att du var där. Inte Craigmillar precis."

"Jag var i trakten."

"Efter vad jag förstår identifierade du kroppen."

"Ja."

"Du är bra att ha till hands." Mättat med ironi. "Hur kände du honom?"

Spotta fram det eller knipa käft? Ingendera. Hyckla. "Jag kände igen honom som en av våra tjallare."

Carswell tittade upp. "Vems närmare bestämt?"

"Kommissarie Flowers."

"Hade du tänkt knycka honom?" Rebus höll munnen stängd, lät Carswell dra sina egna slutsatser. "Just den morgonen han föll i kanalen… märkligt sammanträffande."

Rebus ryckte på axlarna. "Det är sådant som händer." Han fäste sin blick på Carswells. De stirrade på varandra.

"Adjö, kommissarien", sa Carswell.

Rebus blinkade inte förrän han var tillbaka ute i korridoren.

Han ringde till St Leonard's från Fettes, handen darrade. Men Gill var inte där, och ingen tycktes veta var hon fanns. Rebus bad växeln att söka henne och bad sedan att få bli kopplad till krim. Siobhan svarade.

"Är Brian där?"

"Jag har inte sett honom på några timmar. Har ni två någonting på gång?"

"Det enda som är på gång är att jag ska knäckas. När du ser honom, säg åt honom att ringa. Och vidarebefordra samma sak till Gill Templer."

Han bröt förbindelsen innan hon hann säga något. Hon skulle antagligen ha erbjudit sin hjälp, och det Rebus verkligen inte ville just nu var att någon mer blev indragen. Att ljuga för att skydda sig själv… att ljuga för att skydda Gill Templer… Gill… han hade frågor till henne, viktiga frågor. Han försökte med hennes hemnummer, lämnade ett meddelande på telefonsvararen, försökte sedan med Holmes hemnummer: ännu en telefonsvarare, samma meddelande lämnades. Ring mig.

Vänta. Tänk.

Han hade bett Holmes sätta sig in i Spavenfallet, och det betydde att han skulle gå igenom akterna. När Great London Road-stationen brunnit ner till grunden hade en massa akter gått upp i rök med den, men inte det äldre materialet, för vid det laget hade de gamla akterna flyttats ut för att ge plats. De fanns tillsammans med alla andra forntida fall, alla skramlande gamla skelett, i ett magasin nära Granton Harbour. Rebus hade trott att Holmes skulle kvittera ut dem, men kanske inte...

Det tog tio minuter att köra från Fettes till magasinet. Rebus var där på sju. Han log brett när han såg Holmes bil på parkeringen. Rebus gick fram till den stora porten, drog upp den och befann sig i ett väldigt, mörkt, ekande utrymme. Likadana rader med gröna metallhyllor löpte längs väggarna, fyllda med slitstarka pappkartonger, i vilka fanns Lothian & Borders – och City of Edinburghs fram till dess upphörande – möglande historia från 1950 fram till 1970. Dokument anlände fortfarande: telådor med dinglande etiketter stod och väntade på att bli uppackade, och det såg ut som om en förnyelse var på gång – plastlådor med lock ersatte slitstark papp. En kortväxt äldre mansperson, mycket proper, med svart mustasch och starka glasögon, kom marscherande mot Rebus.

"Kan jag stå till tjänst med något?"

Mannen var definitionen på ordet "bokhållare". När han inte tittade i golvet stirrade han bort någonstans förbi Rebus högra öra. Han hade på sig en grå nylonrock utanpå en vit skjorta med fransig krage och grön tweedslips. Pennor stack upp ur bröstfickan.

Rebus visade sin polisbricka. "Jag letar efter en kollega, kriminalinspektör Holmes. Jag tror att han kanske går igenom några gamla fall."

Mannen studerade polisbrickan. Han gick fram till en skrivskiva och noterade Rebus namn och rang, plus datum och tid för hans ankomst.

"Är det där nödvändigt?" frågade Rebus.

Mannen såg ut som om han aldrig i sitt liv fått en sådan fråga. "Pappersarbete", fräste han och tittade sig omkring på magasinets innehåll. "*Alltihop* är nödvändigt, annars skulle jag inte vara här."

Och han log, takbelysningen glittrade i hans glasögon. "Den här vägen."

Han förde Rebus ner genom en gång mellan lådor, tog sedan av till höger och slutligen, efter ett ögonblicks tvekan, till vänster. De kom in i en glänta, där Brian Holmes satt vid vad som såg ut som en gammal skolbänk, med bläckhorn och allt. Där fanns ingen stol, så han använde en upp och nervänd låda. Armbågarna vilade på skolbänken, huvudet i händerna. På pulpeten stod en lampa som spred ljus över scenen. Bokhållaren hostade.

"Ni har besök."

Holmes vände sig om och reste sig när han såg vem det var. Rebus vände sig snabbt mot bokhållaren.

"Tack för hjälpen."

"Det var så lite så. Jag får inte många besök."

Den lille mannen hasade bort, steg försvann i fjärran.

"Var inte orolig", sa Holmes. "Jag har lagt ett spår av brödsmulor så att vi hittar tillbaka." Han såg sig omkring. "Är inte detta det läskigaste ställe du någonsin varit på?"

"Rakt in på fem i topp. Jo, Brian, det har uppstått ett problem. Nu brakar hela helvetet löst."

"Berätta."

"CC Rider drar igång en undersökning om Spavenfallet, innan själva fallet tas upp på nytt. Och han har lyckats ge uppdraget åt någon som jag nyligen strök mothårs."

"Dumt av dig."

"Dumt av mig. Så ganska snart kommer de utan tvivel hit ner för att lyfta ut allt om fallet. Och då vill jag inte att de lyfter ut *dig*."

Holmes tittade på de svällande pärmarna, på det bleknade svarta bläcket på varje omslag. "Akterna skulle kunna försvinna, inte sant?"

"Visst. Bara två problem. Det ena, att det skulle se mycket misstänkt ut. Det andra, att jag förutsätter att vår vän övervakaren därute vet vilka akter du har tittat i."

"Det är sant", medgav Holmes. "Och det noterades på hans papper."

"Tillsammans med ditt namn."

"Vi kunde försöka sticka till honom en slant."

"Han ser inte ut som den typen. Håller inte på med det här för pengarnas skull, eller hur?"

Holmes såg fundersam ut. Han såg också hemsk ut: slarvigt rakad, håret okammat och i behov av klippning. Påsarna under ögonen skulle ha kunnat innehålla tjugofem kilo kol.

"Hör på", sa han till sist, "jag är halvvägs igenom… mer än halvvägs. Om jag håller på till sent i kväll, kanske ökar tempot, kan jag vara klar i morgon."

Rebus nickade långsamt. "Vad tycker du hittills?" Han var nästan rädd för att röra vid pärmarna, för att bläddra i dem. Det var inte historia, det var arkeologi.

"Jag tycker fortfarande att du skriver lika illa. Rakt svar: det är någonting lurt, så mycket kan jag läsa mig till mellan raderna. Jag kan se exakt var du mörkar, redigerar om den verkliga storyn för att passa din version. Du var inte så förslagen på den tiden. Geddes version låter bättre, mer säker. Han förklarar saker, han är inte rädd för att bagatellisera. Vad jag skulle vilja veta är, vad var det för historia med honom och Spaven? Jag vet att du berättade att de hade tjänstgjort tillsammans i Burma eller någonstans. Hur blev de ovänner? Om vi visste det, skulle vi veta hur stor anledning Geddes hade att vara förbittrad, och kanske hur långt det skulle kunna driva honom."

Rebus klappade tyst händerna.

"Bra tänkt."

"Ge mig en dag till då, se vad jag hinner med. John, jag *vill* göra det här för dig."

"Och om de kommer på dig?"

"Det snackar jag mig ur. Oroa dig inte."

Rebus sökare pep. Han tittade på Holmes.

"Gå du bara", sa Holmes, "så att jag kan fortsätta med det här."

Rebus klappade honom på axeln och började vandra tillbaka längs hyllorna. Brian Holmes: vän. Svår att jämställa med den person som hade klått upp Mental-Minto. Schizofreni, polismannens bundsförvant: en dubbel personlighet kom väl till pass…

Han frågade bokhållaren om han fick låna telefonen. Det satt en på väggen. Han ringde in.

"Kommissarie Rebus här."

"Ja, ni har tydligen försökt få tag i överkommissarie Templer."

"Ja."

"Jag har lokaliserat henne. Hon finns i Ratho, på någon restaurang där."

Rebus slängde på luren och förbannade sig själv för att han inte kommit att tänka på det tidigare.

Träbryggan där McLures kropp legat hade blåsts torr av vinden. Där fanns inget som tydde på att ett dödsfall så nyligen inträffat. Änderna gled fram över vattnet. En av båtarna hade just gett sig av med ett halvdussin passagerare. Gäster i restaurangen tuggade på sin mat och stirrade ut på de två figurerna på kanalstranden.

"Jag satt i sammanträde halva dagen", sa Gill. "Jag fick inte reda på det förrän för en timme sedan. Vad hände?"

Hon hade händerna djupt nerkörda i kappfickorna, kappan en benvit Burberry. Hon såg ledsen ut.

"Fråga obducenten. McLure hade ett jack i huvudet, men det säger oss inte mycket. Han kan ha fått det när han halkade."

"Eller kan någon ha klippt till honom och knuffat i honom."

"Eller kan han ha hoppat." Rebus rös. Döden påminde honom om Mitchisons alternativ. "Min gissning är att obduktionen bara kommer att tala om för oss ifall han levde när han hamnade i vattnet. Just nu skulle jag säga att han antagligen levde, vilket fortfarande inte besvarar frågan: olyckshändelse, självmord, eller ett slag och en knuff?" Han såg Gill vända sig bort och börja gå längs pråmdragarstigen. Han gick i kapp henne. Det började regna igen, små droppar, glest. Han såg dem landa på hennes kappa, gradvis göra den mörkare.

"Där rök mitt stora kap", sa hon med viss bitterhet i tonfallet.

"Det kommer fler tillfällen", sa han. "Och under tiden – glöm inte att en man är död." Hon nickade. "Och du", sa han. "Biträdande polismästaren gav mig en skrapa nu på eftermiddagen."

"Spavenfallet?"

Han nickade. "Plus att han ville veta vad jag gjorde här ute i morse."

Hon sneglade på honom. "Vad sa du?"

"Jag sa ingenting. Men saken är den… att McLure hänger ihop med Spaven."

"Va?" Han hade hennes fulla uppmärksamhet nu.

"De var kompisar en gång för länge sedan."

"Herregud, varför har du inte talat om det för mig?"

Rebus ryckte på axlarna. "Det verkade inte viktigt."

Gill tänkte intensivt. "Men om Carswell kopplar ihop McLure med Spaven…"

"Så kommer min närvaro här ute just den morgon Fege Fergie mötte sitt öde att se en liten smula misstänkt ut."

"Du måste tala om det för honom."

"Det tror jag inte."

Hon vände sig mot honom och tog tag i hans kavajslag. "Du skyddar mig mot följderna."

Det regnade mer nu, droppar glittrade i hennes hår. "Låt oss helt enkelt säga att jag är mer stryktålig", sa han, tog henne i handen och ledde henne in i baren.

De åt en lätt måltid, ingen av dem var hungrig. Rebus mat kom tillsammans med en whisky. Gills med Highland källvatten. De satt mitt emot varandra vid ett bord i en alkov. Stället var inte ens halvfullt. Ingen annan var tillräckligt nära för att kunna höra.

"Vem mer visste?" sa Rebus.

"Du är den första jag har berättat det för."

"Tja, de kan ju ändå ha fått veta. Fergies nerver kanske inte höll, han kanske erkände. Kanske gissade de bara."

"En massa kansken."

"Vad har vi mer?" Han gjorde en paus, tuggade. "Hur är det med de andra tjallarna som du ärvde?"

"Vad är det med dem?"

"Tjallare hör saker, Fergie var kanske inte den ende som kände till den här knarkgrejen?"

Gill skakade på huvudet. "Jag frågade honom den gången. Han verkade övertygad om att det var *mycket* hemligt. Du förutsätter att han blev dödad. Glöm inte att han hade dåliga nerver, psykiska problem. Rädslan blev kanske för mycket för honom."

"Gör oss båda en tjänst, Gill, håll dig nära utredningen. Se vad grannarna säger: hade han något besök i dag på morgonen? Någon utöver det vanliga eller någon misstänkt? Se om du kan kolla hans telefonsamtal. Jag är säker på att det kommer att uppfattas som en olyckshändelse, vilket betyder att ingen kommer att jobba särskilt hårt med det. *Driv på dem*, be om tjänster om du måste. Brukade han ta morgonpromenader?"

Hon nickade. "Någonting mer?"

"Ja… vem har nycklarna till hans hus?"

Gill ringde de nödvändiga samtalen och de drack kaffe tills en kriminalkonstapel dök upp med nycklarna, direkt från bårhuset. Gill hade frågat om Spavenfallet, Rebus bara gett vaga svar. Sedan hade de pratat om Johnny Bibel, Allan Mitchison… enbart jobbsnack, undvikit allt personligt. Men vid ett tillfälle hade de sett varandra in i ögonen, delat ett leende, vetat att frågorna fanns, vare sig de ställdes eller inte.

"Vad tänker du göra nu?" frågade Rebus.

"Åt informationen McLure gav mig?" suckade hon. "Det finns inget jag kan göra med den, allt var så obestämt – inga namn eller detaljer, inget datum för mötet… det är borta."

"Ja, kanske." Rebus lyfte nycklarna och skakade dem. "Beror på om du vill hänga med och snoka eller inte."

Trottoarerna i Ratho var smala. För att hålla avståndet till Gill gick Rebus på vägen. De sa ingenting, det behövdes inte. Detta var deras andra kväll tillsammans. Rebus trivdes med att dela allt utom absolut närhet.

"Det där är hans bil."

Gill gick runt Volvon, kikade in genom fönstren. På instrumentbrädan blinkade en liten röd lampa: det automatiska larmet. "Skinnklädsel. Ser ut att ha kommit direkt från utställningslokalen."

"Men en typisk Fege Fergie-bil: snygg och säker."

"Jag vet inte jag", funderade Gill. "Det är turbomodellen."

Det hade Rebus inte märkt. Han tänkte på sin egen gamla Saab. "Undrar vad som kommer att hända med den…"

"Är det här hans hus?"

De gick fram till dörren, använde en insticksnyckel och en patentlåsnyckel för att öppna den. Rebus tände i hallen.

"Vet du ifall någon av de våra har varit här inne?" frågade Rebus.

"Efter vad jag vet är vi de första. Hur så?"

"Bara testar ett eller två scenarion. Säg att någon sökte upp honom här och att de skrämde honom. Säg att de sa åt honom att ta en promenad…"

"Och?"

"Han hade ändå sinnesnärvaro att låsa dörren med dubbla lås. Så antingen var han inte så rädd…"

"Eller så var det någon annan som dubbellåste, i tron att det var så McLure normalt skulle göra."

Rebus nickade. "En sak till. Larmsystem." Han pekade på en låda på väggen, vars lampa lyste stadigt grönt. "Det är inte påslaget. Om han hade stora skälvan kan han ha glömt det. Om han inte trodde att han skulle komma levande tillbaka, så brydde han sig inte om det."

"Han kanske inte heller brydde sig om det om han bara skulle gå en kort promenad."

Rebus höll med om detta. "Sista scenariot: den som dubbellåste dörren glömde eller visste helt enkelt inte om att larmet fanns. Dörr dubbellåst men larmsystem avstängt – det är inte konsekvent. Och en sådan som Fergie, Volvoförare, trodde jag *alltid* var konsekvent."

"Tror du han hade någonting värt att stjäla?"

De gick in i vardagsrummet. Det var fyllt till bristningsgränsen med möbler och prydnadsföremål, en del modernt, mycket som såg ut att ha gått i arv genom generationer. Men fastän rummet var överfullt var det propert och dammfritt, med dyrbara mattor på golvet – långt ifrån brandskadat varulager.

"Antag att det verkligen kom någon för att träffa honom", sa Gill. "Vi borde kanske säkra fingeravtryck."

"Definitivt. Sätt teknikerna på det."

"Ja, sir."

Rebus log. "Ber om ursäkt."

De höll händerna i fickorna medan de gick genom rummet: reflexen att röra vid saker var alltid stark.

"Inga spår av strid, och inget ser ut som om det ställts tillbaka på fel plats."

"Instämmer."

Bortom vardagsrummet fanns en kort korridor, som ledde till ett gästrum och till vad som antagligen en gång hade varit salongen: bara använd när det kom gäster. Fergus McLure hade gjort om den till kontor. Det låg papper överallt, och på ett matbord stod en dator som såg ny ut.

"Jag förmodar att någon blir tvungen att gå igenom allt det här", sa Gill, och gladdes inte åt uppgiften.

"Jag hatar datorer", sa Rebus. Han hade lagt märke till ett tjockt anteckningsblock bredvid tangentbordet. Han drog upp en hand ur fickan och lyfte det i kanterna, vinklade det mot ljuset. Det fanns märken i pappret efter det senast skrivna bladet. Gill kom fram för att titta.

"Säg ingenting."

"Kan inte tyda det, och jag tror inte att penntricket skulle hjälpa." De såg på varandra och sa högt vad de tänkte.

"Howdenhall."

"Kolla soporna härnäst?" sa Gill.

"Gör du det, så tittar jag där uppe."

Rebus gick tillbaka till hallen, såg fler dörrar, testade dem: ett litet ålderdomligt kök, familjebilder på väggarna; en toalett; en skrubb. Han gick uppför trappan, fötterna sjönk ner i den mjuka mattan som kvävde alla ljud. Det var ett tyst hus. Rebus fick känslan att det varit tyst också när McLure varit där. Ännu ett gästrum, stort badrum – omodernt precis som köket – och sovrummet. Rebus tittade på de vanliga ställena: under sängen, madrassen och kuddarna; nattduksbord, byrå, garderob. Allt var pedantiskt ordnat: koftor prydligt hopvikta och arrangerade efter färg; tofflor och skor på rad – alla de bruna tillsammans, sedan de svarta. I rummet fanns också en liten bokhylla med en oinspirerad samling: om mattor och österländsk konst; en fotobok om franska vingårdar.

Ett liv utan komplikationer.

Antingen det, eller så fanns det som berättade någonting om Fege Fergie på annat håll.

"Hittat något?" ropade Gill upp i trappan. Rebus gick tillbaka längs korridoren.

"Nej, men du borde nog ha någon som kollar hans affärslokal."

"Genast i morgon bitti."

Rebus kom tillbaka ner. "Du då?"

"Inget. Bara vad man kan vänta sig att hitta bland sopor. Inget som säger 'Knarkaffär, halv tre fredag på mattauktionen'."

"Synd", sa Rebus med ett leende. Han tittade på sin klocka. "Vad sägs om en drink till?"

Gill skakade på huvudet och sträckte på sig. "Det är nog bäst jag kör hem. Det har varit en lång dag."

"*Ännu* en lång dag."

"Ännu en lång dag." Hon lade huvudet på sned och tittade på honom. "Du då? Tänker du gå och ta ännu ett glas?"

"Och det betyder?"

"Att du dricker mer än du brukade."

"Och det betyder?"

Hennes blick var spänt uppmärksam. "Att jag önskar att du inte gjorde det."

"Så hur mycket borde jag dricka, *doktorn*?"

"Ta det inte så."

"Hur vet du hur mycket jag dricker? Vem har klagat?"

"Vi var ute i går kväll, som du kanske minns."

"Jag drack bara två eller tre whisky."

"Och när jag hade åkt?"

Rebus svalde. "Direkt hem i sängen."

Hon log sorgset. "Du ljuger. Och du var igång igen tidigt i morse: en polisbil såg dig komma ut från puben bakom Waverley."

"Jag är alltså bevakad!"

"Det finns folk som är bekymrade för dig, det är allt."

"Det är inte sant…" Rebus slängde upp dörren.

"Vart ska du?"

"Jag behöver något starkt. Du kan hänga med om du vill."

10

När han körde in på Arden Street såg han en klunga människor utan-
för dörren till sitt hus. De stod och trampade, drog vitsar och försökte
hålla moralen uppe. En eller två åt pommes frites ur tidningspapper –
ironiskt nog, eftersom de såg ut som journalister.

"Fan."

Rebus körde förbi och fortsatte, medan han tittade i backspegeln.
Det fanns ändå ingenstans att parkera. Han svängde till höger i kors-
ningen, sedan till vänster, och hamnade på en parkeringsplats utanför
Thirlestane Baths. Han stängde av motorn och gav ratten några knyt-
nävsslag. Han kunde alltid köra sin väg, kanske sätta kurs mot M90,
susa upp till Dundee och tillbaka igen, men han kände inte för det.
Han tog några djupa andetag, kände blodet pulsera genom kroppen,
ett brusande ljud i öronen.

"Okej", sa han och klev ur bilen. Han gick nerför Marchmont
Crescent till sin fish-and-chips-butik och styrde sedan kosan hemåt,
kände det stekta fettet bränna handflatan genom lagren av papper.
Han tog god tid på sig när han vandrade Arden Street fram. De räk-
nade inte med att han skulle komma till fots, och han var nästan
framme innan någon kände igen honom.

Där fanns ett TV-team också: Redgauntlet – fotograf, Kayleigh
Burgess och Eamonn Breen. Tagen på sängen sprätte Breen iväg en
cigarrett ut på gatan och högg mikrofonen. Videokameran var ut-
rustad med spotlight. Spotlights fick en alltid att kisa, vilket i sin tur

fick en att se skyldig ut, så Rebus såg till att titta stort.

En journalist fick fram den första frågan.

"Någon kommentar om Spavenundersökningen, kommissarien?"

"Stämmer det att fallet kommer att tas upp på nytt?"

"Hur kändes det när du fick höra att Lawson Geddes hade tagit livet av sig?"

Vid den frågan sneglade Rebus mot Kayleigh Burgess, som hade tillräckligt med skam i kroppen för att titta ner på trottoaren. Han hade hunnit halvvägs uppför gången nu, var bara en halvmeter från dörren, men omgiven av journalister. Det var som att vada genom köttsoppa. Han stannade och vände sig mot dem.

"Mina damer och herrar, jag vill göra ett kort uttalande."

De tittade på varandra, med förvånade ögon, och höll sedan fram sina bandspelare. Några gamla murvlar långt bak, som hade varit här för ofta för att gripas av entusiasm, använde penna och block.

Det blev tyst. Rebus höll upp sitt paket i luften.

"Å de skotska pommes frites-ätarnas vägnar vill jag tacka er för att ni förser oss med vårt dagliga emballage."

Han var innanför dörren innan de kommit på något att säga.

Uppe i lägenheten lät han bli att tända och gick fram till fönstret i vardagsrummet och kikade ner på scenen utanför. Några av journalisterna skakade på huvudet och ringde på sina mobiltelefoner för att höra om de kunde få komma hem. Ett par var redan på väg mot sina bilar. Eamonn Breen talade till kameran och gick som vanligt helt upp i sig själv. En av de yngre journalisterna stack upp två fingrar bakom huvudet på Breen, som kaninöron.

När Rebus tittade tvärs över gatan såg han en man stå med armarna i kors, lutad mot en parkerad bil. Han blickade upp mot Rebus fönster, med ett leende i ansiktet. Han vecklade ut armarna och gav Rebus en tyst applåd, klev sedan in i sin bil och startade motorn.

Jim Stevens.

Rebus gick tillbaka in i rummet, tände en arbetslampa och satte sig i sin stol för att äta sina pommes frites. Men han hade fortfarande ingen större aptit. Han undrade vem som läckt nyheten till gamarna. CC Rider hade först nu på eftermiddagen berättat den för honom, och han hade inte upplyst någon mer än Brian Holmes och Gill Templer. Telefonsvararen blinkade ilsket: fyra meddelanden. Han lyckades hantera apparaten utan att anlita manualen och kände sig nöjd tills han hörde glasgowaccenten.

"Kommissarie Rebus.Ancram här." Munter och affärsmässig. "Ville bara tala om att jag sannolikt kommer till Edinburgh i morgon för att påbörja undersökningen. Ju tidigare vi sätter igång, desto fortare blir vi klara. Bäst för alla berörda, inte sant? Jag lämnade ett meddelande på Craigmillar och bad att ni skulle ringa mig, men ni tycks inte ha varit inne så att ni kunnat tillmötesgå min begäran."

"Tack och godnatt", morrade Rebus.

Pip. Meddelande nummer två.

"Det är jag igen, kommissarien. Det vore bra att känna till era planer den närmaste veckan eller så, bara så att jag kan utnyttja tiden effektivt. Om ni kunde bryta ner ert program i punkter och ge mig det skriftligt, vore jag tacksam."

"Här handlar det för helvete snarare om att bryta *ihop*."

Han gick tillbaka till fönstret. De gav sig av. Redgauntlets kamera lastades in i kombin. Meddelande nummer tre. Vid ljudet av rösten vände Rebus sig om och tittade på maskinen.

"Kommissarien, undersökningen kommer att ha sin bas på Fettes. Jag tar antagligen med mig en av mina egna män, men för övrigt kommer vi att använda personal från Fettes. Så från och med i morgon bitti kan ni nå mig där."

Rebus gick fram till maskinen och blängde på den, utmanade den… utmanade den…

Pip. Meddelande nummer fyra.

"Två i morgon eftermiddag har vi vårt första möte, kommissarien. Låt mig få veta om det – "

Rebus slet till sig maskinen och slängde den i väggen. Locket flög upp och spydde ut bandet.

Det ringde på hans dörr.

Han satte ögat till titthålet. Kunde bara inte tro det. Öppnade dörren på vid gavel.

Kayleigh Burgess tog ett steg tillbaka. "Herregud, du ser vild ut."

"Jag *känner* mig vild. Vad i helvete vill du?"

Hon tog fram en hand som hon haft gömd bakom ryggen och visade en flaska Macallan. "Försoningsoffer", sa hon.

Rebus tittade på flaskan och sedan på henne. "Ska detta föreställa en fälla?"

"Absolut inte."

"Inga dolda mikrofoner eller kameror på dig?"

Hon skakade på huvudet. Slingor av brunt lockigt hår lade sig till vila mot hennes kinder och vid sidan av ögonen. Rebus tog ett steg tillbaka in i hallen.

"Tur för dig att jag är törstig", sa han.

Hon gick före honom in i vardagsrummet, gav honom tillfälle att studera hennes kropp. Den var minst lika prydlig som Fege Fergies hus.

"Jo, du", sa han, "jag är ledsen för det där med din bandspelare. Skicka mig räkningen. Jag menar det."

Hon ryckte på axlarna och fick sedan syn på telefonsvararen. "Vad är det egentligen med dig och teknologi?"

"Tio sekunder, och frågorna har redan börjat. Vänta, så ska jag hämta glas." Han gick ut i köket och stängde dörren om sig, samlade sedan ihop pressklippen och tidningarna på bordet, slängde in alltihop i ett skåp. Han sköljde två glas och tog god tid på sig med att torka dem, stirrade på väggen ovanför diskbänken. Vad var hon ute efter? Information, förstås. Gills ansikte dök upp i hans huvud. Hon hade bett honom om en tjänst, och en man hade dött. Vad Kayleigh Burgess beträffade... *hon* hade kanske varit ansvarig för Geddes självmord. Han tog med sig glasen in. Hon satt hopkrupen framför stereon och studerade albumryggar.

"Jag har aldrig ägt någon skivspelare", sa hon.

"Det lär vara nästa stora grej." Han öppnade Macallanflaskan och hällde upp. "Jag har ingen is, även om jag antagligen skulle kunna hacka loss ett block från frysens insida."

Hon reste sig, tog ifrån honom sitt glas. "Ren är okej."

Hon hade på sig svarta, trånga jeans, urblekta i baken och på knäna, och en jeansjacka med fleecefoder. Hennes ögon, noterade han, var lätt utstående, ögonbrynen välvda – naturliga, tänkte han, inte plockade. Och skulpterade kindben.

"Sitt ner", sa han.

Hon satte sig i soffan, med benen lite isär, armbågarna på knäna, höll upp glaset mot ansiktet.

"Det är inte din första i dag, va?" frågade hon honom.

Han läppjade, ställde ner glaset på armstödet. "Jag kan sluta när jag vill." Han höll ut armarna. "Ser du?"

Hon log, drack, studerade honom ovanför glaskanten. Han försökte tyda signalerna: kokett, fräck slyna, avslappnad, skarpögd, beräknande, road...

"Vem tipsade dig om undersökningen?" frågade han.

"Menar du vem som tipsade massmedia i allmänhet, eller mig personligen?"

"Vilket som."

"Jag vet inte vem som drog igång storyn, men den ene journalisten berättade för den andre och det spred sig. En kompis på *Scotland on Sunday* ringde till mig. Hon visste att vi redan jobbade med Spavenfallet."

Rebus tänkte: Jim Stevens, som stod vid sidan om som lagledaren. Stevens, Glasgowbaserad. Chick Ancram, Glasgowbaserad. Ancram, som visste att Rebus och Stevens kände varandra från förr, avslöjade nyheten...

Den djäveln. Inte konstigt att han inte bett Rebus att kalla honom Chick.

"Jag kan nästan höra hur kuggarna arbetar."

Ett litet leende. "Bitar faller på plats." Han sträckte sig efter flaskan – hade låtit den stå inom räckhåll. Kayleigh Burgess lutade sig mot soffans ryggstöd, drog upp benen under sig, tittade sig omkring.

"Trevligt rum. Stort."

"Det behöver fixas till."

Hon nickade. "Absolut taklisterna, kanske runt fönstret. Men den där skulle jag kasta ut." Hon nickade mot en tavla ovanför öppna spisen: en fiskebåt i en hamn. "Var ska det föreställa vara?"

Rebus ryckte på axlarna. "En plats som aldrig har funnits." Han tyckte inte heller om tavlan, men kunde inte tänka sig att kasta ut den.

"Du kunde skrapa ren dörren", fortsatte hon. "Den skulle bli fin, tror jag." Hon såg hans blick. "Jag har just köpt mig en egen lya i Glasgow."

"Kul för dig."

"Där är alldeles för högt i tak för min smak, men – " Hans tonfall hejdade henne. Hon tystnade.

"Ledsen", sa Rebus, "jag har legat av mig när det gäller småprat."

"Men inte när det gäller ironi."

"Jag får rikligt med träning. Hur går det med programmet?"

"Jag trodde inte du ville diskutera det."

Rebus ryckte på axlarna. "Måste vara mer intressant än gör-det-själv-tips." Han reste sig för att fylla på hennes glas.

"Det går bra." Hon tittade upp på honom. Han höll ögonen på hennes glas. "Skulle gå ännu bättre om du gick med på att bli intervjuad."

"Nej." Han gick tillbaka till sin stol.

"Nej", ekade hon. "Nå, med eller utan dig, så kommer programmet att sändas. Ett datum är redan bestämt. Har du läst mr Spavens bok?"

"Jag är inte mycket för skönlitteratur."

Hon vände sig om och tittade på bokhögarna bredvid stereon. De motsade honom.

"Jag har sällan träffat en fånge som inte har bedyrat sin oskuld", fortsatte Rebus. "Det är en överlevnadsmekanism."

"Jag förmodar att du aldrig stött på ett justitiemord heller?"

"Jag har sett massor av misstag. Och det vanligaste 'misstaget' var att brottslingen slapp undan. Hela det juridiska systemet är ett justitiemord."

"Får jag citera dig?"

"Det här samtalet är strängt inofficiellt."

"Det ska du göra klart innan du säger någonting."

Han viftade med ett finger mot henne. "Inofficiellt."

Hon nickade, lyfte sitt glas. "Skål för alla inofficiella kommentarer."

Rebus förde glaset till munnen, men drack inte. Whiskyn gjorde honom mera meddelsam, blandade sig med tröttheten och en hjärna som tycktes fylld till bristningsgränsen. En farlig cocktail. Han visste att han måste vara mer försiktig, från och med nu.

"Lite musik?" frågade han.

"Är det där ett sätt att byta samtalsämne?"

"Frågor, frågor." Han gick bort till stereon och sköt in ett band med *Meddle*.

"Vem är det?" frågade hon.

"Pink Floyd."

"Åh, de är bra. Är det ett nytt album?"

"Inte precis."

Han fick henne att tala om sitt arbete, hur hon kommit in i det, sitt liv hela vägen tillbaka till barndomen. Då och då sköt hon in en fråga om *hans* förflutna, men han bara skakade på huvudet och ledde henne tillbaka in på hennes historia.

Hon behöver en paus, tänkte han, behöver vila. Men hon var besatt av sitt arbete, kanske var detta så nära en rast hon kunde tillåta sig: hon var tillsammans med *honom*, så det räknades som arbete. Det handlade om skuld igen, skuld och arbetsmoral. Han tänkte på en historia: första världskriget, jultid, motståndarna kom upp ur sina skyttegravar för att skaka hand, spela en fotbollsmatch, sedan tillbaka ner i skyttegravarna och upp med geväret igen…

Efter en timme och fyra glas whisky låg hon på soffan med en hand bakom huvudet och den andra vilande på magen. Hon hade tagit av sig jackan och hade en vit sweatshirt under. Hon hade rullat upp ärmarna. Lampljuset förvandlade håren på hennes armar till guldtråd.

"Bäst att skaffa en taxi…" sa hon tyst, *Tubular Bells* i bakgrunden. "Vem är det här nu igen?"

Rebus sa ingenting. Det behövdes inte: hon sov. Han kunde väcka henne och hjälpa henne att få tag på en taxi. Han kunde köra henne hem, Glasgow mindre än en timme bort vid den här tiden på natten. Men istället lade han sitt duntäcke över henne, lät musiken vara på så tyst att han knappt kunde höra Viv Stanshalls intron. Han satt i sin stol vid fönstret, med en rock över sig. Gaskaminen var på och värmde rummet. Han skulle vänta tills hon vaknade av sig själv. Sedan skulle han erbjuda en taxi eller sina egna tjänster som chaufför. Låta henne välja.

Han hade mycket att tänka på, mycket att planera. Han hade en idé beträffande morgondagen och Ancram och undersökningen. Han vred och vände på den, formade den, lade till lager. Mycket att tänka på…

Han vaknade till gatans natriumlampa och känslan av att inte ha sovit länge, tittade på soffan och såg att Kayleigh var borta. Han tänkte just stänga ögonen igen när han upptäckte att hennes jeansjacka låg kvar på golvet där hon slängt den.

Han reste sig från stolen, fortfarande groggy och ville plötsligt inte vara det. Hallampan var tänd. Köksdörren stod öppen. Ljuset där var också tänt…

Hon stod vid bordet, panodil i en hand, ett glas vatten i den andra. Tidningsklippen låg utbredda framför henne. Hon ryckte till när hon såg honom, tittade sedan på bordet.

"Jag letade efter kaffe, tänkte att det kanske skulle få mig att nyktra till. Jag hittade de här istället."

"Jobb", sa Rebus bara.

"Jag visste inte att du var knuten till Johnny Bibel-utredningen."

"Det är jag inte." Han samlade ihop papperna och lade tillbaka dem i skåpet. "Det finns inget kaffe. Det är slut."

"Vatten duger bra." Hon svalde tabletterna.

"Baksmälla?"

Hon stjälpte i sig vatten, skakade på huvudet. "Jag tänkte att jag kanske kunde avvärja den." Hon tittade på honom. "Jag snokade inte. Det är viktigt för mig att du tror på det."

Rebus ryckte på axlarna. "Om det hittar in i programmet, så vet vi båda hur det ligger till."

"Varför detta intresse för Johnny Bibel?"

"Ingen speciell anledning." Han såg att hon inte kunde acceptera det. "Det är svårt att förklara."

"Testa mig."

"Jag vet inte… kalla det oskuldens undergång."

Han drack några glas vatten, lät henne gå ensam tillbaka in i vardagsrummet. Hon kom ut igen, med jackan på, drog upp håret som kommit innanför kragen.

"Det är bäst jag går."

"Vill du att jag kör dig någonstans?" Hon skakade på huvudet. "Flaskan då?"

"Vi kanske kan göra slut på den en annan gång."

"Jag kan inte garantera att den kommer att finnas kvar."

"Det kan jag nog överleva." Hon gick fram till ytterdörren, öppnade den, vände sig mot honom igen.

"Har du hört om drunkningsolyckan i Ratho?"

"Ja", sa han, med uttryckslöst ansikte.

"Fergus McLure, jag intervjuade honom ganska nyligen."

"Verkligen?"

"Han var god vän med Spaven."

"Det visste jag inte."

"Inte? Lustigt. Han berättade för mig att du plockade in honom för förhör under den ursprungliga utredningen. Någon kommentar till det, kommissarien?" Hon log kallt. "Trodde inte det."

Han låste dörren och hörde henne gå nerför trappan, gick sedan tillbaka in i vardagsrummet och ställde sig bredvid fönstret och tittade ner. Hon svängde till höger, gick mot Meadows och en taxi. Det var tänt i ett fönster på andra sidan gatan. Stevens bil syntes inte till. Rebus fäste blicken på sin egen spegelbild. Hon kände till kopplingen mellan Spaven och McLure, visste att Rebus hade förhört McLure. Det var precis den sortens ammunition Chick Ancram behövde. Rebus spegelbild stirrade tillbaka på honom, retsamt lugn. Han fick ta till all sin viljestyrka för att inte slå ut rutan.

11

Rebus var på flykt – rörligt mål och allt det där – baksmällan kunde inte hejda honom. Han hade packat så fort som möjligt, bara en halvfull resväska, låtit personsökaren ligga på spiselkransen. Verkstan där han brukade få sin kontrollbesiktning gjord gav Saaben en hastig genomgång: ringtryck, oljenivå. Femton minuter för femton pund. Enda problemet de hittade var att den var lite lös i ratten.

"Passar min körstil", sa Rebus till dem.

Han hade samtal att ringa, men undvek sin lägenhet, Fort Apache och varje annan polisstation. Han övervägde de pubar som öppnade tidigt, men de var som kontor – han var känd för att jobba från dem. Alltför stor risk att Ancram skulle hitta honom. Så han använde sin lokala tvättomat, skakade på huvudet åt erbjudandet om en service-tvätt – tio procents rabatt den här veckan. Ett "reklamerbjudande". Sedan när behövde tvättomater reklamerbjudanden?

Han använde växelmaskinen till att förvandla en fempundssedel till mynt, köpte kaffe och en chokladkaka från en annan maskin och släpade bort en stol till väggtelefonen. Första samtalet: Brian Holmes hemma, för att ge ett sista rött kort på "undersökningen". Inget svar. Han lämnade inget meddelande. Andra samtalet: Holmes på jobbet. Han förställde rösten och hörde en ung polisassistent tala om för honom att Brian inte synts till än.

"Är det något jag kan framföra?"

Rebus lade på utan att säga någonting. Brian kanske jobbade

hemma med "undersökningen" och inte svarade i telefon. Det var möjligt. Tredje samtalet: Gill Templer på jobbet.

"Templer."

"Det är John." Rebus tittade sig omkring i tvättomaten. Två kunder med ansiktena i tidningar. Svagt motorljud av tvättmaskiner och torktumlare. Lukten av mjukmedel. Den kvinnliga föreståndaren hällde tvättmedel i en maskin. Radio på i bakgrunden: "Double Barrel", Dave & Ansel Collins. Idiotisk text.

"Vill du veta vad som hänt?"

"Varför skulle jag annars ringa?"

"Du är en smart typ, kommissarie Rebus."

"Vad har du gjort åt Fergie?"

"Anteckningsblocket finns på Howdenhall, inget resultat än. Ett teknikerteam går in i huset i dag, tittar efter fingeravtryck och annat. De undrade varför de behövdes."

"Du talade inte om det för dem?"

"Jag utnyttjade min ställning. Det är ju det den är till för."

Rebus log. "Datorn då?"

"Jag åker dit i eftermiddag, för att själv gå igenom disketterna. Jag tänker också ställa frågor till grannarna om besökare, främmande bilar, allt sådant."

"Och Fergies affärslokal?"

"Jag ska iväg dit om en halvtimme. Hur sköter jag mig?"

"Kan inte klaga hittills."

"Bra."

"Jag ringer senare, hör hur det går."

"Du låter konstig."

"Hur då konstig?"

"Som om du hade något fuffens för dig."

"Det är inte min stil. Hej då, Gill."

Nästa samtal: Fort Apache, direktlinje till Skjulet. Maclay svarade.

"Tjena, Tungviktarn", sa Rebus. "Några meddelanden till mig?"

"Skojar du? Jag behöver asbestvantar till den här telefonen."

"Överkommissarie Ancram?"

"Hur kunde du gissa?"

"Extrasensorisk perception. Jag har försökt få tag i honom."

"Var är du förresten?"

"Ligger i sängen, med flunsa eller något."

"Du låter inte alltför dålig."

"Visar upp en tapper fasad."

"Är du hemma?"

"Hos en god vän. Hon sköter om mig."

"Jaha du. Berätta mer."

"Inte just nu, Tungviktarn. Jo, om Ancram ringer igen…"

"Vilket han kommer att göra."

"Hälsa honom att jag försöker nå honom."

"Har din Florence Nightingale något telefonnummer?"

Men Rebus hade lagt på. Han ringde hem till sin egen lägenhet, kollade att telefonsvararen fortfarande fungerade efter misshandeln han utsatt den för. Där fanns två meddelanden, båda från Ancram.

"Lägg av", sa Rebus halvhögt. Sedan drack han ur sitt kaffe och åt chokladkakan och satt där och stirrade på torktumlarnas fönster. Hans huvud kändes som om han befann sig inuti en av dem och tittade ut.

Han ringde två samtal till – T-Bird Oil och Grampians kriminalavdelning – och bestämde sig sedan för att köra en snabb vända ut till Brian Holmes, chansa på att Nell inte var hemma. Det var ett smalt radhus, lagom stort för två personer. På framsidan fanns en mycket liten trädgård, i desperat behov av omvårdnad. Hängande korgar på varje sida om dörren, flämtande efter vatten. Han hade trott att Nell gillade trädgårdsarbete.

Ingen kom och öppnade. Han gick fram till fönstret och tittade in. De hade inga nätgardiner. En del yngre par brydde sig inte om det nuförtiden. Vardagsrummet såg ut som bombat område, golvet var täckt med tidningar och tidskrifter, matemballage, tallrikar, muggar och tomma glas. Papperskorgen svämmade över av ölburkar. TV:n visade bilder för ett tomt rum: dagsåpa, ett solbränt par tätt ihop. De såg mer övertygande ut när man inte kunde höra dem.

Rebus bestämde sig för att fråga hos grannen. En liten unge öppnade för honom.

"Hejsan, cowboy, är din mamma hemma?"

En ung kvinna kom ut från köket, torkade av händerna på en handduk.

"Ledsen om jag stör", sa Rebus. "Jag söker mr Holmes, han bor i huset bredvid."

Hon tittade ut genom dörren. "Hans bil är borta, han har alltid samma plats." Hon pekade på den plats där Rebus Saab stod parkerad.

"Ni har inte sett hans fru nu på morgonen?"

"Inte på evigheter", sa kvinnan. "Hon brukade titta in med godis till Damon." Hon klappade barnets hår. Han skakade av sig hennes hand och galopperade tillbaka in i huset.

"Men tack i alla fall", sa Rebus.

"Han är säkert tillbaka i kväll, han går inte ut så mycket."

Rebus nickade. Han nickade fortfarande när han kom fram till bilen. Han satte sig på förarplatsen, drog med händerna över ratten. Hon hade gått ifrån honom. För hur längesedan? Varför hade den envise fan inte sagt någonting? Poliser, som var kända för att visa sina känslor, för att tala ut om sina privata kriser, jo, visst… Rebus själv ett typiskt exempel.

Han körde till magasinet: inget spår av Holmes, men bokhållaren sa att han hade arbetat ända till stängningsdags dagen innan.

"Såg han ut att vara klar?"

Bokhållaren skakade på huvudet. "Sa att han skulle komma tillbaka i dag."

Rebus övervägde att lämna ett meddelande, kom fram till att det var en risk han inte kunde ta. Han gick tillbaka till bilen och körde därifrån.

Han körde genom Pilton och Muirhouse, ville inte snedda in för tidigt på den hårt trafikerade Queensbury Road. Trafiken ut ur stan var inte farlig – den rörde sig åtminstone. Han plockade fram växel till vägtullen vid Forth Bridge.

Han tänkte köra norrut. Inte bara till Dundee den här gången. Han tänkte köra till Aberdeen. Han visste inte om han flydde, eller var på väg mot en konfrontation.

Inget som sa att det inte kunde vara både och. Fegisar blev bra hjältar ibland. Han sköt in ett band i kassettspelaren. Robert Wyatt, *Rock Bottom.*

"Vet hur det känns, Bob", sa han. Och senare: "Ryck upp dig! Det kanske aldrig händer."

Varvid han bytte band. Deep Purple som spelade "Into the Fire". Bilen accelererade precis lagom.

Furry Boot Town

12

Rebus hade inte varit i Aberdeen på några år, och då bara en eftermiddag. Han hade varit och hälsat på en faster. Hon var död nu; han hade fått veta det först efter begravningen. Hon hade bott i närheten av Pittodrie Stadium, hennes gamla hus helt omgivet av ny bebyggelse. Huset var antagligen borta nu, jämnat med marken. Trots alla associationer till granit hade Aberdeen en atmosfär av obeständighet. Nuförtiden hade stan oljan att tacka för nästan allt, och olja skulle inte finnas för evigt. Rebus, som växt upp i Fife, hade sett samma sak hända med kol: ingen planerade för den dag det skulle ta slut. När det gjorde det, tog också hoppet slut.

Linwood, Bathgate, Clyde: ingen tycktes någonsin lära sig.

Rebus mindes de första oljeåren, ljudet av lågländare som skyndade norrut på jakt efter hårt slit till höga löner: arbetslösa skeppsbyggare och stålarbetare, avhoppare från skolan och studenter. Det var Skottlands eldorado. Lördagseftermiddagar satt man på pubar i Edinburgh och Glasgow, med kapplöpningssidorna uppslagna, drömhästar inringade, och talade om den stora flykten som var en möjlighet. Det började bli ont om jobb, ett mini-Dallas höll på att byggas av en fiskehamns yttre skal. Det var otroligt, ofattbart. Det var magi.

Människor som såg JR intrigera sig fram genom ännu en episod kunde lätt föreställa sig att samma scenario utspelades på nordostkusten. Det blev amerikansk invasion, och amerikanerna – grovjobbare, tuffingar, oljearbetare – ville inte ha en stillsam, sansad kuststad. De ville leva rövare och började bygga från grunden. Så de första historierna om eldorado förvandlades till berättelser från den mörka sidan: bordeller, blodbad, fyllebråk. Korruption överallt, spelarna talade om miljoner dollar, och ortsborna avskydde invasionen samtidigt som de tog emot kontanter och tillgängligt arbete. För manlig arbetarklass söder om Aberdeen var det som om Ordet blev kött, inte bara en mans värld utan en hård mans värld, där respekt krävdes och köptes för pengar. Omsvängningen tog bara några veckor: dugliga män kom tillbaka och skakade på huvudet, muttrade om slaveri, tolvtimmarsskift och den mardröm som var Nordsjön.

Och någonstans mitt i, mellan helvetet och eldorado, fanns något som mer liknade sanningen, inte alls lika intressant som myterna. Ekonomiskt sett hade nordost tjänat på oljan, och relativt smärtfritt dessutom. Liksom i Edinburgh hade den kommersiella utvecklingen inte tillåtits ärra stadskärnan *alltför* illa. Men i utkanterna såg man de vanliga industriområdena, de låga fabriksbyggnaderna, många av dem med namn som knöt dem till offshore-industrin: On-Off, Grampian Oil, Plat Tech…

Men innan detta fanns själva bilturen att glädja sig åt. Rebus höll sig så mycket som möjligt till kustvägen och undrade över det inrotade tänkesättet hos en nation som lade en golfbana längs ett klippkrön. När han stannade vid en bensinstation för en paus köpte han en karta över Aberdeen och tittade efter var Grampianpolisen hade sin station. Den låg på Queen Street i stans centrum. Han hoppades att systemet med enkelriktade gator inte skulle bli något problem. Han hade varit i Aberdeen kanske ett halvdussin gånger i sitt liv, tre av dessa på skollov som barn. Även om det var en modern stad skämtade han fortfarande om den som så många lågländare gjorde: den var full av *teuchters*, folk med konstig dialekt. När de frågade en var man kom ifrån, lät det som om de sa:"Furry boot ye frae?" Därav Furry Boot Town, medan Aberdeenbor höll fast vid "Granite City". Rebus visste att han skulle bli tvungen att hålla skämten och gliringarna i schack, i varje fall tills han känt sig för lite.

Trafiken gick som genom en flaskhals in i centrum, vilket var bra –

det betydde att han hann studera både karta och gatunamn. Han hittade Queen Street och parkerade, gick in på polisstationen och berättade vem han var.

"Jag talade med någon i telefon innan, en kriminalkonstapel Shanks."

"Jag ringer upp krim åt er", sa den uniformerade i mottagningen. Hon bad honom slå sig ner. Han satte sig och iakttog strömmen av kroppar in i och ut ur stationen. Han kunde skilja de civilklädda poliserna från vanliga besökare – man visste när man fick ögonkontakt. Några av männen hade kriminalpolismustascher, buskiga men välputsade. De var unga, försökte se äldre ut. Mitt emot honom satt några pojkar, dämpade men med glimten i ögonen. De hade friska fräkniga ansikten, blodlösa läppar. Två av dem var blonda, en rödhårig.

"Kommissarie Rebus?"

Mannen stod till höger om honom, kunde ha stått där ett par minuter eller mer. Rebus reste sig och de skakade hand.

"Kriminalinspektör Lumsden. Shanks vidarebefordrade ert meddelande. Någonting om ett oljebolag?"

"Baserat här uppe. En av deras anställda for ut genom ett lägenhetsfönster i Edinburgh."

"Hoppade?"

Rebus ryckte på axlarna. "Där fanns andra på platsen, en av dem en känd brottsling som heter Anthony Ellis Kane. Han lär hålla till här uppe."

Lumsden nickade. "Ja, jag hörde att Edinburgh frågade om det namnet. Säger mig tyvärr ingenting. Normalt skulle vi ha låtit vår oljekontaktman ta hand om er, men han är på semester och jag rycker in. Vilket gör mig till er guide så länge ni stannar." Lumsden log. "Välkommen till Silver City."

Silver för floden Dee som rann genom den. Silver för husens färg i solljus – grå granit förvandlad till skimrande ljus. Silver för pengarna som oljeboomen fört med sig. Lumsden förklarade medan Rebus körde dem tillbaka ner till Union Street.

"Ännu en myt om Aberdeen", sa han, "är att människorna är snåla.

Vänta tills ni har sett Union Street en lördagseftermiddag. Det måste vara den livligaste affärsgatan i Storbritannien."

Lumsden var klädd i blå blazer med blanka mässingsknappar, grå byxor, svarta loafers. Skjortan var elegant blå- och vitrandig, slipsen laxrosa. Kläderna fick honom att se ut som sekreterare på någon exklusiv golfklubb, men ansiktet och kroppen berättade en annan historia. Han var en och åttiofem, gänglig, med snaggat ljust hår som framhävde en änkesnibb. Ögonen var mer klorerade än rödkantade, irisarna genomträngande blå. Ingen vigselring. Han kunde ha varit vad som helst mellan trettio och fyrtio. Rebus kunde inte riktigt placera accenten.

"Engelsman?" frågade han.

"Från Gillingham ursprungligen", tillstod Lumsden. "Vi flyttade runt en del. Pappa var militär. Inte dåligt att höra det, de flesta tror att jag kommer från gränsen."

De körde till ett hotell, eftersom Rebus hade förklarat att han sannolikt skulle stanna minst en natt, kanske fler.

"Inga problem", hade Lumsden sagt. "Jag vet ett bra ställe."

Hotellet låg på Union Terrace, vänt mot parken, och Lumsden sa åt honom att parkera utanför entrén. Han tog upp en pappbit ur fickan och placerade den på insidan av rutan. Texten på den löd: GRAMPIAN-POLISEN I OFFICIELLT ÄRENDE. Rebus lyfte ut sin resväska ur bagageutrymmet, men Lumsden insisterade på att bära den. Och Lumsden tog hand om detaljerna i receptionen. En vaktmästare bar upp väskan och Rebus följde efter.

"Kolla bara att ni tycker om rummet", sa Lumsden till honom. "Jag väntar i baren."

Rummet låg på första våningen. Det hade de största fönster Rebus någonsin sett, och han hade utsikt mot parken. Rummet var stekhett. Vaktmästaren drog för gardinerna.

"Det blir alltid så här när solen skiner", förklarade han. Rebus kastade en hastig blick på resten av rummet. Det var antagligen det flottaste hotellrum han varit i. Vaktmästaren såg på honom.

"Va, ingen champagne?"

Mannen förstod inte skämtet, så Rebus skakade på huvudet och gav honom en pundsedel. Därefter följde en förklaring om hur internfilmerna fungerade, information om rumsbetjäningen, restaurangen, och andra faciliteter, varpå Rebus fick sin nyckel. Rebus följde mannen tillbaka ner.

Baren var tyst, lunchgästerna hade försvunnit tillbaka till jobbet och lämnat efter sig tallrikar, skålar och glas. Lumsden satt på en pall vid bardisken och mumsade jordnötter och tittade på MTV. Det stod ett stort glas öl framför honom.

"Glömde att fråga vad ni dricker", sa han när Rebus satte sig bredvid honom.

"En likadan", sa Rebus till bartendern.

"Hur var rummet?"

"Lite väl flott för min smak, om jag ska vara ärlig."

"Oroa er inte. Grampiankrim tar hand om notan." Han blinkade. "En artighet."

"Jag måste komma hit oftare."

Lumsden log. "Så tala nu om vad ni vill göra medan ni är här."

Rebus sneglade på TV-skärmen, såg Stones spela över i sin senaste produktion. Gud, vad gamla de såg ut. Stonehenge med ett bluesriff.

"Tala med oljebolaget, kanske se om jag kan spåra upp några av den avlidnes vänner. Ta reda på om Tony El har synts till."

"Tony El?"

"Anthony Ellis Kane." Rebus tog upp sina cigarretter ur fickan. "Gör det något om jag röker?"

Lumsden skakade två gånger på huvudet: en gång för att säga att det inte gjorde något, och en andra gång för att tacka nej till Rebus erbjudande om en cigarrett.

"Skål", sa Rebus och tog en klunk öl. Han smackade, det var bra. Öl var okej. Men de upp och nervända flaskorna med starkare innehåll försökte hela tiden dra till sig hans uppmärksamhet. "Så hur går det med Johnny Bibel-fallet?"

Lumsden tog en ny näve jordnötter. "Det går inte alls. Vi kommer inte ur fläcken. Är ni knuten till Edinburghsidan?"

"Bara indirekt. Jag har förhört några knäppgökar."

Lumsden nickade. "Jag med. Jag har god lust att strypa en del av dem. Jag var också tvungen att förhöra några av våra RPL." Han gjorde en grimas. RPL. Registrerade Potentiella Lagbrytare. Det var de "vanliga misstänkta", en lista med kända perversa individer, sex-förbrytare, blottare och fönstertittare. I ett fall som Johnny Bibel måste alla förhöras, alibin lämnas och kontrolleras.

"Jag hoppas att ni tog ett bad efteråt."

"Flera."

"Inga nya ledtrådar alltså?"

"Inga alls."

"Tror ni han är härifrån?"

Lumsden ryckte på axlarna. "Jag tror ingenting: man måste vara öppen för nya idéer. Varför detta intresse?"

"Va?"

"Intresset för Johnny Bibel?"

Det var Rebus tur att rycka på axlarna. De satt tysta ett ögonblick, tills Rebus kom på en fråga: "Vad gör en oljekontaktman?"

"Ett kort svar: håller kontakten med oljeindustrin. Det är en viktig person här uppe. Grampianpolisen jobbar inte bara på torra land – vårt patrulleringsområde inkluderar offshore-installationerna. Om de har en stöld på en plattform, eller ett slagsmål, eller vad det nu kan vara, allt som de bryr sig om att anmäla, så måste vi utreda. Man kan bli tvungen att göra en tre timmars flygresa ut till mitt i helvetet med en fotogenpapegoja."

"Fotogenpapegoja?"

"Helikopter. Tre timmar ut, medan man spyr som en kalv, för att utreda något smärre klagomål. Tack och lov att vi inte brukar bli in-kopplade. Det är rena vilda västern där ute, med sitt eget sätt att upp-rätthålla lag och ordning."

En av de uniformerade Glasgowpoliserna hade sagt samma sak om Farbror Joes egendom.

"Ni menar att de övervakar sig själva?"

"Det är lite fult, men effektivt. Och jag kan inte säga att jag är ledsen om det besparar mig sex timmars resa fram och tillbaka."

"Själva Aberdeen då?"

"Relativt lugnt, utom på helgerna. Union Street en lördagsnatt kan vara som centrala Saigon. Det finns en massa frustrerade ungar. De har växt upp med pengar och berättelser om pengar. Nu vill de ha sin del, det är bara det att den inte finns kvar. Fan, det gick fort." Rebus såg att han hade tömt sitt glas. Bara den översta centimetern var borta från Lumsdens. "Jag gillar en karl som inte är rädd för att dricka."

"Den här omgången står jag för", sa Rebus. Bartendern stod beredd. Lumsden ville inte ha mer, så Rebus beställde en återhållsam liten stark. Första intrycket och allt det där.

"Rummet är ert så länge ni behöver det", sa Lumsden. "Betala inte det där glaset, sätt upp det på rummet. Måltider är inte inkluderade, men jag kan ge er några adresser. Säg att ni är polis så blir notan ganska rimlig."

"Ser man på!" sa Rebus.

Lumsden log igen. "Det är inte alla kolleger jag skulle berätta det för, men av någon anledning tror jag att vi är på samma våglängd. Har jag rätt?"

"Det är möjligt."

"Jag brukar inte ta fel. Vem vet, min nästa placering skulle kunna bli Edinburgh. Ett bekant ansikte är alltid en tillgång."

"Vilket påminner mig om att mitt besök här helst inte ska basuneras ut."

"Åh?"

"TV jagar mig. De gör ett program om ett fall, en gammal historia, och de vill tala med mig."

"Jag förstår."

"Det är möjligt att de försöker spåra mig, ringer och utger sig för att vara kolleger…"

"Ingen vet att ni är här mer än jag och Shanks. Jag ska försöka hålla det på den nivån."

"Jag skulle uppskatta det. Det är möjligt att de försöker använda namnet Ancram. Det är reportern."

Lumsden blinkade och tömde skålen med jordnötter. "Er hemlighet är i tryggt förvar hos mig."

De tömde sina glas och Lumsden sa att han måste tillbaka till stationen. Han gav Rebus sina telefonnummer – jobbet och hem – och lade Rebus rumsnummer på minnet.

"Om det är något jag kan göra, så slå en signal", sa han.

"Tack."

"Ni vet hur ni tar er till T-Bird Oil?"

"Jag har en karta."

Lumsden nickade. "Hur är det i kväll? Har ni lust att gå ut och äta en bit?"

"Gärna det."

"Jag kommer och hämtar er halv åtta."

De skakade hand igen. Rebus såg honom gå och återvände sedan till baren för en whisky. Han löd rådet att sätta upp den på rummet, och tog den med sig upp. Med gardinerna fördragna kändes rummet svalare men fortfarande kvavt. Han tittade för att se om han kunde öppna fönstren, men det gick inte. De måste vara fyra meter höga. Han lät gardinerna vara fördragna, lade sig på sängen, sparkade av sig skorna och körde samtalet med Lumsden i repris. Det var någonting han brukade göra, kom i allmänhet på saker han kunde ha sagt, bättre sätt att säga dem. Plötsligt satte han sig upp. Lumsden hade nämnt T-Bird Oil, men Rebus kunde inte komma ihåg att han berättat för honom vad bolaget hette. Kanske hade han gjort det... eller hade han kanske nämnt det för Shanks i telefon, och Shanks hade sagt det till Lumsden?

Han kände sig inte längre lugn och avspänd och började stryka omkring i rummet. I en av lådorna hittade han material om Aberdeen, turistinformation, PR-grejer. Han satte sig vid toalettbordet och började gå igenom det. Fakta radades upp med en fanatikers styrka.

Femtiotusen människor i Grampianregionen arbetade inom olje- och gasindustrin, tjugo procent av den totala arbetskraften. Sedan början av sjuttiotalet hade områdets befolkning ökat med sextiotusen, antalet bostäder hade ökat med en tredjedel och skapat stora nya förorter runt Aberdeen. Tusen tunnland industrimark hade exploaterats runt stan. Aberdeen Airport hade upplevt en tiofaldig ökning av passagerarmängden och var nu världens mest trafikerade helikopterflygplats. Det fanns inte en negativ kommentar någonstans i materialet, utom omnämnandet av en fiskeby som hette Old Torry och som fått sitt privilegiebrev tre år efter det att Columbus landstigit i Amerika.

När oljan kom till nordost jämnades Old Torry med marken för att ge plats åt en förrådsbas till Shell. Rebus lyfte sitt glas och skålade för byns minne.

Han duschade, bytte kläder och återvände till baren. En upphetsad dam i lång skotskrutig kjol och vit blus kom skyndande fram till honom.

"Tillhör ni konventet?"

Han skakade på huvudet och kom ihåg att han läst om det: miljöförstöring i Nordsjön eller något. Så småningom föste kvinnan ut tre korpulenta herrar från hotellet. Rebus gick ut i lobbyn och såg hur en limousin förde bort dem. Han tittade på sin klocka. Dags att ge sig av.

Att hitta Dyce var lätt, han följde bara skyltarna till flygplatsen. Jodå, han såg helikoptrar i luften. Området runt flygplatsen var en blandning av åkermark, nya hotell och industrikomplex. T-Bird Oil hade sitt huvudkontor i en oansenlig tre våningar hög sexhörning, som mest bestod av rökfärgat glas. Det fanns en parkering framför, och en trädgårdsanläggning genom vilken en gång slingrade sig fram till själva byggnaden. På avstånd lyfte och landade lätta flygplan.

Receptionen var rymlig och ljus. I glasmontrar fanns modeller av oljefält i Nordsjön och några av T-Bird Oils produktionsplattformar. Bannock var den största och äldsta. En dubbeldäckad buss i samma skala hade placerats intill, och verkade obetydlig vid sidan av oljeriggen. På väggarna hängde jättelika färgfotografier och diagram, tillsammans med en massa inramade priser. Receptionisten talade om för honom att han var väntad och skulle ta hissen en våning upp. Hissen var spegelklädd, och Rebus studerade sig själv. Han kom ihåg att han tagit hissen upp till Allan Mitchisons lägenhet och att Bain skuggboxats med sin spegelbild. Rebus visste att om han försökte samma sak nu skulle hans spegelbild antagligen vinna. Han knaprade i sig en mintkaramell till.

En söt flicka väntade på honom. Hon bad att han skulle följa med henne, inte precis någon plågsam uppgift. De vandrade genom ett kontorslandskap, där bara hälften av skrivborden var i bruk. TV-apparater stod på med Teletext-nyheter, aktieindex, CNN. De lämnade kontorslandskapet och kom in i en korridor, mycket tystare och med tjock matta. Vid den andra dörren, som stod öppen, tecknade flickan åt Rebus att gå in.

Stuart Minchells namn stod på dörren, så Rebus antog att mannen som reste sig för att ta i hand var Minchell.

"Kommissarie Rebus? Trevligt att äntligen få träffa er."

Det var sant det som sades om röster, det var sällan man satte rätt ansikte och kropp till dem. Minchell talade med auktoritet, men såg alldeles för ung ut – högst tjugofem, med ett skimmer över ansiktet, röda kinder, kort tillbakakammat hår. Han hade runda glasögon med metallbågar och tjocka mörka ögonbryn, som fick ansiktet att verka spjuveraktigt. Ändå hade han breda röda hängslen till byxorna. När han vände sig om till hälften såg Rebus att håret i nacken dragits ihop till en liten tofs.

"Kaffe eller te?" frågade flickan.

"Hinner inte, Sabrina", sa Minchell. Han slog ursäktande ut med armarna mot Rebus. "Ändrade planer, kommissarien. Jag måste vara med på Nordsjökonferensen. Jag försökte få tag i er för att tala om det."

"Det är okej." Rebus tänkte: fan. Om han ringt till Fort Apache betyder det att de vet att jag finns här uppe.

"Jag tänkte att vi kunde ta min bil och prata på vägen dit ut. Jag är säkert inte där mer än en halvtimme eller så. Om ni har några frågor kan vi snacka efteråt."

"Det blir bra."

Minchell drog på sig kavajen.

"Mappar", påminde Sabrina honom.

"Okej." Han tog upp ett halvdussin och stoppade ner dem i en portfölj.

"Visitkort."

Han öppnade sin Filofax, såg att han hade ett lager. "Okej."

"Mobiltelefon."

Han klappade på fickan och nickade. "Är bilen klar?"

Sabrina sa att hon skulle kolla och gick för att leta upp sin telefon.

"Vi kan lika gärna vänta där nere", sa Minchell.

"Okej", sa Rebus.

De väntade på hissen. När den kom stod redan två män i den, men där fanns ändå plats. Minchell tvekade. Han såg ut som om han tänkte säga att de skulle vänta, men Rebus hade redan klivit in i hissen, så han följde efter, med en lätt bugning mot den ene av männen, den äldre av de två.

Rebus tittade i spegeln, såg den äldre mannen stirra tillbaka på honom. Han hade långt gulgrått hår tillbakastruket från pannan och bakom öronen. Han vilade händerna på en käpp med silverkrycka och var klädd i säckig linnekostym. Han såg ut som en Tennessee Williams-karaktär, ansiktet kantigt och bistert, hållningen bara aningen böjd trots hans ålder. Rebus tittade ner och noterade att han hade på sig ett par väl använda gymnastikskor. Mannen tog fram ett anteckningsblock ur fickan, krafsade ner någonting på det medan han fortfarande höll i käppen, rev av pappret och gav det till den andre, som läste det och nickade.

Hissen öppnades på bottenvåningen. Minchell höll fysiskt tillbaka Rebus tills de andra två gått ur. Rebus såg dem gå mot byggnadens entré. Mannen med anteckningen vek av för att ringa ett samtal i receptionen. Det stod en röd Jaguar parkerad alldeles utanför. En livréklädd chaufför höll upp bakdörren för Höjdarn.

Minchell gnuggade sig i pannan med ena handens fingrar.

"Vem var det?" frågade Rebus.

"Det där var major Weir."

"Hade jag vetat det skulle jag ha frågat varför jag inte får Green Shield-märken längre när jag köper bensin."

Minchell var inte på skämthumör.

"Vad handlade anteckningen om?" frågade Rebus.

"Majoren säger inte mycket. Han kommunicerar bättre på papper." Rebus skrattade: kommunikationsstörning. "Jag menar allvar", sa Minchell. "Jag tror inte jag har hört honom säga mer än ett par dussin ord på hela den tid som jag har arbetat åt honom."

"Har han något fel på rösten?"

"Nej, han låter bra, lite hes, men det är inget konstigt med det. Han har amerikansk accent."

"Och?"

"Och han önskar att den vore skotsk."

När Jaggan försvunnit gick de ut på parkeringsplatsen. "Skottland är en fix idé hos honom", fortsatte Minchell. "Hans föräldrar var skotska emigranter, brukade berätta för honom om det 'gamla landet'. Han blev såld på det. Han är bara här kanske en tredjedel av året – T-Bird Oil finns över hela jorden – men det märks att han avskyr att åka härifrån."

"Någonting mer jag borde veta?"

"Han är helnykterist, minsta alkoholpust från en anställd och de åker ut."

"Är han gift?"

"Änkeman. Hans fru är begravd på Islay eller något sådant. Här är min bil."

Det var en midnattsblå Mazda racermodell, låg med bara tillräckligt med plats för två skålade säten. Minchells portfölj mer eller mindre fyllde baksätet. Han hakade fast sin telefon innan han vred om tändningen.

"Han hade en son", fortsatte Minchell, "men jag tror att han också dog, eller gjordes arvlös. Majoren vägrar tala om honom. Vill ni ha de goda eller de dåliga nyheterna?"

"Vi försöker med de dåliga."

"Fortfarande inget spår av Jake Harley, han har inte återvänt från sin vandrarsemester. Han bör vara tillbaka om några dagar."

"Jag skulle ändå vilja åka upp till Sullom Voe", sa Rebus. I synnerhet om Ancram kunde spåra honom till Aberdeen.

"Inga problem. Vi kan flyga dit er med en helikopter."

"Vilka är de goda nyheterna?"

"De goda nyheterna är att jag har ordnat så att ni kan ta en annan helikopter ut till Bannock för att tala med Willie Ford. Och eftersom det är en dagstripp slipper ni överlevnadsträning. Och tro mig, det är goda nyheter. I träningen ingår att bli fastspänd i en simulator och nersläppt i en bassäng."

"Ni har varit med om det?"

"O, ja. Alla som gör mer än tio dagstripper per år är tvungna. Skrämde mig halvt från vettet."

"Men helikoptrarna är säkra?"

"Oroa er inte för det. Och ni har tur just nu: en fin lucka." Han såg Rebus oförstående min. "En lucka i vädret, inga oväder på gång. Olja är en året-runt-industri, men också säsongsbetonad. Vi kan inte alltid ta oss till och från plattformarna, det beror på vädret. Om vi vill bogsera ut en rigg till havs måste vi pricka in en lucka och sedan hoppas på det bästa. Vädret där ute…" Minchell skakade på huvudet. "Ibland kan det få en att tro på den allsmäktige."

"Typ Gamla testamentet?" gissade Rebus. Minchell log och nickade, ringde sedan ett samtal på sin telefon.

De lämnade Dyce och kom in i Bridge of Don, följde skyltar mot Aberdeens utställnings- och konferenscenter. Rebus väntade tills Minchell hade avslutat sitt samtal innan han ställde nästa fråga.

"Vart skulle major Weir?"

"Samma ställe som vi. Han ska hålla ett tal."

"Jag tyckte ni sa att han inte talar."

"Det gör han inte heller. Killen han hade med sig var hans PR-guru, Hayden Fletcher. Han kommer att läsa talet. Majoren kommer att sitta bredvid och lyssna."

"Räknas det som excentriskt beteende?"

"Inte när man är värd hundra miljoner dollar."

13

Konferenscentrets bilparkering var full av direktionsmodeller: Merca, BMW, Jagga, en och annan Bentley eller Rolls. En klunga chaufförer rökte cigarretter och utbytte anekdoter.

"Hade kanske varit bättre PR om ni allihop kommit på cykel", sa Rebus och fick sin första skymt av en demonstration utanför den prismaformade kupol som markerade entrén till Centret. Någon hade vecklat ut en jättelik banderoll på taket, målad grön på vitt: DÖDA INTE VÅRA HAV! Säkerhetspersonal var där uppe och försökte hala in den utan att förlora vare sig balans eller värdighet. Någon med en megafon ledde ropen. Där fanns demonstranter i full stridsmundering och strålningshuvor, och andra klädda som sjöjungfrur och havsgudar, plus en uppblåsbar val, som såg ut att kunna slita sina förtöjningar i kastvindarna. Uniformerad polis bevakade demonstrationen, talande in i axelmonterad radioutrustning. Rebus gissade att det fanns en piket i närheten med det tyngre artilleriet: kravallsköldar, visir, amerikanska försvarsbatonger… Det såg inte ut som den sortens demonstration, inte än.

"Vi blir tvungna att gå rakt igenom", sa Minchell. "Jag *hatar* det här. Vi lägger ner miljoner på miljöskydd. Jag är med i Greenpeace, Oxfam, alltihop. Men vartenda förbannade år är det likadant." Han tog sin portfölj och mobiltelefon, fjärrlåste bilen och satte på larmet, skyndade sedan mot dörrarna.

"Man måste ha en namnbricka för att komma in", förklarade han.

"Men visa bara upp polisleg eller något. Det blir säkert inga problem."

De var nära demonstrationen nu. Det hördes bakgrundsmusik genom en bärbar högtalaranläggning, en sång om valar. Rebus kände igen sångstilen: The Dancing Pigs. Folk sträckte fram flygblad mot honom. Han tog ett av varje och tackade. En ung kvinna vandrade fram och tillbaka framför honom som en leopard i bur. Hon skötte megafonen. Rösten var nasal och nordamerikansk.

"Beslut som fattas nu kommer att påverka era barns barnbarn! Det går inte att sätta ett pris på framtiden! Tänk på framtiden i första hand, för allas skull!"

Hon tittade på Rebus när han gick förbi henne. Hennes ansikte var uttryckslöst, inget hat, ingen motbeskyllning, bara arbete. Det blekta håret var flätat i råttsvansar, med inträdda färgglada band, ett hängde ner mitt i pannan.

"Om ni dödar haven så dödar ni planeten! Låt Moder Jord gå före vinsten!"

Rebus var övertygad redan innan han nådde dörren.

Det fanns en papperskorg innanför där flygbladen slängdes. Men Rebus vek ihop sina och stoppade dem i fickan. Två vakter ville se legitimation, och hans polisbricka fungerade, precis som Minchell trott. Fler vakter patrullerade hallen – privata säkerhetsvakter, uniformerade, iförda blanka mössor som ingenting betydde. De hade antagligen gått en endags snabbkurs i hotfulla artigheter. Själva hallen var full av kostymer. Meddelanden sändes ut över ett högtalarsystem. Där fanns statiska bildskärmar, bord fulla med litteratur, försäljningsknep för Gud vet vad. En del av stånden såg ut att göra goda affärer. Minchell ursäktade sig och sa att han skulle träffa Rebus vid huvudentrén om ungefär en halvtimme. Han var tvungen att ägna sig åt lite "pladder". Detta tycktes innebära att skaka hand med folk, le, ge dem några ord och i vissa fall sitt visitkort, och sedan fortsätta. Rebus tappade snabbt bort honom.

Rebus såg inte alltför många bilder av oljeplattformar, och de han såg var av typen *tension legs* och halvt nersänkbara. Det verkligt spännande tycktes vara FPSO – Floating Production, Storage and Offloading Systems – som var som tankbåtar, men helt avskaffade behovet av en plattform. Flytledningar var anslutna direkt till FPSO:n, och den kunde lagra 300 000 fat olja.

"Imponerande, eller hur?" sa en skandinav i försäljarkostym till Rebus. Rebus nickade.

"Inget behov av en plattform."

"Och lättare att skrota när det är så dags. Billig *och* miljövänlig." Mannen gjorde en paus. "Intresserad av att hyra en?"

"Var skulle jag parkera den?" Han gick innan försäljaren hann översätta.

Kanske var det hans spanarnäsa, hur som helst hittade han baren utan svårighet och slog sig ner vid dess bortre ända med en whisky och en skål tilltugg. Lunch hade varit en bensinstationsmacka, så nu glufsade han i sig. En man kom och ställde sig bredvid honom, torkade sig i ansiktet med en stor vit näsduk och bad om en sodavatten med mycket is.

"Varför går jag fortfarande på de här tillställningarna?" morrade mannen. Uttalet hade både brittisk och amerikansk prägel. Han var lång och smal, det rödblonda håret på väg att bli tunt. Huden runt halsen var slapp, placerade honom i början av de femtio, även om han kunde ha passerat som fem år yngre. Rebus hade inget svar åt honom, sa alltså ingenting. Sodavattnet kom och han drack upp det i ett svep och beställde en till. "Vill du ha något?" frågade han.

"Nej, tack."

Mannen noterade att Rebus saknade namnbricka med fotografi. "Är du konferensdeltagare?"

Rebus skakade på huvudet. "Observatör."

"Tidning?"

Rebus skakade åter på huvudet.

"Tänkte väl det. Olja är bara nyheter när någonting går snett. Det är större än kärnkraftsindustrin, men får hälften så mycket bevakning."

"Det är väl bra, om de ändå bara publicerar dåliga nyheter?"

Mannen begrundade detta, skrattade sedan och visade perfekta tänder. "Där satte du dit mig." Han torkade sig i ansiktet igen. "Så exakt vad är det du observerar?"

"Jag är inte i tjänst just nu."

"Skönt för dig."

"Och vad gör du?"

"Jobbar ihjäl mig. Men ärligt talat har mitt företag mer eller mindre gett upp försöket att sälja till oljeindustrin. De köper hellre amerikanskt eller skandinaviskt. Fan ta dem! Inte konstigt att det går åt pipan med Skottland… och vi som vill bli självständiga." Mannen skakade på huvudet och lutade sig sedan fram över baren. Rebus gjorde likadant: medkonspiratör. "Det mesta jag gör är att delta i trista konvent som det här. Och så åker jag hem på kvällen och undrar vad alltihop handlar om. Är du säker på det där med något att dricka?"

"Okej då."

Så Rebus lät mannen bjuda honom på ett glas. Sättet han sagt "fan ta dem" på fick Rebus att tänka att han inte svor så ofta. Det var bara någonting han gjorde för att bryta isen, oss karlar emellan. Utanför protokollet, som det var. Rebus erbjöd en cigarrett, men hans vän skakade på huvudet.

"Slutade för många år sedan. Tro inte annat än att jag fortfarande är frestad." Han gjorde en paus och tittade sig omkring i baren. "Vet du vem jag skulle vilja vara?" Rebus ryckte på axlarna. "Gissa."

"Har absolut ingen aning."

"Sean Connery." Mannen nickade. "Tänk efter. Med det han tjänar på varje film skulle han kunna skänka ett pund till varje man, kvinna och barn i hela landet, och *fortfarande* ha några miljoner kvar. Är det inte otroligt?"

"Så om du var Sean Connery skulle du skänka alla ett pund var?"

"Jag skulle vara världens sexigaste man, så vad skulle jag behöva pengar till?"

Det stämde i och för sig, så de skålade för det. Det var bara det att talet om Sean påminde Rebus om Ancram, Seans dubbelgångare. Han tittade på klockan och såg att han måste gå.

"Får jag bjuda på ett glas innan jag försvinner?"

Mannen skakade på huvudet och tog sedan fram sitt visitkort, gjorde det med en elegant rörelse, som en trollkarl. "Om du skulle behöva det någon gång. Jag heter förresten Ryan." Rebus läste på kortet: Ryan Slocum, försäljningschef, tekniska divisionen, och ett företagsnamn högst upp: Eugene Construction.

"John Rebus", sa han och skakade hand med Slocum.

"John Rebus", sa Slocum och nickade. "Inget visitkort, John?"

"Jag är polis."

Slocums ögon blev stora. "Har jag sagt något komprometterande?"

"Skulle inte bry mig om du gjort det. Jag jobbar i Edinburgh."

"Långt hemifrån. Gäller det Johnny Bibel?"

"Varför säger du det?"

"Han har dödat i båda städerna, eller hur?"

Rebus nickade. "Nej, det gäller inte Johnny Bibel. Sköt om dig, Ryan."

"Du med. Det är en ond och galen värld där ute."

"Ja, visst är det?"

Stuart Minchell väntade på honom vid dörrarna. "Någonting mer ni vill se, eller kan vi köra tillbaka?"

"Tillbaka blir bra."

Lumsden ringde upp till hans rum, och Rebus gick ner för att möta honom. Lumsden var elegant men ledigt klädd – klubblazern utbytt mot benvit kavaj, gul skjorta öppen i halsen.

"Jaha", sa Rebus, "ska jag säga Lumsden hela kvällen?"

"Förnamnet är Ludovic."

"Ludovic Lumsden."

"Mina föräldrar hade sinne för humor. Vänner kallar mig Ludo."

Kvällen var varm och fortfarande ljus. Fåglar kvittrade i parken, och feta måsar pickade på trottoarerna.

"Det är ljust till tio, kanske elva", förklarade Lumsden.

"Det där är de fetaste fiskmåsar jag någonsin har sett."

"Jag avskyr dem. Titta som det ser ut på stenläggningen."

Det var sant. Plattorna under deras fötter var prickiga av fågelskit. "Vart är vi på väg?" frågade Rebus.

"Kalla det en hemlig resa. Allt finns på gångavstånd. Gillar du hemliga resor?"

"Jag gillar att ha en guide."

Deras första anhalt var en italiensk restaurang, där Lumsden var känd. Alla tycktes vilja skaka hand med honom, och ägaren tog honom åt sidan för att växla några ord, efter att ha bett Rebus om ursäkt först.

"Italienarna här uppe är fogliga", förklarade Lumsden senare. "De lyckades aldrig ta kommandot över stan."

"Så vem har det?"

Lumsden funderade över frågan. "En blandning."

"Några amerikaner?"

Lumsden tittade på honom och nickade. "De driver många av klubbarna och några av de nyare hotellen. Servicebranschen. De kom på sjuttiotalet och stannade. Känner du för att gå på någon klubb sedan?"

Rebus ryckte på axlarna. "Det låter nästan respektabelt."

Lumsden skrattade. "Aha, du vill ha *snusk*? Det är det Aberdeen handlar om, va? Du har missuppfattat saken. Stan är strikt företagspräglad. Om du verkligen vill, kan jag ta med dig ner till hamnen sedan: strippor och fyllon, men en liten minoritet."

"Man hör historier när man bor söderöver."

"Självklart: förstklassiga bordeller, knark och porr, spel och sprit. Vi hör också historier. Men när det gäller att *se* saker…" Lumsden skakade på huvudet. "Oljeindustrin är faktiskt ganska tam. Busarna har i stort sett försvunnit. Olja har blivit hederligt."

Rebus var nästan övertygad, men Lumsden ansträngde sig för mycket. Han fortsatte att tala, och ju mer han talade, desto mindre trodde Rebus på honom. Ägaren kom fram för att växla ett par ord till, drog bort Lumsden till ett hörn av restaurangen. Lumsden höll en hand på mannens rygg, klappade den. Han plattade till slipsen när han satte sig ner igen.

"Hans son är lite vild av sig", förklarade Lumsden. Han ryckte på axlarna som om det inte fanns mer att säga och rådde Rebus att prova köttbullarna.

Efteråt blev det en nattklubb, där affärsmän tävlade med unga bråkstakar om att göra intryck på arbetsdagens expediter förvandlade till Lycra-ragator. Musiken var skrikig liksom kläderna. Lumsden nickade till dunket men såg inte ut att ha roligt. Han såg ut som en reseguide. Ludo: spelade spelet. Rebus visste att han blev påprackad en attityd, samma attityd som alla turister i norr skulle bli påprackade – detta var landet med Baxters soppor, män i kjolar och mormors *hieland hame*. Olja var bara ännu en industri, stan och dess folk hade höjt sig över den. Det fanns fortfarande en känsla av höglandsperspektiv.

Det fanns ingen avigsida.

"Jag tänkte du skulle tycka att det här stället var intressant", skrek Lumsden för att överrösta musiken.

"Varför?"

"Det var här Michelle Strachan träffade Johnny Bibel."

Rebus försökte svälja, kunde inte. Han hade inte lagt märke till klubbens namn. Han tittade med nya ögon, såg folk som dansade och drack, såg dominerande armar kring ovilliga halsar. Såg hungriga ögon och pengar använda till parning. Han föreställde sig hur Johnny Bibel stod tyst vid baren, prickade av möjliga offer i tankarna, strök ner alternativen till ett. Sedan bad han Michelle Fifer om en dans...

När Rebus föreslog att de skulle fortsätta hade Lumsden inget att invända. Hittills hade de bara betalat för en omgång drinkar: restaurangmåltiden hade "ordnats", och utkastaren vid dörren till klubben hade med en knyck på huvudet låtit dem gå förbi kassan.

När de gick eskorterades en ung kvinna förbi dem av en man. Rebus vred lite på huvudet.

"Någon du känner?" frågade Lumsden.

Rebus ryckte på axlarna. "Tyckte jag kände igen ansiktet." Han hade sett det samma eftermiddag: mörklockigt hår, glasögon, olivfärgad hy. Hayden Fletcher, major Weirs "PR-guru". Han såg ut att ha haft en bra dag. Fletchers sällskap kastade en blick mot Rebus och log.

Utanför fanns fortfarande strimmor av purpurrött ljus på himlen. På en kyrkogård på andra sidan gatan invaderades ett träd av starar.

"Och nu?" sa Lumsden.

Rebus rätade ut ryggraden. "Faktum är, Ludo, att jag tror att jag bara ska gå tillbaka till hotellet. Ledsen att svika så här."

Lumsden försökte låta bli att se lättad ut. "Så hur ser planerna ut för i morgon?"

Plötsligt ville Rebus inte att han skulle veta. "Ett möte till med den dödes arbetsgivare." Lumsden verkade nöjd.

"Och sedan hem?"

"Om ett par dar."

Lumsden försökte att inte visa sin besvikelse. "Ja", sa han, "då får jag önska dig en god natt. Du hittar tillbaka?"

Rebus nickade och de skakade hand. Lumsden vandrade iväg åt ena hållet, Rebus åt det andra. Han fortsatte att gå i riktning mot hotellet, tog god tid på sig, tittade i skyltfönster, sneglade bakom sig. Sedan stannade han och studerade sin karta, såg att hamnområdet nästan låg på gångavstånd. Men hejdade den första taxi som kom.

"Vart?" frågade chauffören.

"Ett ställe där jag kan få något gott att dricka. Någonstans i hamnen." Han tänkte: "Down Where the Drunkards Roll".

"Hur ruffigt vill du ha det?"

"Så ruffigt det kan bli."

Mannen nickade och trampade på gasen. Rebus lutade sig fram i sätet. "Jag trodde det skulle vara mer liv i stan."

"Det är lite tidigt än. Och på helgerna går det vilt till, ska du veta. Lönekuverten kommer in från riggarna."

"Mycket sprit."

"Mycket av *allt*."

"Jag har hört sägas att alla klubbar ägs av amerikaner."

"Jänkare", sa chauffören. "De finns överallt."

"Både illegala och legala?"

Chauffören såg på honom i backspegeln. "Någonting särskilt du är ute efter?"

"Kanske något att bli hög på."

"Du ser inte ut att vara den typen."

"Hur ser den typen ut?"

"Inte som en polis."

Rebus skrattade. "Ledig och långt hemifrån."

"Var är hemma?"

"Edinburgh."

Chauffören nickade tankfullt. "Om *jag* ville bli hög", sa han, "skulle jag nog välja Burke's Club på College Street. Här var det."

Han bromsade in och stannade. Taxametern visade på dryga två pund. Rebus gav honom fem och sa åt honom att behålla växeln. Chauffören lutade sig ut genom fönstret.

"Du var inte mer än hundra meter från Burke's när jag plockade upp dig."

"Jag vet." Klart han visste: Burke's var stället där Johnny Bibel hade träffat Michelle.

Medan bilen rullade bort granskade han sin omgivning. På andra sidan gatan fanns hamnen, båtar låg förtöjda, ljus visade var män fortfarande arbetade – med underhåll antagligen. Den här sidan av gatan var en blandning av hyreshus, affärer och pubar. Några flickor väntade på kunder, men trafiken var lugn. Rebus stod utanför ett ställe som hette Yardarm. Det utlovade karaokekvällar, exotiska dansare, happy hour, gästöl, satellit-TV och "ett varmt välkommen".

Rebus kände värmen direkt när han sköt upp dörren. Det kokade där inne. Det tog honom en hel minut att arbeta sig fram till baren, och vid det laget sved röken till och med i hans härdade ögon. En del av gästerna såg ut som fiskare – röda ansikten, flottigt hår och tjocka tröjor. Andra hade händer svarta av olja – varvsmekaniker. Kvinnorna hade ögon som slokade av sprit, ansikten som var antingen för kraftigt sminkade eller som hade behövt vara det. Vid baren beställde han en dubbel whisky. Nu när metersystemet slagit igenom kunde han aldrig komma ihåg ifall trettiofem milliliter var mer eller mindre än en kvarts *gill*. Senaste gången han sett så många fyllon på samma ställe hade varit efter en Hibs/Hearts-match. Han hade druckit nere på Easter Road, och Hibs hade vunnit. Kaos.

Det tog honom fem minuter att få igång ett samtal med grannen, som hade arbetat ute på oljeriggarna. Han var kort och senig, helt flintskallig redan i trettioårsåldern och hade Buddy Holly-glasögon med linser tjocka som flaskbottnar. Han hade jobbat i kantinen.

"Bästa sortens käk varenda dag. Tre menyer, två skift. Högsta kvalitet. Nykomlingarna proppade sig alltid fulla, men de lärde sig snart."

"Arbetade du två veckor och var ledig två?"

"Alla gjorde det. Och sju dar i veckan." Mannens ansikte pekade ner mot bardisken när han talade, som om huvudet var för tungt att lyfta. "Man blev som besatt av det. Den tid jag var i land kunde jag aldrig komma till ro, ville bara tillbaka ut."

"Vad hände?"

"Tiderna blev hårdare. Jag blev överflödig."

"Det sägs att plattformarna är fulla med knark. Såg du något av det?"

"Ja, för helvete. Men bara för avkoppling. Ingen var dum nog att jobba påtänd. En felaktig rörelse, och ett rör kan slå av handen på dig – jag vet, jag har sett det. Eller om du tappar balansen, jag menar, det är sjuttio jävla meter ner till vattnet. Men där fanns massor av knark, massor av sprit. Och det är möjligt att där inte fanns några kvinnor, men vi hade tidningar och filmer upp över öronen. Aldrig sett maken. Alla smaker tillgodosedda, och en del av dem hyfsat äckliga. Och det är en man av värld som talar, så du kan tänka dig."

Rebus trodde att han kunde det. Han bjöd den lille mannen på ett glas. Om hans sällskap lutade sig ännu djupare över baren skulle han hamna med näsan i glaset. När någon meddelade att karaoken skulle börja om fem minuter visste Rebus att det var dags att gå. Varit där, gjort det. Han tog kartan till hjälp för att hitta tillbaka till Union Street. Natten blev livligare. Tonårsgäng drog runt, polispiketer – vanliga blå Transit – höll koll på dem. Närvaron av uniformer var påtaglig, men ingen verkade avskräckt. Folk vrålade, sjöng, klappade i händerna. Aberdeen mitt i veckan var som Edinburgh en dålig lördagskväll. Ett par uniformerade poliser diskuterade något med två unga män, medan flickvänner stod bredvid och tuggade tuggummi. En piket stod parkerad bredvid, bakdörrarna öppna.

Jag är bara turist här, sa Rebus till sig själv och gick förbi.

Någonstans vek han av fel, närmade sig till sist hotellet från motsatt håll, passerade en stor staty av William Wallace viftande med ett slagsvärd.

"Godafton, Mel", sa Rebus.

Han gick uppför hotelltrappan, bestämde sig för en sängfösare, en att ta med upp till rummet. Baren var full av kongressdeltagare, en del av dem fortfarande med sina namnbrickor på. De satt vid bord som svämmade över av tomma glas. Uppflugen vid bardisken satt en ensam kvinna, rökte en svart cigarrett, blåste ut rök mot taket. Hon hade blonderat hår och en massa guld överallt på sig. Hennes tvådelade dräkt var karmosinröd, hennes strumpbyxor, eller strumpor, svarta. Rebus tittade på henne och kom fram till att det var strumpor. Ansiktet var hårt, håret var tillbakakammat och hölls ihop med ett stort guldspänne. Hon hade puder på kinderna och mörkt läppstift på läpparna. Kanske i Rebus ålder, kanske till och med ett eller två år äldre – det slags kvinna män kallade "snygg". Hon hade druckit några glas och det var kanske därför hon log.

"Deltar du i kongressen?" frågade hon.

"Nej."

"Tack och lov för det. Jag svär på att varenda en av dem har försökt snacka in sig hos mig, men det enda de kan tala om är råheter." Hon gjorde en paus. "Som i råolja – död råolja och levande råolja. Visste du att det fanns en skillnad?"

Rebus log, skakade på huvudet och beställde sin drink. "Vill du ha en till, eller är det att snacka in sig?"

"Det vill jag och det är det." Hon såg att han tittade på hennes cigarrett. "Sobranie."

"Gör det svarta pappret att de smakar bättre?"

"*Tobaken* gör att de smakar bättre."

Rebus tog fram sitt eget paket. "Själv kör jag med träspån."

"Jag ser det."

Drinkarna kom. Rebus satte upp dem på rummet.

"Är du här i jobbet?" Hennes röst var mörk, västkust eller däromkring, arbetarklassbildad.

"På sätt och vis. Och du?"

"Affärer. Så vad sysslar du med?"

Världens sämsta svar i en flirt: "Jag är polis."

Hon höjde ett ögonbryn, intresserad. "Kriminalare?"

"Ja."

"Jobbar du med Johnny Bibel-fallet?"

"Nej."

"I tidningarna låter det som om varenda polis i Skottland gjorde det."

"Jag är undantaget."

"Jag minns Bibel-John", sa hon och sög på cigarretten. "Jag växte upp i Glasgow. I flera veckor vägrade mamma släppa ut mig. Det var som att sitta i finkan."

"Han fick många kvinnor att känna så."

"Och nu händer alltihop igen." Hon gjorde en paus. "När jag sa att jag minns Bibel-John borde din replik ha varit: 'Så gammal kan du inte vara.'"

"Vilket bevisar att jag inte försöker snacka in mig."

Hon såg på honom. "Synd", sa hon och sträckte sig efter sitt glas. Också Rebus använde sitt glas som rekvisita, köpte sig tid. Hon hade gett honom all den information han behövde. Han måste bestämma sig för om han ville handla efter den eller inte. Be henne följa med upp till hans rum? Eller skylla på... exakt vad? Skuldkänslor? Rädsla? Självförakt?

Rädsla.

Han såg framför sig hur natten kunde bli, försökte skilja skönhet från behov, passion från en viss förtvivlan.

"Jag är smickrad", sa han till sist.

"Var inte det", sa hon hastigt. Hans drag igen, en amatörschack-spelare mot ett proffs.

"Och vad sysslar *du* med?"

Hon vände sig mot honom. Hennes ögon sa att hon kunde vart-enda knep i det här spelet. "Jobbar med försäljning. Produkter åt olje-industrin." Hon nickade mot resten av männen i baren. "Det är möj-ligt att jag måste arbeta ihop med dem, men jag måste inte dela min lediga tid med dem."

"Bor du i Aberdeen?"

Hon skakade på huvudet. "Låt mig få beställa en till åt dig."

"Jag måste upp tidigt i morgon."

"En till skadar inte."

"Kanske gör den det", sa Rebus och höll kvar hennes blick.

"Jaha", sa hon, "där rök det fullkomliga slutet på en fullkomligt urjävlig dag."

"Jag är ledsen."

"Glöm det."

Han kände hennes blick i ryggen när han gick ut från baren mot receptionen. Han fick tvinga fötterna uppför trappan till rummet. Hennes dragningskraft var stor. Det slog honom att han inte ens visste vad hon hette.

Han satte på TV:n medan han klädde av sig. Något sub-Hollywood-skräp: kvinnorna såg ut som skelett med läppstift; männen agerade med halsarna – han hade sett frisörer med mer Metod. Han tänkte på kvinnan igen. Var hon prostituerad? Definitivt inte. Men hon hade varit snabb att stöta på honom. Han hade sagt till henne att han var smickrad. I verkligheten var han förvirrad. Rebus hade alltid haft svårt med relationer till det motsatta könet. Han hade växt upp i en gruvby, lite efter sin tid när det gällde saker som promiskuitet. Man stack in handen innanför en flickas blus och i nästa sekund blev man jagad av hennes far med ett läderbälte.

Sedan hade han gått in i armén, där kvinnor var växelvis fantasi-figurer och ouppnåeliga: slampor och madonnor, det tycktes inte fin-nas något mellanting. Befriad från armén hade han gått in vid polisen. Vid det laget gift, men jobbet hade visat sig mer lockande, mer allt-uppslukande än förhållandet – än *något* förhållande. Sedan dess hade hans affärer varat i månader, veckor, ibland bara dagar. För sent nu, kände han, för någonting mer permanent. Kvinnor verkade gilla ho-nom – det var inte det som var problemet. Problemet låg någonstans inom honom, och det hade inte blivit mindre av sådant som i Johnny Bibel-fallet, av kvinnor som blev utsatta för övergrepp och sedan dö-dade. Våldtäkt handlade enbart om makt, dödande också på sitt sätt. Och var inte makt den ultimata manliga fantasin? Och drömde inte också han ibland om den?

Han hade sett obduktionsbilderna på Angie Riddell, och den första tanke som slagit honom, den tanke han varit tvungen att ta sig förbi, var: *snygg kropp*. Det hade stört honom, för i det ögonblicket hade hon bara varit ett objekt. Sedan hade obducenten satt igång med sitt ar-bete, och hon hade inte ens varit det längre.

Han somnade så fort han lagt huvudet på kudden. Hans bön liksom alla kvällar var att han skulle slippa drömmar. Han vaknade i mörkret, drypande av svett på ryggen och till ett tickande ljud. Det var inte en klocka, inte ens hans armbandsur. Armbandsuret låg på skåpet. Det här var närmare, mycket närmare. Kom det från väggen? Sänggaveln? Han tände lampan, men ljudet hade upphört. Trämask kanske? Han kunde inte hitta några hål i gavelns träram. Han släckte lampan och blundade. Nu hördes det igen: mer geigermätare än metronom. Han försökte ignorera det, men det var på för nära håll. Det gick inte att undgå. Det var kudden, hans fjäderkudde. Det fanns någonting i den, någonting levande. Skulle det krypa in i hans öra? Lägga ägg där? Mutera eller förpuppa sig eller bara mumsa vax och trumhinna? Svetten kallnade på hans rygg och på lakanet under honom. Det fanns ingen luft i rummet. Han var för trött för att stiga upp, för uppjagad för att sova. Han gjorde vad han måste göra – slängde kudden mot dörren.

Inget mer tickande, men han kunde ändå inte sova. Den ringande telefonen kom som en befrielse. Det var kanske kvinnan från baren. Han skulle säga till henne, jag är alkoholist, en klåpare, jag är inte bra för någon människa.

"Hallå?"

"Ludo här. Ledsen att väcka dig."

"Jag sov inte. Vad är det?"

"En polisbil kommer och hämtar dig." Rebus gjorde en grimas: hade Ancram redan spårat honom?

"Varför?"

"Ett självmord i Stonehaven. Tänkte du skulle vara intresserad. Namnet verkar vara Anthony Ellis Kane."

Rebus for upp ur sängen. "Tony El? Självmord?"

"Ser så ut. Bilen bör vara där om fem minuter."

"Jag möter dem."

Nu när John Rebus var i Aberdeen blev saker farligare.

John Rebus.

Bibliotekariens lista hade först fått fram namnet, tillsammans med en adress på Arden Street, Edinburgh EH9. Med ett korttidslånekort hade Rebus studerat *The Scotsman* från februari 1968 till december 1969. Fyra andra personer hade studerat samma mikrofilmer under de föregående sex månaderna. Bibel-John visste att två av dem var journalister, den tredje var författare – han hade skrivit ett kapitel om fallet för en bok om skotska mördare. Den fjärde… den fjärde hade uppgett namnet Peter Manuel. Det hade knappast sagt den bibliotekarie som skrev ut ännu ett korttidslånekort någonting. Men den verklige Peter Manuel hade mördat upp till ett dussin personer på 1950-talet och blivit hängd för det i Barlinniefängelset. Det stod klart för Bibel-John: Uppkomlingen hade läst in sig på berömda mördare, och under sina studier stött på både Manuel och Bibel-John. Sedan hade han bestämt sig för att koncentrera sina efterforskningar till Bibel-John, tagit reda på mer om fallet genom att läsa tidningarna från den tiden. "Peter Manuel" hade inte bara begärt fram *Scotsman* från 1968 – 1970 utan även *Glasgow Herald.*

Hans forskning skulle bli grundlig. Och adressen på hans lånekort var lika fiktiv som hans namn: Lanark Terrace, Aberdeen. Den verklige Peter Manuel hade utfört sin mordorgie i Lanarkshire.

Men även om adressen var falsk undrade Bibel-John över Aberdeen. Hans egna undersökningar hade redan fått honom att placera Uppkomlingen i Aberdeenområdet. Detta verkade som ytterligare en anknytning. Och nu var John Rebus också i Aberdeen… Bibel-John hade funderat över John Rebus, redan innan han visste vem han var. Först var han en gåta, och nu ett problem. Bibel-John hade tittat på en del av de senaste Uppkomlingsklippen i datorn, och ögnat igenom dem medan han undrade vad han skulle göra med polismannen. Han läste en annan polismans ord: "Den här personen behöver hjälp, och vi vill be honom att träda fram så att vi kan hjälpa honom." Följt av mer spekulerande. De trevade i mörkret.

Utom att en av dem fanns i Aberdeen.

Och Bibel-John hade gett honom sitt visitkort.

Han hade hela tiden vetat att det skulle vara farligt att spåra Uppkomlingen, men han kunde knappast ha väntat sig att stöta ihop med en polis på vägen. Och inte vilken polis som helst, utan någon som tittat på Bibel-John-fallet. John Rebus, polis, baserad i Edinburgh, adress på Arden Street, just nu i Aberdeen… Han bestämde sig för att skapa ett nytt dokument i datorn, tillägnat Rebus. Han hade tittat igenom några tidningar från den senaste tiden, och trodde att han hittat anledningen till att Rebus var i Aberdeen: en oljearbetare hade ramlat ut från ett fönster i Edinburgh, brott misstänktes. Rimligt att dra slutsatsen att det var det och inget annat fall Rebus jobbade med. Men där fanns fortfarande det faktum att Rebus läst in sig på Bibel-John-fallet. Varför? Vad hade han med det att göra?

Och ett andra faktum, ännu mer problematiskt: Rebus hade nu hans visitkort. Det skulle inte säga honom någonting, kunde inte, inte ännu. Men det skulle kanske komma en dag... ju mer han närmade sig Uppkomlingen, desto fler risker skulle han stå inför. En dag skulle visitkortet kanske säga polismannen något. Kunde Bibel-John ta den risken? Han tycktes ha två möjligheter: öka tempot på sin jakt efter Uppkomlingen.

Eller ta polismannen ur spelet.

Han skulle fundera på saken. Under tiden måste han koncentrera sig på Uppkomlingen.

Hans kontakt på nationalbiblioteket hade informerat honom om att ett lånekort krävde legitimation: körkort, någonting sådant. Uppkomlingen hade kanske skaffat sig en helt ny identitet som "Peter Manuel", men Bibel-John tvivlade på det. Mer troligt var att han lyckats prata sig ur att visa legitimation. Han var säkert bra på att prata. Han var insmickrande, inställsam. Han såg inte ut som ett monster. Han hade ett ansikte som kvinnor – och män – kunde lita på. Han kunde promenera ut från nattklubbar med kvinnor han träffat bara en eller två timmar tidigare. Att ta sig förbi en säkerhetskontroll torde inte ha inneburit några större problem för honom.

Han reste sig och studerade sitt ansikte i spegeln. Polisen hade publicerat en serie konstruerade identifieringsbilder, framställda med dator. Åldrade versioner av de ursprungliga identifieringsbilderna av Bibel-John. En av dem var ganska lik, men det var en bland många. Ingen hade vänt sig om efter honom. Ingen av hans kolleger hade kommenterat någon likhet. Inte ens polismannen hade sett någonting. Han gned sig på hakan. Skäggstråna skymtade genom röd hud där han inte rakat sig. Huset var tyst. Hans fru var någon annanstans. Han hade gift sig med henne därför att det verkat lämpligt, ytterligare en lögn till profilen. Han låste upp arbetsrummets dörr, gick bort till ytterdörren och förvissade sig om att den var låst. Sedan gick han uppför trappan till hallen på övervåningen och drog ner stegen som ledde upp till vinden. Han trivdes där uppe, en plats som bara han besökte. Han tittade på kofferten. Det stod ett par gamla lådor ovanpå – kamouflage. De hade inte blivit flyttade. Nu lyfte han ner dem och tog fram en nyckel ur fickan, låste upp kofferten och öppnade de två kraftiga mässingslåsen. Han lyssnade igen, hörde bara tystnad utöver sitt eget hjärtas dova slag, lyfte sedan upp locket på kofferten.

Den var fylld med skatter: handväskor, skor, scarfar, smycken, klockor och portmonnäer – inget av det kunde identifiera förra ägaren. Väskorna och portmonnäerna hade tömts, synats noga på jakt efter avslöjande initialer eller fläckar eller kännetecken. Eventuella brev, allt med ett namn eller en adress, hade eldats upp. Han satte sig på golvet framför den öppna kofferten, utan att röra någonting. Han behövde inte röra. Han kom ihåg en flicka som bott på hans gata när han var åtta eller nio – hon hade varit ett år yngre. De hade lekt en lek. De hade turats om med att ligga alldeles stilla på marken, med slutna ögon, medan den andra försökte ta av så många plagg som möjligt utan att den som blev avklädd kände något.

Bibel-John hade snabbt känt flickans fingrar på sig – han hade följt reglerna. Men när flickan legat där och han hade börjat knäppa upp knappar och dra upp blixtlås… hennes ögonlock hade fladdrat, ett leende på hennes läppar… och hon hade legat där tåligt fastän han visste att hon måste känna hans klumpiga fingrar.

Hon hade fuskat förstås.

Nu dök hans mormor upp, med sina ständiga varningar: akta dig för kvinnor som har för mycket parfym, spela inte kort med främlingar på tåg…

Polisen hade inte nämnt någonting om att Uppkomlingen tog souvenirer. Utan tvivel ville de hålla tyst om det, hade sina skäl. Men Uppkomlingen *tog* säkert souvenirer. Tre hittills. Och han samlade dem på hög i Aberdeen. Han hade bara gjort en enda liten miss, när han uppgett Aberdeen som sin adress för lånekortet… Bibel-John reste sig plötsligt. Nu såg han det, såg transaktionen mellan bibliotekarien och "Peter Manuel". Uppkomlingen som sa sig behöva anlita referensbiblioteket. Bibliotekarien som frågade efter detaljer, bad om legitimation… Uppkomlingen som nervöst sa att han lämnat allt sådant hemma. Kunde han gå och hämta det? Omöjligt, han hade kommit ner från Aberdeen över dagen. En lång väg att resa, så bibliotekarien hade gett med sig, lämnat ut kortet. Men nu var Uppkomlingen tvungen att uppge Aberdeen som sin adress.

Han *fanns* i Aberdeen.

Upplivad låste Bibel-John kofferten, ställde tillbaka lådorna exakt där de stått och gick tillbaka ner. Det plågade honom att han nu med John Rebus på så nära håll kanske skulle bli tvungen att flytta kofferten… och sig själv med den. I arbetsrummet satte han sig vid sitt skrivbord. Uppkomlingen baserad i Aberdeen men rörlig. Lär av sina första misstag. Så nu planerar han varje överfall långt i förväg. Väljs offren på måfå, eller finns det ett mönster? Lättare att välja ett byte som inte var slumpmässigt. Men också lättare för polisen att se ett mönster och så småningom gripa en. Men Uppkomlingen var ung: kanske var det en läxa han ännu *inte* lärt sig. Hans val av "Peter Manuel" tydde på en viss kaxighet, retades med alla som lyckades spåra honom så långt. Antingen kände han sina offer eller så gjorde han det inte. Två vägar att följa. Väg ett: säg att han *kände* dem, säg att det fanns ett mönster som knöt alla tre till Uppkomlingen.

En profil: Uppkomlingen var en resande man – lastbilschaufför, företagsrepresentant, den typen av jobb. Mycket resor genom Skottland. Resande män kunde vara ensamma män, ibland använde de sig av prostituerades tjänster. Edinburghoffret hade varit prostituerad. De bodde ofta på hotell. Glasgowoffret hade arbetat som hotellstäderska. Det första offret – det i Aberdeen – stämde inte in på det mönstret.

Eller gjorde hon? Fanns det någonting polisen hade missat, någonting som *han* kanske skulle hitta? Han tog telefonen och ringde nummerbyrån.

"Det är ett Glasgownummer", sa han till rösten i andra änden.

14

Mitt i natten låg Stonehaven bara tjugo minuter söder om Aberdeen, i synnerhet med en galning bakom ratten.

"Han kommer fortfarande att vara död när vi kommer fram, grabben", sa Rebus till chauffören.

Och det var han, död i ett Bed & Breakfast-badrum, med ena armen hängande över badkarssidan à la Marat. Han hade skurit upp handlederna på föreskrivet sätt – uppifrån och ner snarare än tvärsöver. Vattnet i badkaret såg kallt ut. Rebus kom inte så nära – armen över sidan hade läckt blod över golvet.

"Värdinnan visste inte vem som var i badrummet", förklarade Lumsden. "Hon visste bara att vem det än var, så hade vederbörande varit där inne länge nog. Hon fick inget svar och gick för att hämta en av sina 'pojkar' – det här stället tar emot oljearbetare. Hon säger att hon trodde att mr Kane var oljearbetare. Hur som helst fick en av hennes gäster upp dörren och de hittade detta."

"Ingen som sett eller hört något?"

"Självmord brukar vara en tyst historia. Följ med."

De gick längs smala korridorer och uppför två korta trappor till Tony Els rum. Det var någorlunda propert. "Värdinnan dammsuger och dammar två gånger i veckan, lakan och handdukar byts också två gånger i veckan." Där fanns en flaska billig whisky med locket avskruvat, ungefär en femtedel av innehållet kvar. Ett tomt glas stod bredvid. "Titta här."

Rebus tittade. På toalettbordet låg en full uppsättning injektions-attiraljer: spruta, sked, bomull, tändare och en liten plastpåse med brunt pulver.

"Heroin lär vara inne igen", sa Lumsden.

"Jag såg inga märken på hans armar", sa Rebus. Lumsden nickade att de fanns, men Rebus gick tillbaka till badrummet för att förvissa sig. Jo, ett par nålstick på insidan av vänster underarm. Han gick tillbaka till sovrummet. Lumsden satt på sängen och bläddrade i en tidning.

"Han hade inte hållit på länge", sa Rebus. "Armarna var ganska rena. Jag såg inte kniven."

"Titta på det här", sa Lumsden. Han ville visa Rebus tidningen. En kvinna med en plastpåse över huvudet blev penetrerad bakifrån. "Det finns folk med sjuk fantasi."

Rebus tog tidningen ifrån honom. Den hette *Snuff Babes*. På insidan av omslaget stod att den "med stolthet" var tryckt i USA. Den var inte bara olaglig, det var den värsta hårdporr Rebus någonsin sett. Sida upp och sida ner med fingerad död förenad med sex.

Lumsden hade stoppat handen i fickan och drog upp en bevispåse. Inuti fanns en blodig kniv. Men ingen vanlig kniv: en Stanley.

"Jag är inte så säker på att det här var självmord", sa Rebus lugnt.

Sedan blev han tvungen att förklara sina skäl: besöket hos Farbror Joe, hur Farbror Joes son fått sitt smeknamn, och det faktum att Tony El varit en av Farbror Joes hejdukar.

"Dörren var låst från insidan", sa Lumsden.

"Och hade inte brutits upp när jag kom dit."

"Och?"

"Så hur kom värdinnans 'pojke' in?" Han tog med sig Lumsden tillbaka till badrummet och de undersökte dörren. Det räckte med att vrida om en skruvmejsel både för att låsa och låsa upp den utifrån.

"Du vill alltså att vi behandlar det här som ett mord?" sa Lumsden. "Du tror att den här gossen Stanley promenerade in här, klippte till mr Kane, släpade honom med sig till badrummet och skar upp hans handleder? Vi har just passerat ett halvdussin sovrumsdörrar och två trappor – tror du inte någon skulle ha märkt något?"

"Har ni frågat dem?"

"John, jag kan försäkra dig, ingen har sett något."

"Och jag kan försäkra dig att det står Joseph Toal skrivet över alltihop."

Lumsden skakade på huvudet. Han hade rullat ihop tidningen. Den stack upp ur hans kavajficka. "Det enda jag ser här är ett självmord. Och efter vad du har berättat är jag glad över att bli av med den djäveln, punkt slut."

Samma polisbil körde Rebus tillbaka till stan, fortfarande på fel sida om hastighetsgränsen.

Rebus var klarvaken. Han vandrade fram och tillbaka i sitt rum, rökte tre cigarretter. Staden utanför hans katedralfönster sov äntligen. Den barnförbjudna betalfilmkanalen var fortfarande öppen. För övrigt erbjöds bara strandvolleyboll från Kalifornien. I behov av vilken annan förströelse som helst tog han fram flygbladen från demonstrationen. De utgjorde nerslående läsning. Makrill och andra fisksorter var nu "kommersiellt utdöda" i Nordsjön, medan andra, däribland kolja – kvällsmålets basvara – inte skulle överleva årtusendet. Samtidigt fanns det 400 oljeinstallationer där ute som en dag skulle bli överflödiga, och om de helt enkelt dumpades tillsammans med sina tungmetaller och kemikalier... adjöss, firrarna.

Det var naturligtvis möjligt att fisken ändå skulle dö: nitrater och fosfater från avloppsvatten, plus jordbrukets gödningsmedel... allt tömt i havet. Rebus kände sig eländigare än någonsin, kastade flygbladen i papperskorgen. Ett av dem hamnade bredvid, och han tog upp det. Det talade om för honom att det skulle bli en marsch med stormöte på lördag, och en välgörenhetskonsert med Dancing Pigs som huvudband. Rebus slängde det och bestämde sig för att avlyssna sin telefonsvarare där hemma. Det fanns två meddelanden från Ancram, upprörd på gränsen till ursinnig, och ett från Gill som bad honom att ringa oberoende av tid på dygnet. Så han gjorde det.

"Hallå?" Hon lät som om någon hade klistrat ihop munnen på henne.

"Ledsen att jag ringer så sent."

"John." Hon tystnade för att titta på klockan. "Det är så sent att det egentligen är tidigt."

"Du sa på telefonsvararen…"

"Jag vet." Hon lät som om hon försökte sätta sig upp i sängen, gäspade stort. "Howdenhall jobbade på det där anteckningsblocket, använde ESDA på det, elektrostatik."

"Och?"

"Fick fram ett telefonnummer."

"Till?"

"Aberdeen."

Rebus kände hur det kröp i ryggraden. "Var i Aberdeen?"

"Det är till telefonautomaten på något diskotek. Vänta, jag har namnet här… Burke's Club."

Klick, klick.

"Säger det dig någonting?" sa hon.

Ja, tänkte han, det säger mig att jag jobbar på minst två fall här uppe, kanske tre.

"Du sa telefonautomat?"

"Ja. Jag vet, för jag ringde till den. Inte långt från baren av ljudet att döma."

"Ge mig numret." Hon gjorde det. "Någonting mer?"

"De fingeravtryck som fanns var Fergies egna. Inget intressant på hans hemdator, utom att han försökte sig på lite skattefiffel."

"Stoppa pressarna. Och hans affärslokal?"

"Ingenting hittills. John, är du okej?"

"Visst, hur så?"

"Du låter… jag vet inte, långt bort på något sätt."

Rebus kostade på sig ett leende. "Jag är här. Sov nu, Gill."

"Godnatt, John."

"Godnatt."

Han bestämde sig för att försöka ringa Lumsden på stationen. Plikttrogen: nästan tre på morgonen och han var där.

"Du borde befinna dig i Jon Blunds rike", sa Lumsden till honom.

"En sak jag hade tänkt fråga förut."

"Vadå?"

"Den där klubben vi var på, den där Michelle Strachan träffade Johnny Bibel."

"Burke's?"

"Jag bara undrade", sa Rebus. "Är den hederlig?"

"Någorlunda."

"Vilket betyder?"

"De är ute på tunn is ibland. Det har förekommit en del knarklangning på stället. Ägarna försökte rensa upp, jag tror att de har gjort ett hyfsat jobb."

"Vem äger den?"

"Ett par amerikaner. John, vad gäller det?"

Det tog Rebus mindre än en sekund att konstruera sin lögn. "Edinburgh-hopparen, han hade en ask tändstickor i fickan. Den kom från Burke's."

"Det är ett populärt ställe."

Rebus brummade instämmande. "De här ägarna, vad var det nu de hette?"

"Det har jag inte sagt." På sin vakt nu.

"Är det en hemlighet?"

Ett glädjelöst skratt. "Nej."

"Du kanske inte vill att jag besvärar dem?"

"Herregud, John…" En teatralisk suck. "Erik-med-k Stemmons, Judd Fuller. Jag förstår inte vad det skulle tjäna till att tala med dem."

"Inte jag heller, Ludo. Jag ville bara ha deras namn." Rebus försökte sig på en amerikansk accent. "Ciao, baby." Han log när han lade på luren. Han tittade på klockan. Tio över tre. Det var fem minuters promenad till College Street. Men skulle stället fortfarande vara öppet? Han tog fram telefonkatalogen, slog upp Burke's – numret var samma som det Gill gett honom. Han testade det: inget svar. Han bestämde sig för att låta det vara… tills vidare.

Snurrade i en allt snävare virvel: Allan Mitchison… Johnny Bibel… Farbror Joe… Fergus McLures knarkaffär.

Beach Boys: "God Only Knows". Övergång till Zappa med Mothers: "More Trouble Every Day". Rebus tog upp kudden från golvet, lyssnade på den i säkert en minut, slängde tillbaka den på sängen, lade sig sedan ner för att sova.

Han var vaken tidigt och kände inte för frukost, så han tog en promenad istället. Det var en härlig morgon. Fiskmåsarna var ivrigt sysselsatta med att dammsuga upp nattens rester, men för övrigt låg gatorna öde. Han gick upp till Mercat Cross, sedan till vänster längs King Street. Han visste att han gick i vag riktning mot sin fasters hus, men trodde inte han skulle hitta det till fots. Istället kom han till någonting som såg ut som en gammal skolbyggnad men som kallade sig RGIT Offshore. Han visste att RGIT var Robert Gordon's Institute of Technology och att Allan Mitchison studerat en tid vid RGIT-OSC. Han visste att Johnny Bibels första offer hade studerat vid Robert Gordonuniversitetet, men inte vad hon hade studerat. Hade hon haft föreläsningar här? Han stirrade på de grå granitväggarna. Det första mordet skedde i Aberdeen. Först senare flyttade Johnny Bibel över till Glasgow och Edinburgh. Vilket betydde vad? Hade Aberdeen någon särskild innebörd för mördaren? Han hade följt offret från en nattklubb till Duthie Park, men det betydde inte att han var från stan: Michelle kunde ha visat honom vägen. Rebus tog fram sin karta igen, hittade College Street, drog sedan ett finger från Burke's Club till Duthie Park. En lång promenad, mellan bostadshus, ingen hade sett dem på hela vägen. Hade de valt särskilt tysta bakgator? Rebus vek ihop kartan och stoppade undan den.

Han gick förbi sjukhuset och hamnade på Esplanaden: en långsträckt gräsyta med bowlsplan, tennis- och minigolfbana. Där fanns nöjeslokaler, allihop stängda så här tidigt. Människor var ute på Esplanaden – joggade, rastade sina hundar, tog morgonpromenader. Rebus gjorde dem sällskap. Vågbrytare delade in sandstranden i prydliga avdelningar. Här var ungefär lika rent som i andra delar av stan han sett, med undantag för graffitin – en konstnär som kallade sig Zero hade varit flitig och skapat sitt eget privata galleri.

Zero the Hero: en figur någonstans ifrån… Gong. Herregud, han hade inte tänkt på dem på åratal. Brassrökande nissar med flummiga syntar. Rusig anarki.

I slutet av Esplanaden, intill hamnen, fanns ett par öppna platser med hus, en by i staden. De öppna platserna bestod av torra gräsplaner och trädgårdsskjul. Hundar skällde varningar när han gick förbi. Det

påminde honom om det östra hörnet av Fife, fiskarstugor, färggrant
målade men anspråkslösa. En taxi körde runt i hamnen. Rebus vin-
kade den till sig. Slut på vila och förströelse.

Det pågick en demonstration utanför T-Bird Oils huvudkontor. Den
unga kvinnan med det flätade håret som varit så övertygande dagen
innan satt med korslagda ben på gräset, rökte en hemmagjord cigar-
rett och såg ut som om hon hade rast. Ynglingen som för ögonblicket
skötte megafonen hade inte hälften av hennes vrede eller vältalighet,
men hans vänner hejade på honom. Han kanske var ny i demon-
strationsbranschen.

Två unga uniformerade poliser, inte äldre än aktivisterna, konfere-
rade med tre eller fyra miljövänner i röda overaller och gasmasker.
Poliserna sa att det skulle vara lättare att prata om de tog av sig gas-
maskerna. De bad också att demonstranterna skulle lämna marken som
ägdes av T-Bird Oil. Nämligen gräsmattan framför ingången. Demon-
stranterna sa någonting om lagar och intrång på annans mark. Juridiska
kunskaper hörde till gebitet numera. Det var som slagsmålets regler för
en soldat.

Rebus erbjöds samma litteratur som dagen innan.

"Jag har redan fått", sa han med ett leende. Flätade håret tittade upp
på honom och kisade, som om hon tog ett fotografi.

I receptionen höll någon på att videofilma demonstrationen genom
fönstren. Kanske åt polisens underrättelsetjänst, kanske för T-Birds egna
arkiv. Stuart Minchell väntade på Rebus.

"Är det inte otroligt?" sa han. "Jag har hört att det finns grupper
som den där utanför varenda en av de Sex Systrarna, plus mindre före-
tag som vårt."

"De Sex Systrarna?"

"De stora Nordsjöaktörerna. Exxon, Shell, BP, Mobil… Jag minns
inte de två andra. Redo för trippen?"

"Jag vet inte. Hur stora är chanserna att jag ska kunna ta mig en
lur?"

"Det kan bli ganska skumpigt. Men jag har goda nyheter. Vi har ett
flygplan som ska upp, så ni slipper helikopter – i alla fall i dag. Ni

kommer att flyga till Scatsta. Före detta RAF-bas. Besparar er strulet med att byta i Sumburgh."

"Och det ligger nära Sullom Voe?"

"Precis intill. Någon kommer att vara där och ta emot er."

"Jag uppskattar det här, mr Minchell."

Minchell ryckte på axlarna. "Varit på Shetlandsöarna någon gång?" Rebus skakade på huvudet. "Tja, ni kommer antagligen inte att få se så mycket av dem, utom från luften. Bara kom ihåg, när det där planet lyfter är ni inte längre i Skottland. Ni är en 'Sooth-Moother' på väg mot miltals av ingenting."

15

Minchell körde Rebus till Dyce Airport. Planet var en dubbelpropeller-modell med plats för fjorton men hade den här dagen bara ett halvdussin passagerare, allihop män. Fyra av dem bar kostym och var snabba med att öppna portföljer som spydde ur sig papper, ringpärmsrapporter, mini-räknare, pennor och datorer. En hade fårskinnsjacka och var vad de andra antagligen skulle ha kallat "ovårdad". Han höll händerna i fickorna och stirrade ut genom fönstret. Rebus, som inte hade något emot att sitta vid gången, bestämde sig för platsen bredvid honom.

Mannen försökte stirra iväg honom någon annanstans. Hans ögon var blodsprängda, grå skäggstubb täckte kinder och haka. Rebus svarade med att knäppa säkerhetsbältet. Mannen muttrade men rätade upp sig så att Rebus fick tillgång till halva armstödet. Sedan återgick han till sitt fönstertittande. En bil stannade utanför.

Motorn startade, propellrar snurrade. Det fanns en flygvärdinna längst bak i det trånga utrymmet. Hon hade inte stängt dörren än. Mannen på fönsterplatsen vände sig mot kostymgänget.

"Nu kommer ni strax att skita på er." Sedan började han skratta. Whiskyångor från den gångna natten svävade över Rebus och fick honom att känna tacksamhet över att han hoppat över frukosten. Ytterligare någon kom ombord på planet. Rebus tittade nerför gången. Det var major Weir, iklädd kilt med vidhängande skinnpung. Kostymerna stelnade. Fårskinnsjackan skrockade fortfarande. Dörren smällde igen. Några sekunder senare började planet taxa ut.

Rebus, som hatade att flyga, försökte tänka sig in i ett trevligt Intercity 125, vilket susade fram längs terra firma utan avsikter att plötsligt skjuta iväg upp mot himlen.

"Krama lite hårdare om det där armstödet", sa hans granne, "så kommer du att rycka loss det."

Stigningen var som en väg utan stenläggning. Rebus tyckte att han kunde känna plomber skaka loss och höra flygplanets olika bultar och svetsfogar brista. Men sedan planade de ut och saker lugnade ner sig. Rebus började andas igen, kände svett på handflatorna och i pannan. Han korrigerade luftintaget ovanför sig.

"Bättre?" sa mannen.

"Bättre", instämde Rebus. Hjulen drogs in, skydd slöt sig. Fårskinnsjackan förklarade vad ljuden var. Rebus nickade till tack. Han kunde höra flygvärdinnan bakom dem.

"Beklagar, major, om vi hade vetat att ni skulle åka med kunde vi ha ordnat kaffe."

Hon fick ett grymtande för sitt besvär. Kostymerna stirrade på sitt arbete men kunde inte koncentrera sig. Planet råkade in i turbulens, och Rebus händer sökte sig åter till armstöden.

"Flygskräck", sa fårskinnsjackan med en blinkning.

Rebus visste att han var tvungen att tänka på något annat än flygningen. "Arbetar du i Sullom Voe?"

"Praktiskt taget *sköter* stället." Han nickade mot kostymerna. "Jag jobbar inte åt det här gänget. Har bara tiggt till mig lift. Jag jobbar åt konsortiet."

"De Sex Systrarna?"

"Och de andra. Ett trettiotal senast någon räknade."

"Jag vet inte ett förbannat dugg om Sullom Voe."

Fårskinnsjackan gav honom en blick från sidan. "Är du journalist?"

"Kriminalpolis."

"Bara du inte är journalist så. Jag är avlösande underhållschef. Vi får alltid skit i pressen för spruckna rör och spill. Men de enda läckorna vid *min* terminal är de till de satans tidningarna!" Han stirrade ut genom fönstret igen, som om samtalet nått ett naturligt slut. Men en minut senare vände han sig till Rebus.

"Det går två pipelines in i terminalen – Brent och Ninian – plus att vi lossar från tankfartyg. Fyra kajer i nästan konstant användning. Jag var med redan från början, 1973. Det var bara fyra år efter det att de första provborrningsfartygen tuffat in i Lerwick. Herregud, jag skulle ha velat se yrkesfiskarnas miner. De trodde antagligen att det var början på ingenting. Men oljan kom och oljan stannade, vi fick bråka med öarna och de klämde konsortiet på varenda penny de kunde. Varenda penny."

Medan fårskinnsjackan talade började munnen slappna av. Rebus tänkte att han kanske fortfarande var berusad. Han talade lugnt, mest med ansiktet mot fönstret.

"Du skulle ha sett stället på sjuttiotalet, gosse. Det var som Klondike – husvagnsparkeringar, kåkstäder, vägarna rena lervällingen. Vi hade strömavbrott, inte tillräckligt med färskvatten och ortsbefolkningen hatade oss. Jag älskade det. Det fanns i princip bara en pub där vi alla kunde dricka. Konsortiet flög in förråd med helikopter som om vi var i krig. Fan vet om vi inte var det."

Han vände sig till Rebus.

"Och vädret… blåsten sliter huden av ansiktet."

"Så jag hade inte behövt ta med rakgrejer?"

Den store mannen frustade. "Så varför ska du till Sullom Voe?"

"Ett suspekt dödsfall."

"På Shetlandsöarna?"

"I Edinburgh."

"Hur suspekt?"

"Kanske bara lite, men vi måste kolla."

"Det där vet jag allt om. Det är som på terminalen, vi gör hundratals kontroller varje dag, antingen de behövs eller inte. Gasolavkylningen, där hade vi ett misstänkt problem, och jag betonar *misstänkt*. Gud vet hur många man vi hade i beredskap. Det är inte så långt från råoljelagret, förstår du."

Rebus nickade, osäker på vart mannen ville komma. Han tycktes glida bort igen. Dags att veva in honom.

"Mannen som dog jobbade ett tag i Sullom Voe. Allan Mitchison."

"Mitchison?"

"Han kan ha tillhört underhåll. Jag tror att det var hans specialitet."

Fårskinnsjackan skakade på huvudet. "Namnet säger mig inget... nej."

"Jake Harley då? Han arbetar i Sullom Voe."

"Jo, honom har jag stött på. Är inte särskilt förtjust i honom, men jag vet vem det är."

"Varför tycker du inte om honom?"

"Han är en av de där gröna djävlarna. *Ekologi*, du vet." Han nästan spottade ut ordet. "Vad i helvete har ekologi någonsin gjort för oss?"

"Du känner honom alltså?"

"Vem?"

"Jake Harley?"

"Det sa jag ju, eller hur?"

"Han är ute på någon vandrarsemester."

"På Shetlandsöarna?" Rebus nickade. "Ja, det kan stämma. Han tjatar alltid om arkeologi och vad det nu heter... fågelskådning. De enda pullor jag skulle ägna hela dagen åt att spana på har inga jävla fjädrar på kroppen, det kan jag tala om."

Rebus till sig själv: *Jag trodde att jag var usel, men den här karln ger alla begrepp en ny definition.*

"Så han är ute och vandrar och tittar på fåglar: någon aning om vart han skulle gå?"

"De vanliga ställena. Det finns några fågelskådare vid terminalen. Ett slags nersmutsningskontroll. Vi vet att vi sköter oss så länge fåglarna inte plötsligt börjar vända näsan i vädret. Som med *Negrita*." Han nästan bet av sista stavelsen, svalde hårt. "Grejen är att blåsten är så kraftig, och strömmarna är också starka. Så man får spridning, som med *Braer*. Någon berättade för mig att luften över Shetlandsöarna byts ut helt en gång i kvarten. Perfekt spridning. Men det är för helvete bara fåglar. Vad är de bra för, egentligen?"

Han vilade huvudet mot fönstret.

"När vi kommer till terminalen ska jag skaffa dig en karta och pricka för några ställen han kan tänkas gå till..." Några sekunder senare blundade han. Rebus reste sig och gick mot kabinens bakre del, där toaletten fanns. När han passerade major Weir, som satt längst bak, såg han att denne var djupt försjunken i *Financial Times*. Toaletten var inte större än ett barns kista. Om Rebus varit bredare skulle de ha fått svälta ut honom. Han spolade, tänkte på hur hans urin stänkte över Nordsjön – som nersmutsning betraktat, bara en droppe i havet – och ryckte upp dragspelsdörren. Han gled ner på platsen på andra sidan gången bredvid majoren. Flygvärdinnan hade suttit där, men han kunde se henne framme i cockpit.

"Kan man få kika på kapplöpningsresultaten?"

Major Weir lyfte blicken från tidningen och vred på huvudet för att registrera denna nya märkliga varelse. Hela processen kunde inte ha tagit mer än en halv minut. Han sa ingenting.

"Vi träffades i går", sa Rebus till honom. "Kriminalkommissarie Rebus. Jag vet att ni inte säger mycket…" han klappade på kavajen… "jag har ett anteckningsblock i fickan om ni behöver ett."

"Är ni något slags komiker på fritiden, kommissarie Rebus?" Rösten var kultiverat släpig. Urban var ordet. Men den var också torr, lite rostig.

"Kan jag få fråga er om en sak, major? Varför gav ni ert oljefält namn efter en havrekaka?"

Weir blev röd i ansiktet av plötsligt ursinne. "Det är en förkortning av Bannockburn!"

Rebus nickade. "Vann vi den gången?"

"Kan ni inte er historia, pojk?" Rebus ryckte på axlarna. "Herregud, ibland misströstar jag. Ni är *skotte*."

"Och?"

"Ert förflutna är viktigt! Ni behöver känna till det för att kunna lära."

"Lära vadå?"

Weir suckade. "För att låna en fras av en poet – en skotsk poet, han talade om ord – att vi skottar är 'varelser tämjda av grymhet'. Förstår ni?"

"Jag tror jag har lite svårt att koncentrera mig."

Weir rynkade pannan. "Dricker ni?"

"Nykterist är mitt andra namn." Majoren muttrade belåtet. "Problemet är", fortsatte Rebus, "att mitt första namn är Ingalunda."

Han förstod så småningom och log ett bistert leende. Det var första gången Rebus sett majoren använda den minen.

"Saken är den, sir, att jag är här uppe – "

"Jag vet varför ni är här uppe, kommissarien. När jag såg er i går bad jag Hayden Fletcher att ta reda på vem ni var."

"Får jag fråga varför?"

"Därför att ni tittade tillbaka i hissen. Jag är inte van vid den sortens beteende. Det betydde att ni inte arbetade åt mig, och eftersom ni var i sällskap med min personalchef…"

"Ni trodde att jag var ute efter ett jobb?"

"Jag tänkte se till att ni inte fick något."

"Jag är smickrad."

Majoren tittade på honom igen. "Så varför flyger mitt företag er till Sullom Voe?"

"Jag vill tala med en vän till Mitchison."

"Allan Mitchison?"

"Ni känner honom?"

"Var inte löjlig. Jag lät Minchell rapportera till mig i går kväll. Jag tycker om att veta vad som händer i mitt företag. Jag har en fråga till er."

"Fråga på."

"Kan mr Mitchisons död ha någonting med T-Bird Oil att göra?"

"För ögonblicket… tror jag inte det."

Major Weir nickade och lyfte upp tidningen i ögonnivå. Samtalet var slut.

16

"Välkommen till Mainland", sa Rebus guide när han tog emot honom på plattan.

Major Weir hade redan blivit installerad i en Range Rover och susade bort från flygfältet. En rad helikoptrar stod i vila en bit därifrån. Blåsten var... ja, blåsten var *kraftig*. Den fick helikoptrarnas rotorblad att flaxa, och den sjöng i Rebus öron. Edinburghblåsten var ett proffs. Ibland när man steg ut genom ytterdörren var det som att få ett slag i ansiktet. Men Shetlandsblåsten... den ville lyfta upp en och skaka om en.

Nerfärden hade varit skakig, men innan dess hade han sett sin första skymt av det egentliga Shetland. "Miltals av ingenting" gjorde det inte rättvisa. Knappt några träd, massor av får. En imponerande, karg kustlinje med vita bränningar som slog emot den. Han undrade om erosion var ett problem. Öarna var inte precis stora. De hade sneddat mot Lerwicks östra del, sedan passerat några sovstäder som, enligt Fårskinnsjackans kommentar, bara varit byar på sjuttiotalet. Karln hade vid det laget vaknat till, och hade kommit rustad med ytterligare några fakta och idéer.

"Vet du vad vi gjorde? Oljeindustrin, menar jag? Vi höll kvar Maggie Thatcher vid makten. Oljeintäkter betalade alla de där skattenerskärningarna. Oljeintäkter betalade Falklandskriget. Olja pumpade genom venerna i hela hennes jävla välde, och hon tackade oss inte ens. Inte en enda gång, den satkäringen." Han skrattade. "Man kan inte låta bli att gilla henne."

"Det lär finnas tabletter man kan ta." Men Fårskinnsjackan hörde inte på.

"Det går inte att skilja på olja och politik. Sanktionerna mot Irak, det handlade bara om att hindra honom från att översvämma marknaden med billig olja." Han gjorde en paus. "Norge, de djävlarna."

Rebus kände att han hade missat något. "Norge?"

"De har också olja, men de har satt in pengarna på banken och använt dem till att sparka igång andra industrier. Maggie använde dem till att betala ett krig och ett förbannat val…"

När de svängt ut till havs förbi Lerwick hade Fårskinnsjackan pekat ut några båtar – satans stora båtar.

"Trålfiskare", sa han. "Fabriksfartyg. De förädlar fisk. Gör antagligen större skada på miljön än hela Nordsjöns oljeindustri. Men ortsborna bara låter dem hållas, skiter fullständigt i dem. Fiske är ett arv för dem… inte som olja. De kan dra åt helvete allihop."

Rebus visste fortfarande inte vad mannen hette när de skildes åt på landningsbanan. Där fanns någon som väntade på Rebus, en spenslig, leende man med alldeles för många tänder i munnen. Och han sa: "Välkommen till Mainland." Förklarade sedan vad han menade i bilen, under den korta färden till Sullom Voe-terminalen. "Det är så Shetlandsborna kallar huvudön: Mainland, i motsats till *mainland* med litet m, som betyder… ja, fastlandet." En frustning till skratt. Han var tvungen att torka av näsan på kavajärmen. Han körde som en grabb i pappas bil: framåtböjd, händer som rörde sig för mycket på ratten.

Han hette Walter Rowbotham, och han var ny på Sullom Voes PR-avdelning.

"Jag visar er gärna runt, kommissarie Rebus", sa han, alltjämt leende, ansträngde sig väl mycket att vara till lags.

"Kanske om det blir tid över", gick Rebus med på.

"Nöjet är helt på min sida. Ni vet naturligtvis att terminalen kostade ettusentrehundra miljoner bara att bygga. Pund, inte dollar."

"Intressant."

Rowbothams ansikte lyste upp, uppmuntrad. "Den första oljan strömmade in i Sullom Voe 1978. Det är en stor arbetsgivare och har i hög grad bidragit till Shetlandsöarnas låga arbetslöshetssiffror, för ögonblicket fyra procent eller halva det skotska genomsnittet."

"En fråga, mr Rowbotham."

"Walter. Eller Walt, om ni vill."

"Walt." Rebus log. "Haft några fler problem med gasolavkylning-
en?"

Rowbothams ansikte blev som en inlagd rödbeta. Herregud, tänkte
Rebus, massmedia skulle älska honom…

Det slutade med att de körde genom halva installationen för att
komma dit Rebus ville, så han fick ändå höra det mesta av rundturs-
berättelsen och lärde sig mer än han hoppats att han någonsin skulle
behöva kunna om avbutanisering, avetanisering och avpropanisering,
för att inte tala om utjämningsbehållare och funktionsstatusmätare.
Vore det inte fantastiskt, tänkte han, om man kunde sätta funktions-
statusmätare på människor?

I den stora administrationsbyggnaden hade de fått veta att Jake
Harley arbetade i processtyrningsrummet och att hans kolleger vän-
tade där och visste att en polis skulle komma och tala med dem. De
passerade de ingående råoljeledningarna, *pigging*-stationen och den
sista lagringsbassängen, och vid ett tillfälle trodde Walt att de hade kört
vilse, men han hade en liten orienteringskarta med sig.

Och det var nog tur: Sullom Voe var jättelikt. Det hade tagit sju år
att bygga, slagit alla sorters rekord under byggtiden (och Walt kände
till allihop), och Rebus måste medge att det var ett imponerande
monster. Han hade varit förbi Grangemouth och Mossmorran dussin-
tals gånger, men de var helt enkelt inte jämförbara. Och om man tit-
tade ut förbi råoljetankarna och lossningskajerna såg man vatten – Voe
i söder och Gluss Isle borta i väster, som gjorde intryck av oförstörd
vildmark. Det var som en science fiction-stad förflyttad till forntiden.

Trots detta var processtyrningsrummet något av det mest fridfulla
Rebus någonsin besökt. Två män och en kvinna satt bakom kontroll-
bord mitt i rummet, medan väggarna upptogs av elektroniska dia-
gram, svagt blinkande lampor indikerade olje- och gasflödena. De
enda ljuden var de av fingrar på tangentbord och då och då dämpade
samtal. Walt hade bestämt att det var hans uppgift att presentera Rebus.
Atmosfären hade tystat honom, som om han kommit in mitt under en

gudstjänst. Han gick fram till kontrollbordet och talade lågmält med treenigheten som satt där.

Den äldre av de två männen reste sig och kom och tog Rebus i hand.

"Milne. Vad kan jag stå till tjänst med?"

"Mr Milne, jag ville egentligen tala med Jake Harley. Men eftersom han har försvunnit tänkte jag att ni kanske kunde berätta lite om honom för mig. Särskilt om hans vänskap med Allan Mitchison."

Milne var klädd i rutig skjorta, med uppkavlade ärmar. Han kliade sig på ena armen medan Rebus talade. Han var i trettioårsåldern, med rufsigt rött hår och ansiktet fullt av ärr efter tonårsakne. Han nickade och vände sig till hälften mot sina två kolleger, tog på sig rollen som talesman.

"Ja, vi jobbar alla med Jake, så vi kan berätta om honom. Själv kände jag inte Allan särskilt väl, trots att Jake presenterade oss."

"Jag tror aldrig jag har träffat honom", sa kvinnan.

"Jag träffade honom en gång", sa den andre mannen.

"Allan jobbade bara här i två eller tre månader", fortsatte Milne. "Jag vet att han blev god vän med Jake." Han ryckte på axlarna. "Det är i stort sett allt."

"Om de var vänner måste de ha haft någonting gemensamt. Var det fågelskådning?"

"Jag tror inte det."

"Gröna frågor", sa kvinnan.

"Det stämmer", sa Milne och nickade. "På ett ställe som det här börjar vi förstås alltid förr eller senare prata ekologi – känsligt ämne."

"Är det en stor grej för Jake?"

"Så långt skulle jag inte gå." Milne tittade frågande på sina kolleger. De skakade på sina huvuden. Rebus insåg att ingen talade mycket högre än en viskning.

"Arbetar Jake här inne?" undrade han.

"Ja, det stämmer. Vi byter skift."

"Så ibland jobbar ni ihop…"

"Och ibland gör vi det inte."

Rebus nickade. Han fick inte veta någonting, var osäker på om han någonsin trott att han verkligen *skulle* få veta någonting. Så Mitchison hade varit intresserad av ekologi – än sen då? Men det var trevligt här, avkopplande. Edinburgh och alla hans problem var långt borta, och kändes så.

"Det här verkar vara ett behagligt jobb", sa han. "Kan vem som helst söka?"

Milne log. "Ni får skynda er. Vem vet hur länge oljan räcker?"

"Ett tag till väl?"

Milne ryckte på axlarna. "Det handlar om återvinningsekonomi. Bolag börjar titta västerut – Atlantolja. Och olja från väster om Shetlandsöarna tas i land i Flotta."

"På Orkneyöarna", förklarade kvinnan.

"De vann kontraktet i strid med oss", fortsatte Milne. "Om fem eller tio år kommer vinstmarginalen kanske att vara större där ute."

"Och så lägger de Nordsjön i malpåse?"

Alla tre nickade samtidigt.

"Har du talat med Briony?" frågade kvinnan plötsligt.

"Vem är Briony?"

"Jakes… jag vet inte, de är inte gifta, va?" Hon tittade på Milne.

"Bara en flickvän, tror jag."

"Var bor hon?" frågade Rebus.

"Jake och hon delar ett hus", sa Milne. "I Brae. Hon jobbar vid simbassängen."

Rebus vände sig till Walt. "Hur långt är det dit?"

"En mil ungefär."

"Kör mig dit."

De försökte med badet först, men hon var inte där, så de letade upp hennes hus. Brae såg ut att lida av identitetskris, som om platsen plötsligt blivit till och inte visste vad den skulle göra av sig. Husen var nya men anonyma. Det fanns tydligen pengar, men allt gick inte att köpa. Pengar kunde inte förvandla Brae tillbaka till den by den varit före Sullom Voe.

De hittade huset. Rebus sa åt Walt att vänta i bilen. En kvinna på tjugotvå, tjugotre öppnade när han knackat. Hon var klädd i joggingbyxor och vitt linne, barfota.

"Briony?" frågade Rebus.

"Ja."

"Jag vet tyvärr inte vad ni heter i efternamn. Kan jag få komma in?"

"Nej. Vem är du?"

"Kriminalkommissarie John Rebus." Rebus visade sin polisbricka. "Jag är här med anledning av Allan Mitchison."

"Mitch? Vad är det med honom?"

Det fanns många svar på den frågan. Rebus valde ett. "Han är död." Sedan såg han färgen försvinna från hennes ansikte. Hon klamrade sig fast vid dörren som för att få stöd, men hon släppte fortfarande inte in honom.

"Ni kanske vill sitta ner?" föreslog Rebus.

"Vad hände?"

"Vi vet inte riktigt, det är därför jag vill tala med Jake."

"Ni vet inte riktigt?"

"Skulle kunna vara en olyckshändelse. Jag försöker fylla i lite bakgrund."

"Jake är inte här."

"Jag vet, jag har försökt få tag på honom."

"Det är någon från personalavdelningen som ringer hela tiden."

"För min räkning."

Hon nickade långsamt. "Han är ändå inte här." Hon hade inte tagit bort handen från dörrkarmen.

"Kan jag lämna ett meddelande till honom?"

"Jag vet inte var han är." Medan hon talade började färgen återvända till kinderna. "Stackars Mitch."

"Så ni har ingen aning om var Jake är?"

"Han ger sig ut ibland på fotvandring. Han vet inte själv var han kommer att hamna."

"Ringer han inte till er?"

"Han behöver ha lite svängrum. Det behöver jag med, men jag får mitt när jag simmar. Jake fotvandrar."

"Men han väntas tillbaka i morgon eller i övermorgon?"

Hon ryckte på axlarna. "Vem vet?"

Rebus stack handen i en ficka, skrev på en sida i anteckningsblocket, rev av den. Han sträckte fram den till henne. "Här är några telefonnummer. Vill ni be honom att han ringer mig?"

"Visst."

"Tack." Hon stirrade dystert på papperslappen, nära tårarna. "Briony, finns det någonting du kan berätta för mig om Mitch? Någonting som kanske kan vara till hjälp?"

Hon tittade upp på honom.

"Nej", sa hon. Sedan stängde hon dörren, långsamt, mitt framför näsan på honom. I den där sista skymten av henne, innan dörren skilde dem åt, hade Rebus mött hennes blick och sett någonting. Inte bara förvirring eller sorg.

Någonting mer likt rädsla. Och bakom det, en grad av beräkning.

Det slog honom att han var hungrig och längtade efter kaffe. Så de åt i Sullom Voes kantin. Det var en ren vit plats med krukväxter och skyltar med texten Rökning förbjuden. Walt pladdrade på om hur Shetlandsöarna fortfarande var mer nordiska än skotska. Nästan alla ortsnamn var norska. För Rebus var det som världens ände, och han tyckte om det. Han berättade för Walt om mannen på planet, Fårskinnsjackan.

"Åh, det låter som Mike Sutcliffe."

Rebus ville att de skulle hälsa på honom.

Mike Sutcliffe hade tagit av sig fårskinnsjackan och var iförd propra arbetskläder. De hittade honom till sist mitt inne i ett hetsigt samtal intill barlastvattentankarna. Två underlydande lyssnade medan han talade om för dem att de lätt kunde bytas ut mot gibbonapor utan att någon skulle märka det. Han pekade upp på tankarna och sedan ut mot kajerna. En tankbåt låg förtöjd vid en av dem, den var nog inte mycket större än ett halvdussin fotbollsplaner. Sutcliffe upptäckte Rebus och tappade tråden i sin argumentation. Han skickade iväg jobbarna och började gå därifrån. Det var bara det att han först var tvungen att ta sig förbi Rebus.

Rebus var redo med ett leende. "Mr Sutcliffe, har ni ordnat den där kartan åt mig?"

"Vilken karta?" Sutcliffe fortsatte att gå.

"Ni sa att ni kanske hade en idé om var jag kunde hitta Jake Harley."

"Gjorde jag?"

Rebus fick nästan jogga för att hålla jämna steg med honom. Han log inte längre. "Ja", sa han kyligt, "det gjorde ni."

Sutcliffe stannade så tvärt att Rebus hamnade framför honom. "Lyssna nu, kommissarien, jag står just nu upp till testiklarna i tistlar. Jag har inte tid med det här."

Och han gick, utan att möta Rebus blick. Rebus marscherade tyst bredvid. Han hängde med hundra meter, stannade sedan. Sutcliffe fortsatte att gå, såg ut som om han skulle kunna vandra iväg längs kajen och över vattnet om han var tvungen.

Rebus gick tillbaka till Walt. Han tog god tid på sig, fundersam. Avspisad och mer än så. Vad eller vem hade fått Sutcliffe att ändra sig? Framför sig såg Rebus en gammal vithårig man i kilt och skinnpung. Bilden verkade stämma.

Walt tog Rebus med sig tillbaka till sitt kontor i huvudbyggnaden. Han visade Rebus var telefonen fanns och sa att han skulle komma tillbaka med två koppar kaffe. Rebus stängde dörren och satte sig bakom skrivbordet. Han var omgiven av oljeplattformar, tankbåtar, pipelines och själva Sullom Voe – jättelika inramade fotografier på väggarna, PR-litteratur i högar, en skalenlig modell av en supertanker på skrivbordet. Rebus fick en utgående linje och ringde Edinburgh, vägde diplomati mot skitsnack och kom fram till att det kanske skulle spara tid att helt enkelt säga sanningen.

Mairie Henderson var hemma.

"Mairie. John Rebus här."

"Åh, herregud", sa hon.

"Jobbar inte du?"

"Har du inte hört talas om det bärbara kontoret? Faxmodem och en telefon, det är allt man behöver. Förresten, du är skyldig mig en tjänst."

"Vadå?" Rebus försökte låta kränkt.

"Allt det där jobbet jag gjorde åt dig, och ingen story fick jag. Det var inte schysst. Och journalister har längre minne än elefanter."

"Jag gav dig sir Iains uppsägning."

"Hela nittio minuter innan alla andra murvlar visste. Och det var ju inte precis århundradets brott. Jag *vet* att du inte berättade allt för mig."

"Mairie, du sårar mig."

"Bra. Och säg nu att detta bara är ett socialt samtal."

"Absolut. Så hur har du det?"

En suck. "Vad vill du?"

Rebus svängde nittio grader med stolen. Det var en bekväm stol, tillräckligt bra för att sova i. "Jag behöver hjälp med att gräva."

"Jag är totalt och fullständigt överraskad."

"Namnet är Weir. Han kallar sig major Weir, men graden kan vara falsk."

"T-Bird Oil?"

Mairie var en *mycket* duktig journalist. "Ja."

"Han har just hållit tal på det där konventet."

"Nästan i alla fall. Han hade någon annan att läsa upp det åt sig."

En paus. Rebus tvekade. "John, är du i Aberdeen?"

"På sätt och vis", tillstod han.

"Berätta."

"Sedan."

"Och om det finns en story…?"

"Så ligger du bra till."

"Med mer än nittio minuters försprång?"

"Absolut."

Tystnad på linjen: hon visste att han kunde ljuga. Hon var journalist, hon visste sådana saker.

"Okej, så vad vill du veta om Weir?"

"Jag vet inte. Allt. Det som är intressant."

"Yrkes- eller privatliv?"

"Båda, mest yrkes."

"Har du något telefonnummer i Aberdeen?"

"Mairie, jag är inte *i* Aberdeen. I synnerhet inte om någon frågar. Jag ringer till dig sedan."

"Jag hörde att de ska ta upp Spavenfallet igen."

"En internundersökning, det är allt."

"Som en förberedelse innan de tar upp det igen?"

Walt öppnade dörren, kom in med två muggar med kaffe. Rebus reste sig. "Jag måste sluta nu."

"Tappat målföret?"

"Hej då, Mairie."

"Jag har kollat", sa Walt. "Ditt plan går om en timme." Rebus nickade och tog kaffet. "Jag hoppas du har haft glädje av ditt besök."

Herregud, tänkte Rebus, han menar det också.

17

Den kvällen, när han hämtat sig från flygresan tillbaka till Dyce, åt
Rebus på samma indiska restaurang som Allan Mitchison frekvente-
rat: ingen slump. Han visste inte varför han ville se stället själv. Det
bara var så. Maten var hyfsad, en kyckling *dopiaza* som varken var
bättre eller sämre än vad han kunde få i Edinburgh. Gästerna var par,
unga och medelålders, deras samtal stillsamma. Det såg inte ut som
den sortens restaurang man slog runt på efter sexton dygn till havs.
Om någonting var det en plats för kontemplation, förutsatt att man åt
ensam. När Rebus fick notan mindes han beloppen på Mitchisons
kontoutdrag – de var ungefär dubbelt så stora som den aktuella
siffran.

Rebus visade sin polisbricka och bad att få tala med chefen. Man-
nen kom störtande till hans bord, med ett nervöst leende i ansiktet.

"Är det något problem?"

"Inget problem", sa Rebus.

Mannen tog notan från bordet och tänkte riva den, men Rebus
hejdade honom.

"Jag föredrar att betala", sa han. "Jag skulle bara vilja ställa några frå-
gor."

"Naturligtvis." Restaurangchefen slog sig ner mitt emot honom.
"Vad kan jag hjälpa till med?"

"En ung man vid namn Allan Mitchison brukade äta här regelbun-
det, ungefär en gång var fjortonde dag."

Restaurangchefen nickade. "Det kom in en polis och frågade om honom."

Aberdeenkriminalen: Bain hade bett dem kolla upp Mitchison, deras rapport hade varit en nästan tom sida.

"Kommer ni ihåg honom? Gästen, menar jag?"

Mannen nickade. "Mycket trevlig man, mycket stillsam. Han kom kanske tio gånger."

"Ensam?"

"Ibland ensam, ibland med en dam."

"Kan ni beskriva henne?"

Mannen skakade på huvudet. Han blev distraherad av slammer från köket. "Jag minns bara att han inte alltid var ensam."

"Varför berättade ni inte det för den andra polisen?"

Mannen tycktes inte förstå frågan. Han reste sig, avgjort med köket i tankarna. "Men det gjorde jag", sa han och avlägsnade sig.

Någonting Aberdeenpolisen lägligt hoppat över i sin rapport…

Det stod en annan utkastare vid dörren till Burke's Club, och Rebus betalade sitt inträde som alla andra. Där inne var det sjuttiotalskväll, med priser för bästa klädsel. Rebus betraktade paraden med platåskor, utsvängda byxor, midi- och maxikjolar. Mardrömsstoff: allt påminde honom om fotografierna från hans bröllop. Där fanns en John Travolta så som han såg ut i *Saturday Night Fever* och en flicka som gjorde en hyfsad imitation av Jodie Foster i *Taxi Driver*.

Musiken var en blandning av kitschdisco och retrospektiv rock: Chic, Donna Summer, Mud, Showaddywaddy, Rubettes, uppblandat med Rod Stewart, Stones, Status Quo, en rejäl dos Hawkwind och den förbannade "Hi-Ho Silver Lining".

Jeff Beck: up against the wall *now*!

En och annan låt var Rebus stil, hade förmågan att snurra iväg honom genom åren. Discjockeyn hade kvar ett exemplar av Montrose "Connection", en av de absolut bästa coverversionerna av en Stones-sång. I armén hade Rebus lyssnat på den i sin civila inkvartering sent på kvällen, spelat på en tidig Sanyo-kassettbandspelare, med en öron-snäcka instoppad så att ingen annan kunde höra. Morgonen därpå brukade han vara döv på det örat. Han flyttade öronsnäckan varje kväll för att inte drabbas av långvarig skada.

Han satt vid baren. Det verkade vara där de ensamma männen samlades i tyst värdering av dansgolvet. Båsen och borden var till för par och firmafester, gälla skrik från kvinnor som såg ut att verkligen ha roligt. De hade urringade toppar och korta snäva kjolar, och i det svaga halvljuset såg *allihop* fantastiska ut. Rebus insåg att han drack för fort, hällde mer vatten i sin whisky och bad också bartendern om mer is. Han satt i hörnet av baren, mindre än två meter från telefonautomaten. Omöjligt att använda den när musiken dånade, och än hade det inte funnits några tecken på att ljudnivån skulle sänkas. Vilket fick Rebus att fundera – enda förnuftiga tiden att använda telefonen skulle vara när det var stängt, när stället var tyst. Men då skulle det inte finnas några gäster där, bara personal...

Rebus gled ner från pallen och gick runt dansgolvet. En skylt visade att toaletterna fanns nere i en gång. Han gick in och lyssnade till hur någon i ett av båsen sniffade någonting. Sedan tvättade han händerna och väntade. Toaletten spolade, låset knäppte och en ung man i kostym kom ut. Rebus hade polisbrickan redo.

"Ni är arresterad", sa han. "Allt ni säger – "

"Stopp ett tag!" Mannen hade fortfarande vitt pulver i näsborrarna. Han var omkring tjugofem, småchef som strävade efter att bli mellanchef. Kavajen var inte dyr, men den var åtminstone ny. Rebus knuffade upp honom mot väggen, vred handtorken och tryckte på knappen så att het luft blåste över mannens ansikte.

"Så där", sa han, "blåser bort lite av talken."

Mannen vände bort ansiktet från värmen. Han darrade, hela kroppen var slak, besegrad innan de ens hunnit börja ordentligt.

"En fråga", sa Rebus, "och sedan kan du gå härifrån... hur går den där sången? Fri som fågeln. En fråga." Mannen nickade. "Var fick du det ifrån?"

"Va?"

Rebus tryckte lite hårdare. "Knarket."

"Jag gör bara det här på fredagskvällar!"

"För sista gången: var fick du tag i det?"

"Någon kille. Han är här ibland."

"Är han här i kväll?"

"Jag har inte sett honom."

"Hur ser han ut?"

"Inget speciellt med honom. Vanlig kille. *En* fråga, sa du."

Rebus släppte mannen. "Jag ljög."

Mannen fnös, rättade till kavajen. "Kan jag gå?"

"Du har redan gått."

Rebus tvättade sig om händerna, lossade på slipsknuten så att han kunde knäppa upp översta skjortknappen. Kokainmissbrukaren skulle kanske återvända till sitt bås. Han skulle kanske bestämma sig för att gå. Han skulle kanske klaga hos ledningen. De kanske betalade för att den här sortens razzior inte skulle inträffa. Han lämnade toaletten och gick på jakt efter kontoret, kunde inte hitta något. Ute i foajén fanns en trappa. Utkastaren stod parkerad framför den. Rebus talade om för smokingen att han ville tala med chefen.

"Går inte."

"Det är viktigt."

Utkastaren skakade sakta på huvudet. Blicken lämnade inte Rebus ansikte. Rebus visste vad han såg: en medelålders alkis, en patetisk figur i billig kostym. Det var dags att ta honom ur den villfarelsen. Han öppnade polisbrickan.

"Polisen", sa han till smokingen. "Det säljs knark på det här stället och jag är en sekund från att tillkalla narkotikaspanarna. Så kan jag få tala med chefen *nu?*"

Han fick tala med chefen.

"Erik Stemmons." Mannen kom runt skrivbordet för att skaka hand med Rebus. Det var ett litet kontor, men väl möblerat. Väl ljudisolerat också: basen var det enda som hördes från dansgolvet. Men där fanns videoskärmar, ett halvt dussin. Tre visade dansgolvet, två baren och en gav en allmän utblick över båsen.

"Ni borde installera en på toaletterna", sa Rebus, "det är där knarket finns. Ni har två på baren: personalproblem?"

"Inte sedan vi satte in kamerorna." Stemmons var klädd i jeans och en vit T-shirt, vars ärmar han hade rullat upp till axlarna. Han hade långa ringlande lockar, kanske permanentade, men håret började bli tunt och det fanns avslöjande fåror i ansiktet. Han var inte mycket yngre än Rebus, och ju yngre han försökte se ut, desto äldre verkade han.

"Hör ni till Grampiankriminalen?"

"Nej."

"Tänkte väl det. De flesta av dem kommer hit, goda kunder. Vill ni inte slå er ner?"

Rebus satte sig. Stemmons gjorde det bekvämt för sig bakom skrivbordet. Det var täckt med papper.

"Ärligt talat är jag förvånad över er anklagelse", fortsatte han. "Vi samarbetar till fullo med den lokala polisen, och den här klubben är lika ren som de andra i stan. Ni vet naturligtvis att det är omöjligt att helt utesluta narkotika från ekvationen."

"Någon sniffade kokain på toaletten."

Stemmons ryckte på axlarna. "Exakt. Vad kan vi göra? Kroppsvisitera alla när de kommer in? Ha en knarkhund tassande där inne?" Han gav till ett kort skratt. "Ni förstår problemet."

"Hur länge har ni bott här, mr Stemmons?"

"Jag kom över sjuttioåtta. Såg möjligheterna och stannade. Det är nästan tjugo år sedan. Jag är praktiskt taget integrerad." Ännu ett skratt, ännu en utebliven reaktion från Rebus. Stemmons lade handflatorna på skrivbordet. "Vart amerikanerna än beger sig i världen – Vietnam, Tyskland, Panama – följer entreprenörer efter. Så länge förtjänsten är god, varför ge sig av?" Han tittade ner på sina händer. "Vad är det *egentligen* ni vill?"

"Jag vill höra vad ni vet om Fergus McLure."

"Fergus McLure?"

"Ni vet, död person, bodde nära Edinburgh."

Stemmons skakade på huvudet. "Beklagar, men det namnet säger mig ingenting."

Säkert, tänkte Rebus. "Ni tycks inte ha någon telefon här inne."

"Förlåt?"

"En telefon."

"Jag har en mobil."

"Det bärbara kontoret."

"Öppet dygnet runt. Om ni har något klagomål får ni ta upp det med den lokala polisen. Jag behöver inte ta det här."

"Ni har inte sett början än, mr Stemmons."

"Hör nu här." Stemmons pekade med ett finger. "Om ni har någonting att säga, så säg det. Annars är dörren den där prylen bakom er med mässingshandtag."

"Och ni är en ovanligt stöddig person." Rebus reste sig och lutade sig över skrivbordet. "Fergus McLure hade information om en knarkliga. Han dog plötsligt. Telefonnumret till er klubb låg på hans skrivbord. McLure var inte klubbtypen precis."

"Och?"

Rebus kunde se Stemmons i en rättssal, höra honom säga exakt samma sak. Han kunde också se en jury ställa sig samma fråga.

"Hör på", sa Stemmons och veknade. "Om jag planerade en knarkaffär, skulle jag då ge den här killen McLure numret till klubbens telefonautomat, som *vem som helst* kan svara i, eller skulle jag ge honom mitt mobilnummer? Ni är polis, vad tror ni?"

Rebus såg en domare kasta ut målet.

"Johnny Bibel träffade sitt första offer här, eller hur?"

"Herregud, dra inte upp det nu. Har ni någon pervers dragning åt det makabra, eller? Vi har haft kriminalare här som trakasserat oss i veckor."

"Ni kände inte igen hans signalement?"

"Ingen gjorde det, inte ens utkastarna, och de har betalt för att komma ihåg ansikten. Jag sa till era kolleger att han kanske träffade henne när hon lämnat klubben. Vem vet?"

Rebus gick till dörren, stannade.

"Var finns er kompanjon?"

"Judd? Han är inte här i kväll."

"Har han något kontor?"

"Rummet bredvid."

"Kan jag få se det?"

"Jag har ingen nyckel."

Rebus öppnade dörren. "Har han också mobiltelefon?"

Han hade överrumplat Stemmons. Amerikanen hostade till svar.

"Hörde ni inte frågan?"

"Judd har ingen mobil. Han avskyr telefoner."

"Så vad gör han i ett nödläge? Skickar upp röksignaler?"

Men Rebus visste förbannat väl vad Judd Fuller skulle göra.

Han skulle använda en telefonautomat.

Han tyckte att han hade gjort sig förtjänt av en sista drink innan han gick hem, men hejdade sig på väg mot baren. Det satt ett nytt par i ett av båsen, och Rebus kände igen båda två. Kvinnan var blondinen från hans hotellbar. Mannen som satt bredvid henne, med armen draperad längs båsets kant, var ungefär tjugo år yngre än hon. Han hade uppknäppt skjorta och en massa guldkedjor om halsen. Antagligen hade han sett någon klädd på det viset i en film en gång. Eller så gick han kanske in för maskeradtävlingen: sjuttiotalsbov. Rebus kände igen det vårtiga ansiktet direkt.

Mad Malky Toal.

Stanley.

Rebus gjorde kopplingen, gjorde nästan för många. Han kände sig yr och märkte att han lutade sig mot telefonautomaten. Så han lyfte luren och lade i ett mynt. Han hade telefonnumret i sin anteckningsbok. Partick polisstation. Han frågade efter kommissarie Jack Morton, väntade en evighet. Han lade i mer pengar, bara för att höra någon tala om att Morton lämnat kontoret.

"Det här är viktigt", sa Rebus. "Detta är kommissarie John Rebus. Har du hans hemnummer?"

"Jag kan be honom ringa upp er", sa rösten. "Går det bra, kommissarien?"

Gick det bra? Glasgow var Ancrams hemmaplan. Om Rebus lämnade sitt nummer skulle Ancram kunna höra talas om det och veta var han fanns... Skit samma, han skulle bara vara här en dag till. Han rabblade upp numret och lade på luren, tackade Gud för att discjockeyn hade spelat en långsam låt: Python Lee Jackson, "In a Broken Dream".

Rebus hade gott om den varan, brustna drömmar.

Han satt vid baren, med ryggen mot Stanley och hans kvinna. Men han kunde se dem förvrängda i spegeln bakom flaskorna. Mörka avlägsna figurer, som ringlade sig och rätade ut sig. Självklart var Stanley i stan: hade inte han dödat Tony El? Men varför? Och två större frågor: var det en slump att han var här på Burke's Club?

Och vad gjorde han tillsammans med blondinen från hotellet?

Rebus började få sina aningar. Han lyssnade efter telefonen, hoppades på ännu en långsam skiva. Bowie, "John, I'm Only Dancing". En gitarr som lät som om någon sågade genom metall. Det spelade ingen roll: telefonen ringde inte.

"Här är en låt vi alla helst borde glömma", sa discjockeyn släpigt. "Men jag vill ändå se er dansa till den, annars kanske jag blir tvungen att spela den igen."

Lieutnant Pigeon: "Mouldy Old Dough". Telefonen ringde. Rebus kastade sig mot den.

"Hallå?"

"John? Har du stereon tillräckligt högt?"

"Jag är på ett disco."

"Vid din ålder? Är det det som är nödläget – du vill att jag övertalar dig att gå därifrån?"

"Nej, jag vill att du beskriver Eve."

"Eve?"

"Farbror Joe Toals kvinna?"

"Jag har bara sett henne på fotografi." Jack Morton funderade. "Blonderad, ett ansikte som skulle kunna bryta naglar. För tjugo eller trettio år sedan *kan* hon ha sett ut som Madonna, men jag är antagligen generös."

Eve, Farbror Joes dam – som flirtade med Rebus på ett Aberdeenhotell. Slump? Knappast. Som gjorde sig redo att pumpa honom på information? Satsade allt. Här uppe med Stanley, och de två såg ut att ha det ganska gemytligt ihop… Han kom ihåg hennes ord: *"Jag jobbar med försäljning. Produkter åt oljeindustrin."* Rebus kunde ana vad för slags produkter…

"John?"

"Ja, Jack?"

"Det här telefonnumret, är det ett Aberdeennummer?"

"Behåll det för dig själv. Skvallra inte för Ancram."

"Bara en fråga…"

"Va?"

"Är det verkligen 'Mouldy Old Dough' jag hör?"

Rebus avslutade samtalet, tömde sitt glas och gick. Det stod en bil parkerad på andra sidan gatan. Föraren vevade ner rutan så att Rebus kunde se honom. Det var kriminalinspektör Ludovic Lumsden.

Rebus log, vinkade och började gå över gatan. Han tänkte: Jag litar inte på dig.

"Tjena, Ludo", sa han. Bara en man som varit ute för att ta sig ett glas och en svängom. "Vad gör du här?"

"Du var inte på ditt rum. Jag gissade att du kanske hade gått hit."

"Bra gissat."

"Du ljög för mig, John. Du berättade för mig om en tändsticksask från Burke's Club."

"Ja."

"De har inga tändsticksaskar."

"Åh."

"Får jag bjuda på skjuts?"

"Hotellet ligger bara tjugo minuter bort."

"John." Lumsdens ögon var kalla. "Får jag bjuda på skjuts?"

"Visst, Ludo." Rebus gick runt bilen och satte sig på passagerarplatsen.

De körde ner till hamnen, stannade på en öde gata. Lumsden stängde av motorn och vände sig om i sätet.

"Och?"

"Och vad?

"Och du åkte till Sullom Voe i dag och bryddde dig inte om att informera mig. Hur kommer det sig att mitt område plötsligt har blivit *ditt*? Vad skulle du säga om jag började smyga omkring i Edinburgh bakom ryggen på dig?"

"Är jag fånge här? Jag trodde att jag var en av de hyggliga killarna."

"Det är inte din stad."

"Jag börjar förstå det. Men det kanske inte är *din* stad heller."

"Vad menar du?"

"Jag menar, vem är det egentligen som styr här, bakom scenen? Ni har ungdomar som håller på att bli tokiga av frustration, ni har en stor målgrupp redo för knark och allt annat som skulle kunna ge deras liv en kick. Inne på klubben nu i kväll såg jag den där galningen jag berättade om, Stanley."

"Toals son?"

"Ja. Tror du han är här uppe för att titta på blomsterutställningen?"

"Frågade du honom?"

Rebus tände en cigarrett, vevade ner rutan så att han kunde aska utanför. "Han såg mig inte."

"Du tycker att vi ska förhöra honom om Tony El." Ett konstaterande, inget svar krävdes. "Vad skulle han säga till oss – 'visst, det var jag som gjorde det'? Tänk efter, John."

En kvinna knackade på fönstret. Lumsden vevade ner, och hon drog igång sin svada.

"Så ni är två, ja, jag brukar inte jobba med trekanter, men ni ser ju trevliga ut… Åh, hej, mr Lumsden."

"Godkväll, Cleo."

Hon tittade på Rebus, sedan på Lumsden igen. "Jag ser att du har ändrat smak."

"Stick, Cleo." Lumsden vevade upp rutan igen. Kvinnan försvann i mörkret.

Rebus vände sig mot Lumsden. "Jag vet inte hur korrumperad du är. Jag vet inte vems pengar som kommer att betala för min hotellvistelse. Det finns en massa saker jag inte vet, men jag börjar känna att jag *kan* den här stan. Jag kan den därför att den i stort sett är som Edinburgh. Jag vet att man skulle kunna leva här i åratal utan att se det som finns under ytan."

Lumsden började skratta. "Du har varit här – hur länge? – en och en halv dag? Du är turist här, tro inte att du *kan* stan. Jag har varit här fan så mycket längre, och inte ens jag skulle kunna påstå det."

"Ändå, Ludo…" sa Rebus tyst.

"Leder detta någonstans?"

"Jag trodde att det var du som ville prata."

"Men du är den som pratar."

Rebus suckade, talade långsamt som till ett barn. "Farbror Joe kontrollerar Glasgow, inklusive – min gissning – en stor del av knarkhandeln. Nu är hans son här uppe och sitter och dricker på Burke's Club. En Edinburghtjallare hade viss information om en sändning på väg norrut. Han hade också telefonnumret till Burke's. Han dog." Rebus lyfte ett finger. "Det där är *en* tråd. Tony El torterade en oljearbetare, som dog av det. Tony El skyndade tillbaka hit upp men gick snyggt och prydligt bort. Det där är tre dödsfall hittills, allihop misstänkta, och ingen gör mycket åt det." Ett andra finger. "Tråd två. Finns det ett samband mellan de båda? Jag vet inte. Det enda de har gemensamt för ögonblicket är Aberdeen. Men det är en början. Du känner inte mig, Ludo, en början är allt jag behöver."

"Kan jag få byta ämne lite?"

"Varsågod."

"Hittade du någonting på Shetlandsöarna?"

"Bara en obehaglig känsla. Det är en hobby jag har, jag samlar på dem."

"Och i morgon ska du ut till Bannock?"

"Du har varit flitig."

"Några telefonsamtal var allt som behövdes. Vet du en sak?" Lumsden startade bilen. "Det ska bli skönt att bli av med dig. Mitt liv var enklare innan du kom."

"Aldrig ett tråkigt ögonblick", sa Rebus och öppnade dörren.

"Vart ska du?"

"Jag promenerar. Skön kväll för det."

"Gör som du vill."

"Det gör jag alltid."

Rebus såg bilen försvinna, svänga runt ett hörn. Han lyssnade till det allt svagare motorljudet, slängde cigarretten och började gå. Det första ställe han passerade var Yardarm. Det var Exotisk danskväll, med en fågelskrämma vid dörren som tog inträde. Rebus hade gjort det här innan. Exotiska dansare hade haft sin glanstid i slutet av sjuttiotalet, varenda pub i Edinburgh tycktes ha dem: män som tittade bakom ölglas, strippan som valde ut sina tre skivor från jukeboxen, en insamling efteråt om man ville att hon skulle gå lite längre.

"Bara två pund, kompis", ropade fågelskrämman, men Rebus skakade på huvudet och fortsatte att gå.

Samma nattljud hördes runt honom: druckna rop, visslingar och fåglar som inte visste hur sent det var. Några radiopoliser som ställde frågor till två tonåringar. Rebus gick förbi, bara ännu en turist. Lumsden hade kanske rätt, men Rebus trodde inte det. Aberdeen kändes väldigt mycket som Edinburgh. Ibland besökte man en stad och kunde inte få grepp om den, men detta var inte en av dem.

På Union Terrace fanns en låg stenmur mellan honom och parken som låg i en ravin nedanför. Han såg att hans bil fortfarande stod parkerad på andra sidan gatan, utanför hotellet. Han tänkte just snedda över när händer grep tag i hans armar och drog honom baklänges. Han kände hur muren träffade honom i korsryggen, kände hur han tippade baklänges, upp och ner.

Föll, rullade… kanade nerför den branta sluttningen ner i parken, kunde inte få stopp på sig själv, så han följde med i rullningen. Han slog i buskar, kände hur de rev sönder skjortan. Näsan plöjde upp jord, tårar trängde fram i ögonen. Sedan låg han på platta marken. Klippt gräs. Låg andfådd på rygg, adrenalin maskerade eventuell omedelbar smärta. Fler ljud: brak genom buskar. De följde efter honom ner. Han reste sig halvvägs upp på knä, men fälldes av en fot så att han föll framstupa. Foten placerades hårt på hans huvud, höll kvar det så att han sög i sig gräs och näsan kändes som om den skulle gå av. Någon vred hans händer bakom ryggen och uppåt, trycket precis lagom: pinande smärta kunde inte övervinna vetskapen om att han skulle dra en arm ur led ifall han rörde sig.

Två män, minst två. En med foten. En som skötte armarna. De alkoholhaltiga gatorna verkade vara långt borta, trafiken ett avlägset brummande. Nu någonting kallt mot tinningen. Han visste vad det var – ett handeldvapen, kallare än torr is.

En röst väste, tätt intill hans öra. Blod bultade där, så han fick anstränga sig för att höra den. En väsning nära en viskning, svår att identifiera.

"Här kommer ett meddelande, så jag hoppas du hör på."

Rebus sa ingenting. Han hade munnen full av jord.

Han väntade på meddelandet, men det kom inte. Sedan kom det.

Pistolslag mot sidan av huvudet, alldeles ovanför örat. En explosion av ljus bakom ögonen. Sedan mörker.

Han vaknade och det var fortfarande natt. Satte sig upp och såg sig omkring. Ögonen sved när han rörde dem. Han kände på huvudet – inget blod. Det hade inte varit den sortens slag. Trubbigt, inte vasst. Bara ett att döma av hur det kändes. Sedan han förlorat medvetandet hade de lämnat honom. Han trevade i fickorna, hittade pengar, bil-nycklar, polisbricka och alla sina kort. Men det hade ju inte varit något rån. Det hade varit ett meddelande, var det inte det de själva hade sagt?

Han försökte ställa sig upp. Det gjorde ont i sidan. Han tittade, såg att han skrapat den när han rullat nerför sluttningen. En skråma i pannan också, och näsan hade blött lite. Han granskade marken runt om-kring sig, men de hade inte lämnat några spår. Det skulle inte ha varit professionellt. Ändå försökte han så gott han kunde följa den väg de kommit ner, ifall något skulle lämnats kvar.

Inget. Han släpade sig tillbaka över muren. En taxichaufför såg på honom med avsmak och trampade hårdare på gasen. Han hade sett ett fyllo, en lodis, en förlorare.

Förra årets man.

Rebus haltade över gatan in på hotellet. Kvinnan i receptionen sträckte sig efter telefonen, redo att kalla på hjälp, men kände sedan igen honom från tidigare.

"Vad i all världen har hänt med er?"

"Ramlade nerför en trappa."

"Ska jag ringa efter en läkare?"

"Bara min nyckel, tack."

"Vi har en första förbandslåda."

Rebus nickade. "Skicka upp den till mitt rum."

Han tog ett bad, ett långt skönt bad, torkade sig sedan och undersökte skadorna. Tinningen var svullen där pistolen haft kontakt, och han hade en huvudvärk värre än ett halvt dussin baksmällor. Några taggar hade borrat sig in i hans sida, men han lyckades dra ut dem med naglarna. Han rengjorde skråman, inget behov av plåster. Det skulle kanske värka i morgon bitti, men han skulle antagligen kunna sova, bara inte det tickande ljudet kom tillbaka. En dubbel konjak hade kommit tillsammans med första förbandet. Han läppjade på den, handen darrade. Han låg på sängen och ringde hem, kollade telefonsvararen. Ancram, Ancram, Ancram. Det var för sent att ringa till Mairie, men han provade med Brian Holmes nummer. En massa signaler senare lyfte Holmes luren.

"Ja?"

"Brian, det är jag."

"Vad vill du?"

Rebus höll ögonen hårt hopknipta. Svårt att tänka förbi smärtan. "Varför har du inte berättat att Nell har gett sig av?"

"Hur vet du det?"

"Jag åkte hem till dig. Jag känner igen en ungkarlslya när jag ser en. Vill du prata om det?"

"Nej."

"Är det samma problem som tidigare?"

"Hon vill att jag lämnar polisen."

"Och?"

"Och hon har kanske rätt. Men jag har försökt förut, och det är svårt."

"Jag vet."

"Men det finns mer än ett sätt att sluta."

"Hur menar du?"

"Inget." Och han vägrade säga mer om det. Han ville prata om Spavenfallet. Kontentan av det han kommit fram till efter sin genomläsning: Ancram skulle ana hemligt samförstånd, en viss återhållsamhet med sanningen. Därmed inte sagt att han kunde göra någonting av det.

"Jag har också sett att du förhörde en av Spavens vänner den gången, Fergus McLure. Han har just dött."

"Nämen."

"Drunknat i kanalen, utåt Ratho till."

"Vad sa obduktionen?"

"Han fick ett otrevligt slag mot huvudet innan han hamnade i vattnet. Det har behandlats som misstänkt, så…"

"Så?"

"Så om jag var du skulle jag hålla mig undan. Vill ju inte ge Ancram mer ammunition."

"På tal om Ancram…"

"Han letar efter dig."

"Jag missade liksom vårt första samtal."

"Var är du?"

"Ligger lågt." Med slutna ögon och tre panodil i magen.

"Jag tror inte han gick på det där med att du hade influensa."

"Det är hans problem."

"Kanske."

"Så du är klar med Spaven?"

"Ser så ut."

"Hur var det med den där fången? Han som var den siste som talade med Spaven?"

"Jag håller på med det, men jag tror inte han har någon fast bostad, kan ta ett tag."

"Jag uppskattar det verkligen, Brian. Har du någon förklaring till hands ifall Ancram får veta?"

"Inga problem. Sköt om dig, John."

"Du med, grabben." *Grabben*? Var hade *det* kommit ifrån? Rebus lade på luren och tog fjärrkontrollen till TV:n. Strandvolleyboll skulle vara precis lagom för honom…

Död råolja

18

Olja: svart guld. Nordsjöns prospekterings- och exploateringsrättigheter hade för länge sedan delats upp. Oljebolagen lade ner massor av pengar på den inledande prospekteringen. Ett område kanske inte gav någon olja eller gas alls. Fartyg skickades ut lastade med vetenskaplig utrustning, deras uppgifter studerades och diskuterades – allt detta innan en enda provkälla borrats. Reserverna kunde ligga tretusen meter under havsbotten – Moder Natur var inte angelägen om att släppa ifrån sig sin dolda skatt. Men plundrarna hade ständigt mer teknisk expertis. Vattendjup på tvåhundra meter var inte längre något problem för dem. Faktum var att det vid de senaste upptäckterna – Atlantolja, tvåhundra kilometer väster om Shetlandsöarna – handlade om vattendjup på mellan fyra- och sexhundra meter.

Om provborrningen gav positivt resultat, visade på reserver värda satsningen, byggdes en produktionsplattform, plus alla de olika modulerna som hörde till. I vissa delar av Nordsjön var vädret alltför oförutsägbart för tankerlastning, så pipelines måste byggas – Brent- och Ninianledningarna förde råolja direkt till Sullom Voe, medan andra pipelines förde gas till Aberdeenshire. Allt detta, och ändå visade sig oljan vara egensinnig. På många fält kunde man bara räkna med att hämta upp fyrtio eller femtio procent av den tillgängliga reserven, men så bestod reserven också av kanske en och en halv miljard fat.

Sedan var det själva plattformen, ibland trehundra meter hög, en stålkonstruktion som vägde fyrtiotusen ton, täckt av åttahundra ton färg, och med modulernas och utrustningens ytterligare vikt på totalt trettiotusen ton. Siffrorna var svindlande. Rebus försökte ta in dem men gav upp efter en stund och bestämde sig för att bara vara imponerad. En gång hade han sett en oljerigg, när han varit och hälsat på släktingar i Methil. Gatan med monteringsfärdiga bungalows ledde ner till byggplatsen, där ett tredimensionellt stålgaller låg på sidan och tornade upp sig mot himlen. Det hade varit spektakulärt redan på en och en halv kilometers håll. Han mindes det nu när han tittade på blanka fotografier i broschyren, en broschyr som endast handlade om Bannock. Plattformen, läste han, bar på femtonhundra kilometer elektrisk kabel och kunde inkvartera nästan tvåhundra arbetare. När skalet väl hade bogserats ut till oljefältet och förankrats där, placerades ett drygt dussin moduler ovanpå, allt från bostäder till olje- och gasseparering. Hela konstruktionen var gjord för att klara vindar på upp till hundra knop, och stormar med trettio meter höga vågor.

Rebus hoppades på stilla vatten i dag.

Han satt i en vänthall på Dyce Airport, bara lite nervös inför den flygtur han snart skulle företa. Broschyren försäkrade honom att säkerhet var av yttersta vikt i "en så potentiellt riskfylld miljö" och visade honom bilder av brandsläckningsteam, ett säkerhets- och stödfartyg i ständig beredskap och fullt utrustade livbåtar. "Vi har tagit lärdom av Piper Alpha." Piper Alpha-plattformen, nordost om Aberdeen: över etthundrasextio dödsoffer en sommarnatt 1988.

Mycket lugnande.

Den lägre tjänsteman som gett honom broschyren hade sagt att han hoppades att Rebus tagit med sig någonting att läsa.

"Varför?"

"Därför att flygturen kan ta sammanlagt tre timmar, och det mesta av tiden är det för bullrigt för att prata."

Tre timmar. Rebus hade gått in i terminalens butik och köpt sig en bok. Han visste att resan bestod av två etapper – Sumburgh först, och sedan en Super Puma-helikopter ut till Bannock. Tre timmar ut, tre timmar tillbaka. Han gäspade, tittade på klockan. Inte riktigt åtta än. Han hade hoppat över frukosten – gillade inte tanken på att få upp den igen under flygningen. Hans totala konsumtion denna morgon:

fyra panodil, ett glas apelsinjuice. Han höll ut händerna framför sig: darrning han kunde skylla på efterchock.

Det fanns två anekdoter han gillade i broschyren: han fick veta att "derrick" – borrtorn – fått sitt namn efter en sextonhundratalsbödel. Och att den första oljan kommit i land i Cruden Bay, där Bram Stoker en gång tagit semester. Från den ena sortens vampyrism till den andra... bara det att broschyren inte uttryckte det så.

En TV stod på framför honom, visade en säkerhetsvideo. Den talade om vad man skulle göra om ens helikopter störtade i Nordsjön. Det såg alltsammans mycket elegant ut på videon: ingen greps av panik. De gled ur sina säten, letade reda på de uppblåsbara livflottarna och slängde ner dessa i en inomhusbassängs stilla vatten.

"Store tid, vad har hänt med dig?"

Han tittade upp. Ludovic Lumsden stod där med en hopvikt tidning i kavajfickan och en kaffemugg i handen.

"Överfallen", sa Rebus. "Du känner väl händelsevis inte till någonting om det?"

"Överfallen?"

"Två män väntade på mig i går kväll utanför hotellet. Slängde mig över muren in i parken och satte sedan en pistol mot mitt huvud." Rebus masserade bulan vid tinningen. Det kändes värre än det såg ut.

Lumsden slog sig ner ett par platser längre bort, såg bestört ut. "Hann du se dem?"

"Nej."

Lumsden ställde ner sitt kaffe på golvet. "Tog de någonting?"

"De ville inte ha någonting. De ville bara ge mig ett meddelande."

"Va?"

Rebus rörde vid tinningen. "En smäll."

Lumsden rynkade pannan. "Var det meddelandet?"

"Jag tror det var meningen att jag skulle läsa mellan raderna. Du kanske är bra på att översätta?"

"Vad menar du?"

"Inget." Rebus stirrade stint på honom. "Vad gör du här?"

Lumsden tittade ner i stengolvet, med tankarna på annat. "Jag följer med dig."

"Varför?"

"Oljekontaktman. Du ska besöka en rigg. Jag bör vara med."

"För att hålla ett öga på mig?"

"Det är rutin." Han tittade mot TV:n. "Oroa dig inte för att vi ska behöva nödlanda på havet, jag har fått utbildningen. Den går i korthet ut på att man har fem minuter på sig när man väl har slagit i vattnet."

"Och efter fem minuter?"

"Hypotermi." Lumsden lyfte upp kaffemuggen, drack ur den. "Så be till Gud att vi inte träffar på en storm där ute."

Efter Sumburgh Airport fanns inget utom hav och en himmel större än någon Rebus sett förut, överdragen med tunna moln. Den två-motoriga Puman flög lågt och ljudligt. Interiören var trång, och detsamma gällde skyddsdräkterna som de hade tvingats sätta på sig. Rebus var en lysande brandgul sak med kapuschong, och han hade blivit beordrad att dra upp blixtlåset till hakan. Piloten ville att han skulle ha kapuschongen uppe också, men Rebus märkte att om han satt ner med kapuschongen över huvudet, så hotade dräktens gren att skära sönder pungen på honom. Han hade flugit helikopter förut – när han låg i det militära – men bara korta sträckor. Det var möjligt att konstruktionen förändrats genom åren, men Puman var inte tystare än de gamla luftfarkoster armén hade använt. Alla hade emellertid öronskydd, genom vilka piloten kunde tala till dem. Två andra män, kontraktingenjörer, flög tillsammans med dem. Från flyghöjd såg Nordsjön fridfull ut, lugna dyningar visade strömmarna. Vattnet såg svart ut, men det var bara molntäcket. Broschyren hade varit mycket detaljerad angående åtgärder mot nersmutsning. Rebus försökte läsa sin bok, men kunde inte. Den vibrerade på hans knän, fick orden att bli suddiga, och han kunde hur som helst inte koncentrera sig på intrigen. Lumsden tittade ut genom fönstret, kisade i ljuset. Rebus visste att Lumsden höll ett öga på honom, och han gjorde det därför att Rebus kommit åt något ömtåligt föregående kväll. Lumsden knackade honom på axeln, pekade genom fönstret.

Det fanns tre oljeriggar nedanför dem, borta i öster. Ett tankfartyg var på väg bort från en av dem. Lysande gula eldslågor slickade himlen.

Piloten talade om för dem att de skulle passera väster om Ninian- och Brentfälten innan de nådde Bannock. Senare kom han tillbaka i radion.

"Nu är det Bannock som närmar sig."

Rebus tittade förbi Lumsdens axel, såg den ensamma plattformen komma i sikte. Den högsta delen var lågan, men där fanns inga flammor. Det berodde på att Bannock närmade sig slutet av sitt verksamma liv. Ytterst lite gas och olja fanns kvar att utnyttja. Bredvid lågan fanns ett torn, som såg ut som en korsning av fabriksskorsten och rymdraket. Den var målad röd- och vitrandig, liksom lågan. Det var antagligen borrtornet. Rebus kunde läsa orden T-Bird Oil på stålkonstruktionen nedanför det, tillsammans med områdesnumret – 211/7. Tre stora kranar stod vid plattformens ena kant, medan ett helt hörn fått bli helikopterplatta, grönmålad med en gul ring runt bokstaven H. Rebus tänkte: en enda vindstöt skulle kunna tippa oss över kanten. Det var sjuttio meter ner till det väntande havet. Brandgula livbåtar klamrade sig fast vid stålkonstruktionens undersida, och i ett annat hörn stod lager med vita baracker, som bulkcontainrar. Ett fartyg låg bredvid plattformen – säkerhets- och stödfartyget.

"Hallå", sa piloten, "vad är det här?"

Han hade fått syn på ytterligare en båt, som cirklade runt plattformen på kanske sjuhundra meters håll.

"Aktivister", sa han. "Förbannade idioter."

Lumsden tittade ut genom sitt fönster och pekade. Rebus såg den: en smal orangemålad båt, med seglen nere. Den såg ut att vara mycket nära säkerhetsfartyget.

"Det där är livsfarligt", sa Lumsden. "Men å andra sidan…!"

"Jag gillar en polis med balanserad uppfattning."

De svepte ut till havs igen och skevade brant, satte sedan kurs mot helikopterplattan. Rebus var djupt försjunken i bön medan de tycktes kränga vilt, bara cirka femton meter ovanför däck. Han kunde se helikopterplattan, sedan vita gäss på vattnet, sedan helikopterplattan igen. Och så var de nere, landade på vad som såg ut som ett fisknät, över det vita stora H:et. Dörrarna öppnades och Rebus tog av sig öronskyddden. De sista orden han hörde i dem var: "Håll ner huvudet när du kommer ut."

Han höll ner huvudet när han kom ut. Två män i orangefärgade overaller, med gula skyddshjälmar och öronskydd, ledde bort dem från helikopterplattan och delade ut skyddshjälmar. Ingenjörerna fördes åt ett håll, Rebus och Lumsden åt ett annat.

"Du vill säkert ha en mugg te efter det där", sa deras guide. Han såg att Rebus hade problem med hjälmen. "Du kan ändra remmen." Han visade honom hur. Det blåste en kraftig vind, och Rebus sa någonting om det. Mannen skrattade.

"Detta är kav lugnt", skrek han in i vinden.

Rebus ville hålla fast i någonting. Det var inte bara blåsten, det var känslan av hur bräckligt hela det här företaget var. Han hade väntat sig att få se och känna lukt av olja, men den mest påtagliga produkten här omkring var inte olja – det var havsvatten. Nordsjön omslöt honom, massiv jämfört med denna prick av hopsvetsad metall. Den nästlade sig in i hans lungor, de salta vindarna sved i hans kinder. Den reste sig i väldiga vågor som för att uppsluka honom. Den verkade större än himlen ovanför den, en kraft lika hotfull som någon annan i naturen. Guiden log.

"Jag vet precis vad du tänker. Jag tänkte samma sak när jag kom hit första gången."

Rebus nickade. Nationalisterna sa att oljan tillhörde Skottland, oljebolagen hade exploateringsrättigheterna, men bilden här ute berättade en annan historia: havet ägde oljan och skulle inte släppa den ifrån sig utan strid.

Deras guide förde dem till kantinens relativa trygghet. Där var rent och tyst, med tegelkar fyllda med växter, och långa vita bord redo för nästa skift. Ett par brandgula overaller satt och drack te vid ett bord, medan det vid ett annat satt tre män i rutiga skjortor och åt chokladkakor och yoghurt.

"Ser ut som ett dårhus vid måltiderna", sa guiden och tog en bricka. "Är te okej?"

Lumsden och Rebus sa att te blev bra. Där fanns en lång serveringslucka, och en kvinna som log mot dem i bortre änden.

"Hej, Thelma", sa deras guide. "Tre te. Lunchen luktar gott."

"Ratatouille, biff och pommes frites eller chile con carne." Thelma hällde upp te ur en stor kanna.

"Kantinen är öppen dygnet runt", berättade guiden för Rebus. "De flesta äter för mycket när de först kommer hit. Puddingarna är livsfarliga." Han klappade sig på magen och skrattade. "Har jag inte rätt, Thelma?" Rebus tänkte på mannen på Yardarm, som sagt ungefär samma sak.

Till och med när han satt ner kändes Rebus ben darriga. Han skyllde det på flygturen. Deras guide presenterade sig som Eric och sa att eftersom de var poliser kunde de hoppa över introduktionsvideon om säkerhet.

"Fast egentligen borde jag visa er den."

Lumsden och Rebus skakade på huvudena, och Lumsden frågade när plattformen skulle tas ur drift.

"Den sista oljan har redan pumpats upp", sa Eric. "In med en sista last havsvatten i reservoaren och de flesta av oss kommer att mönstra av. Bara underhållspersonal kvar, tills de bestämt sig för vad de ska göra med henne. Men de borde nog bestämma sig snabbt, bara att bemanna den här med underhållsskift är en dyrbar historia. Man är fortfarande tvungen att frakta hit förråd, nya skift, och man måste ha kvar säkerhetsfartyget. Allt kostar pengar."

"Vilket är okej så länge Bannock producerar olja?"

"Exakt", sa Eric. "Men när den inte producerar… tja, då börjar revisorerna få hjärtklappning. Vi förlorade ett par dar i förra månaden, något problem med värmeväxlarna. Vips var de här ute och viftade med sina miniräknare…" Eric skrattade.

Han såg inte ett dugg ut som legendens oljeriggarbetare, den hårdföre tuffingen. Han var en mager karl på en och sextiofem, med stålbågade glasögon ovanför en vass näsa och spetsig haka. Rebus tittade på de andra männen i kantinen och försökte få dem att stämma med bilden av "oljebjörnen", med ansiktet svart av råolja och biceps som svällde när han kämpade mot sprutande olja. Eric såg honom titta.

"De tre där borta", han menade de rutiga skjortorna, "jobbar i kontrollrummet. Nästan allt nuförtiden är datoriserat: logiska kretsar, datorövervakning… Du borde be om en rundtur, det är som NASA eller något, och det behövs bara tre eller fyra personer till att sköta hela systemet. Vi har kommit en bit sedan 'Texas Tea'."

"Vi såg några aktivister i en båt", sa Lumsden och hällde socker i sin mugg.

"De är inte kloka. Det här är farliga vatten för ett fartyg av den storleken. Plus att de ligger alldeles för nära, det behövs inte mer än en häftig vindstöt för att de ska blåsa in i plattformen."

Rebus vände sig till Lumsden. "Du representerar ju Grampianpolisen här, du borde kanske göra något."

Lumsden fnös och vände sig till Eric. "De har väl inte gjort något olagligt än, eller hur?"

"Det enda de har brutit mot hittills är de oskrivna sjölagarna. När ni har druckit ert te vill ni träffa Willie Ford, stämmer det?"

"Ja", sa Rebus.

"Jag sa åt honom att vi skulle möta honom i rekreationsrummet."

"Jag vill gärna se Allan Mitchisons rum också."

Eric nickade. "Willies rum: hytterna här är för två."

"Vad händer", sa Rebus, "när plattformen tas ur drift – någon aning om vad T-Bird tänker göra med den?"

"Kan fortfarande sluta med att de sänker den."

"Efter problemet med Brent Spar?"

Eric ryckte på axlarna. "Revisorerna är för. De behöver bara två saker: regeringen på sin sida, och en bra PR-kampanj. Den senare är redan i full gång."

"Under ledning av Hayden Fletcher?" gissade Rebus.

"Det stämmer." Eric tog sin hjälm. "Klara?"

Rebus tömde sin mugg. "Vi följer dig."

Utanför var det nu "stormigt" – Erics beskrivning. Rebus höll sig i en ledstång när han gick. Några arbetare lutade sig ut över plattformens sida. Bortom dem kunde Rebus se vatten som skummade högt. Han gick fram till relingen. Säkerhetsfartyget skickade iväg vattenstrålar i riktning mot protestbåten.

"Försöker skrämma iväg dem", förklarade Eric. "Hindra dem från att komma för nära benen."

Jesus, tänkte Rebus, varför just i dag? Han kunde se framför sig hur protestbåten rammade plattformen och tvingade fram en evakuering... Strålarna fortsatte sitt arbete, alla fyra. Någon gav honom en

kikare och han riktade den mot protestfartyget. Brandgula oljeställ –
ett halvdussin figurer på däck. Banderoller fastknutna vid relingen.
INGEN DUMPNING. RÄDDA VÅRA HAV.

"Den där båten ser inte alltför pigg ut i mina ögon", sa någon.

Figurer försvann ner under däck, kom upp igen, viftade med armarna medan de förklarade någonting.

"Dumma djävlar, de har antagligen låtit motorn bli sur."

"Vi kan inte låta henne ligga och driva."

"Skulle kunna vara en trojansk häst, grabbar."

De skrattade allihop åt det. Eric avlägsnade sig, Rebus och Lumsden följde efter. De klättrade upp och ner för lejdare. På vissa ställen kunde Rebus se rätt ner genom stålgolvets gallerverk på det kokande havet inunder. Det fanns kablar och ledningar överallt, men ingenstans där man kunde snubbla över dem. Till sist öppnade Eric en dörr och ledde dem nerför en korridor. Det var en befrielse att slippa blåsten. Det gick upp för Rebus att de befunnit sig utomhus i hela åtta minuter.

De passerade rum med biljardbord, och bordtennisbord, darttavlor, videospel. Videospelen verkade populära. Ingen spelade bordtennis.

"En del plattformar har simbassäng", sa Eric, "men inte vi."

"Är det som jag inbillar mig", frågade Rebus, "eller kände jag just hur golvet rörde sig?"

"Jodå", sa Eric, "det finns en viss elasticitet, måste vara så. I en kraftig dyning skulle man kunna svära på att hon kommer att slita sig." Och han skrattade igen. De fortsatte att gå längs korridoren, förbi ett bibliotek – ingen där – och ett TV-rum.

"Vi har tre TV-rum", förklarade Eric. "Bara satellit-TV, men för det mesta föredrar killarna videofilmer. Willie ska finnas här inne."

De steg in i ett stort rum med ett tjugotal stolar och en storbilds-TV. Där fanns inga fönster, och belysningen var dämpad. Åtta eller nio män satt, med armarna i kors, framför skärmen. De klagade över någonting. En man stod vid videon, med ett band i handen, vred och vände på det. Han ryckte på axlarna.

"Ledsen för det här", sa han.

"Det där är Willie", sa Eric.

Willie Ford var i början av de fyrtio, välbyggd men något böjd, med reglementsenlig klippning: ner till träet. Näsan täckte en fjärdedel av ansiktet, ett skägg skyddade det mesta av resten. Med mer solbränna skulle han se ut precis som en muslimsk fundamentalist. Rebus gick fram till honom.

"Är det du som är från polisen?" frågade Willie Ford. Rebus nickade.

"Infödingarna ser oroliga ut."

"Det är den här videon. Det var meningen att det skulle vara *Black Rain*, ni vet, Michael Douglas. Men istället är det någon japansk rulle med samma namn, som bara handlar om Hiroshima. Nära skjuter ingen hare." Han vände sig till publiken. "Man kan inte alltid få som man vill. Ni får nöja er med någonting annat." Ryckte sedan på axlarna och gick ut, följd av Rebus. De fyra gick tillbaka längs korridoren och in i biblioteket.

"Så ni har hand om underhållningen, mr Ford?"

"Nej, jag gillar bara videofilmer. Det finns ett ställe i Aberdeen som hyr ut på fjorton dar. Jag brukar ta några med mig ut." Han höll fortfarande i filmen. "Jag fattar inte det här. Den senaste filmen på något annat språk som det där gänget tittade på var antagligen *Emmanuelle*."

"Skaffar ni porrfilmer?" frågade Rebus, som om han bara konverserade.

"Dussinvis."

"Vilken sort...?"

"Det varierar." En road blick. "Jaså kommissarien, har du flugit ända hit ut för att fråga mig om snuskiga videofilmer?"

"Nej, jag kom för att fråga er om Allan Mitchison."

Fords ansikte mulnade som himlen utanför. Lumsden tittade ut genom fönstret, undrade kanske om de skulle behöva övernatta...

"Stackars Mitch", sa Ford. "Jag kan fortfarande inte fatta det."

"Ni delade rum?"

"Det senaste halvåret."

"Mr Ford, vi har inte så gott om tid, så jag hoppas ni ursäktar om jag går rakt på sak." Rebus gjorde en paus för att låta honom smälta detta. Han hade tankarna till hälften på Lumsden. "Mitch blev dödad av en man som hette Anthony Kane, en buse som mördade mot betalning. Kane jobbade tidigare åt en gangsterkung i Glasgow, men den senaste tiden tycks han ha opererat på egen hand från Aberdeen. I förrgår kväll hittades också mr Kane död. Vet ni *varför* Kane skulle vilja döda Mitch?"

Ford såg chockad ut, blinkade några gånger och gapade. Eric såg också tvivlande ut, medan Lumsden låtsades vara enbart yrkesmässigt intresserad. Till sist kunde Ford tala igen.

"Jag… jag har ingen aning", sa han. "Skulle det kunna vara ett misstag?"

Rebus ryckte på axlarna. "Det skulle kunna vara vad som helst. Det är därför jag försöker sammanställa en bild av Mitchs liv. Och till det behöver jag hans vänners hjälp. Vill ni hjälpa mig?"

Ford nickade. Rebus satte sig på en stol. "Då", sa han, "kan ni börja med att berätta om honom, berätta allt ni kan för mig."

Vid någon tidpunkt vandrade Eric och Lumsden iväg för att äta lunch. Lumsden hade med sig smörgåsar tillbaka till Rebus och Willie Ford. Ford talade, gjorde bara uppehåll för att dricka vatten. Han berättade allt det för Rebus som Allan Mitchison berättat för honom om sin bakgrund – föräldrarna som inte var hans riktiga föräldrar, special- skolan med sovsalarna. Det var därför Mitch gillade oljeplattformar – känslan av kamratskap, och den delade inkvarteringen. Rebus började förstå varför hans lägenhet i Edinburgh förblivit oälskad. Ford visste mycket om Mitch, visste att fotvandring och ekologi varit några av hans fritidsintressen.

"Var det därför han blev god vän med Jake Harley?"

"Är det han på Sullom Voe?" Rebus nickade. Ford nickade med honom. "Ja, Mitch berättade om honom. De var intresserade av eko- logi båda två."

Rebus tänkte på demonstrationsbåten utanför… tänkte på Allan Mitchison som arbetade i en bransch som var måltavla för de grönas protester.

"Hur involverad var han?"

"Han var ganska aktiv. Jag menar, med vårt arbetsschema går det inte att vara aktiv hela tiden. Sexton dygn varje månad var han på havet. Vi får TV-nyheter, men inte mycket till tidningar – i alla fall inte den sorten Mitch tyckte om att läsa. Men det hindrade honom inte från att organisera den där konserten. Den stackars fan såg fram mot den."

Rebus rynkade pannan. "Vilken konsert?"

"I Duthie Park. I kväll, tror jag, om vädret håller i sig."

"Protestkonserten?" Ford nickade. "Var det Allan Mitchison som *organiserade* den?"

"Ja, han gjorde sin del. Kontaktade ett par av banden för att höra om de kunde spela."

Tankarna snurrade i Rebus huvud. Dancing Pigs skulle spela på den konserten. Mitchison var en av deras stora beundrare. Ändå hade han inte haft någon biljett till deras Edinburghspelning… Nej, för han hade inte behövt någon – *han fanns med på gästlistan*! Vilket betydde exakt vad?

Svar: inte ett jävla dugg.

Utom att Michelle Strachan hade blivit mördad i Duthie Park…

"Mr Ford, var inte Mitchs arbetsgivare bekymrad över hans… lojalitet?"

"Man *måste* inte gilla att våldta världen för att få jobb i den här branschen. Faktum är att som bransch betraktad är den betydligt renare än vissa andra."

Rebus funderade på detta. "Mr Ford, kan jag få titta på er hytt?"

"Visst."

Hytten var liten. Man skulle inte vilja lida av nattlig klaustrofobi. Där fanns två smala enmanssängar. Ovanför Fords säng satt bilder. Ingenting ovanför den andra sängen mer än hål där häftstiften suttit.

"Jag packade ner alla hans grejer", förklarade Ford. "Vet du om det finns någon…"

"Det finns ingen."

"Så Oxfam kanske."

"Vad ni vill, mr Ford. Låt oss kalla er den inofficielle testamentsexekutorn."

Det blev för mycket. Ford sjönk ner på sin säng, med huvudet i händerna. "Åh, gud", sa han och vaggade. "Herre, herregud."

Taktfulle John. Trumpetar ut dåliga nyheter. Med tårar i ögonen ursäktade sig Ford och lämnade rummet.

Rebus började arbeta. Han öppnade lådor och den lilla inbyggda garderoben, men hittade till sist det han sökte under Mitchisons säng. En väska och ett antal bärkassar: den bortgångnes världsliga ägodelar.

De var inte många. Kanske hade Mitchisons bakgrund någonting med det att göra. Om du inte tyngde dig med prylar kunde du sticka från vad som helst, när som helst. Där fanns en del kläder, några böcker – science fiction, nationalekonomi, *The Dancing Wu-Li Masters*. Det sista lät som en danstävling tyckte Rebus. Han hittade några kuvert med fotografier, gick igenom dem. Plattformen. Arbetskamrater. Helikoptern med besättning. Andra grupper, i land den här gången: träd i bakgrunden. Fast de här såg inte ut som arbetskamrater – långt hår, batikmönstrade T-shirts, reggaemössor. Vänner? Jordens Vänner? Det andra kuvertet kändes lätt. Rebus räknade fotografierna; fjorton. Sedan tog han fram negativen: summa tjugofem. Elva fattades. Han höll upp negativen mot ljuset, men kunde inte urskilja mycket. De saknade fotografierna verkade vara mer av samma sak. Grupporträtt, några av dem med bara tre eller fyra figurer. Rebus stoppade precis negativen i fickan när Willie Ford kom tillbaka in i rummet.

"Ber om ursäkt."

"Mitt fel, mr Ford. Jag tänkte mig inte för. Ni minns att jag frågade er om porr?"

"Ja."

"Hur är det med knark?"

"Inget jag använder."

"Men om ni gjorde det…"

"Det är en sluten cirkel, kommissarien. Jag knarkar inte, och ingen har erbjudit mig något. Folk skulle kunna ta en sil runt hörnet och jag skulle inte märka ett skit, för jag tillhör inte kretsen."

"Men det finns en krets?"

Ford log. "Kanske. Men bara på fritiden. Jag skulle märka om jag jobbade bredvid någon som var påtänd. De vet bättre än så. När man arbetar på en plattform behöver man alla sinnen man har och helst några till."

"Har det inträffat några olyckor?"

"En eller två, men vårt säkerhetsrykte är gott. De var inte knark-relaterade."

Rebus såg tankfull ut. Ford verkade komma ihåg någonting.

"Du skulle se vad som händer utanför."

"Va?"

"De tar ombord aktivisterna."

Mycket riktigt. Rebus och Ford gick ut för att titta. Ford satte på sig skyddshjälmen, men Rebus bar sin i handen: han kunde inte få den att sitta rätt, och det enda som hotade att falla ner från himlen var regn. Lumsden och Eric var redan där, tillsammans med några andra män. De tittade på medan de nersmutsade figurerna klättrade de sista stegen upp. Trots oljeställen såg de dyblöta ut – på grund av slangarnas kraft. Rebus kände igen en av dem: det var Flätade håret igen. Hon såg trumpen ut, på gränsen till rasande. Han gick fram mot henne tills hon såg på honom.

"Vi måste sluta träffas på det här sättet", sa han.

Men hon ägnade honom inte någon uppmärksamhet. Istället skrek hon "Nu!", ålade sig åt höger och tog upp handen ur fickan. Hon hade redan handbojornas ena hälft om handleden och satte nu fast den and-ra i relingen. Två av hennes kamrater gjorde likadant och började skrika protester så högt de kunde. Två andra drogs tillbaka innan de hann fullborda processen. Handbojorna smällde igen om ingenting.

"Vem har nycklarna?" skrek en oljearbetare.

"De är kvar på fastlandet!"

"Herregud." Oljemannen vände sig till en kollega. "Gå och hämta acetylensyrgasen." Han vände sig till Flätade håret. "Var inte orolig. Gnistorna kanske bränns, men vi ska ta loss er på ett kick."

Hon ignorerade honom, fortsatte att mässa tillsammans med de andra. Rebus log: man kunde inte annat än beundra dem. Trojansk häst och mer därtill.

Brännaren kom. Rebus kunde inte tro att de verkligen tänkte göra det. Han vände sig mot Lumsden.

"Inte ett ord", varnade polismannen. "Minns vad jag sa om Vilda västern."

Brännaren var tänd, en egen liten fladdrande låga. En helikopter dånade ovanför. Rebus var halvt om halvt – kanske mer än halvt om halvt – frestad att kasta brännaren över bord.

"Fan, det är TV!"

Alla tittade upp. Helikoptern svävade på låg höjd, med en videokamera riktad rakt på dem.

"Förbannade TV-nyheter."

Toppen, tänkte Rebus. Fullträff. Verkligen diskret, John. TV-nyheterna. Han borde kanske skicka ett vykort till Ancram…

19

Tillbaka i Aberdeen tyckte han att han fortfarande kunde känna
däcket röra sig under honom. Lumsden hade åkt hem, medförande ett
löfte från Rebus om att han skulle ha packat och gett sig av morgonen
därpå.

Rebus hade inte nämnt att han kanske skulle komma tillbaka.

Det var tidig kväll, sval men klar, gatorna befolkades av sena shop-
pare som släpade sig hem och lördagskvällsfestare som började tidigt.
Han promenerade ner till Burke's Club. En ny utkastare igen, så inga
problem där. Rebus betalade sina pengar som en snäll pojke, vadade
genom musiken tills han nådde baren. Stället hade inte varit öppet sär-
skilt länge, bara ett fåtal gäster på plats, såg ut som om de skulle gå igen
om det inte började hända saker. Rebus köpte en whisky med is till
överpris, gav stället en hastig överblick i spegeln. Inget spår av Eve och
Stanley. Inget spår av uppenbara langare. Men Willie Ford hade rätt i
det: hur såg knarklangare ut? Bortsett från knarkarna såg de ut som
vem som helst. Deras hantering låg i ögonkontakt, i en delad vetskap
med den person vars ögon de mötte. En blandning mellan transaktion
och flirt.

Rebus föreställde sig hur Michelle Strachan dansade här inne, på-
började sitt livs sista rörelser. Medan han skvalpade runt isen i sitt glas
bestämde han sig för att gå en sväng från klubben till Duthie Park. Det
kanske inte var den väg *hon* tagit, och han tvivlade på att det skulle ge
någonting som ens kunde likna en ledtråd, men han ville göra det, på

samma sätt som han kört ner till Leith för att betyga Angie Riddell sin aktning. Han började med att gå South College Street ner, såg på sin karta att om han höll sig till den här rutten skulle han vandra på en huvudgata längs Dee. Massor av trafik: han kom fram till att Michelle måste ha sneddat genom Ferryhill, och gjorde likadant. Här var gatorna smalare och tystare. Stora hus, lummigt. En komfortabel medelklassenklav. Några närbutiker hade fortfarande öppet – mjölk, glasspinnar, kvällstidningar. Han kunde höra barn leka i trädgårdarna. Michelle och Johnny Bibel hade gått här klockan två på morgonen. Det skulle ha varit öde. Om de fört oväsen skulle det ha noterats bakom nätgardinerna. Men ingen hade rapporterat något. Michelle kunde inte ha varit berusad. Berusad, sa hennes studentvänner, blev hon stimmig. Kanske var hon lite glad, bara tillräckligt för att ha förlorat sin överlevnadsinstinkt. Och Johnny Bibel... han hade varit tyst, nykter, lett ett leende som inte avslöjat hans tankar.

Rebus svängde in på Polmuir Road. Michelles hyresrum låg halvvägs ner. Men Johnny Bibel hade övertalat henne att fortsätta till parken. Hur hade han lyckats med det? Rebus skakade på huvudet, försökte få tankarna att klarna. Det kanske var strängt där hon bodde, hon kunde inte ta med honom in. Hon trivdes där, ville inte bli utsparkad för att ha brutit mot reglerna. Eller så hade Johnny kanske sagt någonting om den ljumma sköna kvällen, att han inte ville att den skulle ta slut, att han tyckte så mycket om henne. Kunde de inte bara promenera ner till parken och tillbaka igen? Kanske promenera genom parken, bara de två. Skulle inte det vara perfekt?

Kände Johnny Bibel till Duthie Park?

Rebus kunde höra någonting som liknade musik, sedan tystnad, sedan applåder. Just det: protestkonserten. Dancing Pigs och deras vänner. Rebus gick in i parken, förbi en lekplats. Michelle och hennes beundrare hade kommit den här vägen. Hennes kropp hade hittats här i närheten, inte långt från Winter Gardens och teserveringen... Det fanns en stor öppen plats mitt i parken, där en scen hade byggts upp. Publiken bestod av flera hundra ungdomar. Piratsäljare hade brett ut sina varor i gräset, intill tarotspåmän, hårflätare och örtkunniga. Rebus tvingade fram ett leende: det var Inglistonkonserten i miniatyr. Folk

passerade genom trängseln, skramlande med insamlingsbössor. Banderollen som prytt konferenscentrets tak – DÖDA INTE VÅRA HAV! –
fladdrade nu ovanför scenen. Till och med den uppblåsbara valen
fanns där. En flicka i femtonårsåldern närmade sig Rebus.

"Souvenirtröjor? Program?"

Rebus skakade på huvudet, ändrade sig sedan. "Ge mig ett program."

"Tre pund."

Det var ett häftat Xerox med färgomslag. Pappret var återanvänt,
precis som texten. Rebus bläddrade igenom det. Längst bak fanns en
lista med Tack. Hans blick fastnade vid ett namn en bit ner: Mitch,
"med kärlek och tacksamhet". Allan Mitchison hade ordnat spelningen, och det här var hans belöning – och minnesvård.

"Ska se om jag kan göra bättre ifrån mig", sa Rebus och rullade ner
programmet i fickan.

Han satte kurs mot området bakom scenen, som hade spärrats av
genom att man ställt last- och skåpbilar i en halvcirkel, innanför vilken
banden och deras följen rörde sig likt utställningsföremål på zoo. Med
polisbrickans hjälp fick han tillträde dit han ville, plus några ilskna
blickar.

"Är det ni som är ansvarig för det här?" frågade han den överviktige
mannen framför sig. Mannen var i femtioårsåldern, Jerry Garcia med
rött hår och kilt, svett trängde igenom en fläckig vit undertröja. Pärlor
av svett droppade från hans utskjutande panna.

"Ingen är ansvarig", sa han till Rebus.

"Men ni hjälpte till att organisera – "

"Vad vill du? Konserten har tillstånd och det sista vi behöver är en
massa tjafs."

"Inget tjafs. Jag har bara en fråga beträffande organisationen."

"Vad är det med den?"

"Allan Mitchison – Mitch."

"Ja?"

"Kände ni honom?"

"Nej."

"Efter vad jag hört var det han som fick hit Dancing Pigs."

Mannen tänkte efter, nickade. "Mitch, ja. Jag känner honom inte, jag menar, jag har sett honom."

"Någon jag kan fråga om honom?"

"Varför? Vad har han gjort?"

"Han är död."

"Otur." Han ryckte på axlarna. "Önskar jag kunde hjälpa till."

Rebus gick tillbaka till scenens framsida. Ljudanläggningen var som vanligt ett skämt, och bandet lät inte tillnärmelsevis så bra som på skivan. Plus i kanten för producenten. Musiken slutade plötsligt, den tillfälliga tystnaden ljuvare än någon melodi. Sångaren gick fram till mikrofonen.

"Vi har några vänner som vi vill presentera. För några timmar sedan utkämpade de den goda kampen, försökte rädda våra hav. En applåd."

Handklappningar, hurrarop. Rebus såg två figurer komma in på scenen, fortfarande klädda i brandgula oljeställ: han kände igen ansiktena från Bannock. Han väntade, men Flätade håret syntes inte till. När de började tala vände han sig om för att gå. Där fanns en sista insamlingsbössa att undvika, men han kom på bättre tankar, sköt ner en hopvikt femma genom springan. Och bestämde sig för att unna sig middag på hotellet: sätta upp den på rummet, förstås.

Envist oljud.

Rebus tog in det i drömmen, gav sedan upp. Ett öga öppet: ljusstrimmor genom de tjocka gardinerna. Vad i helvete var klockan? Sänglampan: tänd. Han krafsade efter sin klocka, blinkade. Sex på morgonen. Va? Var Lumsden *så* angelägen om att bli av med honom?

Han tog sig upp ur sängen, gick stelbent fram till dörren, lät musklerna arbeta. Han hade sköljt ner en god middag med en flaska vin. Vinet i sig skulle inte ha varit något problem, men som *digestif* hade han hällt i sig fyra malt, utan att ta minsta hänsyn till drinkarens regel: aldrig blanda druvan och säden.

Bank, bank, bank.

Rebus drog upp dörren. Där stod två uniformerade poliser och såg ut som om de varit uppe i timmar.

"Kommissarie Rebus?"

"Senaste gången jag tittade."

"Vill ni vara snäll och klä på er."

"Ni gillar inte klädseln?" Y-front och T-shirt.

"Bara klä på er."

Rebus tittade på dem och bestämde sig för att lyda. När han kom tillbaka in i rummet följde de efter och såg sig omkring så som poliser alltid gör.

"Vad har jag gjort?"

"Det får ni berätta för dem på stationen."

Rebus tittade på honom. "Säg för helvete att ni skojar."

"Inte svära, sir", sa den andra uniformen.

Rebus satte sig på sängen, drog på sig rena strumpor. "Jag skulle fortfarande vilja veta vad det här handlar om. Ni vet, i all tysthet, oss poliser emellan."

"Bara några frågor, sir. Så fort ni kan."

Den andre uniformen drog ifrån gardinerna, ljus högg mot Rebus ögonglober. Han verkade imponerad av utsikten.

"Vi hade ett bråk i parken för ett par kvällar sedan. Minns du, Bill?"

Hans kollega gjorde honom sällskap vid fönstret. "Och någon hoppade ner från bron för fjorton dar sedan. Pang ner på Denburn Road."

"Kvinnan i bilen fick en chock."

De log åt minnet.

Rebus reste sig, tittade sig omkring, undrade vad han skulle ta.

"Bör inte ta alltför lång stund, sir."

Nu log de åt *honom*. Rebus mage gjorde en baklänges saltomortal. Han försökte låta bli att tänka på timbal av fårpölsa... *cranachan* med fruktsås... vin och whisky...

"Dagen efter, sir?"

Den uniformsklädde såg ungefär lika barmhärtig ut som ett rakblad.

20

"Överkommissarie Edward Grogan. Vi har några frågor till er, kommissarie Rebus."

Det är vad alla talar om för mig, tänkte Rebus. Men han sa ingenting, bara satt där med armarna i kors och en förorättad mans vredgade min. Ted Grogan: Rebus hade hört talas om honom. Hård djävel. Han såg ut så också: tjurnacke och skallig, en fysik som var mer Frazier än Ali. Smala ögon och tjocka läppar. En fighter från gatan. Utskjutande panna, apliknande.

"Ni känner redan inspektör Lumsden." Sittande borta vid dörren, nerböjt huvud, benen isär. Han såg trött och besvärad ut. Grogan slog sig ner mitt emot Rebus vid bordet. De befann sig i ett förhörsrum.

"Ingen mening med att gå som katten kring het gröt", sa Grogan. Han såg ut att sitta lika bekvämt på stolen som en prisbelönt Aberdeen Angus. "Hur har ni fått era blåmärken?"

"Det har jag berättat för Lumsden."

"Berätta för mig."

"Jag blev överfallen av ett par budbärare. Deras meddelande var en fet smäll med en pistol."

"Några andra skador?"

"De knuffade mig över en mur, jag slog i en törnbuske på väg ner. Ena sidan är sönderriven."

"Är det allt?"

"Det är allt. Jag sätter värde på ert intresse, men – "

"Men det är inte det som intresserar oss, kommissarien. Inspektör Lumsden säger att han släppte av er nere i hamnen i förrgår kväll."

"Det stämmer."

"Efter vad jag förstår erbjöd han er lift till hotellet."

"Sannolikt."

"Men ni avböjde."

Rebus tittade bort mot Lumsden. *Vad i helvete är det frågan om?* Men Lumsdens blick var fortfarande koncentrerad på golvet. "Jag kände för att promenera."

"Tillbaka till hotellet?"

"Ja."

"Och på vägen blev ni misshandlad?"

"Med en pistol."

Ett leende, som blandade medkänsla med tvivel. "I Aberdeen, kommissarien?"

"Det finns mer än ett Aberdeen. Jag förstår inte vad detta har med någonting att göra."

"Tålamod. Så ni promenerade hem?"

"Till det mycket dyra hotell som Grampianpolisen ordnat åt mig."

"Ah, hotellet. Vi hade förbeställt åt en polismästare som skulle komma på besök, men han ringde återbud i sista minuten. Vi hade ändå fått betala. Inspektör Lumsden bestämde på eget initiativ att ni lika gärna kunde bo där. Höglandshövlighet, kommissarien."

Snarare höglandspåhitt.

"Om det är er historia."

"Det är inte *min* historia som är viktig här. När ni promenerade hem, såg ni någon, talade ni med någon?"

"Nej." Rebus gjorde en paus. "Jag såg några av ert folk diskutera med ett par tonåringar."

"Pratade ni med dem?"

Rebus skakade på huvudet. "Ville inte störa. Det här är inte mitt revir."

"Efter vad inspektör Lumsden berättat har ni uppträtt som om det vore det."

Rebus fångade Lumsdens blick. Den såg rakt igenom honom.

"Var det någon läkare som tittade på era skador?"

"Jag lappade ihop mig själv. Hotellets reception hade en första förbandslåda."

"De frågade om ni ville ha en läkare." Ett konstaterande.

"Jag sa att det inte behövdes. Låglandssjälvtillit."

Ett kyligt leende från Grogan. "Efter vad jag förstår tillbringade ni gårdagen på en oljeplattform."

"Med inspektör Lumsden i släptåg."

"Och kvällen i går?"

"Jag tog en drink, gick en promenad, åt middag på hotellet. Jag satte förresten upp den på rummet."

"Var tog ni drinken?"

"Burke's Club, ett knarklangarnas paradis på College Street. Jag slår vad om att mina angripare kommer därifrån. Vad är taxan här för att hyra några hårdingar? Femtio för ett kok stryk? Sjuttiofem per bruten lem?"

Grogan fnös och reste sig. "De där priserna kan vara en liten smula i överkant."

"Med all respekt… om cirka två timmar är jag härifrån. Om detta är något slags varning, så kommer den väl sent."

Grogan talade mycket lugnt. "Det är ingen varning, kommissarien."

"Vad är det då?"

"Ni sa att ni tog en promenad när ni lämnat Burke's?"

"Ja."

"Var?"

"Duthie Park."

"En bra bit."

"Jag är stor Dancing Pigs-fan."

"Dancing Pigs?"

"Ett band", sa Lumsden, "hade konsert i går kväll."

"Åh, den talar!"

"Det där var onödigt, kommissarien." Grogan stod bakom Rebus. Den osynlige förhörsledaren: skulle man vända sig mot honom eller skulle man stirra i väggen? Rebus hade själv många gånger använt sig av metoden. Syfte: oroa fången.

Fånge – herregud.

"Som ni säkert minns, sir", sa Lumsden med nästan atonal stämma, "var det den vägen Michelle Strachan tog."

"Det stämmer, inte sant, kommissarien? Jag förmodar att ni kände till det."

"Hur menar ni?"

"Tja, ni har ju ägnat stort intresse åt Johnny Bibel-fallet, eller har jag fel?"

"Jag har varit perifert engagerad."

"Åh, perifert?" Grogan kom i sikte igen och blottade gula tänder som såg ut som om de hade filats korta. "Tja, det är ju ett sätt att uttrycka saken. Inspektör Lumsden säger att ni verkade mycket intresserad av fallets Aberdeensida, ställde hela tiden frågor till honom."

"Det är inspektör Lumsdens tolkning."

"Och vilken är er?" Lutad över skrivbordet, knutna händer vilande på det. Kom närmare. Syfte: skrämma den misstänkte, visa honom vem som bestämde.

"Har ni något emot att jag röker?"

"Svara på frågan."

"*Sluta behandla mig som en jävla misstänkt!*"

Rebus ångrade genast sitt utbrott – tecken på svaghet, tecken på att han var irriterad. I den militära utbildningen hade han överlevt dagar i sträck av förhörsteknik. Ja, men den gången hade hans huvud varit tommare, det hade funnits mindre att ha dåligt samvete för.

"Men, kommissarien", Grogan lät sårad över det plötsliga uppbrusandet, "det är precis det ni är."

Rebus tog tag i bordskanten, kände den grova metallen. Han försökte ställa sig upp, men benen svek honom. Han såg antagligen ut som om han höll på att skita på sig, tvingade sina händer att släppa bordet.

"I går kväll", sa Grogan kallt, "hittades en kvinnokropp i en låda i hamnen. Rättsläkarna tror att hon blev dödad någon gång under föregående natt. Strypt. Våldtagen. En av hennes skor saknas."

Rebus skakade på huvudet. Gode Gud, tänkte han, inte en till.

"Det finns inga tecken på att hon försvarat sig, ingen hud under naglarna, men hon kan ha använt knytnävarna. Hon såg ut att vara stark, seg."

Rebus tog sig ofrivilligt åt blåmärket vid tinningen.

"Ni var nere i hamnen, kommissarien, och på uselt humör enligt inspektör Lumsden."

Rebus stod upp. "Han försöker sätta dit mig!" Anfall var bästa försvar, sa de. Inte nödvändigtvis sant, men om Lumsden ville spela ojust skulle Rebus ge igen med samma mynt.

"Sitt ner, kommissarien."

"Han försöker skydda sina förbannade kunder! Hur mycket tar du i veckan, Lumsden? Hur mycket får du i bonus?"

"Jag sa, sitt ner!"

"Dra åt helvete", sa Rebus. Det var som om det gått hål på en böld. Han kunde inte stoppa utflödet. "Ni försöker tala om för mig att jag är Johnny Bibel! Jag är mer jämnårig med Bibel-John, för Guds skull."

"Ni befann er i hamnområdet vid den tid hon blev mördad. Ni återvände till ert hotell riven och blåslagen, med kläderna i oordning."

"Detta är ju idioti! Jag behöver inte lyssna på det här!"

"Jo."

"Åtala mig då."

"Vi har några frågor till, kommissarien. Detta kan bli så smärtfritt ni vill, eller så kan det bli en absolut djävulsk pina. Ni väljer, men innan ni gör det – *sitt ner!*"

Rebus stod upp. Han hade munnen öppen, och han torkade bort saliv från hakan. Han tittade bort mot Lumsden, som fortfarande satt ner, om än spänd, redo att hoppa upp ifall ord blev handling. Rebus tänkte inte ge honom den tillfredsställelsen. Han sjönk ner.

Grogan tog ett djupt andetag. Luften i rummet – det som fanns kvar av den – började lukta illa. Klockan var inte ens halv åtta.

"Saft och bullar i halvtid?" frågade Rebus.

"Det kan vara långt till dess." Grogan gick fram till dörren, öppnade den och stack ut huvudet. Sedan höll han upp dörren på vid gavel så att någon utanför kunde komma in.

Överkommissarie Chick Ancram.

"Såg dig på nyheterna, John. Du är inte precis TV-mässig, va?" Ancram tog av sig kavajen och hängde den ordentligt på en stolsrygg. Han såg ut som om han skulle ha roligt. "Du hade inte skyddshjälmen på dig, hade kanske inte känt igen dig annars." Grogan gick bort till Lumsdens vägg, som en tag-team-brottare som lämnar ringen. Ancram började rulla upp ärmarna.

"Kommer att bli hett, inte sant, John?"

"Stekhett", muttrade Rebus. Nu förstod han varför kriminalen gillade gryningsrazzior: han kände sig redan utmattad. Utmattning spelade hjärnan spratt, fick en att göra misstag. "Man skulle inte kunna få lite kaffe?"

Ancram tittade på Grogan. "Varför inte? Vad säger du, Ted?"

"Jag kan själv tänka mig en kopp." Han vände sig till Lumsden. "Kila iväg, grabben."

"Jävla springschas", kunde Rebus inte låta bli att säga.

Lumsden for upp, men Grogan höll ut en hejdande hand.

"Lugn, grabben. Bara hämta det där kaffet, okej?"

"Och Lumsden?" ropade Ancram. "Se till att kommissarie Rebus får koffeinfritt, vi vill inte ha honom alltför stirrig."

"Lumsden? Hundra procent koffeinfritt, inget pissande eller hostande i det, okej?"

Lumsden lämnade rummet under tystnad.

"Så där." Ancram satte sig mitt emot Rebus. "Du är inte lätt att få tag i."

"Du har gjort dig stort besvär."

"Jag tycker att du är värd det, gör inte du? Berätta nu någonting för mig om Johnny Bibel."

"Som vad då?"

"Vad som helst. Hans metoder, bakgrund, profil."

"Det skulle kunna ta en hel dag."

"Vi har hela dagen på oss."

"Ni kanske, men jag måste lämna mitt rum före elva, annars vill de ha betalt för en dag till."

"Ert rum är redan tomt", sa Grogan. "Era grejer finns i mitt rum."

"Inte godtagbart som bevis: ni skulle ha haft en husrannsaknings-order."

Ancram delade ett skratt med Grogan. Rebus visste varför de skrattade, han skulle också ha skrattat om han befunnit sig där de var. Men det gjorde han inte. Han befann sig där en massa män och kvinnor, många av dem knappt vuxna, varit före honom. Samma stol, samma svettiga rum, samma situation. Hundratals och tusentals av dem, misstänkta. I lagens ögon, oskyldiga tills motsatsen bevisats. I förhörsledarens ögon, tvärtom. För att bevisa för sig själv att en misstänkt var oskyldig var man ibland tvungen att knäcka honom. Ibland var man tvungen att gå så långt innan man var övertygad. Rebus visste inte hur många sessioner som denna han deltagit i… säkert hundratals. Han hade knäckt kanske ett dussin misstänkta bara för att upptäcka att de var oskyldiga. Han visste var han befann sig, visste varför han var där, men det gjorde det inte lättare.

"Låt mig berätta någonting för *dig* om Johnny Bibel", sa Ancram. "Hans profil kan passa in på flera yrken, och ett av dem är tjänstgörande eller före detta polis, någon som känner till våra metoder och är noga med att inte lämna några spår."

"Vi har ett fysiskt signalement på honom. Jag är för gammal."

Ancram gjorde en grimas. "Vi känner alla till identifikationens brister, John."

"Jag är inte Johnny Bibel."

"Men du skulle kunna arbeta efter samma mönster. Märk väl, vi säger inte att du gör det. Det enda vi säger är att det finns frågor som måste ställas."

"Ställ dem då."

"Du kom till Partick."

"Korrekt."

"Skenbart för att tala med mig om Farbror Joe Toal."

"Kusligt skarpsinnigt."

"Men om jag minns rätt slutade det med att du ställde en massa frågor om Johnny Bibel. Och det verkade som om du visste en hel del om Bibel-John-fallet." Ancram väntade för att se om Rebus hade något smart svar. Inget kom. "Medan du var i Partick tillbringade du mycket

tid i det rum där det ursprungliga Bibel-John-materialet granskades."
Ancram gjorde en paus igen. "Och nu berättar en TV-reporter för mig
att du har klipp och anteckningar om Bibel-John och Johnny Bibel
undanstoppade i dina köksskåp."

Satmara!

"Vänta lite nu", sa Rebus.

Ancram lutade sig tillbaka. "Jag väntar."

"Allt som du har sagt är sant. Jag *är* intresserad av de två fallen. Bibel-
John… det kräver lite förklaring. Och Johnny Bibel… ja, jag kände till
exempel ett av offren."

Ancram lutade sig fram. "Vilket av dem?"

"Angie Riddell."

"I Edinburgh?" Ancram och Grogan utbytte blickar. Rebus visste
vad de tänkte: ännu en anknytning.

"Jag ingick i det team som en gång plockade upp henne. Och jag
träffade henne igen efter det."

"Träffade henne?"

"Körde ner till Leith, fördrev tiden."

Grogan fnös. "Det var en omskrivning jag inte hört förut."

"Vi pratade bara. Jag bjöd henne på en kopp te och en paj."

"Och det har du inte berättat för någon. Vet du hur det ser ut?"

"Ännu en plump i mitt protokoll."

Ancram reste sig. Han ville vandra fram och tillbaka i rummet, men
det var inte tillräckligt stort. "Detta är inte bra", sa han.

"Hur kan sanningen vara annat än bra?" Men Rebus visste att
Ancram hade rätt. Han ville inte hålla med Ancram om *någonting* – det
skulle vara att falla i förhörsledarens fälla: empati – men han kunde
omöjligt tycka något annat om det här. Detta *var* inte bra. Hans liv höll
på att förvandlas till en Kinks-sång: "Dead End Street."

"Du står med skit upp till armhålorna", sa Ancram.

"Tack för att du påminner mig."

Grogan tände en cigarrett åt sig själv, erbjöd Rebus en. Han avböjde
med ett leende. Hade egna om han ville ha en.

Han ville ha en – men inte tillräckligt mycket än. Istället kliade han
sig i handflatorna, drog med naglarna över dem, ett sätt att väcka

nervändarna. Det var tyst i rummet en minut eller så. Ancram vilade baken mot bordet.

"Herregud, väntar han på att kaffebönorna ska växa eller?"

Grogan ryckte på axlarna. "Skiftbyte, mycket folk i matsalen."

"Ingen ordning på personalen nuförtiden", sa Rebus. Ancram log mot bröstet med nerböjt huvud. Sedan sneglade han åt sidan på den sittande gestalten.

Nu är det dags, tänkte Rebus: medlidandeköret. Kanske läste Ancram hans tankar, ändrade sina i enlighet därmed.

"Låt oss tala lite mer om Bibel-John", sa han.

"Gärna för mig."

"Jag har börjat titta på anteckningarna i Spavenfallet."

"Jaha?" Hade han kommit på Brian Holmes?

"Fascinerande läsning."

"Vi hade några förläggare som var intresserade den gången."

Inget leende åt detta. "Jag visste inte", sa förhörsledaren lugnt, "att Lawson Geddes jobbade med Bibel-John."

"Inte?"

"Eller att han blev petad från utredningen. Någon aning om varför?"

Rebus sa ingenting. Ancram upptäckte sprickan i rustningen, reste sig och lutade sig fram mot honom.

"Du visste inte om det?"

"Jag visste att han hade jobbat med fallet."

"Men du visste inte att han blivit avstängd från det. Nej, för det berättade han inte för dig. Jag hittade den speciella guldklimpen i Bibel-John-akterna. Men ingenting om varför."

"Kommer detta att leda någon vart?"

"Talade han med dig om Bibel-John?"

"Ett par gånger kanske. Han pratade mycket om sina gamla fall."

"Det tror jag säkert han gjorde, ni två var ju vänner. Och efter vad jag hört brukade Geddes snacka mycket skit."

Rebus blängde på honom. "Han var en bra polis."

"Var han?"

"Ja, faktiskt."

"Men även duktiga poliser gör misstag, John. Även duktiga poliser kan gå över gränsen *en gång* i livet. Små fåglar har viskat i mitt öra att du har gått över den gränsen flera gånger."

"Små fågeldjävlar borde inte kacka i eget bo."

Ancram skakade på huvudet. "Vi är inte här för att diskutera ditt tidigare uppförande." Han rätade på sig och vände sig bort, lät den kommentaren sjunka in. Han hade fortfarande ryggen mot Rebus när han sa: "Vet du om en sak? Det här mediaintresset för fallet Spaven, det sammanföll med det första Johnny Bibel-mordet. Vet du vad det kan få folk att tro?" Nu vände han sig om och höll upp ett finger. "En polis som är besatt av Bibel-John, som minns historier som hans gamla sparringpartner har berättat för honom om fallet." Ett andra finger. "Skiten i Spavenfallet håller på att avslöjas, många år efter det att sagde polis trott att det varit glömt och begravt." Ett tredje finger. "Polis tappar koncepterna. Han har haft den här tidsinställda bomben i hjärnan, och nu har den aktiverats…"

Rebus reste sig. "Du vet att det inte är sant", sa han lugnt.

"Övertyga mig."

"Jag är inte säker på att jag behöver det."

Ancram såg besviket på honom. "Vi kommer att vilja ta prover – saliv, blod, fingeravtryck."

"Varför? Johnny Bibel har inte lämnat några spår."

"Jag vill också att teknikerna tittar på dina kläder och att ett team går igenom din bostad. Om du inte har gjort någonting bör du inte ha någonting emot det." Han väntade på ett svar, fick inget. Dörren öppnades. "Det var fanimej på tiden", sa han.

Lumsden bärande på en bricka som svämmade över av utspillt kaffe.

Dags för rast. Ancram och Grogan gick ut i korridoren för att prata. Lumsden stod vid dörren, med armarna i kors, trodde att han hade vakttjänst, trodde att Rebus inte var tillräckligt uppumpad för att slita huvudet av honom.

Men Rebus bara satt där och drack det som återstod av kaffet. Det smakade vidrigt, så det *var* antagligen blyfritt. Han tog fram sina cigarretter, tände en, inhalerade som om det kanske var hans sista. Han höll cigarretten vertikalt, undrade hur någonting så litet och sprött kunde ha fått sådant grepp om honom. Inte så olikt det här fallet... Cigarretten vajade: hans händer skakade.

"Det här är du", sa han till Lumsden. "Du har sålt en story till din boss. Jag kan leva med det, men tro inte att jag kommer att glömma."

Lumsden stirrade på honom. "Ser jag rädd ut?"

Rebus stirrade tillbaka, rökte på sin cigarrett, sa ingenting. Ancram och Grogan kom tillbaka in i rummet, mycket affärsmässiga.

"John", sa Ancram, "överkommissarie Grogan och jag har kommit fram till att det här sköts bäst i Edinburgh."

Vilket innebar att de inte kunde bevisa någonting. Om det funnits minsta chans, då skulle Grogan vilja ha ett gripande på hemmaplan.

"Det finns disciplinära frågor här", fortsatte Ancram. "Men de kan tacklas som en del av min undersökning av Spavenfallet." Han gjorde en paus. "Synd på inspektör Holmes."

Rebus nappade, var tvungen. "Vad är det med honom?"

"När vi åkte för att hämta Spavenmaterialet berättade en kontorist att intresset för det varit stort den senaste tiden. Holmes hade studerat fallet tre dagar i sträck, tydligen flera timmar varje gång – när han borde ha skött sitt vanliga arbete." Ännu en paus. "Ditt namn fanns också där. Du var tydligen och hälsade på honom. Vill du berätta vad han höll på med?"

Tystnad.

"Avlägsna bevis?"

"Dra åt helvete."

"Det är så det ser ut. Dumt drag, vad det än gällde. Han vägrar att tala, riskerar disciplinära åtgärder. Han kan få sparken."

Rebus visade upp ett uttryckslöst ansikte. Inte helt lätt att dölja sitt hjärta.

"Kom igen", sa Ancram, "låt oss se till att få ut dig härifrån. Min chaufför kan ta din bil. Vi tar min och kan kanske få en liten pratstund på vägen."

Rebus reste sig och gick fram till Grogan, som rätade på axlarna som om han väntade sig ett fysiskt angrepp. Lumsden knöt händerna, beredd. Rebus stannade med sitt ansikte några centimeter från Grogans.

"Är ni korrumperad, sir?" Det var roligt att se ballongen fyllas med blod, se spruckna vener och åldrande drag framhävas.

"John…" varnade Ancram.

"Det är en hederlig fråga", fortsatte Rebus. "För om ni inte är det, så gör ni klokt i att sätta bevakning på två Glasgowgangsters, som verkar vara på semester här uppe – Eve och Stanley Toal, fast han heter egentligen Malky. Hans pappa heter Joseph Toal, Farbror Joe, och basar över Glasgow, där överkommissarie Ancram arbetar, bor, strör pengar omkring sig och köper sina kostymer. Eve och Stanley dricker på Burke's Club, där *coke* inte är någonting man får i höga glas med is. Inspektör Lumsden tog mig med dit och det såg ut som om han varit där förut. Inspektör Lumsden påminde mig om att Johnny Bibel hade valt ut sitt första offer där. Inspektör Lumsden körde mig ner till hamnen den där kvällen, jag *bad* inte om att få komma dit." Rebus såg mot Lumsden. "Han är en listig räv, inspektör Lumsden. Inte konstigt att han kallas Ludo, med tanke på det höga spel han spelar."

"Jag vill inte veta av några spydiga kommentarer om mina män."

"Bevakning av Eve och Stanley", poängterade Rebus. "Och går det åt helvete, så vet ni vart ni ska titta." Samma håll som han nu tittade.

Lumsden flög på honom, tog struptag. Rebus kastade honom av sig.

"Du är lika falsk som slagvatten, Lumsden, och tro inte att jag inte fattat det!"

Lumsden skickade iväg ett knytnävsslag. Det träffade inte. Ancram och Grogan drog isär dem. Grogan pekade på Rebus, men talade till Ancram.

"Det är kanske ändå bäst att vi behåller honom här."

"Jag tar med mig honom tillbaka."

"Jag är inte så säker på det."

"Jag sa att jag tar med mig honom tillbaka, Ted."

"Det var länge sedan två män slogs om mig", sa Rebus med ett leende.

De två Aberdeenpoliserna såg ut att vilja plöja en åker med honom. Ancram lade en hand på hans axel.

"Kommissarie Rebus", sa han, "jag tror att det är bäst att vi ger oss av, eller hur?"

"Gör mig en tjänst", sa Rebus.

"Vadå?" De satt i baksätet på Ancrams bil, på väg till Rebus hotell, där de skulle hämta hans bil.

"En snabb omväg ner till hamnen."

Ancram sneglade på honom. "Varför?"

"Jag vill se var hon dog."

Ancram tittade på honom igen. "Varför det?"

Rebus ryckte på axlarna. "För att betyga min aktning", sa han.

Ancram hade bara en vag uppfattning om var kroppen hade hittats, men det tog inte lång stund att finna den lysande polistejpen som spärrade av platsen. Hamnen låg tyst, inget spår av lådan som kroppen upptäckts i. Den stod på ett polislabb någonstans. Rebus stannade på rätt sida av avspärrningen, tittade sig omkring. Jättelika vita måsar kråmade sig på tryggt avstånd. Vinden var frisk. Han kunde inte avgöra hur nära detta var den plats där Lumsden släppt av honom.

"Vad vet ni om henne?" frågade han Ancram, som stod med händerna i fickorna och studerade honom.

"Holden, tror jag att hon hette. Tjugosju, tjugoåtta."

"Tog han någon souvenir?"

"Bara en av hennes skor. Alltså, Rebus... allt detta intresse bara för att ni en gång bjöd en prostituerad på en kopp te?"

"Hon hette Angie Riddell." Rebus gjorde en paus. "Hon hade vackra ögon." Han såg mot en rostig holk som låg fastkedjad vid kajkanten. "Det är en fråga jag har ställt mig. Låter vi det hända, eller får vi det att hända?" Han tittade på Ancram. "Vad tror ni?"

Ancram rynkade pannan. "Jag är inte säker på att jag förstår."

"Inte jag heller", erkände Rebus. "Säg till er chaufför att ta det försiktigt med min bil. Det är lite glapp i ratten."

Drömmarnas panik

21

De jagade honom upp- och nerför chilegranslejdare, medan det svällande havet rasade nedanför och fick försvagad metall att bågna. Rebus tappade taget, föll nerför ståltrappsteg, fläkte upp ena sidan och kände efter med en hand, hittade olja istället för blod. De fanns sju meter ovanför honom och skrattade, tog god tid på sig: vart kunde han ta vägen? Han kunde kanske flyga, flaxa med armarna och kasta sig ut i tomrummet. Det enda att frukta var fallet.

Som att landa på betong.

Var det bättre eller värre än att landa på piggar? Han var tvungen att fatta ett beslut. Förföljarna var inte långt efter. De var aldrig långt efter, ändå höll han sig hela tiden framför dem, till och med sårad. Jag skulle kunna ta mig ur det här, tänkte han.

Jag skulle kunna ta mig ur det här!

En röst alldeles bakom honom: "Det kan du drömma om." Sedan en knuff ut i tomrummet.

Rebus vaknade med ett ryck, så plötsligt att han slog huvudet i biltaket. Kroppen skälvde av rädsla och adrenalin.

"Herrejävlar", sa Ancram från förarsätet och fick kontroll över ratten igen. "Vad hände?"

"Hur länge har jag sovit?"

"Jag visste inte ens att det var det ni gjorde."

Rebus tittade på klockan: kanske bara ett par minuter. Han gned sig i ansiktet, sa åt sitt hjärta att det kunde sluta bulta när som helst nu. Han kunde säga till Ancram att det var en otäck dröm. Han kunde säga till honom att det var en panikattack. Men han ville inte säga någonting till honom. Tills motsatsen bevisats var Ancram fienden, lika säkert som vilken pistolbärande gangster som helst.

"Vad talade ni om?" frågade han istället.

"Jag angav huvuddragen i överenskommelsen."

"Överenskommelsen, ja." Söndagstidningarna hade glidit ner från Rebus knä. Han tog upp dem från golvet. Johnny Bibels senaste illdåd fanns bara på en förstasida. De andra hade gått i tryck för tidigt.

"Just nu har jag tillräckligt mot er för att få er avstängd", sa Ancram. "Inte en helt ovanlig situation för er, kommissarien."

"Jag har varit med om det förut."

"Även om jag bortser från Johnny Bibel-frågorna kvarstår er tydliga brist på samarbetsvilja när det gäller min undersökning av Spavenfallet."

"Jag hade influensa."

Ancram ignorerade detta. "Vi vet båda två saker. För det första. En bra polis hamnar ibland i tråkigheter. Jag har i det förflutna haft klagomål riktade mot *mig*. För det andra. De här TV-programmen blottlägger nästan aldrig nya bevis. Det är bara spekulation och kansken, medan en polisutredning är noggrann, och den information vi samlar in vidarebefordras till Crown Office och granskas av vad som ska vara några av landets främsta brottsmålsadvokater."

Rebus vände sig om i sätet för att studera Ancram, undrade vart detta skulle leda. I spegeln kunde han se sin egen bil rattas med tillbörlig försiktighet och uppmärksamhet av Ancrams chaufför. Ancram höll ögonen på vägen.

"Vad jag menar är, John, varför springa när du inte har någonting att vara rädd för?"

"Vem säger att jag inte har någonting att vara rädd för?"

Ancram log. Gamla kompisar-snacket var precis det – snack. Rebus litade lika mycket på Ancram som på en pedofil i en lekpark. Men ändå, när Farbror Joe ljugit om Tony El var det Ancram som hade kommit med Aberdeeninformationen... Vems sida stod karln på? Spelade han ett dubbelspel? Eller hade han bara trott att Rebus inte skulle komma någon vart, vare sig med eller utan information? Var det ett sätt att dölja att han gick i Farbror Joes ledband?

"Om jag uppfattar dig rätt", sa Rebus, "säger du att jag inte har något att vara rädd för i Spavenfallet?"

"Det skulle kunna vara så."

"Du skulle kunna göra så att det var så?" Ancram ryckte på axlarna. "I utbyte mot vad?"

"John, du har rufsat till fler fjädrar än en puma i ett papegojhus, och du har varit ungefär lika diskret."

"Du vill att jag ska vara mer diskret?"

Ancrams röst skärptes. "Jag vill att du för en gångs skull håller dig passiv."

"Släppa Mitchisonutredningen?" Ancram sa ingenting. Rebus upprepade frågan.

"Det skulle göra dig förbannat gott."

"Och du skulle ha gjort Farbror Joe Toal ännu en liten tjänst, va, Ancram?"

"Var lite realist. Det här är inte ett linoleumgolv med stora svarta och vita rutor."

"Nej, det är grå sidenkostymer och ovikta sedlar."

"Det är ge och ta. Människor som Farbror Joe försvinner inte: gör dig av med honom och en yngre efterträdare börjar ställa krav."

"Hellre i ett känt helvete…"

"Inget dåligt motto."

John Martyn: "I'd Rather Be the Devil."

"Här är ett annat", sa Rebus. "Sitt still i båten. Låter som om det är det du vill tala om för mig."

"Jag *råder* dig för ditt eget bästa."

"Tro inte att jag inte uppskattar det."

"Herregud, Rebus, jag börjar förstå varför du alltid är illa ute: du är inte lätt att tycka om, va?"

"Årets Personlighet sex år i rad."

"Jag tror inte det."

"Jag till och med grät på podiet." En paus. "Har du frågat Jack Morton om mig?"

"Jack har bisarrt nog höga tankar om dig, något jag skyller på känslosamhet."

"Storslaget av dig."

"Det här leder inte till något."

"Nej, men det får tiden att gå." Rebus såg skyltar för en rastplats. "Stannar vi och äter lunch?"

Ancram skakade på huvudet.

"Det finns en fråga du inte har ställt."

Ancram övervägde att inte fråga, men gav efter. "Vadå?"

"Du har inte frågat vad Stanley och Eve gjorde i Aberdeen."

Ancram blinkade för att svänga in på rastplatsen, samtidigt som han bromsade hårt. Chauffören i Rebus Saab höll på att missa avfarten. Däck tjöt mot asfalten.

"Försöker du bli av med honom?" Rebus njöt av att se Ancram förvirrad.

"Kaffepaus", morrade Ancram och öppnade sin dörr.

Rebus satt med tidningen på bordet framför sig och läste om Johnny Bibel. Offret den här gången hette Vanessa Holden, var tjugosju år och gift – ingen av de andra hade varit gift. Hon var chef för en firma som gjorde "företagspresentationer": Rebus var osäker på vad det innebar. Fotografiet i tidningen var det vanliga le-för-kameran-jobbet, taget av en vän. Hon hade axellångt vågigt hår, fina tänder och hade antagligen inte haft en tanke på att hon skulle kunna dö långt före sin åttioårsdag.

"Vi måste få tag i det här monstret", sa Rebus och upprepade likt ett eko artikelns sista mening. Sedan skrynklade han ihop tidningen och sträckte sig efter sitt kaffe. När han sneglade ner på bordet skymtade han Vanessa Holden från sidan och tyckte att han sett henne någonstans förut, bara ett flyktigt ögonblick. Han lade handen över hennes hår. Gammal bild, hon hade kanske ändrat frisyr. Han försökte se hennes ansikte med ytterligare några år i dragen. Ancram tittade inte, pratade med chauffören, och missade därför ögonblicket när igenkännandets chock drabbade Rebus ansikte.

"Jag måste ringa ett samtal", sa Rebus och reste sig. Telefonauto-

maten fanns bredvid dörren, han skulle vara inom synhåll från bordet.
Ancram nickade.

"Är det något problem?" sa han.

"Det är söndag i dag, jag skulle ha varit i kyrkan. Prästen kommer
att bli orolig."

"Det här baconet är lättare att svälja än det." Ancram satte gaffeln i
den förargliga födan. Men han lät Rebus gå.

Rebus slog numret, hoppades att han skulle ha tillräckligt med
växel: söndag, låg taxa. Någon på Grampians polisstation svarade.

"Överkommissarie Grogan, tack", sa Rebus, med ögonen på Anc-
ram. Restaurangen var full med söndagsbilister och deras familjer. Inte
en chans att Ancram skulle kunna höra honom.

"Han är tyvärr upptagen för ögonblicket."

"Det gäller Johnny Bibels senaste offer. Jag står i en telefonhytt och
har ont om mynt."

"Vänta lite."

Trettio sekunder. Ancram iakttog honom med rynkad panna. Sedan:
"Kommissarie Grogan här."

"Det är Rebus."

Grogan drog in luft. "Vad i helvete vill ni?"

"Jag vill göra er en tjänst."

"Jaha?"

"Skulle kunna vara ett lyft för er karriär."

"Ska detta föreställa ett skämt? För låt mig i så fall få tala om – "

"Inget skämt. Hörde ni vad jag sa om Eve och Stanley Toal?"

"Jag hörde."

"Tänker ni göra någonting?"

"Kanske."

"Gör det till ett definitivt... för min skull."

"Och sedan tänker ni göra mig den här supertjänsten?"

"Det stämmer."

Grogan hostade, harklade sig. "Okej", sa han.

"Säkert?"

"Jag håller mina löften."

"Hör då på. Jag har just sett en bild av Johnnys senaste offer."

"Och?"

"Och jag har sett henne förut."

Ett ögonblicks tystnad. "Var?"

"Hon gick in på Burke's Club en kväll när Lumsden och jag var på väg ut."

"Och?"

"Hon höll någon under armen som jag kände."

"Ni känner en massa folk, kommissarien."

"Vilket inte betyder att jag har något med Johnny Bibel att göra. Men mannen jag såg henne med kanske har det."

"Har ni ett namn på honom?"

"Hayden Fletcher, arbetar åt T-Bird Oil. PR."

Grogan skrev ner det. "Jag ska undersöka saken", sa han.

"Glöm inte ert löfte."

"Har jag lovat något? Det minns jag inte." Förbindelsen bröts. Rebus hade god lust att slänga på luren. Men Ancram tittade, och dessutom fanns det barn i närheten, som dreglade över skyltningen med leksaker och gjorde upp anfallsplaner mot föräldrarnas plånböcker. Så han lade på luren som vilken annan människa som helst och återvände till bordet. Chauffören reste sig och gick ut, kastade inte så mycket som en blick på Rebus, så Rebus förstod att han löd order.

"Allt som det ska?" frågade Ancram.

"Finfint." Rebus satte sig mitt emot Ancram. "Så när börjar inkvisitionen?"

"Så fort vi har hittat en ledig tortyrkammare." Ingen av dem kunde låta bli att le. "Alltså, Rebus, personligen ger jag inte så mycket som en myggas IQ för vad som hände för tjugo år sedan mellan dig och din kompis Geddes och den här Lenny Spaven. Jag har sett bovar bli falskt anklagade förut: man kan inte sätta dit dem för det som man *vet* att de har gjort, så man sätter dit dem för någonting annat, någonting de inte har gjort." Han ryckte på axlarna. "Det händer."

"Det gick rykten om att det var det som hände med Bibel-John."

Ancram skakade på huvudet. "Jag tror inte det. Men här har vi den springande punkten. *Om* din kompis Geddes fick Spaven på hjärnan, och satte fast honom genom en falsk anklagelse – med din med- eller omedvetna hjälp… Ja, du vet vad det betyder?"

Rebus nickade, men kunde inte säga orden: de hade varit nära att kväva honom i veckor. De hade varit nära att kväva honom i veckor den gången också.

"Det betyder", fortsatte Ancram, "att den verklige mördaren kom undan. Ingen har någonsin försökt leta efter honom. Han gick skottfri." Han log åt den här sista frasen, lutade sig sedan tillbaka i stolen. "Nu tänker jag berätta någonting för dig om Farbror Joe." Han hade Rebus uppmärksamhet. "Han är sannolikt involverad i narkotikahandel. Stora vinster, föga troligt att han inte skulle vilja ha del av dem. Men Glasgow knöts till för flera år sedan, och hellre än att ge sig in i ett krig tror vi att han har kastat sitt nät längre ut."

"Så långt som till Aberdeen?"

Ancram nickade. "Vi håller på att ställa samman en akt innan vi drar igång en bevakningsoperation ihop med narkotikaspanarna."

"Och all bevakning ni försökt tidigare har misslyckats."

"Den här operationen är försedd med en dubbelögla: om någon skvallrar för Farbror Joe kommer vi att veta var läckan finns."

"Så det slutar med att ni har antingen Farbror Joe eller tjallaren? Det kan fungera… om ni inte går omkring och berättar om det för alla."

"Jag litar på dig."

"Varför?"

"Helt enkelt därför att du skulle kunna sabba saker."

"Jag har gjort det förut. Folk som sagt åt mig att ta ledigt, överlåta allt på dem."

"Och?"

"Och de har i allmänhet haft någonting att dölja."

Ancram skakade på huvudet. "Inte den här gången. Men jag har någonting att *erbjuda*. Som jag sa, *personligen* har jag inget intresse av Spavenfallet, men yrkesmässigt är jag tvungen att göra mitt jobb. Men det finns olika sätt att presentera en rapport. Jag skulle kunna minimera din roll i det hela, jag skulle kunna utelämna dig helt. Jag säger inte åt dig att släppa någon utredning. Jag ber dig bara att frysa den en vecka eller så."

"Och låta spåret kallna, kanske tillräckligt med tid för ytterligare några självmord och olyckshändelser med dödlig utgång?"

Ancram såg irriterad ut.

"Bara gör ditt jobb, överkommissarien", sa Rebus. "Så ska jag göra mitt." Rebus reste sig, tittade efter tidningen med Johnny Bibel-artikeln och stoppade den i fickan.

"Detta är överenskommelsen", sa Ancram, med återhållen vrede. "Jag tänker låta en man följa dig dygnet runt, för att rapportera tillbaka till mig. Det är antingen det eller suspendering."

Rebus gjorde en gest med tummen mot fönstret. "Han där ute?" Chauffören njöt av ett bloss i solen. Ancram skakade på huvudet.

"Någon du känner bättre."

Rebus kom på svaret en sekund innan Ancram sa det.

"Jack Morton."

Han väntade på Rebus utanför lägenheten. Vatten rann ner i gatubrunnen från grannarnas biltvätt. Jack hade suttit i sin bil med fönstren nervevade och tidningen uppslagen på korsordet. Nu stod han utanför bilen, med armarna i kors och huvudet lutat mot solens strålar. Han var klädd i kortärmad skjorta och urblekta jeans, tämligen nya vita gymnastikskor på fötterna.

"Ledsen att förstöra din helg", sa Rebus till honom när han steg ur Ancrams bil.

"Kom ihåg", ropade Ancram till Jack, "att inte släppa honom ur sikte. Går han på muggen vill jag att du kikar genom nyckelhålet. Säger han att han ska gå ut med soporna, vill jag ha dig inne i en av påsarna. Uppfattat?"

"Ja, sir", sa Jack.

Polischauffören frågade Rebus var han skulle parkera Saaben. Rebus pekade på den dubbla gula linjen längst bort på gatan. Vindrutan ståtade fortfarande med Grampianpolisens lapp. Rebus hade ingen brådska med att ta bort den. Ancram steg ut från förarplatsen och öppnade bakdörren. Hans chaufför gav Rebus nycklarna till Saaben och tog fram resväskan ur bagageutrymmet, satte sig sedan i sin chefs bil, rättade till sätet och backspegeln. Rebus och Jack såg Ancram köras därifrån.

- 277 -

"Jaha", sa Rebus, "jag hör att du tillhör Juicekyrkan numera."

Jack rynkade på näsan. "Väckelsebiten kan jag både ha och mista, men de har hjälpt mig att lägga av med spriten."

"Det är ju fantastiskt."

"Hur kommer det sig att jag aldrig vet när du är allvarlig?"

"Många års träning."

"Trevlig semester?"

"Trevlig kommer inte i närheten av att beskriva den."

"Jag ser att du har fått ett slag i ansiktet."

Rebus rörde vid tinningen. Svullnaden hade gått ner. "Det finns folk som blir förbannade när man hinner före dem till solstolarna."

De gick uppför trappan, Jack ett par steg bakom Rebus.

"Menar du allvar med att inte släppa mig ur sikte?"

"Det är så chefen vill ha det."

"Och han får som han vill?"

"Om jag vet vad som är bra för mig. Det har tagit mig många år att komma fram till slutsatsen att jag *vill* det som är bra för mig."

"Så talar en filosof." Rebus satte nyckeln i låset och sköt upp dörren. Det låg en del post på hallmattan, men inte mycket. "Du inser att detta antagligen strider mot ett antal lagar. Jag menar, du kan inte bara följa efter mig om jag inte vill att du gör det."

"Så gå till domstolen för mänskliga rättigheter." Jack följde efter Rebus in i vardagsrummet. Resväskan stannade kvar i hallen.

"Vill du ha något att dricka?" frågade Rebus.

"Ha, ha."

Rebus ryckte på axlarna, hittade ett rent glas och hällde upp en skvätt av Kayleigh Burgess whisky åt sig. Den gled lätt ner. Han andades ut ljudligt. "Men du måste sakna det?"

"Hela tiden", medgav Jack och sjönk ner i soffan.

Rebus hällde upp en andra skvätt. "Jag vet att jag skulle göra det."

"Det är halva striden."

"Va?"

"Att erkänna att du har problem med det."

"Det sa jag inte."

Jack ryckte på axlarna, reste sig igen. "Kan jag ringa ett samtal?"

"Mitt hem är ditt hem."

Jack gick bort till telefonen. "Ser ut som om du har en del med-delanden. Vill du höra dem?"

"De är säkert från Ancram allihop."

Jack lyfte luren och tryckte in sju siffror. "Det är jag", sa han till sist. "Vi är här." Sedan lade han på.

Rebus såg på honom över glasets kant.

"Ett team är på väg", förklarade Jack. "För att gå igenom stället. Chick sa att han skulle informera dig."

"Han informerade mig. Ingen husrannsakningsorder, förmodar jag?"

"Vill du, så kan vi skaffa en. Men om jag vore du skulle jag bara luta mig tillbaka och låta det hända – snabbt och smärtfritt. Plus... om någonting någonsin hamnar i domstol kan du sätta dit åklagar-sidan med en formalitet."

Rebus log. "Är du på min sida, Jack?" Jack satte sig ner igen, men sa ingenting. "Du berättade för Ancram att jag hade ringt till dig, va?"

Jack skakade på huvudet. "Jag höll klaffen när jag kanske inte borde ha gjort det." Han lutade sig framåt: "Chick vet att vi känner varandra, det är därför jag är här nu."

"Hur menar du?"

"Det är en lojalitetsgrej, han testar min lojalitet mot honom, sätter upp det förflutna – det är du och jag – mot *min* framtid."

"Och hur lojal är du, Jack?"

"Utmana inte ödet!"

Rebus tömde sitt glas. "Det här kommer att bli några intressanta dagar. Vad händer om jag tar hit en brud? Kommer du att vilja gömma dig under sängen då, som en potta eller någon jävla skräckfigur?"

"John, bli inte – "

Men Rebus stod upp. "Det här är för helvete mitt hem! Det ställe där jag kan gömma mig för all skit som flyger omkring där ute! Är det meningen att jag bara ska sitta här och ta emot? Du håller vakt, tekni-kerna sniffar runt som byrackor kring en lyktstolpe – är det meningen att jag bara ska sitta här och låta er hållas?"

"Ja."

"I helvete heller." Det ringde på dörren. "Öppna du", sa Rebus. "Det är dina hundar."

Jack såg sårad ut när han satte kurs mot dörren. Rebus gick ut i hallen, tog sin väska och bar in den i sovrummet. Han slängde den på sängen och öppnade den. Den som packat hade bara stoppat ner allt, rent och smutsigt. Alltihop måste till tvättomaten. Han lyfte ut tvättpåsen. Det låg en hopvikt lapp under den. Där stod att "vissa klädesplagg" behållits av Grampianpolisen för "teknisk undersökning". Rebus tittade: hans gräsfläckiga byxor och sönderrivna skjorta från kvällen då han blivit överfallen saknades. Grogan lät undersöka dem, för säkerhets skull ifall Rebus *hade* dödat Vanessa Holden. Åt helvete med honom, åt helvete med allihop. Måtte djävulen ta hela högen. Rebus slungade den öppna väskan tvärs över rummet just som Jack dök upp i dörren.

"John, de säger att det kommer att gå snabbt."

"Säg åt dem att ta den tid de behöver."

"Och i morgon bitti blir det blod- och salivprover."

"Inga problem med det sista. Bara ställ Ancram framför mig."

"Han har inte bett om det här jobbet."

"Stick för helvete, Jack!"

"Jag önskar jag kunde."

Rebus trängde sig förbi honom ut i hallen. Han kastade en blick in i vardagsrummet. Det var folk där inne, några han kände, allihop iförda vita overaller och plasthandskar. De lyfte kuddarna ur soffan, bläddrade i hans böcker. De såg inte ut som om de tyckte det var roligt: liten tröst. Det verkade förnuftigt att Ancram använde folk från platsen: lättare än att hämta ett gäng från *weegie-land*. Personen som satt på huk framför hörnskåpet reste sig och vände sig om.

"*Et tu*, Siobhan?"

"Godmiddag, sir", sa Siobhan Clarke och blev röd om öron och kinder. Det var bara det som fattades. Rebus tog sin kavaj och satte kurs mot dörren.

"John?" ropade Jack Morton efter honom.

"Ta mig om du kan", sa Rebus. Halvvägs ner i trappan hann Jack upp honom.

"Vart ska vi?"

"Till en pub", sa Rebus. "Vi tar min bil. Du kommer inte att dricka, så du kan köra mig hem efteråt. På det sättet håller vi oss på rätt sida om lagen." Rebus drog upp dörren. "Nu ska vi se hur stark din Juice-kyrka egentligen är."

Utanför var Rebus nära att kollidera med en lång man med lockigt och grånande svart hår. Han såg mikrofonen, hörde mannen rabbla en fråga. Eamonn Breen. Rebus böjde ner huvudet precis tillräckligt för att träffa Breen på näsryggen: ingen kraft i "Glasgowkyssen", bara tillräckligt för att släppa förbi Rebus.

"Din djävel!" fräste Breen, släppte mikrofonen och kupade båda händerna om näsan. "Fick du med det? Fick du det?"

Rebus kastade en blick bakom sig, såg blod droppa mellan Breens fingrar, såg kameramannen nicka, såg Kayleigh Burgess borta vid ena sidan, med en penna i munnen, titta på Rebus med ett halvt leende.

"Hon trodde antagligen att du skulle föredra att ha ett bekant ansikte i närheten", sa Jack Morton.

De stod i Oxford Bar, och Rebus hade just berättat för honom om Siobhan.

"Jag vet att *jag* skulle det, med tanke på omständigheterna." Jack var halvvägs ner i ett glas med nypressad apelsin och lemonad. Is rasslade när han tippade det. Rebus var inne på sitt andra glas Belhaven Best och rullade på med femman i: jämnt och fint. Söndag kväll på Oxen, bara tjugo minuter efter öppningstid, var stället lugnt. Tre stamkunder stod bredvid dem vid baren, huvuden vinklade upp mot TV:n, något fråge-program. Frågesportledaren hade hår som en figurklippt buske och tänder transplanterade från en Steinway. Hans jobb var att hålla upp en lapp alldeles nedanför ansiktet, läsa frågan, stirra in i kameran, sedan upprepa frågan som om kärnkraftsnedrustning berodde på svaret.

"Jaha, Barry", mässade han, "för tvåhundra poäng: vilken rollfigur spelar Muren i Shakespeares *En midsommarnattsdröm*?"

"Pink Floyd", sa den förste stamgästen.

"Snut", sa den andre.

"Cheerio, Barry", sa den tredje och vinkade mot TV:n, där Barry helt klart var illa ute. En klocka ringde. Frågesportledaren lät frågan gå över till de andra två tävlande.

"Nej?" sa han. "Ingen?" Han verkade förvånad, men var tvungen att titta på sitt kort för att hitta svaret. "Rätta svaret är Snut", sa han, såg på den olyckliga trion och upprepade sedan namnet så att de skulle komma ihåg det till nästa gång. Ett nytt kort. "Jasmine, för hundra-femtio poäng: i vilken amerikansk stat hittar du staden Akron?"

"Ohio", sa den andre stamgästen.

"Är inte han med i *Star Trek*?" frågade den förste.

"Cheerio, Jasmine", sa den tredje.

"Jaha", frågade Jack, "snackar vi?"

"Det behövs mer än att mitt hem blir föremål för husundersökning, mina kläder konfiskerade och jag själv utsatt för mordmisstankar för att *jag* ska bli sur. Klart som fan att jag snackar med dig."

"Det var fan så bra det."

Rebus fnös ner i glaset och var sedan tvungen att torka bort skum från näsan. "Du kan inte ana vad jag njöt av att skalla den där idioten."

"Han njöt antagligen av att alltihop blev filmat."

Rebus ryckte på axlarna, stack handen i fickan efter cigarretter och tändare.

"Okej, ge mig en", sa Jack.

"Du har slutat, har du glömt det?"

"Visst, men det finns inget AA för rökare. Kom igen."

Men Rebus skakade på huvudet. "Jag uppskattar gesten, Jack, men du har rätt."

"Om vadå?"

"Om att tänka på framtiden. Du har fullkomligt rätt. Så ge inte ef-ter, stå emot. Ingen sprit, inga cigarretter, och rapportera mina göran-den och låtanden till Chick Ancram."

Jack tittade på honom. "Menar du det där?"

"Vartenda ord", sa Rebus och tömde sitt glas. "Utom det om Anc-ram förstås."

Sedan beställde han en omgång till.

"Svaret är Ohio", sa frågesportledaren, och ingen i baren var förvå-nad.

"Jag tror", sa Jack lite senare, halvvägs ner i sitt andra glas juice, "att vi står inför vår första förtroendekris."

"Du behöver pinka?" Jack nickade. "Glöm det", sa Rebus, "jag tänker inte följa med dig in dit."

"Ge mig ditt ord på att du stannar där du är."

"Vart skulle jag gå?"

"John…"

"Okej, okej. Skulle jag vilja ställa till det för dig, Jack?"

"Jag vet inte. Skulle du?"

Rebus blinkade åt honom. "In på muggen och ta reda på det."

Jack stod kvar så länge han kunde, gjorde sedan helt om och flydde. Rebus stödde armbågarna mot baren och rökte sin cigarrett. Han undrade vad Jack skulle göra om han stack ifrån honom nu: skulle han rapportera det till Ancram, eller skulle han hålla tyst? Skulle han göra sig själv en tjänst genom att rapportera det? Det fick ju faktiskt honom att framstå i ofördelaktig dager, och det skulle han inte vilja. Så kanske skulle han hålla tyst. Rebus kunde sköta sina affärer utan att Ancram visste något.

Utom att Ancram hade andra sätt att veta saker. Mannen var inte enbart beroende av Jack Morton. Det var ändå en intressant fråga: en förtroendefråga, nog så passande en söndagskväll. Rebus skulle kanske längre fram släpa med sig Jack för att träffa fader Conor Leary. Förr var Jack en riktig puritan, och var det kanske fortfarande. Ett glas tillsammans med en katolsk präst skulle kanske få honom att rusa ut i natten. Han vände sig om och såg Jack på översta trappsteget, mannen såg lättad ut – i ordets båda bemärkelser.

Stackars djävel, tänkte Rebus. Ancram var inte schysst mot honom. Man kunde se det spända draget kring Jacks mun. Rebus kände sig plötsligt trött, kom ihåg att han hade varit uppe sedan sex och legat på sträckbänken sedan dess. Han tömde sitt glas och gjorde en gest mot dörren. Jack verkade bara alltför glad över att få gå.

När de kom ut frågade Rebus honom: "Hur nära var du där inne?"

"Nära vad?"

"Att beställa en *riktig* drink."

"Så nära man kan komma."

Rebus lutade sig mot biltaket, väntade på att Jack skulle låsa upp. "Ber om ursäkt att jag gjorde så här mot dig", sa han tyst.

"Vadå?"

"Tog med dig hit."

"Jag bör ha viljestyrka nog att kunna gå in på en pub utan att dricka."

Rebus nickade. "Tack", sa han.

Och han log lite för sig själv. Jack skulle vara okej. Jack skulle inte ange honom. Den mannen hade redan förlorat alltför mycket självrespekt.

"Det finns ett gästrum", sa Rebus och satte sig i bilen, "men inga lakan eller sådant. Vi bäddar i soffan om det är okej."

"Det blir bra", sa Jack.

Bra för Jack, ja, men inte så bra för Rebus. Det betydde att han skulle bli tvungen att sova i sin säng. Inga fler nätter halvnaken i stolen vid fönstret. Ingen mer Stones klockan två på morgonen. Han visste att han måste sätta fart, måste få slut på det här så fort han kunde, på det ena eller andra sättet.

Med början i morgon.

När de lämnade Oxen bestämde Rebus sig för en omväg, dirigerade Jack ner mot Leith, lät honom köra runt med dem en stund, pekade sedan på en mörk butiksdörr.

"Det där var hennes plats", sa han.

"Vems?" Jack stannade bilen. Gatan låg öde, de prostituerade höll till på annat håll.

"Angie Riddells. Jag kände henne, Jack. Jag menar, jag hade träffat henne några gånger. Första gången var i jobbet, jag haffade henne. Men sedan körde jag hit ner och letade efter henne." Han tittade på Jack, väntade sig en skämtsam kommentar, men Jacks ansikte var allvarligt. Han lyssnade. "Vi satt och pratade. Sedan var hon plötsligt död. Det är annorlunda när man känner någon. Man minns deras ögon. Jag menar inte färgen eller så, jag menar allt det som deras ögon berättade om dem." Han satt tyst ett ögonblick. "Den som dödade henne kan inte ha sett in i hennes ögon."

"John, vi är inga präster. Jag menar, detta är ett *jobb*, eller hur? Man måste kunna lägga det ifrån sig ibland."

"Är det så du gör, Jack? Kommer hem efter ett pass, och plötsligt är allt okej? Spelar ingen roll vad du har sett där ute, ditt hem är din borg, va?"

Jack ryckte på axlarna, drog med händerna över ratten. "Det är inte mitt liv, John."

"Skönt för dig, kompis." Han tittade mot dörren igen, väntade sig att få se något av henne där, spår av en skugga, något som lämnats kvar. Men det enda han såg var mörker.

"Kör hem mig", sa han till Jack, och slöt ögonen med båda tummarna.

Fairmount Hotel låg i Glasgows västra del, en bit från de stora trafiklederna. Utifrån var det en anspråkslös betongklump. Inuti var det ett mellanchefsställe, med mest att göra under veckorna. Bibel-John bokade bara för söndagsnatten.

Nyheten om Uppkomlingens senaste offer hade kommit samma morgon, för sent för ett reportage i kvalitetstidningar. Istället lyssnade han på radionyheterna i sitt rum, växlade mellan ett halvdussin olika stationer, och tittade på de TV-nyheter han kunde, och gjorde anteckningar där emellan. Text-TV hade bara några korta stycken. Nästan allt han visste var att offret, en gift kvinna på tjugosju, tjugoåtta år, hade hittats nära hamnen i Aberdeen.

Aberdeen igen. Allt passade ihop. Samtidigt, om det var Uppkomlingen, så bröt han sitt mönster – hans första gifta offer, och kanske hans äldsta. Vilket skulle kunna betyda att det aldrig funnits något mönster. Men det behövde heller inte utesluta existensen av ett mönster. Det innebar bara att mönstret ännu inte etablerats.

Vilket var vad Bibel-John räknade med.

Under tiden öppnade han UPPKOM-filen i sin laptop och läste anteckningarna om det tredje offret. Judith Cairns, känd som Ju-Ju bland sina vänner. Tjugoett år gammal, delade en hyreslägenhet i Hillhead, på andra sidan Kelvingrove Park – han kunde nästan se Hillhead från sitt fönster. Judith Cairns hade varit registrerad som arbetslös men jobbat svart – någon bar vid lunchtid, en fish-and-chips-butik på kvällarna och helgmorgnar som städerska på Fairmount Hotel. Vilket, gissade

Bibel-John, var så Uppkomlingen lärt känna henne. En resande man frekventerade hotell: han borde veta. Han undrade hur nära Uppkomlingen han var – inte fysiskt, men mentalt. Han ville inte på något sätt känna sig nära denne fräcke charlatan, denne inkräktare. Han ville känna sig unik.

Han vandrade fram och tillbaka i sitt rum, ville vara tillbaka i Aberdeen när den senaste utredningen tog fart, men han hade arbete här i Glasgow, arbete han inte kunde utföra förrän mitt i natten. Han såg ut genom fönstret, föreställde sig hur Judith Cairns gick genom Kelvingrove Park: hon måste ha gjort det dussintals gånger. Och en gång gjorde hon det tillsammans med Uppkomlingen. En gång var allt han behövde.

Under eftermiddagen och kvällen kom fler nyheter om det senaste offret. Hon beskrevs nu som en "framgångsrik tjugosjuårig företagschef". Ordet *affärsman* ekade som ett gällt skri i Bibel-Johns huvud. Inte en lastbilschaufför eller någon annan yrkeskategori. En affärsman. Uppkomlingen. Han satte sig vid datorn och rullade tillbaka till sina anteckningar om det första offret, studenten på Robert Gordon-universitetet, som studerat geologi. Han behövde veta mer om henne, men visste inte hur han skulle gå till väga. Och nu hade han ett fjärde offer att sysselsätta sig med. Granskning av nummer fyra skulle kanske innebära att han inte behövde det första offret för att fullborda bilden. I natt kanske riktningen skulle framträda.

Han gick ut sent för att ta en promenad. Det kändes mycket behagligt, ljum kvällsluft, inte mycket trafik. Glasgow var inte en så dålig plats: han hade varit i städer i Staterna som varit betydligt värre. Han mindes sin ungdoms stad, berättelser om rakknivsgäng och knogslagsmål. Glasgow hade en våldsam historia, men det var inte hela sanningen. Det kunde vara en vacker stad också, en stad för fotografer och konstnärer. En plats för älskande…

Jag ville inte döda dem. Han önskade att han kunnat säga det till Glasgow, men det skulle förstås vara lögn. Den gången… i sista ögonblicket… var deras död allt han önskat i världen. Han hade läst intervjuer med mördare, lyssnat till vittnesmål i rättegångar vid ett par tillfällen, velat att någon förklarade hans känslor för honom. Ingen kom ens i närheten. Det var omöjligt både att beskriva och att förstå.

Det fanns många som i synnerhet inte förstod hans val av tredje offer. Det kändes förutbestämt, kunde han ha sagt till dem. Vittnet i taxin spelade ingen roll. Inget spelade någon roll, allt hade bestämts av någon högre makt.

Eller någon lägre.

Eller bara av någon kemikaliekrock i hans hjärna, av någon genetisk mesallians.

Och efteråt hade farbroderns erbjudande om ett jobb i Staterna kommit, så att han kunnat lämna Glasgow. Lämna hela livet bakom sig och skapa ett nytt, en ny identitet… som om giftermål och karriär någonsin kunde ersätta det han lämnat bakom sig…

I ett gathörn köpte han ett exemplar av nästa morgons *Herald* och drog sig tillbaka till en bar för att sluka den. Han drack apelsinjuice och satt i ett hörn. Ingen brydde sig om honom. Där fanns fler detaljer om Uppkomlingens senaste offer. Hon arbetade med företagspresentationer, vilket innebar att sätta ihop paket för industrin: videofilmer, skyltning, talskrivning, montrar… Han studerade fotografiet igen. Hon hade arbetat i Aberdeen, och det fanns egentligen bara en industri i Aberdeen. Olja. Han kände inte igen henne, var säker på att de aldrig träffats. Ändå undrade han varför Uppkomlingen valt *henne*: kunde det vara så att han skickade ett meddelande till Bibel-John? Omöjligt: det skulle betyda att han visste vem Bibel-John var. Ingen visste. Ingen.

Det var midnatt när han kom tillbaka till hotellet. Receptionen låg öde. Han gick till sitt rum, halvsov ett par timmar, och lät sig väckas av klocklarmet halv tre. Han tog den mattbelagda trappan ner till receptionen, som fortfarande låg öde. Att bryta sig in i kontoret tog trettio sekunder. Han stängde dörren efter sig och satte sig i mörkret vid datorn. Den var på och i skärmsläckarläge. Han knuffade till musen för att aktivera skärmen, och började sedan arbeta. Han letade sex veckor tillbaka från det datum då Judith Cairns blivit mördad, kollade rumsregistreringar och betalningssätt. Han letade efter räkningar som satts upp på företag baserade i eller i närheten av Aberdeen. Hans uppfattning var att Uppkomlingen inte kommit till det här hotellet på jakt efter ett offer utan varit här i jobbet och hittat henne av en slump. Han väntade på att det undanglidande mönstret skulle börja framträda.

En kvart senare hade han en lista med tjugo företag och de personer som betalat med företagskreditkort. För ögonblicket var det allt han behövde, men han stod inför ett dilemma: radera bort filerna från datorn, eller låta dem vara kvar? Med informationen bortraderad skulle han ha goda chanser att hinna före polisen till Uppkomlingen. Men å andra sidan kunde någon ur hotellpersonalen märka det och bli nyfiken. De skulle kanske kontakta polisen. Det skulle sannolikt finnas säkerhetskopior på diskett. Han skulle i verkligheten hjälpa polisen, göra den uppmärksam på hans närvaro... Nej, låt det vara som det är. Gör inte mer än nödvändigt. Det var en maxim han haft god nytta av i det förgångna.

Tillbaka i sitt rum gick han igenom listan i anteckningsboken. Det skulle vara lätt att ta reda på var varje företag fanns, vad det gjorde – arbete längre fram. Han hade ett möte i Edinburgh i morgon och skulle passa på att göra någonting åt John Rebus. Han tittade på Text-TV en sista gång innan han gick till sängs för natten. Efter att ha släckt lamporna drog han ifrån gardinerna, lade sig sedan ner på sängen. Det fanns stjärnor på himlen, några tillräckligt ljusstarka för att synas genom gatubelysningen. Många av dem döda, det var i varje fall vad astronomerna sa. Så många döda ting runt omkring, så vad skulle ytterligare ett spela för roll?

Ingen alls. Inte ett dugg.

22

De tog Jacks bil till Howdenhall. Rebus satt i baksätet och kallade Jack för sin "chaufför". Det var en svartblänkande Peugeot 405, tre år gammal, turboversionen. Rebus ignorerade Rökning förbjuden-dekalen och tände en cigarrett, men hade fönstret öppet bredvid sig. Jack sa ingenting, tittade inte ens i backspegeln. Rebus hade inte sovit gott i sin säng, svettningar, lakan som en tvångströja. Drömmar där han blev jagad väckte honom var och varannan timme, fick honom att fara upp ur sängen för att stå naken och darrande mitt på golvet.

Jack hade det första han gjorde klagat över stel nacke. Hans andra klagomål: köket, tomt kylskåp till exempel. Han kunde inte gå ut till affärerna, inte utan Rebus, så de hade skyndat sig direkt till bilen.

"Jag är hungrig."

"Stanna då, så äter vi någonting."

De stannade vid ett bageri i Liberton: korvpiroger, muggar med kaffe, ett par mandelbiskvier. Satt och åt i bilen, parkerade vid dubbla gula linjer på en busshållplats. Bussar tutade när de passerade, visade att de borde flytta på sig. Det satt meddelanden baktill på vissa av dem: Var god lämna plats för bussen.

"Jag har ingenting emot bussarna", sa Jack. "Det är förarna jag vänder mig mot. Hälften av dem klarar inte att hålla en tidtabell, än mindre ett körkortsprov."

Rebus kommentar: "Det är inte bussar som håller det här stället i ett strypgrepp."

"Du är munter i dag."

"Jack, bara håll käften och kör."

De var redo för honom på Howdenhall. Teamet föregående kväll i hans lägenhet hade tagit med sig alla hans skor, så att teknikerkillarna kunde kolla fotavtryck och gå bet på att para ihop dem med något på någon av Johnny Bibels mordplatser. Det första Rebus fick göra den här morgonen var att ta av sig de skor han gick i. De gav honom plastgaloscher att ha på och sa att han skulle få tillbaka skorna innan han gick. Galoscherna var alldeles för stora, obekväma – hans fötter kanade omkring i dem och han var tvungen att kröka tårna för att få dem med sig.

De bestämde sig för att avstå från salivtest – det var det minst tillförlitliga – men ryckte hårstrån från hans huvud.

"Kan ni ympa in dem vid tinningarna när ni är klara?"

Kvinnan med pincetten log och satte igång. Hon förklarade att hon var tvungen att ha rötterna – PCR-metoden skulle inte fungera på klippt hår. Det fanns ett test tillgängligt på vissa ställen, men...

"Men?"

Hon svarade inte, men Rebus visste vad hon hade menat: men de låtsades bara göra något med honom. Varken Ancram eller någon annan väntade sig att de dyra testerna skulle ge något positivt resultat. Det enda resultatet skulle vara en irriterad, osäker Rebus. Det var vad alltihop gick ut på. Teknikerna visste det, Rebus visste det.

Blodprov – att det krävdes tillstånd hade man satt sig över – och sedan fingeravtryck, plus att de ville ha några fibrer och trådar från hans kläder. Jag hamnar i datorn, tänkte Rebus. Trots att jag är oskyldig kommer jag att förbli en misstänkt i historiens ögon. Den som gräver i arkiven om tjugo år kommer att se att en polis blev förhörd och lämnade prover... Det var en otäck känsla. Och när de väl hade hans DNA... ja, då fanns han i registret. Den skotska DNA-databasen höll just på att byggas upp. Rebus började önska att han insisterat på ett tillstånd.

Under varje process stod Jack Morton bredvid, med bortvänt ansikte. Och efteråt fick Rebus tillbaka sina skor. Det kändes som om teknikerstaben stirrade på honom. Kanske gjorde de det, kanske inte.

Pete Hewitt promenerade förbi – han hade inte varit med när de tog fingeravtryck – och sa någonting om att den som gräver en grop... Jack tog Rebus i armen och hindrade honom från att klippa till. Hewitt hasade snabbt iväg.

"Vi ska till Fettes", påminde Jack Rebus.

"Jag är klar."

Jack tittade på honom. "Vi kanske ska stanna till någonstans först och ta en kopp kaffe."

Rebus log. "Rädd att jag ska klippa till Ancram?"

"Om du gör det, så kom ihåg att han är vänsterhänt."

"Kommissarie Rebus, har ni några invändningar mot att det här förhöret bandas?"

"Vad händer med bandet?"

"Det förses med datum och tid, kopior görs: en till er. Samma sak med utskrifter."

"Inga invändningar."

Ancram nickade mot Jack Morton, som satte igång maskinen. De befann sig i ett rum på Fettesstationens tredje våning. Det var trångt och såg ut som om det lämnats i hast av en sur innehavare. En papperskorg vid skrivbordet väntade på att bli tömd. Gem låg utspridda över golvet. Väggarna bar fortfarande spår av fasttejpade bilder som ryckts loss. Ancram satt bakom det repade skrivbordet, med Spavenmaterialet i travar på ena sidan. Han var klädd i mörkblå kritstrecksrandig kostym med ljusblå skjorta och slips och såg ut som om han kom direkt från frisören. Det låg två pennor framför honom på skrivbordet – en gul Bic med fint stift och en blänkande rollerball som såg dyr ut. Hans polerade och filade naglar knackade mot ett oanvänt A4-block. Till höger om blocket låg en maskinskriven lista med anteckningar, frågor och punkter att ta upp.

"Jaha, doktorn", sa Rebus, "hur ser mina chanser ut?"

Ancram bara log. När han talade var det till bandspelaren.

"Överkommissarie Charles Ancram, Strathclydepolisen. Klockan" – han tittade på ett tunt armbandsur – "är tio och fyrtiofem måndagen den tjugofjärde juni. Inledande intervju med kriminalkommissarie John Rebus, Lothian & Borders-polisen. Utfrågningen sker i rum C25, Lothianpolisens huvudkontor, Fettes Avenue, Edinburgh. Också närvarande är – "

"Ni glömde postnumret", sa Rebus och lade armarna i kors.

"Det där var kommissarie Rebus röst. Också närvarande är kriminalkommissarie Jack Morton, Falkirkpolisen, för närvarande förflyttad till Strathclydepolisen, Glasgow."

Ancram tittade på sina anteckningar, tog upp Bicpennan och drog streck genom de första raderna. Sedan lyfte han en plastmugg med vatten och smuttade på det, medan han studerade Rebus över kanten.

"När helst ni är redo", sa Rebus.

Ancram var redo. Jack satt vid bordet med bandspelaren. Två mikrofoner gick från den till skrivbordet, den ena riktad mot Ancram, den andra mot Rebus. Från den plats där han satt kunde Rebus inte riktigt se Jack. Det var han och Ancram, schackbrädet uppställt för spel.

"Kommissarien", sa Ancram, "ni vet varför ni är här?"

"Ja, sir. Jag är här därför att jag har vägrat avbryta en utredning kring möjliga kopplingar mellan Glasgowgangstern Joseph Toal, Aberdeens narkotikamarknad och mordet på en oljearbetare i Edinburgh."

Ancram bläddrade i fallmaterialet och såg uttråkad ut.

"Kommissarien, ni vet att intresset för Leonard Spaven-fallet har återuppväckts?"

"Jag vet att TV-hajarna har simmat runt. De tycker sig känna lukten av blod."

"Och kan de det?"

"Bara en läckande gammal ketchupflaska, sir."

Ancram log. Det skulle inte gå fram på bandet.

"Överkommissarie Ancram ler", sa Rebus.

"Kommissarien", med en blick på anteckningarna, "vad utlöste det här mediaintresset?"

"Leonard Spavens självmord, lagt till hans kändisskap."

"Kändisskap?"

Rebus ryckte på axlarna. "Massmedia får en ställföreträdande kick av omvända bovar och mördare, särskilt när dessa har konstnärliga intressen. Massmedia har ofta själv konstnärliga ambitioner."

Ancram tycktes vänta sig mer. De satt tysta ett ögonblick. Kassettsurr, motorljud. Någon ute i korridoren nös. Ingen sol i dag: en bepansrad himmel varslade om regn; en hård vind från Nordsjön.

Ancram lutade sig tillbaka i stolen. Hans budskap till Rebus: Jag behöver inte anteckningarna, jag *kan* det här fallet. "Vad kände ni när ni hörde att Lawson Geddes hade tagit livet av sig?"

"Saknad. Han var en bra polis och en god vän."

"Men ni hade era tvister?"

Rebus försökte hålla kvar blicken; blev den som blinkade först. Tänkte: det var genom den sortens samlade bakslag som strider förlorades.

"Hade vi?" Gammalt knep, att besvara en fråga med en fråga. Ancrams blick sa att det var ett slitet drag.

"Jag har låtit mina män tala med några poliser som var i tjänst den gången." En blick mot Jack, som inte varade ens en sekund. Drog in Jack. Bra taktik, sådde tvivel.

"Vi hade smärre meningsskiljaktigheter, som alla andra."

"Ni respekterade honom fortfarande?"

"Presens."

Ancram nickade. Fingrade på sina anteckningar, som om han smekte en kvinnas arm. Med äganderätt. Men gjorde det också för att trösta, för att lugna.

"Så ni arbetade bra ihop?"

"Ganska bra. Får jag röka?"

"Vi tar en paus…" tittade på sin klocka, "elva och fyrtiofem. Är det okej?"

"Jag ska försöka överleva."

"Ni är en överlevare, kommissarien. Er meritlista talar för sig själv."

"Tala med den istället då."

Ett hastigt leende. "När insåg ni att Lawson Geddes hade ett horn i sidan till Leonard Spaven?"

"Jag förstår inte frågan."

"Det tror jag att ni gör."

"Fel."

"Vet ni varför Geddes blev sparkad från Bibel-John-utredningen?"

"Nej." Det var den fråga som hade kraft, verklig kraft: den kunde irritera Rebus.

För han ville veta svaret.

"Inte? Berättade han aldrig det för er?"

"Aldrig."

"Men han talade om Bibel-John?"

"Ja."

"Det är alltihop lite vagt…" Ancram dök ner i en låda och placerade ytterligare två svällande pärmar på skrivbordet. "Jag har Geddes personliga akt och rapporter här. Plus en del från Bibel-John-utredningen, sådant han var inblandad i. Verkar som om han fick det på hjärnan." Ancram öppnade den ena pärmen, bläddrade passivt, tittade sedan på Rebus. "Låter det bekant?"

"Ni säger att han hade fått Lenny Spaven på hjärnan?"

"Jag vet att det var så." Ancram lät det sjunka in, nickade. "Jag vet det genom samtal med poliser från den tiden, men viktigare är att jag vet det på grund av Bibel-John."

Den djäveln hade Rebus på kroken. De var bara tjugo minuter in i intervjun. Rebus lade det ena benet över det andra och försökte se oberörd ut. Ansiktet var så spänt att han visste att musklerna antagligen syntes under huden.

"Jo", sa Ancram, "Geddes försökte knyta Spaven till Bibel-John-fallet. Anteckningarna är inte kompletta. Antingen har de blivit förstörda eller kommit bort, eller så skrev inte Geddes och hans överordnade ner allt. Men Geddes var ute efter Spaven, ingen tvekan om det. Undanstoppade i en av pärmarna hittade jag några gamla fotografier. Spaven finns med på dem." Ancram höll upp fotografierna. "De är från Borneokampanjen. Geddes och Spaven var i Skotska gardet tillsammans. Jag tror att någonting hände där ute, och efter det var Geddes ute efter Spavens skalp. Hur sköter jag mig hittills?"

"Fyller ut tiden snyggt fram till rökpausen. Kan jag få se de där fotografierna?"

Ancram ryckte på axlarna och lämnade över dem. Rebus tittade. Gamla svartvita bilder med böjda kanter, ett par av dem inte mer än fem gånger tre och en halv centimeter, resten tio gånger femton. Rebus upptäckte Spaven direkt, rovdjursflinet drog in honom i historien. Där fanns en präst med på bilderna, militäruniform och rundkrage. Andra män poserade, klädda i säckiga shorts och långa sockar, svettblanka ansikten, nästan rädda ögon. En del av ansiktena var suddiga. Rebus kunde inte se Lawson Geddes på något av dem. Det var utomhusbilder, bambuhyddor i bakgrunden, en gammal jeep stack in nosen på en. Han vände på fotografierna, läste texten – Borneo, 1965 – och några namn.

"Kom de här från Lawson Geddes?" frågade Rebus och lämnade tillbaka dem.

"Ingen aning. De låg bara tillsammans med allt det andra Bibel-John-skräpet." Ancram sköt in dem i pärmen igen, räknade dem medan han gjorde det.

"De är med allihop", sa Rebus. Jack Mortons stol skrapade mot golvet: han kollade hur långt det var kvar tills bandet måste bytas.

"Så", sa Ancram, "vi har Spaven och Geddes som tjänstgör tillsammans i Skotska gardet. Vi har Geddes som jagar Spaven under Bibel-John-utredningen – och blir sparkad från fallet. Sedan spolar vi fram några år och vad har vi då? Geddes som fortfarande jagar Spaven, men den här gången för mordet på Elizabeth Rhind. Och blir sparkad från fallet igen."

"Spaven kände definitivt offret."

"Inga invändningar där, kommissarien." Paus: fyra takter. "Ni kände ett av Johnny Bibels offer – betyder det att ni dödade henne?"

"Hitta hennes halsband i min lägenhet och fråga mig igen."

"Ah, det är här det börjar bli intressant, va?"

"Bra."

"Känner ni till ordet *serendipity*?"

"Jag kryddar mitt tal med det."

"Ordbokens definition: förmågan att av en ren slump göra en upptäckt. Användbart ord."

"Absolut."

"Och Lawson Geddes hade den förmågan, inte sant? Jag menar, man får ett anonymt tips om ett parti stulna klockradioapparater. Så man ilar iväg till ett garage, utan husrannsakningsorder eller något, och vad hittar man? Leonard Spaven, radioapparaterna och en hatt och en axelväska – båda tillhörande mordoffret. Det skulle jag kalla en *mycket* slumpmässig upptäckt. Utom att det inte var någon slump, eller hur?"

"Vi hade en husrannsakningsorder."

"Undertecknad i efterhand av en foglig fredsdomare." Ancram log igen. "Ni tror att ni klarar er bra, va? Ni tänker att eftersom det bara är *jag* som snackar, så säger ni inte någonting komprometterande. Men lyssna noga. Jag talar därför att jag vill att ni ska veta var vi står. Sedan ska ni få varje chans till genmäle."

"Jag ser fram mot det."

Ancram tittade i sina anteckningar. Rebus tankar dröjde fortfarande vid Borneo och fotografierna: vad i helvete kunde de ha med Bibel-John att göra? Han önskade att han tittat mer ingående på dem.

"Jag har läst er version av händelserna, kommissarien", fortsatte Ancram. "Och jag börjar förstå varför ni lät er kompis Holmes ta sig en titt på dem." Han såg upp. "För det *var* väl tanken, inte sant?"

Rebus sa ingenting.

"Ni var ju inte någon särskilt garvad polis den gången, trots allt Geddes hade lärt er. Ni skrev en bra rapport, men ni var alltför medveten om de lögner ni berättade och de luckor ni var tvungen att skapa. Jag är bra på att läsa mellan raderna, vi kan kalla det praktisk kritik."

Rebus hade en bild i tankarna: en darrande och vildögd Lawson Geddes på sin tröskel.

"Så detta är hur jag tror att det gick till. Geddes följde efter Spaven – ut på farliga vägar den här gången. En dag spårade han honom till garaget, väntade tills Spaven gått och bröt sig sedan in. Gillade vad han såg och bestämde sig för att plantera bevis."

"Nej."

"Så han bryter sig in igen, men den här gången har han några av offrets tillhörigheter med sig. Men han fick dem inte från något låst bevisskåp, för enligt rapporterna hade ingen flyttat en hatt eller en väska från offrets bostad. Så hur fick han tag i dem? Två möjligheter. Ett, han valsade tillbaka in i hennes hem och tog dem. Två, han hade dem redan, eftersom han redan från början haft tanken att utrusta Spaven."

"Nej."

"Till det första eller det andra?"

"Till båda."

"Ni står fast vid det?"

"Ja."

Ancram hade för varje punkt han framfört lutat sig längre fram över skrivbordet. Nu rätade han långsamt upp sig igen och sneglade på sin klocka.

"Cigarrettpaus?" frågade Rebus.

Ancram skakade på huvudet. "Nej, jag tror det räcker för i dag. Ni gjorde så många tabbar i den där falska rapporten att det kommer att ta mig ett tag att få med allihop. Vi går igenom dem vid nästa möte."

"Jag ser fram mot det." Rebus reste sig och stack handen i fickan för att ta fram cigarretter. Jack hade stängt av bandspelaren och tagit ut bandet. Han gav det till Ancram.

"Jag ska genast låta göra en kopia och skicka till er för verifikation", sa Ancram till Rebus.

"Tack." Rebus sög in och önskade att han kunnat hålla andan för alltid. Det fanns människor som inte släppte ut någon rök alls när de andades ut. Så självvisk var inte han. "En fråga."

"Ja?"

"Vad ska jag säga till mina kolleger när jag släpar med mig Jack hit till jobbet?"

"Ni kommer säkert på något. Ni är en mer erfaren lögnare nuförtiden."

"Jag gick inte med håven, men tack i alla fall." Han började vända sig om för att gå.

"En liten fågel viskade i mitt öra att ni skallade en TV-reporter."

"Jag snubblade, föll på honom."

Ancram nästan log. "Snubblade?" Väntade tills Rebus hade nickat. "Ja, det kommer väl att se bra ut? De har allihop på video."

Rebus ryckte på axlarna. "Den här lilla fågeln... var det någon särskild?"

"Varför frågar ni?"

"Tja, ni har ju era källor, inte sant? I pressen, menar jag. Jim Stevens till exempel. Fin liten vänskap ni båda har."

"Inga kommentarer, kommissarien." Rebus skrattade och vände sig bort. "En sak till", sa Ancram.

"Vadå?"

"När Geddes försökte binda Spaven vid mordet talade ni med en del av Spavens vänner och kompanjoner, inklusive..." Ancram låtsades leta efter namnet i sina anteckningar. "Fergus McLure."

"Vad är det med det?"

"Mr McLure dog nyligen. Efter vad jag förstår åkte ni för att träffa honom samma morgon som han dog?"

Vem hade pratat?

"Och?"

Ancram ryckte på axlarna och såg nöjd ut. "Bara ännu ett... sammanträffande. Överkommissarie Grogan ringde mig förresten i morse."

"Det måste vara kärlek."

"Känner ni till en pub i Aberdeen som heter Yardarm?"

"Den ligger nere i hamnen."

"Det stämmer. Varit där någon gång?"

"Kanske."

"En gäst där säger att ni definitivt har det. Ni bjöd honom på ett glas, talade om oljeriggar."

Den lille mannen med det tunga kraniet. "Och?"

"Det visar att ni var i hamnen kvällen *innan* Vanessa Holden blev mördad. Två kvällar i rad, kommissarien. Grogan börjar låta *mycket* irriterad. Jag tror att han vill ha tillbaka er."

"Tänker ni överlämna mig?" Ancram skakade på huvudet. "Nej, det skulle ni väl inte vilja, eller hur?"

Rebus hade så när blåst lite rök i ansiktet på Ancram. Så när. Han kanske var mer självisk än han trodde...

"Det där gick så bra som man kunde förvänta sig", sa Jack Morton. Han satt på förarplatsen. Rebus hade valt att sitta där framme tillsammans med honom.

"Bara för att du trodde att det skulle bli blodbad."

"Jag försökte komma ihåg vad jag lärt mig om första hjälpen."

Rebus skrattade, slappnade av. Han hade ont i huvudet.

"Aspirin i handskfacket", sa Jack. Rebus öppnade det. Där fanns en liten plastflaska med Vittel också. Han sköljde ner tre tabletter.

"Har du varit scout någon gång, Jack?"

"Jag var med i vargungarna, fortsatte aldrig till scouterna. Jag hade fått andra fritidsintressen vid det laget. Finns det fortfarande scouter?"

"Efter vad jag har hört, ja."

"Minns du veckan när man skulle göra dagsverken? Man var tvungen att gå runt bland grannarna och tvätta fönster och gräva i deras trädgårdar. Och så till sist lämnade man över pengarna till Akela."

"Som genast stoppade hälften i egen ficka."

Jack tittade på honom. "Det finns ett stänk av cynism i dig, va?"

"Kanske ett litet stänk."

"Så vart nu? Fort Apache?"

"Efter vad jag just har gått igenom?"

"Oxen?"

"Du lär dig."

Jack valde tomatjuice – tänkte på vikten, sa han – medan Rebus tog ett litet glas öl och, efter ett ögonblicks tvekan, en whisky. Det var inte lunchdags än, men pajerna stod på värmning för att snabbt kunna serveras. Den kvinnliga bartendern hade kanske varit flickscout. De tog med glasen till det inre rummet och satte sig vid ett hörnbord.

"Det känns lustigt att vara tillbaka i Edinburgh", sa Jack. "Här brukade vi väl aldrig dricka? Vad hette den där puben på Great London Road?"

"Jag minns inte." Det var sant. Han kom inte ens ihåg hur puben såg ut inuti, ändå måste han ha varit där två- eller trehundra gånger. Det var bara ett ställe där man drack och diskuterade. Pubens eventuella liv kom gästerna med.

"Gud, så mycket pengar vi gjorde av med."

"Så talar en omvänd suput."

Jack tvingade fram ett leende, lyfte sitt glas. "John, berätta för mig, varför dricker du?"

"Det tar död på mina drömmar."

"Det kommer att ta död på dig också till sist."

"Någonting måste göra det."

"Vet du vad någon sa till mig? Att du var det självmordsoffer som överlevt längst i världen."

"Vem sa det?"

"Bry dig inte om det."

Rebus skrattade. "Jag borde kanske lämna in en ansökan till *Guinness Rekordbok*."

Jack tömde sitt glas. "Så hur ser planerna ut?"

"Det är någon jag borde ringa till, en journalist." Han tittade på klockan. "Jag kan tänka mig att hon är hemma nu. Jag går tillbaka till baren för att använda telefonen. Följer du med?"

"Nej, jag tänker lita på dig."

"Är du säker?"

"Någorlunda."

Så Rebus gick för att ringa till Mairie, men den enda han fick på tråden var hennes telefonsvarare. Han lämnade ett kort meddelande och frågade barflickan om det fanns någon fotoaffär på gångavstånd. Hon nickade, gav honom en vägbeskrivning och återgick till att torka glas. Rebus vinkade på Jack och de släntrade ut från puben in i en dag som blev allt varmare. Det fanns fortfarande ett tryckande molntäcke, nästan åsktungt. Men man visste helt enkelt att solen pucklade på det, som ett barn med sin kudde. Rebus tog av sig kavajen och slängde den över axeln. Fotografen fanns en gata bort, så de sneddade över Hill Street.

Affären hade ett skyltfönster med porträtt – brudpar som tycktes utstråla ljus, småbarn som log förtjust. Frusna ögonblick av lycka – det stora bedrägeriet – att rama in och placera på framträdande plats i ett skåp eller på TV:n.

"Är det semesterbilder?" frågade Jack.

"Fråga bara inte hur jag har fått tag på dem", varnade Rebus. Han förklarade för biträdet att han ville ha nya kopior av alla negativ. Hon skrev ner instruktionerna och sa att det skulle vara klart dagen därpå.

"Ingen snabbkopiering på en timme?"

"Tyvärr inte."

Rebus tog kvittot, vek ihop det och stoppade det i fickan. När de kom ut igen hade solen gett upp. Det regnade. Rebus satte ändå inte på sig kavajen, svettades tillräckligt som det var.

"Du behöver inte berätta något för mig om du inte vill", sa Jack. "Men jag skulle inte ha någonting emot att bli lite insatt i allt det här."

"Allt vad?"

"Din resa till Aberdeen, alla små kodade meddelanden mellan Chick och dig, ja, om *allting*."

"Antagligen bäst att du inte vet."

"Varför? För att jag jobbar åt Ancram?"

"Kanske."

"Kom igen, John."

Men Rebus hörde inte på. Två affärer bort från fotografen fanns en liten gör-det-själv-butik: färg och penslar och tapetrullar. Det gav Rebus en idé. Väl tillbaka i bilen gav han direktiv, sa till Jack att de var ute på en hemlig resa – mindes att Lumsden sagt samma sak till honom första kvällen i Furry Boot Town. I närheten av St Leonard's sa Rebus åt Jack att svänga till vänster.

"Här?"

"Här."

Det var en gör-det-själv-stormarknad. Parkeringsplatsen var nästan tom så de ställde sig nära dörrarna. Sedan hoppade Rebus ur och hittade faktiskt en vagn med fyra fungerande hjul.

"På ett ställe som det här tycker man att de borde ha någon som kunde fixa dem."

"Vad gör vi här?"

"Jag behöver lite grejer."

"Du behöver proviant, inte säckar med puts."

Rebus vände sig mot honom. "Det är där du har fel."

Han köpte färg, roller och penslar, terpentin, plast, puts, en varmluftspistol, sandpapper (grovt och fint) och fernissa, och betalade allt med sitt kreditkort. Sedan bjöd han Jack på lunch på ett fik i närheten, ett av hans tillhåll från St Leonard's-tiden.

Och efter det: hem. Jack hjälpte honom att bära upp allt.

"Har du några gamla kläder med dig?" frågade Rebus.

"Jag har en overall i bagageutrymmet."

"Bäst du hämtar den." Rebus stannade, stirrade på sin öppna dörr, släppte färgen och sprang in i lägenheten. En snabb koll sa honom att ingen fanns där inne. Jack undersökte dörrkarmen.

"Ser ut som om någon har använt en kofot", sa han. "Vad saknas?"

"Stereon och TV:n är kvar."

Jack gick in, granskade rummen. "Ser ut ungefär som när vi gick. Vill du anmäla det?"

"Varför? Vi vet båda två att det är Ancram som försöker göra mig nervös."

"Det förstår jag inte."

"Inte? Konstigt att jag får inbrott precis när jag blir förhörd av honom."

"Vi borde anmäla det, annars kommer inte försäkringsbolaget att ersätta dig för en ny dörrkarm." Jack tittade sig omkring. "Konstigt att ingen har hört något."

"Döva grannar", sa Rebus. "Edinburgh är känt för dem. Okej, vi anmäler det. Du kör tillbaka till affären och skaffar ett nytt lås eller något."

"Och vad tänker du göra?"

"Sitta här, hålla ställningarna. Jag lovar."

Så fort Jack försvunnit ut genom dörren satte Rebus kurs mot telefonen. Han bad att få bli kopplad till överkommissarie Ancram. Sedan väntade han och såg sig omkring i rummet. Någon bryter sig in, går sedan utan att ta stereon. Det var nästan en förolämpning.

"Ancram."

"Det är jag."

"Någonting på hjärtat, kommissarien?"

"Jag har haft inbrott i min lägenhet."

"Det var tråkigt att höra. Vad har de tagit?"

"Inget. Det var där de dabbade sig. Jag tänkte att ni skulle säga det till dem."

Ancram skrattade. "Ni tror att jag hade någonting med det att göra?"

"Ja."

"Varför?"

"Jag hade hoppats att ni skulle tala om det för mig. Ordet 'trakasseri' dyker upp i tankarna." Så fort han sagt det kom han att tänka på *Lag och rätt*-programmet: hur desperata var de? Tillräckligt desperata för lite inbrott? Han hade svårt att tänka sig det, inte Kayleigh Burgess. Eamonn Breen däremot var en helt annan sak…

"Det här är en ganska allvarlig anklagelse. Jag är inte säker på att jag vill lyssna på den. Hur vore det om ni lugnade ner er och tänkte igenom saken?"

Det var precis vad Rebus gjorde. Han lade på och tog fram sin plånbok ur kavajfickan. Den var full av papperslappar, kvitton, visitkort. Han plockade fram Kayleigh Burgess, ringde hennes jobb.

"Hon är tyvärr inte här i eftermiddag", talade en sekreterare om för honom. "Är det något jag kan framföra?"

"Hur är det med Eamonn då?" Försökte låta som en vän. "Är han inne?"

"Jag ska se. Hur var namnet?"

"John Rebus."

"Dröj kvar." Rebus dröjde kvar. "Nej, tyvärr, Eamonn är också ute. Ska jag säga att ni har ringt?"

"Nej, det behövs inte. Jag hittar honom senare. Tack i alla fall."

Rebus gick igenom lägenheten igen, den här gången mer noggrant. Hans första tanke hade varit ett vanligt inbrott, hans andra en fint för att retas med honom. Men nu tänkte han på andra saker som någon kunde ha letat efter. Det var inte lätt att säga: Siobhan och hennes vänner hade inte precis lämnat stället som de hittat det. Men de hade inte heller varit särskilt omsorgsfulla. De hade till exempel inte ägnat tid åt köket, hade inte öppnat skåpen där han hade alla sina klipp och tidningar.

Men någon hade gjort det. Rebus visste vilket klipp han senast läst, och det låg inte längre överst i högen. Istället hade det flyttat tre eller fyra lager söderut. Kanske Jack… nej, han trodde inte att Jack hade snokat.

Men någon hade gjort det. Någon hade definitivt gjort det.

När Jack kom tillbaka hade Rebus bytt om till jeans och en färggrann T-shirt med texten DANCING PIGS. Ett par uniformerade poliser hade varit och inspekterat skadan och gjort några anteckningar. De gav Rebus ett referensnummer. Hans försäkringsbolag skulle vilja ha det.

Rebus hade redan flyttat ut en del av vardagsrumsmöblerna i hallen och lagt plast över allting annat. Resten av plasten hamnade på mattan. Han lyfte ner tavlan med fiskebåten från väggen.

"Jag gillar den där", sa Jack.

"Rhona gav mig den på min första födelsedag sedan vi gift oss. Hade köpt den på en konstmässa, trodde att den skulle påminna mig om Fife." Han studerade tavlan och skakade på huvudet.

"Jag förmodar att den inte gjorde det?"

"Jag kommer från västra Fife – gruvsamhällen, tufft – inte East Neuk." Idel fiskebåtar, turister och pensionärsbostäder. "Jag tror aldrig hon förstod." Han tog med sig tavlan ut i hallen.

"Jag fattar inte att vi gör det här", sa Jack.

"Och på polistid. Vilket vill du helst göra, måla väggarna, skrapa dörren eller sätta i låset?"

"Måla." I sin blå overall var Jack som skapt för uppgiften. Rebus gav honom rollern, sträckte sig sedan in under plasten för att sätta på stereon. Stones, *Exile on Main Street*. Perfekt. De satte igång att jobba.

23

De tog paus och gick upp till Marchmont Road och köpte lite mat. Jack behöll overallen på, sa att han kände sig som om han var på hemligt uppdrag. Han hade färg i ansiktet men brydde sig inte om att torka bort den. Han njöt. Han hade sjungit med till musiken, fastän han inte alltid kunde orden. De köpte mest skräpmat, kolhydrater, men lade till fyra äpplen och ett par bananer. Jack frågade om Rebus skulle köpa någon öl. Rebus skakade på huvudet, valde istället Irn-Bru och apelsinjuice.

"Vad ska allt det här vara bra för?" frågade Jack när de strosade hemåt.

"Rensa hjärnan", svarade Rebus, "ge mig tid att tänka… jag vet inte. Jag kanske funderar på att sälja."

"Sälja lägenheten?"

Rebus nickade.

"Och göra vad?"

"Tja, jag skulle kunna köpa mig en jordenruntbiljett, eller hur? Ge mig av i sex månader. Eller sätta in pengarna på banken och leva på räntan." Han gjorde en paus. "Eller kanske köpa mig ett ställe utanför stan."

"Var?"

"Någonstans vid havet."

"Det vore fint."

"Fint?" Rebus ryckte på axlarna. "Ja, jag antar det. Jag bara känner för förändring."

"Alldeles nere vid stranden?"

"Skulle kunna vara uppe på en klippa, vem vet?"

"Vadan detta?"

Rebus tänkte efter. "Mitt hem känns inte längre som min borg."

"Nej, men vi köpte alla målargrejerna före inbrottet."

Rebus hade inget svar på det.

De arbetade resten av eftermiddagen, med fönstren öppna för att släppa ut färglukten.

"Är det meningen att jag ska sova här inne i natt?" frågade Jack.

"Gästrummet", sa Rebus till honom.

Telefonen ringde halv sex. Rebus nådde den just som telefonsvararen ingrep.

"Hallå?"

"John, det är Brian. Siobhan berättade att du var tillbaka."

"Ja, hon bör veta. Hur mår du?"

"Borde det inte vara jag som frågar *dig* om det?"

"Jag mår bra."

"Jag med."

"Du är inte veckans favorit hos överkommissarie Ancram."

Jack Morton började intressera sig för samtalet.

"Kanske inte, men han är inte min chef."

"Men han har kontakter."

"Än sedan?"

"Brian, jag vet vad du håller på med. Jag vill tala med dig om det. Kan vi komma över?"

"Vi?"

"Det är en lång historia."

"Jag kanske kan komma till dig."

"Det här stället är rena byggarbetsplatsen. Vi är hos dig om en timme, okej?"

Holmes tvekade, sa sedan att det blev bra.

"Brian, detta är Jack Morton, en gammal vän till mig. Han tillhör Falkirkpolisen, just nu överförd till kommissarie John Rebus."

Jack blinkade till Brian. Han hade tvättat bort färgen från ansikte och händer. "Vad han menar är att jag har fått till uppgift att hålla honom borta från tråkigheter."

"FN-fredsbevarare, va? Kom in, förresten."

Brian Holmes hade ägnat timmen åt att städa vardagsrummet. Han noterade Rebus uppskattning.

"Gå bara inte ut i köket – ser ut som om apacher ridit igenom på plundringståg."

Rebus log och satte sig i soffan. Jack slog sig ner bredvid honom. Brian frågade om de ville ha någonting att dricka. Rebus skakade på huvudet.

"Brian, jag har berättat lite för Jack om vad som har hänt. Han är en bra kille, vi kan snacka öppet med honom. Okej?"

Rebus tog en kalkylerad risk, hoppades att eftermiddagens gemenskap fungerat. Om inte, så hade de åtminstone kommit en bit på väg med rummet: tre väggar med en första strykning, och dörrens ena sida skrapad till hälften. Plus ett nytt lås i dörren.

Brian Holmes nickade och satte sig på en stol. Det stod fotografier av Nell på gaskaminen. De såg ut att ha blivit nyligen inramade och placerade där: ett improviserat helgonaltare.

"Är hon hos sin mamma?" frågade Rebus.

Brian nickade. "Men jobbar mest sena skift på biblioteket."

"Någon chans att hon kommer tillbaka?"

"Jag vet inte." Brian tänkte bita på en nagel, upptäckte att där inte fanns något att bita i.

"Jag är inte säker på att detta är en bra lösning."

"Va?"

"Du kan inte förmå dig att ta avsked, så du tänker låta Ancram sparka ut dig: vägra samarbeta, agera mulåsna."

"Jag har haft en bra lärare."

Rebus log. Det var sant. Han hade haft Lawson Geddes, och Brian hade haft honom.

"Jag har varit med om det här en gång förut", fortsatte Brian. "I skolan hade jag en riktigt bra kompis, och vi tänkte fortsätta till universitetet tillsammans. Det var bara det att han hade bestämt sig för Stirling, så jag sa att jag också skulle börja där. Men mitt förstaval hade varit Edinburgh och för att sätta stopp för Edinburghs erbjudande var jag tvungen att få underkänt i särskild tyska."

"Och?"

"Och jag satt i skrivsalen… och visste att om jag bara satt där och inte svarade på någon av frågorna, så skulle det fixa sig."

"Men du svarade på dem?"

Brian log. "Kunde inte låta bli. Jag fick godkänt."

"Samma problem nu", sa Rebus. "Om du håller på så här kommer du alltid att ångra dig, för innerst inne *vill* du inte sluta. Du gillar det du gör. Och att misshandla dig själv för det…"

"Och hur är det med att misshandla andra?" Brian såg rakt på honom när han ställde frågan. Mental-Minto, med blåmärken.

"Du gjorde bort dig en gång." Rebus höll upp ett finger för att ge eftertryck åt sina ord. "Det var en gång för mycket, men du klarade dig. Jag tror inte att du någonsin mer kommer att göra om det."

"Jag hoppas du har rätt." Holmes vände sig till Jack Morton. "Jag hade en misstänkt i förhörsrummet, och jag klådde upp honom."

Jack nickade: Rebus hade berättat alltihop för honom. "Jag vet hur det känns, Brian", sa Jack. "Jag menar, det har aldrig gått så långt som till slag, men jag har varit nära. Jag har skrapat knogarna mot en och annan vägg."

Holmes höll upp tio fingrar: skrapsår tvärs över dem.

"Där ser du", sa Rebus. "Det är precis som jag sa. Du misshandlar dig *själv*. Mental fick några märken, men de kommer att försvinna." Han knackade sig i huvudet. "Men när blåmärkena finns här inne…"

"Jag vill ha tillbaka Nell."

"Det är klart att du vill."

"Men jag vill vara polis."

"Du måste få henne att förstå båda de här sakerna."

"Herregud." Brian gned sig i ansiktet. "Jag har försökt förklara det…"

"Du har alltid skrivit bra och tydliga rapporter, Brian."

"Vad menar du?"

"Om orden inte låter bra, så försök att skriva ner dem."

"Skicka ett brev till henne?"

"Det kan du kalla det om du vill. Bara skriv ner vad det är du vill säga, försök kanske förklara varför du känner så här."

"Har du läst *Cosmopolitan* eller något?"

"Bara frågespalten."

Det var de tvungna att skratta åt, även om det egentligen inte var värt det. Brian sträckte på sig i stolen. "Jag behöver sova", sa han.

"Gå och lägg dig tidigt, skriv brevet meddetsamma i morgon bitti."

"Ja, jag kanske gör det."

Rebus började resa sig. Brian såg honom ställa sig upp.

"Vill du inte höra om Mick Hine?"

"Vem är det?"

"Före detta fånge, den siste som talade med Lenny Spaven."

Rebus satte sig ner igen.

"Det var ett jäkla jobb att hitta honom. Visade sig att han fanns här i stan hela tiden, uteliggare."

"Och?"

"Jag pratade med honom." Brian gjorde en paus. "Och jag tycker att du också borde göra det. Du kommer att få en mycket annorlunda bild av Lenny Spaven, tro mig."

Rebus trodde honom, vad han nu menade. Han ville inte, men han gjorde det.

Jack var helt emot idén.

"John, min chef kommer att vilja tala med den här gossen Hine, eller hur?"

"Jo."

"Hur kommer det att se ut när han får veta att inte bara din kompis Brian har varit där före honom, utan att *du* också har varit det?"

"Det kommer att se illa ut, men han har inte sagt åt mig att låta bli."

Jack morrade av frustration. De hade parkerat hans bil hemma vid lägenheten och promenerade nu ner till Melville Drive. En sida av vägen var Bruntsfield Links, den andra Meadows, ett plant gräsbevuxet område som kunde vara underbart en varm sommareftermiddag – en plats att koppla av på, spela fotboll eller cricket – men kusligt på natten. Stigarna hade belysning, men det var som om man dragit ner på

wattalet. Vissa kvällar var promenaden rent viktoriansk. Men nu var
det sommar och himlen fortfarande rosa. Ljusfyrkanter lyste från sjuk-
huset, Royal Infirmary, och ett par av de höga universitetsbyggna-
derna kring George Square. Kvinnliga studenter sneddade genom
Meadows i flock, en läxa lärd från djurvärlden. Kanske fanns det inga
rovdjur där ute i natt, men rädslan var lika stor. Regeringen hade lovat
att bekämpa "rädslan för brott". Det meddelades i TV-nyheterna strax
före den senaste våldsamma actionfilmen från Hollywood.

Rebus vände sig till Jack. "Tänker du skvallra på mig?"

"Jag borde."

"Ja, du borde. Men kommer du att göra det?"

"Jag vet inte, John."

"Låt inte vår vänskap hindra dig."

"Det där var till stor hjälp."

"Lyssna på mig, Jack. Jag är ute på så djupt vatten att jag antagligen
kommer att dö av dykarsjuka när jag kommer upp. Så jag kanske lika
gärna kan stanna här nere."

"Hört talas om Marianergraven någon gång? Ancram har antagli-
gen en sådan väntande på dig."

"Du är inkonsekvent."

"Va?"

"Han var Chick innan, nu är han 'Ancram'. Det är bäst du ser upp."

"Du är väl nykter?"

"Spik."

"Kan inte vara brännvinskurage alltså, vilket betyder att det är rent
vansinne."

"Välkommen till min vardag, Jack."

De var på väg mot sjukhusets baksida. Det fanns bänkar på hitsidan
av muren. Luffare, hemlösa, utslagna… vad man nu ville kalla dem…
de använde de här bänkarna som sängar på sommaren. Där brukade
finnas en gammal gubbe, Frank. Rebus såg honom varje sommar, och
i slutet av varje sommar försvann han som en flyttfågel bara för att åter
dyka upp året därpå. Men det här året… det här året hade Frank inte
visat sig. De hemlösa som Rebus såg var betydligt yngre än Frank,
hans andliga barn, om inte barnbarn. Utom att de var annorlunda –

tuffare och räddare, spända och trötta. Annat spel, andra regler. Edinburghs "landsvägsriddare": för tjugo år sedan hade man kunnat räkna dem i enbart dussintal. Men inte nuförtiden. Inte nuförtiden…

De väckte några som sov, som nekade till att vara Mick Hine och som sa att de inte visste vem han var, och hade sedan tur med den tredje bänken. Han satt upp, med en hög tidningar bredvid sig. Han hade en liten transistorradio, som han höll tryckt till örat.

"Är du döv eller behöver den bara nya batterier?" frågade Rebus.

"Inte döv, inte stum, inte blind. Han sa att en annan polis kanske skulle vilja tala med mig. Vill du sitta?"

Rebus satte sig på bänken. Jack Morton lutade sig mot muren bakom den, som om han helst inte ville höra. Rebus drog fram en fempundssedel.

"Här. Köp några batterier."

Mick Hine tog pengarna. "Så du är Rebus?" Han gav Rebus en lång blick. Han var i början av de fyrtio, tunnhårig, lätt vindögd. Han hade på sig en helt okej kostym, bara det att den hade hål på båda knäna. Innanför kavajen hade han en säckig röd T-shirt. Två bärkassar stod på marken bredvid honom, svällande av världsliga ägodelar.

"Lenny snackade om dig. Trodde du skulle vara annorlunda."

"Annorlunda?"

"Yngre."

"Jag var yngre när Lenny kände mig."

"Ja, det är sant. Det är bara filmstjärnor som blir yngre, har du tänkt på det? Resten av oss blir grå och skrynkliga." Inte för att Hine var något av det. Ansiktet var svagt solbränt, som putsad mässing, och det hår han hade var kolsvart och långt. Han hade skrapsår på kinder och haka, panna och knogar. Antingen hade han ramlat eller fått stryk.

"Har du snubblat, Mick?"

"Jag blir yr ibland."

"Vad säger doktorn?"

"Va?"

Ingen doktor konsulterad. "Du vet att det finns härbärgen, du behöver inte hålla till här ute."

"Fulla. Jag hatar att köa, så jag hamnar alltid längst bak. Din omtanke har noterats av Michael Edward Hine. Jaha, vill du höra berättelsen?"

"När du vill."

"Jag kände Lenny i fängelset, vi delade cell i kanske fyra månader. Han var den tysta typen, tankfull. Jag visste att han hade varit i trubbel förut, och ändå passade han inte för fångelselivet. Han lärde mig att lösa korsord, sortera upp virrvarret av bokstäver. Han hade tålamod med mig." Hine tycktes glida bort, men tog sig samman. "Den man han skrev om är den man han var. Han berättade själv att han hade gjort hemskheter och aldrig blivit straffad för det. Men det gjorde det inte lättare för honom att bli straffad för ett brott han aldrig begått. Om och om igen sa han till mig:'Jag gjorde det inte, Mick, jag svär vid Gud och alla andra som finns där uppe.' Det var en fix idé hos honom. Jag tror att om han inte hade haft sitt skrivande, så skulle han kanske ha gjort av med sig tidigare."

"Du tror inte att någon gav sig på honom?"

Hine funderade innan han skakade bestämt på huvudet. "Jag tror han tog sitt eget liv. Den där sista dagen, det var som om han kommit fram till ett beslut, slutit fred med sig själv. Han var lugnare, nästan fridfull. Men ögonen... han ville inte se på mig. Det var som om han inte längre kunde umgås med människor. Han pratade, men han samtalade med sig själv. Jag gillade honom skarpt. Och det han skrev var vackert..."

"Sista dagen?" hjälpte Rebus honom på traven. Jack kikade genom staketet på sjukhuset.

"Sista dagen", upprepade Hine. "Den där sista dagen var den mest andliga i mitt liv. Jag kände det nästan som jag fått... gloria."

"Gloria – vacker kvinna", muttrade Jack. Hine hörde honom inte.

"Vet du vad som var hans sista ord?" Han slöt ögonen, mindes. "'Gud vet att jag är oskyldig, Mick, men jag är så trött på att säga det om och om igen.'"

Rebus skruvade på sig. Han ville vara nonchalant, ironisk, sitt vanliga jag – men fann nu att han hade alldeles för lätt att identifiera sig med Spavens epitafium. Kanske till och med – lite grann – med mannen själv. Hade Lawson Geddes verkligen gjort honom blind? Rebus kände knappt Spaven, hade ändå hjälpt till att sätta honom i fängelse för mord, brutit mot regler och föreskrifter, hjälpt en man som var febrig av hat, förhäxad av hämnd.

Men hämnd för vad?

"När jag hörde att han skurit halsen av sig blev jag inte förvånad. Han hade strukit sig över halsen hela dagen." Hine lutade sig plötsligt framåt, rösten steg. "Och ända tills han dog hävdade han att det var *du* som hade satt dit honom! Du och din vän!"

Jack vände sig mot bänken, beredd på bråk. Men Rebus var inte orolig.

"Titta på mig och säg att du inte gjorde det!" spottade Hine ut. "Han var den bäste vän jag någonsin haft, den hyggligaste, vänligaste människa jag känt. Borta nu, borta för alltid…" Hine höll huvudet i händerna och grät.

Av alla alternativ som var möjliga visste Rebus vilket han föredrog – flykt. Och det var precis det alternativet han valde. Jack fick slita hårt för att hålla jämna steg med honom när han flydde över gräset, tillbaka mot Melville Drive.

"Vänta!" ropade Jack. "Stanna!" De var halvvägs över lekplatsen, mitt i en dunkel triangel avgränsad av stigar. Jack ryckte i Rebus arm, försökte få honom att sakta in. Rebus vände sig om och kastade av sig Jacks hand, klippte sedan till. Knytnävsslaget träffade Jack på kinden, fick honom att snurra runt. Chock avspeglade sig i hans ansikte, men han var beredd på det andra slaget, blockerade det med underarmen, slog sedan själv en höger – ingen southpaw. Han gjorde ett skenanfall, fick Rebus att tro att han siktade mot huvudet, satte sedan in stöten hårt i magtrakten. Rebus stönade, kände smärtan men följde med i rörelsen, tog två steg tillbaka innan han kastade sig framåt. De två männen föll till marken och rullade runt, delade ut slag utan kraft, brottades om herraväldet. Rebus kunde höra Jack säga hans namn, om och om igen. Han knuffade bort honom och kom upp i hopkrupen ställning. Ett par cyklister hade stannat på en av stigarna och tittade på.

"John, vad i helvete håller du på med?"

Rebus svingade igen, med blottade tänder, ännu vildare, gav vännen massor av tid att ducka och att rikta ett eget slag. Rebus var nära att försvara sig, men tänkte om. Istället väntade han på smällen. Jack träffade lågt, utdelade den sortens slag som kan få en man att tappa andan utan att skada. Rebus vek sig dubbel, föll på alla fyra och spydde på marken, spottade mest vätska. Han fortsatte att försöka hosta upp allt, också när det inte fanns någonting kvar att få upp. Och sedan började han gråta. Grät över sig själv och över Lawson Geddes och kanske till och med över Lenny Spaven. Och mest av allt över Elsie Rhind och alla hennes systrar, alla offren som han inte kunde hjälpa och aldrig skulle kunna hjälpa.

Jack satt någon meter bort, med armbågarna vilande på knäna. Han andades tungt och svettades, drog av sig kavajen. Hulkandet tycktes pågå en evighet, snorbubblor kom ut ur Rebus näsa, fina salivtrådar ur munnen. Sedan kände han skälvningen avta, upphöra helt. Han rullade över på rygg, bröstet höjde sig och sänkte sig, en arm över pannan.

"Herregud", sa han, "det där behövde jag."

"Jag har inte slagits på det sättet sedan jag var tonåring", sa Jack. "Känns det bättre?"

"Mycket." Rebus fick fram en näsduk, torkade ögon och mun, snöt sig sedan. "Ledsen att det skulle bli du."

"Hellre jag än en oskyldig åskådare."

"Mitt i prick."

"Är det därför du dricker? För att förhindra sådant här?"

"Jäklar i det, Jack, jag vet inte. Jag dricker för att jag alltid har gjort det. Jag tycker om det. Jag tycker om smaken och känslan, jag tycker om att stå i barer."

"Och du tycker om att sova utan drömmar?"

Rebus nickade. "Det mest av allt."

"Det finns andra sätt, John."

"Är det nu du ska försöka få mig att tända på Juicekyrkan?"

"Du är en stor pojke, bestäm själv." Jack tog sig upp på fötter och drog upp Rebus på hans.

"Jag slår vad om att vi ser ut som två uteliggare."

"Ja, du gör det. Hur det är med mig vet jag inte."

"Elegant, Jack, du ser cool och elegant ut."

Jack rörde vid Rebus axel. "Okej nu?"

Rebus nickade. "Det är löjligt, men jag mår bättre än på länge. Kom, så går vi en sväng."

De vände och gick tillbaka mot sjukhuset. Jack frågade inte vart de var på väg. Men Rebus hade ett mål i tankarna: universitetsbiblioteket på George Square. Det skulle just stänga när de promenerade in. Studenterna på väg ut, med pärmar tryckta till bröstet, gav dem rikligt med utrymme när de gick mot disken.

"Kan jag hjälpa er?" frågade en man och tittade på dem uppifrån och ner. Men Rebus gick runt disken till en ung kvinna som stod böjd över en trave böcker.

"Hej, Nell."

Hon tittade upp, kunde först inte placera honom. Sedan försvann allt blod från hennes ansikte.

"Vad har hänt?"

Rebus lyfte en hand. "Brian mår fint. Jack här och jag... tja, vi..."

"Snubblade och föll", sa Jack.

"Ni borde inte dricka på pubar med trappor." Nu när hon visste att Brian var okej fick hon snabbt tillbaka fattningen, och med den sin försiktighet. "Vad vill du?"

"Prata", sa Rebus. "Kanske utanför?"

"Jag är klar här om fem minuter."

Rebus nickade. "Vi väntar."

De gick ut. Rebus tänkte tända en cigarrett men upptäckte att paketet var mosat och innehållet obrukbart.

"Herregud, just när jag kunde behöva en."

"Nu vet du hur det känns att sluta."

De satt på trappan och stirrade på George Square Gardens och husen som omgav den, en blandning av gammalt och nytt.

"Man kan nästan känna all hjärnpotens i luften", kommenterade Jack.

"Halva polisstyrkan har studerat vid universitet nuförtiden."

"Och jag slår vad om att de inte riktar knytnävsslag mot sina vänner."

"Jag har bett om ursäkt."

"Har Sammy pluggat på universitet?"

"Högskola. Jag tror hon gick någon sekreterarutbildning. Hon jobbar åt en hjälporganisation."

"Vilken?"

"SWEEP."

"Arbetar med före detta fångar?"

"Stämmer."

"Var det för att retas med dig?"

Rebus hade själv ställt sig samma fråga ett flertal gånger. Han ryckte på axlarna.

"Fäder och döttrar, va?"

Dörren svängde upp bakom dem. Det var Nell Stapleton. Hon var lång, hade kort mörkt hår och ett trotsigt ansikte. Inga örhängen eller andra smycken.

"Ni kan följa mig till busshållplatsen", sa hon till dem.

"Jo, Nell", började Rebus och insåg att han borde ha tänkt igenom det här, borde ha repeterat, "jag ville bara säga att jag är ledsen för det här med dig och Brian."

"Tack." Hon gick fort. Rebus ena knä värkte när han höll jämna steg.

"Jag vet att jag inte är den rätte att agera äktenskapsrådgivare, men det är en sak du måste veta: Brian är född till polis. Han vill inte mista dig – det tar livet av honom – men att lämna polisen skulle i sig vara en långsam död. Han kan inte sluta *själv*, så istället försöker han hamna i tråkigheter så att höjdarna inte ska ha annat val än att sparka honom. Det är inte rätt sätt att lösa ett problem."

Nell sa ingenting på en stund. De gick mot Potterrow, korsade gatan vid trafikljusen. De var på väg till Greyfriars, massor av busshållplatser där.

"Jag vet vad du menar", sa hon till sist. "Du menar att det är en pest- och kolerasituation."

"Inte alls."

"Snälla du, hör på mig." Hennes ögon glittrade i natriumljuset. "Jag vill inte ägna resten av mitt liv åt att vänta på ett telefonsamtal, det som

säger att det finns dåliga nyheter. Jag vill inte planera lediga helger och
semesterresor för att sedan få dem inställda bara för att något fall eller
någon rättegång är viktigare. Det är att begära för mycket."

"Det är att begära en helvetes massa", medgav Rebus. "Det är som
att gå på lina utan säkerhetsnät. Men ändå…"

"Vadå?"

"Ni kan få det att fungera. En massa människor klarar det. Kanske
kan ni inte planera saker så långt i förväg, kanske blir det inställda pla-
ner och tårar. Men när tillfällena kommer, så tar ni dem."

"Har jag råkat hamna i ett program med doktor Ruth?" Rebus
suckade, och hon slutade gå och tog hans hand. "John, jag vet varför
du gör det här. Brian lider, och du tycker inte om att se det. Jag tycker
inte heller om det." En siren hördes på avstånd, ner mot High Street,
och Nell rös. Rebus såg det, tittade in i hennes ögon och märkte att
han nickade. Han visste att hon hade rätt. Hans egen fru hade sagt
samma saker. Och att döma av Jacks sätt att stå, uttrycket i hans ansikte,
hade han också varit med om det. Nell började gå igen.

"Han kommer att lämna polisen, Nell. Han kommer att få dem att
göra sig kvitt honom. Men resten av livet…" Han skakade på huvudet.
"Det kommer inte att vara detsamma. *Han* kommer inte att vara den-
samme."

Hon nickade. "Jag kan leva med det."

"Det vet du inte säkert."

"Nej."

"Du är beredd att ta den risken, men du vill inte ta risken att han
stannar där han är?" Hennes ansikte hårdnade, men Rebus gav henne
inte tid att svara. "Här är din buss. Bara tänk på det, Nell."

Han vände sig om och gick tillbaka mot Meadows.

De hade bäddat en säng till Jack i gästrummet – Sammys gamla rum,
komplett med Duran Duran- och Michael Jackson-affischer. De hade
tvättat sig och delat en kanna te – ingen alkohol, inga cigarretter. Re-
bus låg i sängen och stirrade upp i taket, visste att han inte skulle
somna på länge än och att drömmarna när han gjorde det skulle vara
våldsamma. Han steg upp och smög ut i vardagsrummet, lät bli att

tända. Rummet var svalt, de hade låtit fönstren vara öppna till sent, men den nya färgen och den gamla avskrapade färgen från dörren spred en trivsam lukt. Rebus tog bort plasten från sin stol och sköt bort den till burspråket. Han satte sig och drog filten över sig, kände hur han slappnade av. Det var tänt på andra sidan gatan och han koncentrerade sig på ljusen. Jag är en fönstertittare, tänkte han, en voyeur. Det är alla poliser. Men han visste att han var mer än det: han tyckte om att bli involverad i liven runt omkring sig. Han hade ett behov av att *veta*, vilket var mer än voyeurism. Det var ett gift. Och sedan när han hade all den här kunskapen var han tvungen att använda sprit för att sudda ut den. Han såg sin spegelbild i fönstret, tvådimensionell, spöklik.

Jag är nästan inte här, tänkte han.

24

Rebus vaknade och visste att någonting var fel. Han duschade och klädde på sig och kunde fortfarande inte säga vad det var. Sedan kom Jack uthasande i köket och frågade om han hade sovit gott.

Och det hade han. Det var *det* som var annorlunda. Han hade sovit mycket gott, och han hade varit nykter.

"Hört något från Ancram?" frågade Jack, medan han stirrade in i kylskåpet.

"Nej."

"Då är du antagligen fri för i dag."

"Han måtte ligga i hårdträning inför nästa dust."

"Så fortsätter vi att måla eller åker vi till jobbet?"

"Vi börjar med att måla en timme", sa Rebus. Så det var vad de gjorde, medan Rebus höll ett halvt öga på gatan utanför. Inga journalister, inget *Lag och rätt*. Kanske hade han skrämt iväg dem, kanske bidade de sin tid. Han hade inte hört någonting om någon anmälan för övervåld: Breen var antagligen alldeles för glad över videofilmen för att överväga vidare åtgärder. Massor av tid att inge klagomål när programmet väl sänts...

Efter målandet tog de Jacks bil till Fort Apache. Jacks första reaktion gjorde inte Rebus besviken.

"Vilket skithål."

Inne på stationen var allt ett frenetiskt packande och flyttande. Transportbilar körde redan lådor och kartonger till den nya stationen.

Polisassistenten i mottagningen hade förvandlats till en förman i skjortärmar, som såg till att lådorna var märkta och att flyttgängen visste vart de skulle när de väl nådde sin destination.

"Det är ett under om det går efter ritningarna", sa han. "Och jag noterar att krim inte hjälper till."

Jack och Rebus gav honom en applåd: ett gammalt skämt, men välment. Sedan gick de till Skjulet.

Maclay och Bain var på plats.

"Den förlorade sonen!" utbrast Bain. "Var i helvete har du varit?"

"Hjälpt kommissarie Ancram med hans undersökning."

"Du borde ha ringt. MacAskill vill växla ett ord, gullet."

"Jag trodde jag hade sagt åt dig att aldrig kalla mig det."

Bain flinade. Rebus presenterade Jack Morton. Det nickades, togs i hand och grymtades: den vanliga proceduren.

"Det är bäst du söker upp chefen", sa Maclay. "Han har varit orolig."

"Jag har saknat honom också."

"Tog du någonting med till oss från Aberdeen?"

Rebus letade i fickorna. "Måste ha glömt det."

"Ja", sa Bain, "du hade förstås fullt upp."

"Mer än ni två, fast det säger ju inte mycket."

"Leta upp chefen", sa Maclay till honom.

Bain viftade med ett finger. "Och du ska vara snäll mot oss, annars kanske vi inte berättar vad våra tjallare har kommit med."

"Va?" Lokala tjallare: jakten på Tony Els medbrottsling.

"När du har talat med MacAskill."

Så Rebus gick för att träffa sin chef, lämnade Jack Morton utanför dörren.

"John", sa Jim MacAskill, "vad har du hållit på med?"

"Lite olika saker."

"Det är vad jag har hört, och inte varit särskilt duktig på något, va?"

MacAskills rum höll på att tömmas, men det fanns en del kvar. Arkivskåpet stod med utdragna lådor, mapparna låg utspridda över golvet.

"En mardröm", sa han när han märkte Rebus blick. "Hur går det med ditt eget packande?"

"Jag reser med lite bagage."

"Jag glömmer att du inte har varit med oss så länge. Ibland känns det som en evighet."

"Jag har den inverkan på folk."

MacAskill log. "En sak jag undrar över. Det här att man tar upp Spavenfallet igen. Kommer det att leda till något?"

"Inte om jag får som jag vill."

"Nåja, Chick Ancram är ganska så ihärdig… och noggrann. Tro inte att han missar något."

"Nej, sir."

"Jag har talat med din chef på St Leonard's. Han säger att det var väntat."

"Jag vet inte det, verkar som om jag har hamnat i underläge."

"Ja, om det är något jag kan göra för dig, John…"

"Tack, sir."

"Jag vet vilken metod Chick kommer att använda: utnötning. Han kommer att låta dig svettas, driva dig runt i cirklar. Han kommer att göra det lättare för dig att ljuga och säga att du är skyldig än att upprepa sanningen. Se upp med det."

"Lovar."

"Under tiden, fråga nummer ett: hur känns det?"

"Jag är okej."

"Tja, här händer inte mer än att vi klarar av det. Så ta dig all ledig tid du behöver."

"Det uppskattar jag."

"Chick tillhör västkusten, John. Han borde inte vara här." MacAskill skakade på huvudet och dök ner i sin låda efter en burk Irn-Bru. "Fan", sa han.

"Problem, sir?"

"Jag har gått och köpt lightvarianten." Han öppnade den ändå. Rebus lämnade honom åt hans packningsbestyr.

Jack stod alldeles utanför dörren.

"Hörde du något av det där?"

"Jag har inte lyssnat."

"Min chef talade just om för mig att jag kan smita när jag vill."

"Vilket betyder att vi kan bli klara med vardagsrummet."

Rebus nickade, men han tänkte istället på att bli klar med något annat. Han gick in i Skjulet och ställde sig framför Bains skrivbord.

"Jaha?"

"Jo", sa Bain och lutade sig tillbaka, "vi gjorde det du bad om, spred budskapet bland våra tjallare. Och de kom med ett namn."

"Hank Shankley", sa Maclay.

"Han finns inte med i straffregistret, men tjänar gärna en slant där han kan, utan skrupler. Och han är ute och rör på sig. Det sägs att han fått oväntade pengar, och efter några glas skröt han om sin 'Glasgow-kontakt'."

"Har ni talat med honom?"

Bain skakade på huvudet. "Bidade vår tid."

"Väntade på att du skulle dyka upp", fyllde Maclain i.

"Har ni repeterat in det här? Var kan jag hitta honom?"

"Han tycker om att simma."

"På något särskilt ställe."

"Commie Pool."

"Beskrivning?"

"Stort hus längst upp på Dalkeith Road."

"Jag menade Shankley."

"Går inte att missa", sa Maclay. "Närmare de fyrtio, en och åttio lång och mager som en sticka, kort ljust hår. Nordiskt utseende."

"Den beskrivning vi fick", korrigerade Bain, "var albino."

Rebus nickade. "Stort tack, mina herrar."

"Du har inte hört vem det var som skvallrade."

"Vem?"

Bain flinade. "Minns du Craw Shand?"

"Påstod sig vara Johnny Bibel?" Bain och Maclay nickade. "Varför berättade ni inte att han var en av era angivare?"

Bain ryckte på axlarna. "Ville inte ha det utspritt. Men Craw diggar dig. Gillar hårda tag ibland…"

Utanför satte Jack kurs mot bilen, men Rebus hade andra planer.

Han gick in i en affär och kom ut med sex burkar Irn-Bru, *inte* light-varianten. Marscherade sedan tillbaka in på stationen. Polisassistenten i mottagningen svettades. Rebus gav honom kassen.

"Alltför vänligt", sa assistenten.

"De är till Jim MacAskill", sa Rebus. "Jag vill att minst fem kommer fram till honom."

Nu var han redo att gå.

Commonwealth Pool, som hade byggts till Commonwealth Games 1970, låg högst upp på Dalkeith Road, vid foten av Arthur's Seat, och bara några hundra meter från St Leonard's polisstation. På den tiden Rebus simmat hade han använt Commie Pool på luncherna. Man letade upp en bana åt sig – det fanns aldrig någon tom bana, det var som att ta sig från en påfart ut på motorvägen – och man simmade, höll lagom fart så att man inte hann upp personen framför, eller lät personen bakom vinna på en. Det var okej, men lite för disciplinerat. Det andra alternativet var att simma bredder i den öppna bassängen, men då fick man samsas med ungarna och deras föräldrar. Det fanns en separat bassäng för småbarn, plus tre vattenrutschbanor som Rebus aldrig provat, och på annat håll i byggnaden fanns det bastuanläggningar, gym och ett café.

De hittade en plats på den överfulla bilparkeringen och gick in genom huvudentrén. Rebus visade legitimation vid kiosken och lämnade en beskrivning på Shankley.

"Han är stamkund", talade kvinnan om för honom.

"Är han här nu?"

"Jag vet inte. Jag har precis kommit." Hon vände sig om för att fråga den andra kvinnan i båset, som räknade ner mynt i bankpåsar av plast. Jack Morton knackade Rebus på armen och nickade.

Bortom kiosken fanns en öppen yta, med fönster ut mot stora bassängen. Och där stod en mycket lång och mycket mager karl, med blekt hår, och klunkade i sig Coca-Cola direkt ur burken. Han hade en hoprullad handduk under ena armen. När han vände sig om såg Rebus att ögonbryn och fransar var ljusa. Shankley märkte att de två männen studerade honom och placerade dem genast. När Rebus och Morton började gå mot honom sprang han.

Han svängde runt ett hörn in i det öppna caféet, men kunde inte se någon väg ut därifrån, så han fortsatte att springa och hamnade bredvid barnens lekplats. Detta var en stor nätinhägnad i tre våningar, med rutschkanor och gångbroar och andra utmaningar – en hinderbana för småglin. Rebus tyckte om att ibland efter simningen sitta med en kopp kaffe och titta på barnen som lekte och undra vem som skulle bli den bäste soldaten.

Shankley var inträngd i ett hörn och visste det. Han vände sig mot dem: Rebus och Jack log. Impulsen att fly var fortfarande för stark: Shankley trängde sig förbi lekvakten, öppnade dörren till inhägnaden, duckade och gick in. Två jättelika stoppade rullar stod rakt framför honom, som en jättelik mangel. Han var tillräckligt smal för att klämma sig mellan dem.

Jack Morton skrattade. "Hur tänker han ta sig därifrån?"

"Inte vet jag."

"Kom så går vi och tar en kopp te och väntar på att han ska tröttna."

Rebus skakade på huvudet. Han hade hört ljud från översta våningsplanet. "Det är en unge där inne." Han vände sig till lekvakten. "Eller hur?"

Hon nickade. Rebus såg på Jack. "Tänkbar gisslan. Jag går in. Stanna här ute och tala om för mig var Shankley är."

Rebus tog av sig kavajen och gick in.

Rullarna var det första hindret. Han var för stor för att klämma sig mellan, men lyckades tränga sig igenom öppningen mellan dem och nätet på sidan. Han kom ihåg sin militärutbildning: hinderbanor man inte trodde var sanna. Fortsatte. En pool med färgade plastbollar att vada genom, och sedan ett rör som svängde uppåt och ledde till första våningen. En rutschkana intill – han klättrade uppför den. Genom nätet kunde han se Jack peka upp och mot det bortre hörnet. Rebus stod kvar i hopkrupen ställning och tittade sig omkring. Sandsäckar, ett nät över ett gapande tomrum, en cylinder att krypa igenom… fler rutschkanor och klätterrep. Där: bortre hörnet, undrande över vad han skulle göra härnäst. Hank Shankley. Människor i caféet tittade på, inte längre intresserade av simning. En våning högre upp fanns ungen.

Rebus måste hinna dit före Shankley. Antingen det eller hugga Shankley först. Shankley visste inte att någon var där inne tillsammans med honom. Jack hojtade, för att distrahera honom.

"Hallå där, Hank. Vi kan vänta hela dagen! Hela natten också om vi måste! Kom ut nu. Vi vill bara snacka lite. Hank, du ser fånig ut där inne. Vi kanske ska sätta hänglås på och ha dig som utställningsföremål."

"Håll käften!" Stänk av fradga från Shankleys mun. Skinntorr, utmärglad… Rebus visste att det var löjligt att oroa sig för HIV, men kunde ändå inte låta bli att oroa sig. Edinburgh var fortfarande en HIV-stad. Han befann sig ungefär fem meter från Shankley när han hörde ett svischande ljud snabbt komma emot sig. Han passerade just ett av rören när ett par fötter träffade honom och fällde honom. En pojke på ungefär åtta år stirrade på honom.

"Du är för stor för att vara här inne, farbrorn."

Rebus reste sig, såg Shankley komma emot dem och började dra grabben i nackskinnet. Han backade mot rutschkanan och skickade sedan ner pojken i den. Han vände sig om för att möta Shankley när han träffades av ännu en fot – albinons. Han studsade mot nätväggen och dråsade nerför den madrasserade rutschkanan. Pojken var på väg mot utgången, där lekvakten tecknade åt honom att skynda sig. Shankley kanade ner, med båda knytnävar redo, och klubbade till Rebus på halsen. Han rusade efter ungen, men pojken hade redan hunnit igenom rullarna. Rebus dök efter Shankley, drog ner honom bland plastbollarna och fick in en hyfsad träff. Shankleys armar var trötta av simning. Han pucklade på Rebus sidor, men det var som att bli träffad av en trasdocka. Rebus högg en boll och stoppade in den i Shankleys mun, där den kilade fast sig. Läpparna var spända och blodlösa. Sedan träffade han Shankley i skrevet, två gånger, och så var det klart.

Jack kom för att hjälpa honom att släpa ut den passiva gestalten. "Är du okej?" frågade han.

"Det gjorde mer ont när ungen träffade mig än när han gjorde det."

Pojkens mamma kramade om sin son och såg efter att han var oskadd. Hon gav Rebus en ilsken blick. Pojken klagade över att han faktiskt hade tio minuter kvar. Lekvakten kom emot Rebus.

"Förlåt", sa hon, "men skulle jag kunna få tillbaka vår boll?"

Eftersom St Leonard's låg så nära tog de med Shankley dit och bad om och fick ett tomt förhörsrum, nyss utrymd av lukten att döma.

"Sitt ner", sa Rebus till Shankley. Sedan tog han med sig Jack utanför och talade dämpat.

"Bara så att du vet. Tony El dödade Allan Mitchison – jag vet fortfarande inte varför. Tony hade lokal hjälp." Han nickade mot dörren. "Jag vill veta vad Hank vet."

Jack nickade. "Ska jag vara stum, eller finns det en roll åt mig?"

"Du är den snälle killen, Jack." Rebus klappade honom på axeln. "Har alltid varit."

De gick tillbaka in i rummet som ett team, som förr i tiden.

"Jaha, Shankley", inledde Rebus, "vad vi hittills har är att du motsatt dig arrestering och övat våld mot polisman. Massor av vittnen dessutom."

"Jag har inte gjort någonting."

"Det har du säkert."

"Va?"

"Jag sa att någonting har du säkert gjort."

Shankley såg bara trumpen ut. Rebus hade honom redan klassificerad: Bains "utan skrupler" hade gett honom ledtråden. Shankley levde utan någon som helst kodex, utom möjligen "sköt dig själv". Han brydde sig inte om någonting eller någon. Där fanns ingen annan intelligens än en grundinstinkt att överleva. Rebus visste att han kunde spela på det.

"Du är inte skyldig Tony El någonting, Hank. Vem tror du tjallade på dig?"

"Tony vem?"

"Anthony Ellis Kane. Glasgowhårding omlokaliserad till Aberdeen. Han var här nere för att göra ett jobb. Han behövde en medhjälpare. På något sätt hamnade han ihop med dig."

"Inte ditt fel", sköt Jack in, med händerna i fickorna. "Du är medhjälpare. Vi anklagar inte dig för mord."

"Mord?"

"Den där unge killen som Tony El var ute efter", förklarade Rebus. "Du letade upp ett ställe dit ni kunde ta honom. Det var ungefär allt du gjorde, inte sant? Resten var Tonys sak."

Shankley bet sig i överläppen och blottade en rad smala ojämna tänder. Ögonen var ljusblå med mörka stänk, pupillerna hopdragna till blyertsprickar.

"Fast", sa Rebus, "vi skulle förstås kunna framställa det på ett annat sätt. Vi skulle kunna säga att *du* slängde ut honom genom det där fönstret."

"Jag vet ingenting." Shankley lade armarna i kors och sträckte ut sina långa ben. "Jag vill ha en advokat."

"Tittat på *Kojak*-repriser, Hank?" frågade Jack. Han såg på Rebus som nickade: ingen mer mr Hygglig Kille.

"Jag är trött på det här, Hank. Vet du om en sak? Vi tänker låta dig lämna fingeravtryck nu. Ni lämnade spår efter er runt om i hela den där kvarten. Ni lämnade till och med kvar spriten. Fingeravtryck på allt. Kommer du ihåg att du tog i flaskorna? Burkarna? Påsen som de var i?" Shankley ansträngde sig för att minnas. Rebus röst blev mer lågmäld. "Vi har dig, Hank. Det är kört för dig. Du får tio sekunder på dig att börja prata, och det är allt – jag lovar. Tro inte att du kan tala med oss senare, vi kommer inte att lyssna. Domaren kommer att ha hörapparaten avstängd. Du kommer att vara alldeles ensam. Vet du varför?" Han väntade tills han hade Shankleys uppmärksamhet. "Därför att Tony El är död. Någon sprättade upp honom i ett badkar. Skulle kunna vara du nästa gång." Rebus nickade. "Du behöver vänner, Hank."

"Hör nu här..." Tony El-historien hade fått Shankley att vakna. Han lutade sig fram i stolen. "Hör på, jag är... jag..."

"Ta god tid på dig, Hank."

Jack frågade om han ville ha någonting att dricka. Shankley nickade. "Coca-Cola eller något."

"Ta en till mig med, Jack", sa Rebus. Jack gick ut i korridoren och bort till maskinen. Rebus väntade, vandrade fram och tillbaka, gav Shankley tid att bestämma sig för hur mycket han skulle berätta och med hur mycket fernissa. Jack kom tillbaka, slängde en burk till

Shankley, räckte den andra till Rebus, som drog upp den och drack. Det var ingen riktig dryck. Den var kall och alldeles för söt, och den enda kick den skulle ge honom kom från koffein snarare än alkohol. Han såg att Jack tittade på honom och grinade upp sig till svar. Han ville ha en cigarrett också. Jack tolkade minen, ryckte på axlarna.

"Och nu", sa Rebus. "Har du något att berätta för oss, Hank?"

Shankley rapade och nickade. "Det är som du sa. Han sa att han var här för att göra ett jobb. Sa att han hade Glasgowkontakter."

"Vad menade han med det?"

Shankley ryckte på axlarna. "Frågade aldrig."

"Nämnde han Aberdeen?"

Shankley skakade på huvudet. "Glasgow var det han sa."

"Fortsätt."

"Han erbjöd mig femtio pund om jag kunde hitta ett ställe dit han kunde ta någon. Jag frågade vad han skulle göra, och han sa ställa några frågor, kanske ge killen ett kok stryk. Det var allt. Vi väntade utanför det där ganska flotta hyreshuset."

"Finansdistriktet?"

Ännu en axelryckning. "Mellan Lothian Road och Haymarket." Det stämde. "Såg den här killen komma ut, och vi skuggade honom. Först tittade vi bara en stund, sedan sa Tony att det var dags att börja snacka med honom."

"Och?"

"Jo, vi började snacka med honom. Jag hade riktigt trevligt, glömde vad som hände. Tony såg ut som om han också hade glömt. Jag tänkte att han kanske skulle strunta i alltihop. Sedan gick vi ut för att ta en taxi, och när den andre killen inte kunde se oss gav han mig en blick, och jag visste att det fortfarande var på gång. Men jag lovar, jag trodde bara killen skulle få stryk."

"Så var det inte."

"Nej." Shankleys röst föll. "Tony hade med sig en väska. När vi kom till lägenheten tog han fram tejp och grejer. Band fast killen vid stolen. Han hade ett plastskynke, drog en påse över grabbens huvud." Shankleys röst bröts. Han harklade sig, tog en klunk Coca-Cola till. "Sedan började han plocka fram grejer ur väskan, verktyg, sådana som en snickare skulle använda. Sågar och skruvmejslar och sådant."

Rebus tittade på Jack Morton.

"Och det var då jag förstod att plastskynket var till för att samla upp blodet, killen skulle inte bara få stryk."

"Tony planerade att tortera honom?"

"Jag antar det. Jag vet inte… jag borde kanske ha försökt hindra honom. Jag har aldrig gjort någonting sådant förut. Jag menar, jag har hittat på en del i mina dar, men aldrig…"

Nästa fråga brukade vara den som räknades. Rebus var inte längre så säker. "Hoppade Allan Mitchison, eller?"

Shankley nickade. "Vi stod med ryggen till. Tony tog fram verktygen, och jag glodde på dem. Grabben hade en påse över huvudet, men jag tror han såg dem. Han klämde sig mellan oss och for ut genom fönstret. Måste ha varit livrädd."

När Rebus tittade på Shankley, och mindes Anthony Kane, slogs han åter av hur menlöst det monstruösa kunde vara. Ansikten och röster gav ingen ledtråd. Ingen skyltade med horn och huggtänder, droppande blod och hukande illvilja. Ondska var nästan… den var nästan barnslig: naiv, förenklad. En lek man lekte och sedan vaknade upp från, bara för att upptäcka att det inte var på låtsas. Monstren i verkliga livet var inte groteska varelser: de var stillsamma män och kvinnor, människor du mötte på gatan och inte lade märke till. Rebus var glad att han inte kunde läsa människors tankar. Det skulle vara rena helvetet.

"Vad gjorde ni?" frågade han.

"Packade ihop och drog. Först stack vi hem till mig, tog ett par glas. Jag darrade. Tony sa hela tiden att det var en jävla soppa, men han verkade inte orolig. Vi märkte att vi hade lämnat kvar spriten – kunde inte komma ihåg om vi gjort några fingeravtryck på den. Jag trodde vi hade det. Det var då Tony försvann. Han gav mig min andel, så pass schysst var han i alla fall."

"Hur långt från lägenheten bor du, Hank?"

"Ungefär två minuters promenad. Jag är inte där mycket. Ungarna skriker en massa skit efter mig."

Livet kan vara grymt, tänkte Rebus. Två minuter: när han anlänt till brottsplatsen hade Tony El kanske bara varit två minuter bort. Men till sist hade de mötts i Stonehaven…

"Gav Tony dig ingen uppfattning om *varför* han var ute efter Allan Mitchison?" Shankley skakade på huvudet. "Och när tog han först kontakt med dig?"

"Några dagar innan."

Därför överlagt. Ja, naturligtvis var det överlagt, men det betydde också att Tony El hade varit i Edinburgh och förberett planen, medan Allan Mitchison fortfarande befunnit sig i Aberdeen. Kvällen han dog hade varit hans första lediga. Så Tony El hade inte följt efter honom söderut från Aberdeen… ändå visste han hur Allan Mitchison såg ut, visste var han bodde – det fanns en telefon i lägenheten, men med hemligt nummer.

Någon som kände Allan Mitchison hade gillrat en fälla åt honom.

Det var Jack Mortons tur. "Hank, tänk efter noga nu. Sa inte Tony *någonting* om jobbet, om vem som betalade honom?"

Shankley tänkte och nickade sedan sakta. Han såg nöjd ut: han hade kommit ihåg något.

"Mr H", sa han. "Tony sa någonting om mr H. Sedan teg han som muren, som om han försagt sig." Shankley nästan dansade på stolen. Han ville att Rebus och Morton skulle tycka om honom. Deras leenden sa honom att de gjorde det. Men Rebus tänkte som en galning. Den ende mr H han kunde komma på var Jake Harley. Det stämde inte.

"Duktig pojke", lirkade Jack. "Tänk nu igen, berätta någonting mer för oss."

Men Rebus hade en fråga. "Såg du Tony El ta en sil?"

"Nej, men jag visste att han gjorde det. När vi följde efter grabben, första baren vi gick in på, försvann Tony in på muggen. Han kom ut igen, och jag förstod att han hade tagit något. När man bor där jag gör, så lär man sig att se sådant."

Tony El, en pundare. Det betydde inte att han inte blev dödad. Allt det betydde var att han kanske gjort Stanleys jobb lättare. Tony El hög som himlen lättare att mörda än Tony El med försvarsmekanismen på. Knark till Aberdeen… Burke's Club en magnet för det… Tony El som

använde – och sålde? Han önskade att han hade frågat Erik Stemmons
om Tony El.

"Jag måste gå på toaletten", sa Shankley.

"Vi ska hämta en assistent som kan följa med dig. Stanna här." Rebus
och Morton lämnade rummet.

"Jack, jag vill att du litar på mig."

"Hur mycket?"

"Jag vill att du stannar här och spelar in Shankleys redogörelse."

"Medan du gör vad?"

"Bjuder någon på lunch." Rebus tittade på klockan. "Jag är tillbaka
till tre."

"John…"

"Kalla det villkorlig frigivning. Jag går och äter lunch, jag kommer
tillbaka. Två timmar." Rebus höll upp två fingrar. "Två timmar, Jack."

"Vilken restaurang?"

"Va?"

"Tala om vart du går. Jag tänker ringa en gång i kvarten, och det är
säkrast du är där." Rebus såg harmsen ut. "Och jag vill veta vem som
är din gäst."

"Det är en kvinna."

"Namn?"

Rebus suckade. "Du ger dig inte, va?"

"Namn?" Jack log.

"Gill Templer. Överkommissarie Gill Templer. Okej?"

"Okej. Och nu restaurangen."

"Jag vet inte. Jag ska tala om det för dig när jag kommer dit."

"Ring mig. Gör du det inte får Chick veta, okej?"

"Så det är 'Chick' nu igen, va?"

"Han får veta."

"Okej, jag ska ringa."

"Med restaurangens nummer?"

"Med restaurangens nummer. Vet du om en sak, Jack? Du har fått
mig att tappa aptiten."

"Beställ mycket och ta en doggy-bag till mig."

Rebus gick för att leta efter Gill och hittade henne i hennes rum. Hon talade om för honom att hon redan hade ätit.

"Så följ med och titta på när jag äter."

"Ett erbjudande jag inte kan motstå."

Det fanns en italiensk restaurang på Clerk Street. Rebus beställde en pizza: det han inte orkade kunde han ta med tillbaka till Jack. Sedan ringde han till St Leonard's och lämnade pizzerians nummer, sa åt dem att vidarebefordra det.

"Jaha", sa Gill när han satt sig ner igen, "haft mycket att göra?"

"Massor. Jag körde till Aberdeen."

"Varför?"

"Det där telefonnumret på Fege Fergies block. Plus några andra saker."

"Vadå för andra saker?"

"Behöver inte ha något samband."

"Och resan förflöt utan intermezzon?" Hon tog en bit vitlöksbröd som just hade kommit in.

"Inte precis."

"Du förvånar mig."

"De säger att det håller liv i en relation."

Gill bet i brödet. "Så vad fick du veta?"

"Burke's Club är skum. Det är också där som Johnny Bibels första offer senast sågs i livet. Stället drivs av två jänkare. Jag talade bara med den ene. Jag tror att kompanjonen antagligen är den skummare av de två."

"Och?"

"Och på Burke's såg jag ett par medlemmar av en kriminell Glasgowfamilj. Känner du till Farbror Joe Toal?"

"Jag har hört talas om honom."

"Jag tror han levererar knark till Aberdeen. Därifrån tror jag att en del går ut till riggarna – en lysande marknad, det kan bli fasligt långtråkigt på en rigg."

"Det vet förstås du?" skämtade hon. Sedan såg hon uttrycket i hans ansikte och hennes ögon smalnade. "Du flög ut till en rigg?"

"Mitt livs mest skrämmande erfarenhet, men renande."

"Renande?"

"En gammal flickvän brukade använda den sortens ord. De smittar av sig efter ett tag. Klubbens ägare, Erik Stemmons, förnekade all kännedom om Fergie McLure. Jag tror honom nästan."

"Vilket placerar hans kompanjon i centrum?"

"Enligt min åsikt."

"Och det är så långt det har kommit – din åsikt? Jag menar, det finns inga bevis?"

"Inte tillstymmelsen till bevis."

Hans pizza kom. Chorizo, champinjoner och ansjovis. Gill var tvungen att titta bort. Pizzan var skuren i sex tjocka bitar. Rebus lyfte över en till sin tallrik.

"Jag fattar inte hur du kan."

"Inte jag heller", sa Rebus och sniffade på ytan. "Men det kommer att bli en fantastisk doggy-bag."

Där fanns en cigarrettautomat. Om han tittade över Gills högra axel kunde han se den där på väggen. Fem märken, som allihop skulle duga. Det låg ett tändsticksplån och väntade i askfatet. Han hade beställt ett glas av husets vita, Gill källvatten. Vinet – "med en delikat bouquet" som menyn uttryckte det – anlände, och han luktade innan han läppjade på det. Det var kallt och surt.

"Hur är bouqueten?" frågade Gill.

"Mer delikat och den kommer att behöva Prozac." Listan med drycker stod framför honom i sin lilla hållare och räknade upp aperitifer och cocktails och magborstare, plus viner, öl, lager och starksprit. Rebus hade inte läst så mycket på flera dagar. Så fort han var klar läste han texten en gång till. Han ville skaka författarens hand.

En pizzabit var tillräckligt.

"Inte hungrig?" frågade Gill.

"Jag bantar."

"Du?"

"Jag vill vara i form inför mina promenader längs stranden."

Hon hängde inte med, skakade på huvudet för att befria det från skenbara felslut.

"Saken är den, Gill", sa han efter ännu en klunk vin, "att jag tror att du var någonting stort på spåren. Och jag tror att det kan räddas. Jag vill bara vara säker på att det blir *ditt* gripande."

Hon tittade på honom. "Varför?"

"För alla julklappar som jag aldrig har gett dig. Därför att du förtjänar det. Därför att det kommer att vara ditt *första*."

"Det räknas inte om du har gjort allt jobbet."

"Det kommer visst att räknas. Jag bara rekognoscerar."

"Du menar att du inte är klar?"

Rebus skakade på huvudet, bad kyparen att lägga resten av pizzan i en kartong. Han tog den sista biten vitlöksbröd.

"Jag är långtifrån klar", sa han till henne. "Men det är möjligt att jag behöver din hjälp."

"Å-hå. Nu kommer det."

Rebus talade snabbt. "Chick Ancram har mig fast för ett antal grillningar. Jag har redan genomlidit en, och oss emellan stekte han mig bara lätt. Men de tar tid, och det är möjligt att jag vill sticka norrut igen."

"John…"

"Det enda jag vill att du gör… *kanske* vill att du gör, är att du ringer Ancram en dag och säger till honom att jag jobbar åt dig med någonting brådskande, så vi måste ändra tid för samtalet. Bara charma honom ordentligt och ge mig lite tid. Det är allt jag behöver. Jag ska försöka hålla dig utanför om jag kan."

"Alltså, för att rekapitulera, det enda du vill är att jag ljuger för en kollega som håller på med en internutredning? Och under tiden kommer du, utan vare sig fysiska eller muntliga bevis, att lösa knarksmugglarfallet?"

"Snyggt sammanfattat. Jag förstår varför du är överkommissarie och inte jag." Han for upp på fötter och sprang bort till telefonautomaten. Han hade hört den ringa innan någon annan i restaurangen. Det var Jack som kollade upp honom. Han påminde Rebus om doggybagen.

"Den är just nu på väg till bordet."

När han kom bort till bordet studerade Gill notan.

"Jag bjuder", sa Rebus.

"Låt mig åtminstone få betala dricksen. Jag åt det mesta av brödet. Och dessutom kostade mitt vatten mer än ditt vin."

"Du gjorde en bättre affär. Hur blir det, Gill?"

Hon nickade. "Jag säger vad du vill till honom."

25

Jack kunde fortfarande förvåna sin gamle vän: slukade pizzan.

Hans enda kommentar: "Det var inte mycket du åt."

"Lite menlös för mig, Jack."

Rebus kände en stark längtan nu: efter en cigarrett och efter Aberdeen. Det fanns någonting där uppe som han ville ha. Han visste bara inte riktigt vad.

Sanningen kanske.

Han borde också ha känt stark längtan efter en drink, men vinet hade fått honom att tappa lusten. Det skvalpade i hans mage, flytande halsbränna. Han satt vid ett skrivbord och läste igenom Shankleys redogörelse. Den långe mannen fanns i en cell en trappa ner. Jack hade arbetat snabbt. Rebus kunde inte se att något fattades.

"Jaha", sa han, "jag är tillbaka från permissionen. Hur skötte jag mig?"

"Låt oss inte göra det till någon vana. Det skulle mitt hjärta inte klara."

Rebus log och tog en telefon. Han ville lyssna av sin telefonsvarare där hemma, höra om Ancram hade planer för honom. Det hade han: nio i morgon bitti. Där fanns ett meddelande till. Det var från Kayleigh Burgess. Hon behövde få tala med honom.

"Jag ska träffa någon i Morningside klockan tre, så vad sägs om fyra på det där stora hotellet i Bruntsfield? Vi kan dricka eftermiddagste." Hon sa att det var viktigt. Rebus bestämde sig för att åka dit och vänta. Han skulle ha föredragit att lämna Jack…

"Vet du om en sak, Jack? Du hämmar mig."

"Hur menar du?"

"I mitt umgänge med kvinnor. Det är en till jag vill träffa, men jag slår vad om att du tänker hänga mig i hälarna, eller har jag fel?"

Jack ryckte på axlarna. "Jag kan vänta utanför dörren om du vill."

"Det kommer att kännas fint att veta att du finns där."

"Det kunde ha varit värre", proppade in det sista av pizzan, "tänk bara, hur arrangerar till exempel siamesiska tvillingar sina kärleksliv?"

"Vissa frågor bör helst förbli obesvarade", sa Rebus.

Han tänkte: men en bra fråga.

Det var ett fint hotell, stillsamt exklusivt. Rebus jobbade fram en möjlig dialog i huvudet. Ancram kände till klippen i hans kök, och Kayleigh var den enda tänkbara källan. Han hade blivit rasande då, var mindre arg nu. Det var ju faktiskt hennes jobb: information, och att använda den informationen till att få fram annan information. Det låg fortfarande och gnagde. Sedan var det Spaven-McLure-kopplingen: Ancram hade tagit upp den, Kayleigh kände till den. Och till sist, framför allt, var det inbrottet.

De väntade på henne i vestibulen. Jack bläddrade i *Scottish Field* och läste upp beskrivningar av egendomar till salu: "Sjutusen tunnland i Caithness, med jaktstuga, stall och fungerande bondgård." Han tittade upp på Rebus.

"Vilket land, va? Var annars kan man lägga vantarna på sjutusen tunnland för en spottstyver?"

"Det finns en teatergrupp som heter 7:84 – vet du vad det betyder?"

"Vadå?"

"Sju procent av befolkningen kontrollerar åttiofyra procent av tillgångarna."

"Hör vi till de sju?"

Rebus fnös. "Inte ens i närheten, Jack."

"Jag skulle gärna prova på livet i den fina världen."

"Till vilket pris?"

"Va?"

"Vad skulle du vara beredd att byta med?"

"Nej, jag menar som att vinna på lotteri eller något."

"Så du skulle inte ta mutor för att lägga ner ett åtal?"

Jacks ögon smalnade. "Vart vill du komma?"

"Kom igen, Jack. Jag var i Glasgow, har du glömt det? Jag såg fina kostymer och smycken. Jag såg något nästan självbelåtet."

"De gillar bara att klä sig snyggt, får dem att känna sig betydelse-fulla."

"Farbror Joe delar inte ut fribiljetter?"

"Ingen aning." Jack lyfte tidningen för att dölja ansiktet: diskussio-nen avslutad. Och sedan promenerade Kayleigh Burgess in genom dörren.

Hon såg Rebus direkt, och en rodnad började smyga sig uppför hal-sen. När hon nått fram till den plats där han reste sig från sin stol hade den klättrat upp till kinderna.

"Du fick mitt meddelande, kommissarien." Rebus nickade, utan en blinkning. "Tack, för att du kom." Hon vände sig till Jack Morton.

"Kommissarie Morton", sa Jack och tog henne i hand.

"Vill du ha te?"

Rebus skakade på huvudet och gjorde en gest mot den lediga sto-len. Hon satte sig.

"Jaha?" sa han, fast besluten att inte göra någonting lätt för henne, aldrig mer.

Hon satt med axelväskan i knäet och snodde remmen. "Jag är skyl-dig dig en ursäkt", sa hon. Hon sneglade upp på honom, sedan bort, tog ett djupt andetag. "Jag berättade inte för överkommissarie Ancram om de där klippen. Eller att Fergus McLure kände Spaven, för den delen."

"Men du vet att han vet?"

Hon nickade. "Eamonn berättade för honom."

"Och vem berättade för Eamonn?"

"Det gjorde jag. Jag visste inte vad jag skulle tro om det... Jag ville testa det på någon. Vi är ett team, så jag berättade det för Eamonn. Jag fick honom att lova att det inte skulle gå längre."

"Men det gjorde det."

Hon nickade. "Han ringde direkt till Ancram. Du förstår, Eamonn… han har lite pippi på höjdare. Om vi utforskar någon på kommissarienivå, så vill Eamonn alltid gå över huvudet på dem, tala med deras överordnade, se vad som sätts igång. Dessutom har du inte precis gjort något gynnsamt intryck på min presentatör."

"Det var en olyckshändelse", sa Rebus. "Jag snubblade."

"Och det är din version."

"Vad säger filmen?"

Hon funderade på detta. "Vi filmade bakom Eamonn. Vi har mest hans rygg."

"Så jag klarar mig."

"Det har jag inte sagt. Bara håll fast vid din story."

Rebus nickade, förstod vad hon menade. "Tack. Men varför gick Breen till Ancram? Varför inte till *min* chef?"

"Därför att Eamonn visste att Ancram skulle leda undersökningen."

"Och hur visste han *det*?"

"Djungeltelegrafen."

Han såg åter Jim Stevens framför sig, stirra upp mot hans lägenhetsfönster… sätta igång saker…

Rebus suckade. "En sista grej. Vet du någonting om ett inbrott i min lägenhet?"

Hennes ögonbryn åkte upp. "Borde jag det?"

"Minns du Bibel-John-materialet i skåpet? Någon använde en kofot på min ytterdörr, och det enda de ville var att rota igenom det."

Hon skakade på huvudet. "Inte vi."

"Inte?"

"Inbrott? Vi är journalister, för Guds skull."

Rebus hade händerna uppe i en lugnande gest, men han ville ändå driva frågan lite längre. "Någon chans att Breen skulle ge sig ut på farliga vägar?"

Nu skrattade hon. "Inte ens för någonting så stort som Watergate. Eamonn är programmets ansikte utåt. Han gräver inte."

"Det gör du och ditt researchfolk?"

"Ja, och ingen av dem verkar vara kofotstypen. Gör det mig till en misstänkt?"

Jack studerade dem medan hon lade det ena benet över det andra. Hans blick hade glidit över henne som ett barns över en bilbana.

"Betrakta ärendet som avslutat", sa Rebus.

"Med det är sant? Det var inbrott i din lägenhet?"

"Ärendet avslutat", upprepade han.

Hon nästan trutade med munnen. "Hur går det förresten med undersökningen?" Hon höll upp en hand. "Det är inte som jag snokar, kalla det privat intresse."

"Beror på vilken undersökning du menar", sa Rebus.

"Spavenfallet."

"Åh, den." Rebus rynkade på näsan och funderade på sitt svar. "Tja, överkommissarie Ancram är den tillitsfulla typen. Han har verkligt förtroende för sina män. Säger man att man är oskyldig, så tror han på det. Det känns betryggande att ha den sortens överordnade. Han litar till exempel så mycket på mig att han har satt en vakt på mig som är som en igel på en sten." Han nickade mot Jack. "Kommissarie Morton här får inte släppa mig utom synhåll. Han till och med sover i min lägenhet." Han höll fast Kayleighs blick. "Hur låter det?"

Hon kunde knappt få fram orden. "Det är skandal."

Rebus ryckte på axlarna, men hon stack handen i väskan och tog fram anteckningsbok och penna. Jack blängde på Rebus, som blinkade tillbaka. Kayleigh var tvungen att bläddra igenom en massa sidor för att hitta ett tomt blad.

"När började det här?" sa hon.

"Låt mig se…" Rebus låtsades tänka. "Söndag eftermiddag, tror jag. Sedan jag blivit förhörd i Aberdeen och släpad tillbaka hit."

Hon tittade upp. "Förhörd?"

"John…" varnade Jack Morton.

"Visste du inte det?" Rebus spärrade upp ögonen. "Jag är misstänkt i Johnny Bibel-fallet."

I bilen tillbaka till lägenheten var Jack rasande.

"Vad fan hade du för dig?"

"Höll hennes tankar borta från Spaven."

"Jag förstår inte."

"Hon försöker göra ett program om Spaven, Jack. Hon gör inget om poliser som är dumma mot andra poliser, och hon gör inget om Johnny Bibel."

"Och?"

"Och nu är hennes huvud fullt av allt som jag har berättat för henne – och inte ett dugg av det hade med Spaven att göra. Det kommer att hålla henne... vad heter det?"

"Sysselsatt?"

"Det duger." Rebus nickade, tittade på sin klocka. Tjugo över fem. "Fan", sa han. "De där bilderna!"

Trafiken kröp fram när de vek av in mot centrum. Edinburgh i rusningstid var numera en mardröm. Röda ljus och puttrande avgaser, trasiga nerver och trummande fingrar. När de äntligen kom fram till affären hade den stängt för dagen. Rebus kollade öppettiderna: nio i morgon. Han kunde hämta bilderna på väg till Fettes och bara komma lite för sent till Ancram. Ancram: bara tanken på karln var som elektrisk spänning genom kroppen.

"Nu kör vi hem", sa han till Jack. Kom sedan ihåg trafiken. "Nej, vid närmare eftertanke: vi stannar till vid Oxen." Jack log. "Trodde du att du hade botat mig?" Rebus skakade på huvudet. "Jag lägger av ibland ett par dagar. Ingen stor sak."

"Men skulle kunna vara det."

"Ännu en predikan, Jack?"

Jack skakade på huvudet. "Ciggisarna då?"

"Jag köper ett paket i automaten."

Han stod vid baren, vilade en sko på fotstången, en armbåge på det polerade träet. Framför honom fanns fyra saker: ett oöppnat paket cigarretter, en ask Scottish Bluebell-tändstickor, trettiofem milliliter Teachers whisky och ett stort glas Belhaven Best. Han stirrade på dem lika koncentrerat som om han varit ett medium som med viljekraft försökt få dem att röra sig.

"Död i tre minuter", kommenterade en stamgäst vid baren, som om han tagit tiden på Rebus motstånd. En djup fråga for genom Rebus huvud: ville han ha dem, eller ville *de* ha *honom*? Han undrade hur långt David Hume skulle ha kommit med den? Han lyfte ölen. Inte konstigt att den kallades "tung": det var precis vad den var. Han sniffade på den. Det luktade inte alltför lockande. Han visste att det skulle smaka okej, men det fanns annat som smakade bättre. Whisky-aromen däremot var fin – rökdoft som fyllde näsborrar och lungor. Spriten skulle svida i munnen, bränna på väg ner och försvinna genom honom, ingen lång verkan.

Och nikotinet? Han visste själv att när han avstod från ciggisar ett par dagar, så kunde han känna hur illa de fick en att lukta – huden, kläderna, håret. Motbjudande vana faktiskt: om man inte gav sig själv cancer var det stor risk att man gav det till någon stackars djävel som haft oturen att komma för nära en. Bartendern Harry väntade på att Rebus skulle göra något. Hela baren väntade. De visste att någonting var på gång, det stod skrivet i Rebus ansikte – där fanns nästan smärta. Jack stod bredvid honom och höll andan.

"Harry", sa Rebus, "ta bort de där." Harry lyfte de två glasen och skakade på huvudet.

"Jag önskar att någon tog en bild av det här", sa han.

Rebus sköt iväg cigarretterna längs bardisken mot rökaren. "Här, ta dem. Och låt dem inte ligga för nära mig, jag skulle kunna ändra mig."

Rökaren tog häpen emot paketet. "Återbetalning för alla som du har bommat av mig under åren."

"Med ränta", sa Rebus och såg Harry hälla ut ölet i vasken.

"Går det direkt tillbaka i tunnan, Harry?"

"Vill du ha någonting annat, eller har du bara kommit för att få sitta?"

"Coca-Cola och chips." Han vände sig till Jack. "Jag får äta chips, va?"

Jack lade en hand på hans rygg, klappade honom lite. Och han log.

De stannade till vid en affär på väg hem till lägenheten, och kom ut igen med vad som behövdes för en måltid.

"Minns du när du senast lagade mat?" frågade Jack.

"Jag är inte helt oduglig." Svaret på frågan var "nej".

Jack, visade det sig, gillade att laga mat men tyckte att Rebus kök var bristfälligt utrustat vad gällde konstens finare redskap. Ingen citronskalare, ingen vitlökspress.

"Hit med vitlöken", sa Rebus. "Jag kan trampa på den."

"Förr var jag lat", sa Jack. "När Audrey lämnat mig försökte jag steka bacon i brödrosten. Men det är lätt att laga mat när man väl går in för det."

"Vad ska det bli förresten?"

"Mager spagettisås, med sallad om du kommer igång någon gång."

Rebus kom igång, men fann att han var tvungen att kila ut till närbutiken för att skaffa ingredienser till dressingen. Han brydde sig inte om någon kavaj. Det var ljumt ute.

"Säker på att du kan lita på mig?" sa han.

Jack smakade på såsen och nickade. Så Rebus vandrade ut ensam och funderade på att inte gå tillbaka. Det fanns en pub i nästa hörn, med dörren öppen. Men naturligtvis skulle han gå tillbaka: han hade inte ätit än. Så som Jack sov, skulle natten vara rätt tid ifall Rebus ville sticka.

De dukade bordet i vardagsrummet – första gången det användes för en måltid sedan Rebus fru gett sig av. Var det möjligt? Rebus hejdade sig, med en gaffel och en sked i handen. Jo, så var det. Hans lägenhet, hans tillflykt, tedde sig plötsligt ödsligare än någonsin.

Gråtmild igen: ännu ett skäl till att han drack.

De delade en flaska Highland källvatten och klirrade med glasen.

"Synd att det inte är färsk pasta", sa Jack.

"Det är färsk, nylagad *mat*", svarade Rebus och fyllde munnen. "Nog så sällsynt i den här lägenheten."

De åt salladen efteråt – på franskt vis, sa Jack. Rebus sträckte sig efter en portion till när telefonen ringde. Han lyfte den.

"John Rebus."

"Rebus, överkommissarie Grogan här."

"Överkommissarie Grogan", Rebus tittade på Jack, "vad kan jag göra för er?" Jack kom till telefonen för att lyssna.

"Vi har kört preliminärtester på era skor och kläder. Tänkte ni ville veta att ni är utom fara."

"Rådde det någonsin något tvivel?"

"Ni är polis, Rebus, ni vet att det finns rutiner."

"Naturligtvis, sir. Jag uppskattar att ni ringde."

"En annan sak. Jag talade med mr Fletcher." Hayden Fletcher: PR på T-Bird. "Han medgav att han kände det senaste offret. Gav oss en detaljerad redogörelse för sina förehavanden den natt hon blev dödad. Han erbjöd sig till och med att lämna blod för en DNA-analys om vi trodde att det skulle vara till någon hjälp."

"Han låter stöddig."

"Det är precis vad han var. Jag kände genast antipati mot karln, något som sällan händer mig."

"Inte ens med mig?" Rebus log mot Jack. Jack formade läpparna till: "Försiktigt."

"Inte ens med er", sa Grogan.

"Därmed är alltså två misstänkta eliminerade. Det för er inte mycket längre, va?"

"Nej." Grogan suckade. Rebus såg framför sig hur han torkade trötta ögon.

"Eve och Stanley då? Följde ni mitt råd?"

"Ja. Och med tanke på er misstänksamhet mot inspektör Lumsden – en utmärkt polis, förresten – satte jag själv in två man, som har rapporterat direkt till mig."

"Tack, sir."

Grogan hostade. "De bodde på ett hotell nära flygplatsen. Femstjärnigt, mest frekventerat av folk från oljebolagen. Körde en BMW." Säkert den från Farbror Joes återvändsgränd. "Jag har en beskrivning av bilen och körkortsdetaljer."

"Behövs inte."

"Mina män skuggade dem till ett par nattklubbar."

"Under affärstid?"

"På dagtid, kommissarien. De gick in utan att bära på något och kom ut på samma sätt. Men de besökte också flera banker i stans centrum. I en bank kom en av mina män tillräckligt nära för att se att de gjorde en kontantinsättning."

"På en bank?" Rebus rynkade pannan. Litade en sådan som Farbror Joe verkligen på banker? Skulle han låta främlingar komma ens i närheten av hans orättmätigt förvärvade tillgångar?

"Det var i stort sett allt, kommissarien. De åt några måltider tillsammans, körde en vända ner till hamnen och lämnade sedan stan."

"Har de gett sig av?"

"I går kväll. Mina män följde dem så långt som till Banchory. Jag skulle tro att de var på väg till Perth." Och efter det, Glasgow. "Hotellet bekräftar att de har checkat ut."

"Frågade ni hotellet om de är stamgäster?"

"Ja, det gjorde vi och ja, det är de. De började använda stället för ungefär ett halvår sedan."

"Hur många rum?"

"De bokar alltid två." Det fanns ett leende i Grogans röst. "Men städerskorna lär aldrig ha behövt städa mer än ett av dem. Verkar som om de delade ett rum och lämnade det andra orört."

Bingo, tänkte Rebus.

"Tack, sir."

"Hjälper detta er med någonting?"

"Det kan vara till stor hjälp. Jag hör av mig. Åh, en sak som jag hade tänkt fråga..."

"Ja?"

"Hayden Fletcher: berättade han hur han hade lärt känna offret?"

"En affärsbekant. Hon ordnade utställningsmontern åt T-Bird Oil på Nordsjökonventet."

"Är det vad 'företagspresentationer' betyder?"

"Tydligen. Miss Holden utformade ett antal av montrarna, och sedan byggdes och monterades de av hennes företag. Fletcher träffade henne under den processen."

"Jag uppskattar verkligen det här."

"Kommissarien... om ni kommer norrut igen, så ring och underrätta mig, uppfattat?"

Rebus hade uppfattat att det inte var en inbjudan till te.

"Ja, sir", sa han, "godnatt."

Han lade på. Aberdeen lockade, och han tänkte banne mig inte förvarna någon. Men Aberdeen kunde vänta en dag till. Vanessa Holden lierad med oljeindustrin...

"Vad är det, John?"

Rebus tittade upp på sin vän. "Det är Johnny Bibel, Jack. Jag fick just en konstig känsla när det gäller honom."

"Va?"

"Att han är en oljeman…"

De plockade undan och diskade, gjorde sedan muggar med kaffe och bestämde sig för att återgå till måleriarbetet. Jack ville veta mer om Johnny Bibel, och om Eve och Stanley, men Rebus visste inte var han skulle börja. Huvudet kändes fullproppat. Han fortsatte att fylla på med ny information, och inget tappades ut. Johnny Bibels första offer hade varit geologistuderande vid ett universitet med nära anknytning till oljeindustrin. Hans fjärde offer visade sig nu designa montrar till konvent och arbeta i Aberdeen, och han kunde gissa vilka som varit hennes bästa kunder. Om det fanns ett samband mellan offer ett och offer fyra, fanns det då något han hade missat, något som länkade samman två och tre? En prostituerad och en barflicka, en i Edinburgh, den andra i Glasgow…

När telefonen ringde lade han ifrån sig sandpappret – dörren såg bra ut – och lyfte luren. Jack använde en stege för att nå taklisten.

"Hallå?"

"John? Det är Mairie."

"Jag har försökt få tag i dig."

"Sorry, ett annat uppdrag – ett som *betalar* sig."

"Har du fått fram något om major Weir?"

"En hel del. Hur var Aberdeen?"

"Stärkande."

"Det har den effekten. De här anteckningarna… antagligen för mycket att läsa upp i telefon."

"Vi kan väl träffas."

"Vilken pub?"

"Ingen pub."

"Det måste vara något fel på linjen. Sa du 'ingen pub' alldeles nyss?"

"Vad sägs om Duddingston Village? Det är ungefär halvvägs. Jag parkerar vid sjön."

"När?"

"Om en halvtimme?"

"Okej, en halvtimme."

"Vi blir aldrig klara med det här rummet", sa Jack och klättrade ner från stegen. Han hade stänk av vit färg i håret.

"Grått klär dig", kommenterade Rebus.

Jack gnuggade sig i huvudet. "En kvinna till?" Rebus nickade. "Hur klarar du att hålla isär dem?"

"Lägenheten har många dörrar."

Mairie väntade när de kom fram. Jack hade inte varit vid Arthur's Seat på åratal, så de tog den natursköna vägen. Inte för att det fanns mycket att se på kvällen. Den stora runda kullen, som mest av allt – till och med barn kunde se det – liknade en hopkrupen elefant, var en underbar plats för en nypa frisk luft. Men på kvällen var den dåligt belyst och låg långt från all ära och redlighet. Edinburgh hade gott om sådana fantastiska öde platser. Det var fina och avskilda ställen fram till det ögonblick då man stötte på sin första knarkare, rånare, våldtäktsman eller bögdåre.

Duddingston Village var just det – en by mitt i en stad, som sökte skydd nedanför Arthur's Seat. Duddingston Loch – mer en mycket stor damm än verklig sjö – hade utsikt över ett fågelreservat och en stig som kallades Innocent Railway: Rebus önskade att han vetat hur den fått sitt namn.

Jack stannade bilen och blinkade med ljuset. Mairie stängde av sitt, öppnade sin dörr och kom skuttande mot dem. Rebus vände sig om för att öppna bakdörren, och hon hoppade in. Han presenterade henne för Jack Morton.

"Åh", sa hon, "du jobbade med *Knots and Crosses*-fallet ihop med John."

Rebus var förvånad. "Hur vet du det? Det var före din tid."

Hon blinkade åt honom. "Jag har läst på."

Han undrade vad mer hon kunde veta, men hade inte tid att spekulera. Hon gav honom ett brunt A4-kuvert.

"Tack gode Gud för e-mail. Jag har en kontakt på *Washington Post* och han fixade fram det mesta av det som finns här."

Rebus tände innerbelysningen. Det fanns en spotlight särskilt avsedd för läsning.

"I allmänhet vill han träffa mig på pubar", sa Mairie till Jack, "riktigt ruffiga sådana dessutom."

Jack log mot henne, vände sig om i sätet med armen hängande ner över nackstödet. Rebus visste att Jack gillade henne. Alla gillade Mairie från första stund. Han önskade att han visste hennes hemlighet.

"Ruffiga pubar för ruffiga typer", sa Jack.

"Hör på", avbröt Rebus, "kan inte ni två sticka iväg och titta på änderna eller något?"

Jack ryckte på axlarna, kollade med Mairie om det var okej och öppnade sin dörr. Ensam satte Rebus sig till rätta i sätet och började läsa.

Punkt ett: Major Weir var ingen major. Det var ett smeknamn han fått i ungdomen. Två: föräldrarna hade gett honom sin kärlek till allt skotskt – inklusive en längtan efter nationellt oberoende. Det fanns en massa fakta om hans tidiga år i industrin, på sista tiden oljeindustrin, och rapporter om Thom Birds död – inget misstänkt med den. En journalist i Staterna hade på eget initiativ börjat skriva en biografi om Weir, men gett upp – det ryktades att han fått betalt för att inte avsluta boken. Ett par berättelser, obekräftade: Weir lämnade sin fru med mycken bitterhet – och senare, stort underhåll. Sedan någonting om Weirs son, antingen död eller gjord arvlös. Nu kanske på någon religiös enslig plats eller bland Afrikas hungriga, kanske verksam på en hamburgerrestaurang eller på Wall Street. Rebus vände till nästa blad, bara för att finna att det inte fanns något. Berättelsen hade slutat mitt i en mening. Han steg ur bilen, gick bort till Mairie och Jack som var inbegripna i ett privat samtal.

"Allt är inte med", sa han och viftade med de blad han hade.

"Jodå." Mairie stack handen i jackfickan, tog fram ett ensamt hopvikt ark och lämnade över det. Rebus såg på henne, krävde en förklaring. Hon ryckte på axlarna. "Kalla mig retsticka."

Jack började skratta.

Rebus stod i ljuset från strålkastarna och läste. Hans ögon blev stora och munnen gapade. Han läste texten igen, sedan en tredje gång, och

var tvungen att köra en hand genom håret för att förvissa sig om att
hjässan inte flugit av.

"Är allt som det ska?" frågade Mairie honom.

Han stirrade på henne ett ögonblick, utan att egentligen se någon-
ting, drog henne sedan till sig och gav henne en puss på kinden.

"Mairie, du är underbar."

Hon vände sig till Jack Morton.

"Instämmer", sa han.

Sittande i sin bil hade Bibel-John sett Rebus med vän köra ut från
Arden Street. Jobbet hade hållit honom kvar en extra dag i Edinburgh.
Frustrerande, men han hade åtminstone kunnat ta sig ännu en titt på
polismannen. Det var svårt att avgöra på håll, men det verkade som
om Rebus hade blåmärken i ansiktet, och klädseln var slarvig. Bibel-
John kunde inte låta bli att känna sig lite besviken: han hade hoppats
på en mer värdig motståndare. Mannen såg helt slut ut.

Inte för att han såg dem som motståndare, inte riktigt. Rebus lägen-
het hade inte gett mycket, men den *hade* avslöjat att Rebus intresse för
Bibel-John hängde ihop med Uppkomlingen. Vilket i viss mån förkla-
rade det. Han hade inte stannat i lägenheten så länge som han skulle
ha velat. Eftersom han inte lyckats dyrka upp låset hade han varit
tvungen att bryta upp dörren. Han kunde inte veta hur lång tid det
skulle ta för grannar att upptäcka någonting. Så han hade varit snabb,
men det hade ju funnits så lite i lägenheten värt hans uppmärksamhet.
Den sa honom någonting om polismannen. Han tyckte nu att han
kände Rebus, i varje fall till en viss grad – han anade ensamheten i hans
liv, tomrummen där stämning och värme och kärlek skulle ha funnits.
Där fanns musik, och där fanns böcker, men inget av det i stor mängd
eller av hög kvalitet. Kläderna var praktiska, den ena kavajen i stort
sett den andra lik. Inga skor. Han fann detta ytterst bisarrt. Ägde karln
bara ett par?

Och köket: dåligt med både redskap och varor. Och badrummet: i
behov av renovering.

Men tillbaka i köket, en liten överraskning. Tidningar och klipp
hastigt undangömda, lätta att hitta. Bibel-John, Johnny Bibel. Och be-

vis för att Rebus gjort sig viss möda. Originaltidningarna måste ha
köpts av en handlare. En utredning inom den officiella utredningen,
det var vad det såg ut som. Vilket gjorde Rebus mer intressant i Bibel-
Johns ögon.

Papper i sovrummet: lådor med gamla brev, kontoutdrag, ett fåtal
fotografier – men tillräckligt för att visa att Rebus en gång varit gift,
och hade en dotter. Ingenting från senare tid: inga fotografier av dot-
tern som vuxen, inga nya fotografier alls.

Men det som han kommit hit för… sitt visitkort… inte skymten av
det. Vilket betydde att Rebus antingen hade slängt det, eller att han
fortfarande bar det på sig, i en kavajficka eller plånbok.

I vardagsrummet noterade han Rebus telefonnummer, slöt sedan
ögonen och förvissade sig om att han hade memorerat lägenhetens
planering. Ja, lätt. Han kunde komma tillbaka mitt i natten och ta sig
igenom rummen utan att rubba något. Han kunde ta John Rebus när
han ville. När som helst.

Men han undrade över Rebus vän. Polismannen verkade inte vara
den sällskapliga typen. De hade hållit på och målat vardagsrummet
tillsammans. Han kunde inte veta om det hade med inbrottet att göra.
Antagligen inte. En man i Rebus ålder, kanske lite yngre, såg ganska
tuff ut. Också polis? Kanske. Mannens ansikte hade inte haft Rebus
intensitet. Det fanns någonting hos Rebus – han hade lagt märke till
det vid deras första möte, och det hade förstärkts den här kvällen – en
målmedvetenhet, en beslutsamhet. Fysiskt verkade Rebus vän vara
den överlägsne, men det gjorde inte Rebus till något lätt byte. Fysisk
styrka kunde bara föra en människa fram till en viss punkt.

Sedan handlade det om attityd.

26

De väntade utanför fotoaffären när den öppnade morgonen därpå. Jack tittade på klockan för bara femtonde gången.

"Han kommer att döda oss", sa han för nionde eller tionde gången. "Nej, jag menar det, han kommer verkligen att göra det."

"Slappna av."

Jack såg ungefär lika avslappnad ut som en höna utan huvud. När föreståndaren började låsa upp dörren kastade de sig ur bilen. Rebus hade kvittot redo i handen.

"Ge mig en minut", sa föreståndaren.

"Vi är försenade till något viktigt."

Med rocken fortfarande på letade föreståndaren igenom en låda med fotoförpackningar. Rebus föreställde sig familjeutflykter, semestrar utomlands, rödögda födelsedagar och suddiga bröllopsfester. Det var någonting lite desperat och samtidigt rörande med fotosamlingar. Han hade tittat i många album i sina dagar – i allmänhet på jakt efter ledtrådar till en mördare, ett offers bekanta.

"Ni måste ändå vänta medan jag låser upp kassan." Föreståndaren lämnade över förpackningen. Jack kastade en blick på priset, slängde fram mer än nog för att täcka det och släpade ut Rebus ur affären.

Han körde till Fettes som om en mordplats väntat där. Trafik tutade och tjöt när han gjorde sitt stuntförarnummer. De kom ändå tjugo minuter för sent till mötet. Men Rebus var nöjd. Han hade sina kopior, de saknade fotografierna från Allan Mitchisons hytt. De liknade de andra bilderna: gruppfoton, men med färre figurer. Och på allihop, Flätade håret stående bredvid Mitchison. På ett höll hon en arm om honom. På ett annat kysstes de, log när deras läppar möttes.

Rebus var inte förvånad, inte nu.

"Jag hoppas förbanne mig att de var värda det", sa Jack.

"Varenda penny, Jack."

"Det var inte så jag menade."

Chick Ancram satt med knäppta händer. Ansiktet hade samma färg som rabarberpaj. Pärmarna låg framför honom, som om de inte flyttats sedan föregående möte. Rösten hade ett lätt vibrato. Han var behärskad, men bara nätt och jämnt.

"Jag fick ett telefonsamtal", sa han, "från någon som hette Kayleigh Burgess."

"Ja?"

"Hon ville ställa några frågor till mig." Han gjorde en paus. "Om er. Om den roll kommissarie Morton just nu spelar i ert liv."

"Det är skvaller, sir. Jack och jag är bara vänner."

Ancram daskade båda händer i skrivbordet. "Jag trodde vi hade en överenskommelse."

"Kan inte säga att jag minns det."

"Låt oss hoppas då att ert långtidsminne är bättre." Han öppnade en pärm. "För nu börjar det roliga." Han nickade åt en generad Jack att sätta på bandspelaren och började sedan med att uppge datum och tid, närvarande polismän… Rebus kände sig som om han skulle explodera. Han tänkte verkligen att om han satt där en sekund till skulle ögongloberna flyga ur sina hålor som sådana där skämtbrillor med fjäderbelastade ögon. Han hade känt sig så här förut, alldeles före en panikattack. Men han var inte panikslagen nu, han var bara *laddad.* Han reste sig. Ancram avbröt det han hållit på att säga.

"Något på tok, kommissarien?"

"Hör på", Rebus gned sig i pannan, "jag kan inte tänka klart… inte på Spaven. Inte i dag."

"Det är min sak att avgöra, inte er. Om ni känner er sjuk kan vi ringa efter en läkare, men annars…"

"Jag är inte sjuk. Jag bara…"

"Sitt då ner." Rebus satte sig, och Ancram återgick till sina noteringar. "Nu, kommissarien. Enligt er rapport befann ni er den aktuella kvällen hemma hos kommissarie Geddes, och det kom ett telefonsamtal?"

"Ja."

"Ni hörde inte samtalet?"

"Nej." Flätade håret och Mitchison… Mitch organisatören, aktivisten. Mitch oljearbetaren. Dödad av Tony El, Farbror Joes handgångne man. Eve och Stanley, som bearbetade Aberdeen, delade rum…

"Men kommissarie Geddes talade om för er att det hade med mr Spaven att göra? Ett tips?"

"Ja." Burke's Club, stamställe för poliser, kanske också stamställe för oljearbetare. Hayden Fletcher dricker där. Ludovic Lumsden dricker där. Michelle Strachan träffar Johnny Bibel där…

"Och Geddes sa inte vem samtalet var från?"

"Jo." Ancram tittade upp, och Rebus förstod att han gett fel svar. "Jag menar, nej."

"Nej?"

"Nej."

Ancram stirrade på honom, fnös, koncentrerade sig åter på sina anteckningar. Det fanns sida efter sida av dem, speciellt förberedda inför den här sittningen: frågor att ställa, fakta att dubbelkontrollera, hela fallet nerbrutet och återuppbyggt.

"Anonyma tips är enligt min erfarenhet ganska så sällsynta", sa Ancram.

"Ja."

"Och de lämnas nästan alltid till en polisstation. Håller ni med mig?"

"Ja, sir." Var Aberdeen alltså nyckeln, eller fanns svaren längre norrut? Vad hade Jake Harley med det att göra? Och Mike Sutcliffe – Fårskinnsjackan – hade inte major Weir uppmanat honom att hålla sig undan? Vad var det Sutcliffe hade sagt? Han hade sagt någonting på planet, sedan plötsligt tystnat… Någonting om en båt…

Och hade något av det samband med Johnny Bibel? *Var* Johnny Bibel en oljeman?

"Så det vore rationellt att dra slutsatsen att kommissarie Geddes kände den som ringde, inte sant?"

"Eller att de kände honom."

Ancram ryckte på axlarna åt detta. "Och det här tipset råkade gälla mr Spaven. Tyckte ni inte den gången att det var ett märkligt sammanträffande? Med tanke på att Geddes redan blivit uppmanad att hålla sig undan från Spaven? Jag menar, det måste ha stått klart för er att er chef hade fått Spaven på *hjärnan*?"

Rebus reste sig igen och började gå fram och tillbaka i det lilla rummet, så gott det nu gick.

"Sitt ner!"

"Jag kan inte, sir. Om jag sitter där längre kommer jag att sätta en knytnäve i ansiktet på er."

Jack Morton lade en hand över ögonen.

"Vad sa ni?"

"Spola tillbaka bandet och lyssna. Och det är därför som jag är uppe och går: kalla det krishantering."

"Kommissarien, jag varnar er – "

Rebus skrattade. "Gör ni? Det var hyggligt av er, sir." Ancram ställde sig upp. Rebus vände sig om och gick till den bortre väggen, gjorde helt om igen och stannade.

"Hör på", sa han. "En enkel fråga: vill ni se Farbror Joe blåst?"

"Vi är inte här för att – "

"Vi är här för syns skull – det vet ni lika väl som jag. Höjdarna är rädda för media. De vill att polisen ska se bra ut om det där programmet någonsin blir gjort. På det här sättet kan alla luta sig tillbaka och säga att det gjordes en undersökning. TV verkar vara ungefär det enda som höjdarna är rädda för. Bovar skrämmer dem inte, men tio minuters negativ bevakning, kära någon då. Nej, det kan vi inte ha. Allt för ett program som kommer att ses av några miljoner, hälften av dem med ljudet nere, andra hälften utan att registrera det, glömt dagen därpå. Så", han tog ett djupt andetag, "ett enkelt ja eller nej." Ancram sa ingenting, så Rebus upprepade frågan.

Ancram tecknade åt Jack att stänga av maskinen. Sedan satte han sig ner igen.

"Ja", sa han lugnt.

"Jag kan se till att det händer." Rebus talade med stadig röst. "Men jag vill inte att *ni* får hela äran. Om det är någon som ska ha äran, så är det överkommissarie Templer." Rebus återvände till sin stol och satte sig på yttersta kanten. "Och nu har *jag* ett par frågor."

"Kom det ett telefonsamtal?" frågade Ancram och överraskade Rebus. De såg på varandra. "Bandspelaren är avstängd, detta är mellan oss tre. Kom det någonsin ett telefonsamtal?"

"Jag svarar på era och ni svarar på mina?" Ancram nickade. "Självklart kom det ett telefonsamtal."

Ancram nästan log. "Ni ljuger. Han kom hem till dig, eller hur? Vad sa han till er? Sa han att ni inte skulle behöva någon husrannsakningsorder? Ni måste ha vetat att han ljög."

"Han var en bra polis."

"För var gång ni säger den där repliken låter den allt tunnare. Vad är det frågan om: låter den inte lika övertygande längre?"

"Han var det."

"Men han hade ett problem, en liten privat djävul som hette Lenny Spaven. Ni var hans vän, Rebus, ni borde ha hindrat honom."

"Hindrat honom?"

Ancram nickade, med ögon som glimmade som månar. "Ni borde ha hjälpt honom."

"Jag försökte", sa Rebus, rösten en viskning. Det var ännu en lögn: Lawson vid det laget hade varit en pundare med bara ett begär, och bara en sak skulle hjälpa – själva smaken.

Ancram lutade sig tillbaka, försökte låta bli att se belåten ut. Han trodde att Rebus var nära att knäckas. De inre tvivlen hade såtts – inte för första gången. Ancram kunde nu vattna dem med medkänsla.

"Jag förebrår er inte", sa han. "Jag tror jag vet vad ni gick igenom. Men det fanns en skenåtgärd. Den där centrala lögnen: tipset." Han lyfte upp sina anteckningar ett par centimeter från skrivbordet. "Det står skrivet tvärs över alla de här, och det drar allt annat med sig, för om Geddes hade skuggat Spaven, vad skulle ha hindrat honom från att plantera ut lite bevismaterial på vägen?"

"Det var inte hans stil."

"Inte ens när han var pressad till bristningsgränsen? Hade ni sett honom där förut?"

Rebus kunde inte komma på någonting att säga. Ancram hade lutat sig fram i stolen igen, med handflatorna mot skrivbordet. Han rätade upp sig. "Vad var det ni ville fråga?"

När Rebus var barn hade de bott i en parvilla med en passage mellan deras och nästa hus. Passagen hade lett till båda trädgårdarna. Rebus sparkade fotboll där med sin pappa. Ibland satte han en fot mot vardera muren och pressade sig upp mot passagens tak. Och ibland stod han bara mitt i och kastade en liten hård gummiboll så hårt han kunde mot stengolvet. Bollen studsade i högan sky, susade fram och tillbaka, golv till tak till vägg till golv till tak...

Så kändes hans huvud nu.

"Va?" sa han.

"Ni sa att ni hade några frågor."

Långsamt kom Rebus huvud tillbaka till här och nu. Han gnuggade sig i ögonen. "Ja", sa han. "Först, Eve och Stanley."

"Vad är det med dem?"

"Står de varandra nära?"

"Ni menar, hur kommer de överens? Okej."

"Bara okej?"

"Inga vredesutbrott att rapportera."

"Jag tänkte mer på svartsjuka."

Ancram fattade galoppen. "Farbror Joe och Stanley?"

Rebus nickade. "Är hon smart nog att spela ut den ene mot den andre?" Han hade träffat henne, trodde att han redan visste svaret. Ancram bara ryckte på axlarna. Samtalet hade uppenbarligen tagit en oväntad vändning.

"Det var bara det", sa Rebus, "att i Aberdeen delade de hotellrum."

Ancrams ögon smalnade. "Är ni säker på det?" Rebus nickade. "De måste vara galna. Farbror Joe kommer att döda dem båda två."

"De tror kanske inte han kan det."

"Hur menar ni?"

"De tror kanske att de är starkare än han. De tror kanske att gorillorna skulle byta sida i ett krig. Stanley är den som folk är rädda för nuförtiden, det har ni själv sagt. I synnerhet nu när Tony El är borta."

"Tony var ändå borta ur spelet."

"Jag är inte så säker."

"Förklara."

Rebus skakade på huvudet. "Jag behöver tala med några personer först. Har ni hört talas om att Eve och Stanley samarbetat i det förflutna?"

"Nej."

"Så den här Aberdeenutflykten...?"

"Skulle säga att det är ett tämligen nytt påhitt."

"Enligt hotellet de senaste sex månaderna."

"Så frågan är, vad håller Farbror Joe på med?"

Rebus log. "Jag tror ni vet svaret på det: narkotika. Han har förlorat marknaden i Glasgow, den har redan delats upp. Så han kan slåss om en bit, eller så kan han spela på bortaplan. Burke's tar emot knarket och säljer det vidare, i synnerhet om de har någon från kriminalen i sitt ledband. Aberdeen är fortfarande en fin marknad, inte den drivbänk det var för femton eller tjugo år sedan, men icke desto mindre en marknad."

"Så vad tänker ni göra som resten av oss andra inte kan?"

Rebus skakade på huvudet. "Jag vet fortfarande inte om ni är schysst. Jag menar, ni kanske svänger fram och tillbaka."

Den här gången log Ancram verkligen. "Jag skulle kunna säga det samma om er och Spavenfallet."

"Antagligen."

"Jag kommer inte att vara nöjd förrän jag vet. Jag tror att det kanske gör oss lika."

"Hör på, Ancram, vi promenerade in i det där garaget och väskan fanns *där*. Spelar det någon roll hur det kom sig att *vi* var där?"

"Den skulle ha kunnat vara planterad."

"Inte med min vetskap."

"Geddes anförtrodde sig aldrig? Jag trodde ni två stod varandra nära?"

Rebus hade rest sig. "Det är möjligt att jag kommer att vara borta en dag eller två. Okej?"

"Nej, det är inte okej. Jag väntar på er här i morgon, samma tid."

"För Guds skull…"

"Eller så kan vi sätta på maskinen nu med detsamma och ni berättar vad ni vet. Sedan kommer ni att ha all tid i världen. Och jag tror också ni kommer att få lättare att leva med er själv."

"Leva med mig själv har aldrig varit problemet. Andas samma luft som folk som ni – det är mitt problem."

"Jag har redan talat om för er att Strathclydepolisen och narkotika-spanarna planerar en operation…"

"En som inte kommer att leda till något, eftersom halva Glasgow-polisen såvitt vi vet går i Farbror Joes ledband."

"Det var inte jag som åkte hem till honom och hälsade på, sedan en viss Morris Cafferty lagt ett ord för mig."

Rebus kände plötsligt hur någonting snördes åt kring bröstet. Hjärtinfarkt, tänkte han. Men det var bara Jack Mortons armar som höll honom, hindrade honom från att ge sig på Ancram.

"Vi ses i morgon bitti, mina herrar", sa Ancram, som om de haft ett givande möte.

"Ja, sir", sa Jack och föste ut Rebus ur rummet.

Rebus sa åt sin vän att köra dem ut till M8.

"Aldrig i livet."

"Parkera då nära Waverley, så tar vi tåget."

Jack tyckte inte om hur Rebus såg ut: som om det höll på att bli kortslutning i hans ledningsnät. Man nästan såg gnistorna bakom ögonen.

"Vad tänker du göra i Glasgow? Gå fram till Farbror Joe och säga: 'Jo, förresten, din kvinna knullar din son'? Inte ens du kan vara så dum."

"Självklart är jag inte så dum."

"Glasgow, John", vädjade Jack. "Det är inte vårt revir. Jag kommer att vara tillbaka i Falkirk om några veckor, och du…"

Rebus log. "Var kommer jag att vara, Jack?"

"Det vet bara Gud och Djävulen."

Rebus log fortfarande, tänkte för sig själv: jag är hellre djävulen.

"Du måste alltid vara hjälten, va?" frågade Jack.

"Historien älskar en hjälte, Jack", sa Rebus till honom.

På M8, halvvägs mellan Edinburgh och Glasgow, hejdade av siraps-
trafik, gjorde Jack ett nytt försök.

"Det här är vansinne. Jag menar *verkligen* vansinne."

"Lita på mig, Jack."

"Lita på dig. Killen som försökte ta livet av mig för två kvällar sedan?
Med vänner som du…"

"…kommer du aldrig att sakna fiender."

"Än är det inte för sent."

"Det är bara som du tror."

"Skitsnack."

"Det kanske bara är du som inte lyssnar." Rebus kände sig lugnare
nu när de var ute på vägen. För Jack såg han ut som om någon dragit
ut kontakten på honom: inga fler gnistor. Han nästan föredrog model-
len med ledningsfel. Bristen på känsla i vännens röst gjorde honom
kall, till och med i den heta bilen. Jack öppnade sitt fönster lite till.
Hastighetsmätaren pekade stadigt på sextio, och ändå låg de i ytter-
filen. Trafiken till vänster om dem *kröp* verkligen. Om han kunde hitta
en lucka skulle han lägga sig i innerfilen – allt för att fördröja deras
ankomst.

Han hade ofta beundrat Rebus – och hört honom lovordas av and-
ra poliser – för hans seghet, hans sätt att attackera ett fall likt en terrier,
oftast riva upp det, få fram hemliga motiv och dolda kroppar. Men
samma ihärdighet kunde också vara en svaghet, som gjorde honom
blind för fara, och otålig och hänsynslös. Jack visste varför de var på
väg till Glasgow, trodde att han hade en ganska bra uppfattning om
vad Rebus ville göra där. Och Jack skulle, enligt order från Ancram,
befinna sig tätt intill när allt gick åt fanders.

Det var länge sedan Rebus och Jack arbetat ihop. De hade varit ett
effektivt team, men Jack hade varit glad över placeringen utanför
Edinburgh. Alltför klaustrofobiskt – både stan och hans partner. Rebus
hade redan då verkat ha vistats mer inne i sitt eget huvud än i andras
sällskap. Till och med puben han valde som tillhåll var en med färre

förströelser än vanligt: TV, en enarmad bandit, en cigarrettautomat. Och när gruppaktiviteter ordnades – fisketurer, golftävlingar, bussresor – anmälde Rebus sig aldrig. Han var en oregelbunden stamkund, en enstöring också i sällskap, med hjärna och hjärta endast fullt engagerade när han arbetade på ett fall. Jack visste bara alltför väl vad det handlade om. Arbete hade en förmåga att linda sig runt en så att man blev avskuren från resten av världen. Folk man träffade socialt behandlade en gärna med misstänksamhet eller rent av fientlighet – så till sist umgicks man bara med andra poliser, vilket tråkade ut ens hustru eller flickvän. *De* började också känna sig isolerade. Det var ett helvete.

Det fanns naturligtvis massor av folk inom polisen som klarade det. De hade förstående partners. Eller så kunde de stänga ute arbetet varje gång de gick hem. Eller så var det bara ett jobb för dem, ett sätt att klara amorteringarna. Jack gissade att det på krim var fifty-fifty mellan dem som det var ett kall för och dem som kunde ta vilken annan typ av kontorsjobb som helst, var som helst, när som helst.

Han visste inte vad John Rebus annars kunde göra. Om de sparkade ut honom från polisen… skulle han antagligen supa upp sin pension, bli ännu en gammal före detta polis som hängde fast vid ett stort förråd historier, som berättade dem alltför ofta för samma människor, som bytte en form av isolering mot en annan.

Det var viktigt att John stannade vid polisen. Därför var det viktigt att hålla honom borta från problem. Jack undrade varför ingenting i livet någonsin var lätt. När Chick Ancram talat om för honom att han skulle "hålla ett öga" på Rebus hade han blivit glad. Han hade sett framför sig hur de gick ut tillsammans, pratade om gamla fall och typer, tillhåll och höjdpunkter. Han borde ha vetat bättre. *Han* hade kanske förändrats – blivit en "ja-sägare", en kontorsslav, en karriärist – men John var densamme som alltid… bara värre. Tiden hade fått hans cynism att mogna. Han var ingen terrier nu: han var en kamphund med käkar som låste sig. Man bara visste att hur blodig han än blev, hur mycket smärta det än fanns bakom ögonen, så fanns greppet där på liv och död…

"Trafiken börjar lossna", sa Rebus.

Det var sant. Vad som än varit problemet, så höll det på att försvinna.

Farten var uppe i nittio. De skulle vara i Glasgow på nolltid. Jack sneglade på Rebus, som blinkade utan att flytta ögonen från vägen framför dem. Jack såg plötsligt framför sig hur han själv stöttade upp en bar, tog ett djupt tag i pensionen för ännu en drink. Strunt i det. För vännens skull var han beredd att spela de nittio minuterna, men inte längre: ingen förlängning, inga straffar. Definitivt inga straffar.

De körde till Partick polisstation, eftersom de var kända där. Govan hade varit en annan möjlighet, men Govan var Ancrams högkvarter och inte ett ställe där de kunde göra saker i smyg. Johnny Bibel-utredningen hade tagit ny fart efter det senaste mordet, men det enda Glasgowstyrkan egentligen gjorde var att läsa igenom och arkivera material som skickats från Aberdeen. Rebus rös vid tanken på att han gått förbi Vanessa Holden på Burke's Club. Även om Lumsden försökt sätta dit honom hade Aberdeenpolisen rätt i en sak: en räcka tillfälligheter band Rebus vid Johnny Bibel-utredningen. Så många att Rebus började tvivla på att slumpen hade särskilt mycket med saken att göra. På något sätt kunde han ännu inte säga exakt hur Johnny hängde ihop med en av Rebus andra utredningar. För ögonblicket var det inte mer än en känsla, ingenting han kunde göra någonting åt. Men den fanns där, plågade honom. Den fick honom att undra om han visste mer om Johnny Bibel än han trodde…

Partick, nytt och ljust och bekvämt – på det hela taget en toppmodern polisstation – var fortfarande fiendeland. Rebus kunde inte veta hur många välvilliga öron Farbror Joe kanske hade på platsen, men han trodde att han kände till ett lugnt ställe, en plats de kunde göra till sin. När de gick genom byggnaden var det en del poliser som nickade och hälsade på Jack med namn.

"Basläger", sa Rebus till sist och vek in i det öde kontor som var tillfälligt hem åt Bibel-John. Här fanns han, utspridd över bord och golv, fastnålad och fasttejpad på väggarna. Det var som att stå mitt i en utställning. Den sista identifieringsbilden av Bibel-John, den som hade ställts samman av systern till hans tredje offer, återkom runt om i rummet, tillsammans med hennes beskrivning av honom. Det var som om de genom upprepning, genom att lägga bild till bild, kunde göra honom till en fysisk varelse, förvandla pappersmassa och bläck till kött och blod.

"Jag avskyr det här rummet", sa Jack när Rebus stängde dörren.

"Det verkar som om alla andra också gör det. Långa kafferaster och annat att ta hand om."

"Halva polisstyrkan var inte ens född när Bibel-John var i farten. Han har förlorat all betydelse."

"Men de kommer att berätta för sina barnbarn om Johnny Bibel."

"Sant." Jack gjorde en paus. "Tänker du göra det?"

Rebus såg att hans hand låg på luren. Han lyfte den och tryckte in siffrorna. "Har du tvivlat på mig?" frågade han.

"Inte ett ögonblick."

Rösten som svarade var barsk, ovälkomnande. Inte Farbror Joe, inte Stanley. En av kroppsbyggarna. Rebus gav igen med samma mynt.

"Malky där?"

Tvekan: bara hans nära vänner kallade honom Malky. "Vem frågar?"

"Säg till honom att det är Johnny." Rebus gjorde en paus. "Från Aberdeen."

"Vänta lite." Slammer när luren släpptes ner på en hård yta. Rebus lyssnade spänt, hörde TV-röster, applåder från ett tävlingsprogram. Tittade: Farbror Joe kanske, eller Eve. Stanley skulle inte gilla tävlingsprogram. Han skulle aldrig uppfatta en fråga rätt.

"Telefon!" ropade kroppsbyggaren.

En lång väntan. Sedan en avlägsen röst: "Vem är det?"

"Johnny."

"Johnny? Vilken Johnny?" Rösten närmare.

"Från Aberdeen."

Luren lyftes. "Hallå?"

Rebus tog ett djupt andetag. "För din egen skull är det bäst att du låter naturlig. Jag känner till dig och Eve, vet vad ni har hållit på med i Aberdeen. Så om du vill hålla tyst om det, låt naturlig. Vi vill ju inte att Muskelknutte ska få ens den allra minsta misstanke."

Ett prasslande ljud, Stanley som vände sig om för avskildhet, klämde fast luren under hakan.

"Så vad gäller det?"

"Ni har en jävligt snygg grej på gång, och jag vill inte sabba den om jag inte är tvungen, så gör inget som skulle få mig att göra det. Uppfattat?"

"Inga problem." Rösten var inte van vid att försöka sig på lättsinne när hjärnan krävde blodig hämnd.

"Du sköter dig fint, Stanley. Eve kommer att vara stolt över dig. Och nu behöver vi snacka, inte bara du och jag, utan vi alla tre."

"Min farsa?"

"Eve."

"Okej." Lugnade sig igen. "Äh… går att ordna."

"I kväll?"

"Äh… okej."

"Partick polisstation."

"Vänta nu lite…"

"Sådan är överenskommelsen. Bara för att prata. Det är ingen fälla. Om du är orolig, så håll käften tills du har hört överenskommelsen. Gillar du den inte, kan du skita i den. Du kommer inte att ha sagt någonting, så det finns ingenting att vara rädd för. Inga anklagelser, inga knep. Det är inte dig jag är ute efter. Är du fortfarande intresserad?"

"Jag är inte säker. Kan jag ringa tillbaka?"

"Jag behöver ett ja eller ett nej nu med detsamma. Om det är nej kan du lika gärna låta mig tala med din pappa."

Dödsdömda män skrattade med mer glädje. "För min del är det inget problem. Men det finns andra inblandade."

"Berätta bara för Eve vad jag har sagt till dig. Om hon inte vill komma, så kan du komma själv. Jag ska skaffa er passerkort. Falska namn." Rebus tittade ner på en bok som låg uppslagen framför honom, hittade två direkt. "William Pritchard och Madeleine Smith. Kan du komma ihåg det?"

"Jag tror det."

"Upprepa dem."

"William… någonting."

"Pritchard."

"Och Maggie Smith."

"Nästan rätt. Jag vet att du inte bara kan smita iväg, så vi säger ingen tid. Kom när ni kan. Och om du börjar fundera på att skita i det, så tänk på alla de där bankkontona och hur ensamma de kommer att vara utan dig."

Rebus lade på luren. Hans hand darrade knappt.

27

De varskodde mottagningen och fick besökskort utskrivna, och efter det kunde de inte göra annat än att vänta. Jack sa att rummet kändes kallt och instängt på en och samma gång. Han måste ut. Han föreslog matsalen eller en korridor eller något, men Rebus skakade på huvudet.

"Gå du. Jag tror jag stannar här, ser om jag kan komma på vad jag ska säga till Bonnie och Clyde. Ta med en kaffe och kanske en fralla till mig." Jack nickade. "Åh, och en flaska whisky." Jack tittade på honom. Rebus log.

Han försökte erinra sig sin senaste alkoholhaltiga dryck. Han kom ihåg att han stått på Oxen med två glas och ett paket cigarretter. Men innan dess… Vin tillsammans med Gill?

Jack hade sagt att rummet var kallt. Det kändes kvävande för Rebus. Han tog av sig kavajen, lossade på slipsen och knäppte upp översta skjortknappen. Sedan vandrade han runt i rummet och tittade i skrivbordslådor och grå pappkartonger.

Han såg: förhörsutskrifter, med bleknade pärmar som krökte sig i kanterna; handskrivna rapporter; maskinskrivna rapporter; bevissammanfattningar; kartor, mest handritade; tjänstgöringslistor; massor av vittnesuppgifter – beskrivningar av mannen som setts i Barrowland Ballroom. Och så var det fotografierna, matta svartvita, tjugofem gånger tjugo och mindre. Själva danssalongen, interiör och exteriör. Den såg mer modern ut än vad ordet "ballroom" lät ana, påminde

Rebus lite om hans gamla skola – på utsidan enformiga ytor med några få fönster. Tre strålkastare satt ovanför betongbaldakinen, pekade upp mot fönstren och himlen. Och på själva baldakinen – ett bra skydd mot regnet medan man väntade på att antingen bli insläppt eller, efteråt, på skjuts – orden "Barrowland Ballroom" och "Dans". De flesta av exteriörbilderna var tagna en blöt eftermiddag, kvinnor i periferin med plastkappor, män i baskrar och långa rockar. Fler fotografier: polisens grodmän som letade i floden; brottsplatserna, kriminalare i sina karakteristiska flatkulliga hattar och regnrockar – en bakgata, bakgården till ett hyreshus, ännu en bakgård. Typiska ställen för en kram och lite hångel, kanske för att gå lite längre. För långt för offren. Där fanns en bild av polisintendent Joe Beattie, som höll fram en fantombild på Bibel-John. Tittade man mellan porträttet och Beattie förefoll männens ansiktsuttryck lika. Flera ur allmänheten hade kommenterat det. Mackeith Street och Earl Street – offer två och tre mördades på de gator där de bodde. Han hade fört dem så nära deras hem: varför? Så att de skulle ha sina försvarsmekanismer urkopplade? Eller hade han tvekat, dröjt med överfallen? Nervös för att be om en kyss eller en kram, eller helt enkelt rädd och kämpande med samvetet mot det starka begäret? Pärmarna var fulla av den sortens planlöst spekulerande och mer strukturerade teorier från professionella psykologer och psykiatrer. När allt kom omkring hade de varit till lika stor hjälp som Croiset, detektiven med medial förmåga.

Rebus tänkte på mötet med Aldous Zane i just det här rummet. Zane hade varit i tidningarna igen – han hade inspekterat den senaste brottsplatsen, kommit med samma osammanhängande svada och flugits hem. Rebus undrade vad Jim Stevens höll på med nu. Han erinrade sig Zanes handslag, den stickande känslan. Och Zanes intryck av Bibel-John – fastän Stevens varit närvarande hade tidningen inte brytt sig om att trycka det. En koffert på vinden i ett modernt hus. Ja, Rebus kunde ha hittat på bättre själv om någon tidning hade placerat honom på ett flott hotell.

Lumsden hade placerat honom på ett flott hotell, antagligen i tron att krim aldrig skulle få veta. Lumsden hade försökt bli kompis med honom, talat om för honom att de var lika, visat Rebus att han var någon i stan – fria måltider och drycker, fritt inträde till Burke's Club. Han hade testat Rebus, sett hur öppen han skulle vara för en muta. Men på vems order? Klubbens ägare? Eller Farbror Joe själv…?

Fler fotografier. Det tycktes inte finnas något slut på dem. Det var åskådarna som intresserade Rebus, de som inte visste att de blivit plåtade för eftervärlden. En kvinna i högklackade skor, snygga ben – det enda man såg av henne var klackar och ben, resten doldes av en kvinnlig polis som deltog i en rekonstruktion. Uniformerade poliser som sökte igenom bakgårdarna på Mackeith Street, på jakt efter offrets handväska. Gårdarna såg ut som bombade områden – torkstolpar stack upp ur förkrympt gräs och grus. Bilmärken längs gatan: Zephyr, Hillman Imp, Zodiac. Evigheter sedan. En bunt med affischer i en låda, gummibandet förstört sedan länge. Konstruerade identifieringsbilder av Bibel-John tillsammans med varierande beskrivningar: "Talar kultiverad Glasgowdialekt och har rak hållning". Till stor hjälp. Telefonnumret till utredningens högkvarter. De hade fått tusentals samtal, lådvis nu. Kortfattade detaljer från alla, med mer detaljerade stödnoteringar om samtalet verkat värt att kolla.

Rebus blick gled över de återstående lådorna. Han valde en på måfå – en stor platt pappkartong, som innehöll tidningar från tiden, intakta och olästa under ett kvarts sekel. Han studerade förstasidor, vände sedan till baksidan för att titta på sporten. Några av korsorden hade fyllts i till hälften, antagligen av någon uttråkad polis. Pappersremsor fasthäftade vid varje jätterubrik angav sidnummer med Bibel-John-reportage. Men Rebus skulle inte hitta någonting där. Han tittade på de andra artiklarna istället och log åt några av annonserna. Några verkade naiva efter dagens mått, andra hade inte åldrats alls. I de privata annonserna sålde människor gräsklippare, tvättmaskiner och skivspelare till fyndpriser. I ett par tidningar såg Rebus samma annons, inramad som ett offentligt tillkännagivande: "Få ett nytt liv och bra arbete i Amerika – broschyren berättar hur." Man var tvungen att skicka några frimärken till en adress i Manchester. Rebus lutade sig tillbaka och undrade om Bibel-John hade kommit så långt.

I oktober -69 hade Paddy Meehan dömts vid Högsta domstolen i Edinburgh och ropat: "Ni har gjort ett ohyggligt misstag – jag är oskyldig!" Det fick Rebus att tänka på Lenny Spaven. Han skakade av sig tanken och tog en ny tidning. Åttonde november: stormvindar tvingade fram evakuering av Stafloriggen. Tolfte november: en rapport om att ägarna till *Torrey Canyon* betalat ut 3 miljoner pund i ersättning efter att ha förlorat 5 000 ton kuwaitisk råolja i Engelska kanalen. På annat håll hade Dunfermline bestämt sig för att tillåta att *Måste vi döda syster George?* visades i stan, och en splitter ny Rover 3,5 liter skulle kosta dig 1 700 pund. Rebus fortsatte till slutet av december. SNP:s ordförande förutspådde att Skottland stod "på tröskeln till ett ödets årtionde". Snyggt formulerat, sir. Trettioförsta december: nyårsafton. *Herald* önskade sina läsare ett gott och lyckosamt 1970, och inledde med berättelsen om en eldstrid i Govanhill: en polis död, tre sårade. Han lade ifrån sig tidningen, rörelsen fick några fotografier att blåsa ner från skrivbordet. Han tog upp dem: de tre offren, så fulla av liv. Offer ett och tre var lite lika till utseendet. Alla tre såg hoppfulla ut, som om framtiden skulle ge dem allt de drömde om. Det var bra att ha hopp och att aldrig ge upp. Men Rebus tvivlade på att det var så många som klarade det. De kanske log inför kameran, men överraskade skulle de snarare se trötta och smutsiga ut, som åskådarna på fotografierna.

Hur många offer fanns det? Inte bara Bibel-John eller Johnny Bibel, men alla mördare, de straffade och de aldrig fångade. World's End-morden, Cromwell Street, Nilsen, Uppskäraren från Yorkshire... Och Elsie Rhind... Om Spaven inte hade dödat henne, så måste mördaren ha tjutit av skratt under hela rättegången. Och han fanns kvar där ute, kanske med andra skalper på sitt samvete, andra olösta fall. Elsie Rhind låg ohämnad i sin grav, ett bortglömt offer. Spaven hade tagit livet av sig därför att han inte kunde bära tyngden av sin oskuld. Och Lawson Geddes... hade han tagit sitt liv av sorg över hustrun eller på grund av Spaven? Hade kall insikt till sist smugit sig på honom?

De djävlarna var borta allihop. Bara John Rebus var kvar. De ville flytta över sina bördor på honom. Men han vägrade, och han skulle fortsätta att vägra, neka. Han visste inte vad han annars kunde göra. Utom att dricka. Han ville ha en drink, längtade desperat efter en. Men han skulle inte ta någon, inte än. Kanske senare, kanske någon gång. Människor dog och man kunde inte få tillbaka dem. En del av dem dog våldsamt, grymt unga, utan att veta varför de hade blivit valda. Rebus kände sig omgiven av förlust. Alla spökena... skrek åt honom... bad honom... vrålade...

"John?"

Han tittade upp från skrivbordet. Jack stod där med en mugg i ena handen och en fralla i den andra. Rebus blinkade, skärpan försvann: det var som om han tittat på Jack genom värmedis.

"Herregud, hur är det med dig?"

Hans näsa och mun var våta. Han torkade. Fotografierna på skrivbordet var också våta. Han förstod att han gråtit och drog fram en näsduk. Jack ställde ifrån sig muggen och lade en arm om hans axlar, kramade lite.

"Förstår inte vad det är med mig", sa Rebus och snöt sig.

"Jo, det gör du visst det", sa Jack lugnt.

"Ja, det gör jag", erkände Rebus. Han samlade ihop fotografierna och tidningarna och lade tillbaka dem i sina lådor. "Sluta upp att se på mig så där."

"Hur?"

"Jag sa inte till dig."

Jack placerade baken på ett skrivbord. "Du har inte mycket försvar kvar, va?"

"Ser inte så ut."

"Dags för uppryckning."

"Äh, Stanley och Eve kommer inte än på ett tag."

"Du vet att det inte är – "

"Jag vet, jag vet. Och du har rätt: dags för uppryckning. Var ska jag börja? Nej, säg inget – Juicekyrkan?"

Jack bara höjde på axlarna. "Ditt beslut."

Rebus tog frallan och bet i den. Ett misstag: klumpen i halsen gjorde det svårt att svälja. Han klunkade i sig kaffe, lyckades få i sig frallan – menlös skinka och fuktig tomat. Kom sedan ihåg att han var tvungen att ringa ett samtal till: ett Shetlandsnummer.

"Jag är tillbaka om ett ögonblick", sa han till Jack.

Inne på toaletten tvättade han sig i ansiktet. Små röda ådror hade brustit i ögonvitorna. Han såg ut som om han hade gått en krogrond.

"Spik nykter", sa han till sig själv och marscherade tillbaka till telefonen.

Briony, Jake Harleys flickvän, svarade.

"Är Jake där?" frågade Rebus.

"Nej, tyvärr inte."

"Briony, vi träffades häromdagen. Kommissarie Rebus."

"Ja."

"Har han hört av sig?"

En lång paus. "Förlåt, jag hörde inte. Dålig förbindelse."

Rebus tyckte den var bra. "Jag frågade om han hade hört av sig?"

"Nej."

"Nej?"

"Det var det jag sa." Irriterad nu.

"Okej, okej. Är du inte orolig?"

"För vad?"

"Jake."

"Varför skulle jag vara det?"

"Tja, han har ju varit borta längre än planerat. Det kanske har hänt något."

"Ingen fara med honom."

"Hur vet du det?"

"Jag bara gör det!" Nästan skrek nu.

"Lugn. Hur vore det om jag – "

"Bara lämna oss i fred!" Telefonen dog.

Oss. Lämna *oss* i fred. Rebus stirrade på luren.

"Jag kunde höra henne ända hit", sa Jack. "Lät som om hon är färdig att klappa ihop."

"Ja, hon är nog det."

"Trubbel med pojkvännen?"

"Pojkvän *i* trubbel." Han lade på luren. Det ringde.

"Kommissarie Rebus."

Det var mottagningen som meddelade att den första av hans besökare hade anlänt.

Eve såg ut ungefär som hon gjort den där kvällen i baren på Rebus hotell – affärsklädd i tvådelad dräkt, konservativt blå istället för vampröd, och med guldsmycken på handleder, fingrar och hals, och samma guldspänne som höll tillbaka det blonderade håret. Hon hade en handväska som hon stack in under armen medan hon klämde fast sitt passerkort.

"Vem är Madeleine Smith?" frågade hon när de gick uppför trappan.

"Jag hittade hennes namn i en bok. Jag tror hon var en mörderska." Hon gav Rebus en blick, som lyckades vara både hård och road på samma gång.

"Den här vägen", sa Rebus. Han förde henne till Bibel-John-rummet, där Jack väntade. "Jack Morton", sa Rebus. "Eve... jag vet inte vad du heter i efternamn. Det är inte Toal, eller hur?"

"Cudden", sa hon kyligt.

"Sitt ner, miss Cudden."

Hon satte sig, trevade i väskan efter de svarta cigarretterna. "Är det okej?"

"Det är faktiskt rökning förbjuden", sa Jack och lät ursäktande. "Och varken kommissarie Rebus eller jag röker."

Hon tittade på Rebus. "Sedan när?"

Rebus ryckte på axlarna. "Var är Stanley?"

"Han kommer. Vi tyckte det var klokt att lämna huset var för sig."

"Farbror Joe kommer inte att misstänka något?"

"Det är *vårt* problem, inte ditt. Joe tror att Malky ska ut och festa och att jag hälsar på en vän. Hon är en god vän, hon kommer inte att skvallra."

Tonfallet talade om för Rebus att hon hade använt den här vännen förut – andra gånger, andra uppdrag.

"Så", sa han, "jag är glad att du kom först. Jag ville gärna växla ett par ord privat." Han lutade sig mot ett skrivbord, lade armarna i kors för att hindra händerna från att skaka. "Den där kvällen på hotellet, du gillrade en fälla för mig, va?"

"Tala om för mig vad du vet."

"Om dig och Stanley?"

"Malky." Ansiktet blev skrynkligt. "Jag avskyr det där öknamnet."

"Okej då, *Malky*. Vad jag vet? Jag vet i stort sett allt. Ni två sticker norrut lite då och då i affärer åt Farbror Joe. Jag skulle gissa att ni är mellanhänder. Han behöver folk han kan lita på." Han gav de sista orden en liten knorr. "Folk som inte delar ett hotellrum och låter det andra stå tomt. Folk som inte lurar honom."

"Lurar vi honom?" Hon hade nonchalerat Jack och tänt en cigarrett. Det fanns inga askkoppar i sikte, så Rebus ställde en papperskorg bredvid henne och drog samtidigt in röken. Underbar rök.

"Ja", sa han och retirerade till skrivbordet. De hade placerat Eves stol mitt på golvet, med Rebus på en sida om henne och Jack på den andra. Hon verkade nöjd med arrangemanget. "Jag ser inte Farbror Joe som den typ av bov som använder sig av bankkonton. Jag menar, han skulle antagligen inte lita på bankerna i Glasgow, för att nu inte tala om Aberdeen. Och ändå sätter du och Malky in buntvis med kontanter på olika konton. Jag har datum, tider, bankdetaljer." En överdrift, men han trodde han skulle gå i land med den. "Jag har rapporter från hotellanställda, inklusive städerskor som aldrig behöver städa Malkys rum. Konstigt, för jag tycker inte han verkar vara den prydliga typen."

Eve blåste ut rök genom näsborrarna och lyckades le. "Okej", sa hon.

"Så", fortsatte Rebus och ville befria henne från det självsäkra leendet. "Vad skulle Farbror Joe säga om allt detta? Jag menar, Malky är släkt, men det är inte du, Eve. Jag skulle tro att du kan offras." Paus. "Och jag skulle tro att du vet om det, har gjort det ett tag."

"Vilket skulle betyda?"

"Vilket skulle betyda att jag inte ser dig och Malky som ett par, inte på lång sikt. Han är för dum för dig, och han kommer aldrig att bli tillräckligt rik för att uppväga det. Jag kan förstå vad han ser hos *dig*: du är en skicklig förförerska."

"Inte så skicklig." Hennes blick hittade hans.

"Men ganska så bra. Tillräckligt bra för att få Malky på kroken. Tillräckligt bra för att övertala honom att skumma Aberdeenpengarna. Låt mig gissa: din story var att ni två skulle dra tillsammans när det fanns tillräckligt undanlagt."

"Jag kanske inte använde just de orden." Hennes ögon var beräknande springor, men leendet hade försvunnit. Hon visste att Rebus skulle köpslå. Annars skulle hon inte ha varit här. Hon undrade vad hon skulle klara sig undan med.

"Men det hade du inte tänkt, eller hur? Oss emellan planerade du att sticka på egen hand."

"Gjorde jag?"

"Jag räknar med det." Han reste sig, gick mot henne. "Det är inte dig jag vill komma åt, Eve. En helvetes tur för dig, skulle jag säga. Ta pengarna och försvinn." Han sänkte rösten. "Men jag vill ha Malky. Jag vill ha fast honom för Tony El. Och jag vill ha svaren på några frågor. När han kommer hit ska du prata med honom. Du ska övertala honom att samarbeta. Sedan ska vi snacka, och det hamnar på band." Hennes ögon spärrades upp. "Storyn är att det är min försäkring ifall ni skulle bestämma er för att stanna."

"Men i verkligheten?"

"Kommer det att sätta dit Malky, och Farbror Joe med honom."

"Och jag går fri?"

"Lovar."

"Hur vet jag att jag kan lita på dig?"

"Jag är en gentleman, det minns du väl? Det sa du i baren."

Hon log igen, höll kvar ögonen på hans. Hon såg ut som en katt: samma moral, samma instinkt. Sedan nickade hon.

Malcolm Toal anlände till stationen en kvart senare, och Rebus lämnade honom tillsammans med Eve i ett förhörsrum. Stationen var kvällstyst, ännu inte tillräckligt sent för pubbråkstakar, knivslagsmål, vredesutbrott före sänggåendet. Jack frågade Rebus hur han ville sköta det.

"Bara sitt där och se ut som om allt jag säger är Guds ord, det räcker för mig."

"Och om Stanley försöker något?"

"Vi klarar av honom." Han hade redan sagt åt Eve att ta reda på om Malky var beväpnad. Om han var det, ville Rebus ha vapnen på bordet när han kom tillbaka. Han gick ut på toaletten igen, bara för att lugna sin andhämtning och titta sig i spegeln. Han försökte slappna av i käkmusklerna. Förr skulle han ha plockat upp kvartsbuteljen med whisky ur fickan. Men nu i kväll fanns det ingen kvartsbutelj, inget spritbetingat mod. Vilket betydde att han för en gångs skull måste förlita sig på den äkta varan.

När han kom tillbaka till förhörsrummet tittade Malky på honom med ögon som laserstrålar, bevis för att Eve sagt sitt. Två Stanleyknivar låg på bordet. Rebus nickade, nöjd. Jack var ivrigt sysselsatt med att förbereda bandspelaren och bryta sigillen på ett par band.

"Har miss Cudden förklarat situationen, mr Toal?" Malky nickade. "Jag är inte intresserad av er två, men jag *är* intresserad av allting annat. Ni har dabbat er, men ni kan fortfarande ta er ur det här, på samma sätt som ni planerat hela tiden." Rebus försökte låta bli att titta på Eve, som tittade på allt utom försmådde Stanley. Herrejävlar, vad hon var tuff. Rebus kände faktiskt sympati för henne. Han gillade henne nästan mer nu än han gjort den där kvällen i baren. Jack nickade att bandspelaren var igång.

"Okej, vi bandar nu, och jag vill göra klart att detta är för min egen personliga garanti och inte kommer att användas mot er båda, bara ni dunstar efteråt. Jag vill att ni presenterar er." De gjorde så, och Jack kollade nivåerna och korrigerade dem.

"Jag är kommissarie John Rebus", sa Rebus, "och tillsammans med mig är kommissarie Jack Morton." Han gjorde en paus, drog ut den tredje stolen vid bordet och satte sig, med Eve till höger och Toal till vänster. "Låt oss börja med den där kvällen i hotellbaren, miss Cudden. Jag är inte den som tror på slumpen."

Eve blinkade. Hon hade trott att frågorna bara skulle gälla Malky. Nu förstod hon att Rebus *verkligen* tänkte gardera sig.

"Det var ingen slump", sa hon och fumlade efter en Sobranie till. Paketet halkade, och Toal plockade upp det, tog fram en cigarrett, tände den åt henne och lämnade sedan över den. Hon stod knappt ut med att ta den – eller så var det vad Rebus ville tro. Men Rebus tittade på Toal, häpen över gesten. Det fanns oväntad tillgivenhet i "Mad Malky", en sann glädje över att vara nära sin älskade, till och med i nuvarande situation. Han tycktes mycket olik den blängande gnällmåns Rebus mött på Ponderosa: yngre nu, ansikte som strålade, stora ögon. Svårt att tro att han kunde döda med berått mod – men inte omöjligt. Han var klädd på samma fasansfulla, stillösa sätt som vid deras föregående möte – byxor från en träningsoverall, apelsinfärgad skinnjacka, blåmönstrad skjorta, och till det slitna svarta toffelliknande skor. Munnen rörde sig som om han tuggade tuggummi, fastän han inte gjorde det. Han satt nerhasad på stolen, med skrevande ben och händerna vilande högt upp mellan låren, nära grenen.

"Det var planerat", fortsatte Eve. "På sätt och vis. Jag trodde det fanns gott hopp om att du skulle besöka baren innan du gick och lade dig."

"Hur kommer det sig?"

"Det sägs att du tycker om att dricka."

"Sägs av vem?"

Hon ryckte på axlarna.

"Hur visste du vilket hotell jag skulle bo på?"

"Jag blev informerad."

"Av vem?"

"Jänkarna."

"Tala om deras namn." På föreskrivet sätt, John.

"Judd Fuller, Erik Stemmons."

"Talade båda om det för dig?"

"Stemmons särskilt." Hon log. "Feg som han är."

"Fortsätt."

"Jag tror han tyckte det var bättre att lämna dig till oss än att sätta Fuller på dig."

"Därför att Fuller skulle ha varit hårdare mot mig?"

Hon skakade på huvudet. "Han tänkte på sig själv. Om *vi* jagade dig skulle de två vara utom fara. Judd är lite svår att styra ibland." Toal fnös åt detta. "Erik ser hellre att han inte hetsar upp sig."

Stemmons hade antagligen hållit tillbaka Fuller, så Fullers män hade nöjt sig med att klå upp Rebus istället för att göra slut på honom. Ett gult kort: han kunde inte se Fuller ge en andra varning. Rebus ville fråga mer. Han ville veta hur långt hon skulle ha gått för att ta reda på vad han visste… Men av någon anledning trodde han att den typen av frågor kunde få Malky att tända på *alla* cylindrar.

"Vem berättade för jänkarna var jag bodde?"

Han visste redan svaret – Ludovic Lumsden – men ville om möjligt få med det på bandet. Men Eve ryckte på axlarna, och Toal skakade på huvudet.

"Berätta vad ni gjorde i Aberdeen."

Eve ägnade sig åt sin cigarrett, så Toal tog till orda.

"Jobbade åt min farsa."

"Med vad närmare bestämt?"

"Försäljning, typ."

"Försäljning?"

"Knark – speed, utblandat heroin, allt."

"Du låter mycket avspänd, Toal."

"Resignerad kommer kanske sanningen närmare." Toal satte sig upp i stolen. "Eve säger att vi kan lita på dig. Det vet jag ingenting om, men jag vet vad min farsa kommer att göra när han får reda på att vi har skummat."

"Så jag är det minst dåliga av två onda ting?"

"Det var du som sa det, inte jag."

"Låt oss återgå till Aberdeen. Du levererade knark?"

"Ja."

"Till vem?"

"Burke's Club."

"Personernas namn?"

"Erik Stemmons och Judd Fuller. Särskilt Judd, men Erik vet också vad det rör sig om."

"Varför särskilt Judd Fuller?"

"Erik sköter klubben, affärssidan liksom. Vill inte smutsa ner sig, du vet, låtsas att allt är schysst."

Rebus kom ihåg Stemmons kontor – papper överallt. Affärsmannen.

"Kan du ge mig ett signalement på Fuller?"

"Du har träffat honom. Det var han som nitade dig." Toal flinade. Mannen med pistolen: hade han låtit amerikansk? Hade Rebus lyssnat så noga?

"Men jag såg honom inte."

"En och åttio lång, svart hår, ser alltid vått ut. Brylcreme eller något. Bakåtkammat, långt, som den där *Saturday Night Fever*-killen."

"Travolta?"

"Ja, i den där andra filmen. Du vet." Toal låtsades spreja rummet med kulor.

"*Pulp Fiction*?"

Toal knäppte med fingrarna.

"Fast Judds ansikte är smalare", lade Eve till. "Hela han är smalare. Men han gillar att gå klädd i mörka kostymer. Och han har ett ärr på ena handen, ser ut som om det snörpts ihop för hårt."

Rebus nickade. "Handlar Fuller bara med narkotika?"

Toal skakade på huvudet. "Nej, han har ett finger med i det mesta: prostituerade, porr, casinon, lite stenar, falska märkesvaror – klockor och skjortor och sådant."

"En mångsidig entreprenör", fyllde Eve i och slog av aska i papperskorgen. Hon var noga med att inte säga något som skulle binda henne vid brott.

"Och Judd och Erik är inte de enda. Det finns jänkare i Aberdeen som är värre än vad de är: Eddie Segal, Moose Maloney..." Toal såg uttrycket i Eves ansikte och hejdade sig.

"Malcolm", sa hon ljuvt, "vi vill gärna komma levande ur det här, eller hur?"

Toal blev röd i ansiktet. "Glöm att jag sa det", bad han Rebus. Rebus nickade, men maskinen skulle inte glömma.

"Och", sa Rebus, "varför tog du livet av Tony El?"

"Jag?" sa Toal och började spela teater. Rebus suckade och tittade på sina skospetsar.

"Jag tror", hjälpte Eve honom på traven, "att det betyder att kommissarien vill ha *allt*. Om vi inte talar med honom, så talar han med din pappa."

Toal stirrade på henne, men hon höll kvar blicken. Han var den som först tittade bort. Hans händer sökte sig tillbaka till skrevet. "Ja", sa han, "jo, jag hade fått order om det."

"Av vem?"

"Farsan, förstås. Du förstår, Tony jobbade fortfarande åt oss. Han stod för den dagliga driften i Aberdeen. Allt det där om att han slutat, det var bluff. Men när du kom och snackade med farsan... så gick han i taket för att Tony tagit egna uppdrag och satt hela operationen på spel. Och nu var du efter honom, så..."

"Så Tony måste dö?" Rebus erinrade sig att Tony El skrutit för Hank Shankley om sina "Glasgowkontakter" – han hade inte ljugit.

"Ja, just det."

"Och ni var förstås inte alltför upprörda över att bli kvitt honom?"

Eve log. "Inte särskilt upprörda, nej."

"Eftersom Tony kunde ha skvallrat på er två för att rädda sitt eget skinn?"

"Han visste inte om att vi skummade, men han kom på hotell-arrangemanget."

"Största misstag han någonsin gjort", sa Toal och flinade igen. Han blev stöddigare för varje minut som gick, njöt av att berätta historien, solade sig i vetskapen om att allt skulle bli bra. Medan han blev allt stöddigare tycktes Eve betrakta honom med allt mindre välvilja. Det skulle bli en lättnad för henne att bli av med honom, det kunde Rebus se. Den stackars lille fan.

"Du lurade krim, de trodde det var självmord."

"Tja, har man en polis eller två i sitt ledband..."

Rebus tittade på Toal. "Säg om det där."

"En polis eller två på avlöningslistan."

"Namn?"

"Lumsden", sa Toal. "Jenkins."

"Jenkins?"

"Han har något att göra med oljeindustrin", förklarade Eve.

"Oljekontaktman?"

Hon nickade.

Som hade varit på semester när Rebus anlänt, med Lumsden som ersättare. Med de två på sin sida borde man inte ha några problem med att förse produktionsplattformarna med vad de än ville ha – en verkligt säker marknad. Och när arbetarna kom i land hade man fler nöjen åt dem: klubbar, prostituerade, sprit och spel. Det lagliga och det olagliga arbetade sida vid sida och födde varandra. Inte undra på att

Lumsden hängt med på resan ut till Bannock. Han skyddade sin investering.

"Vad vet du om Fergus McLure?"

Toal tittade på Eve, var beredd att tala men sökte tillstånd. Hon nickade, höll själv munnen stängd.

"Han råkade ut för en liten olycka, kom för nära Judd."

"Fuller dödade honom?"

"För hand. Judd berättade det." Det fanns en skymt av hjältedyrkan i Toals röst. "Sa till McLure att de måste snacka privat någonstans, sa att väggar hade öron. Släntrade ner till kanalen med honom, en stöt mot huvudet med pistolen, och plums i vattnet." Toal ryckte på axlarna. "Han var tillbaka i Aberdeen i tid för en sen frukost." Han log mot Eve. "Sen." Antagligen ännu ett skämt, men Eve log inte längre tillbaka. Hon ville bara komma därifrån.

Rebus hade fler frågor, men han började tröttna. Han bestämde sig för att låta det vara. Han reste sig och nickade åt Jack att stänga av maskinen, sa sedan till Eve att hon kunde gå.

"Jag då?" frågade Toal.

"Ni går inte tillsammans", påminde Rebus honom. Toal tycktes acceptera detta. Rebus följde Eve ner genom korridoren och nerför trappan. Ingen av dem sa ett ord, inte ens adjö. Men han såg henne gå innan han bad mottagningen om att få upp ett par uniformerade poliser till förhörsrummet, fortast möjligt.

När han återvände hade Jack just spolat tillbaka banden, och Toal stod upp och gjorde stretchövningar. Det knackade på dörren och de två uniformerade kom in. Toal rätade upp sig, anade att något var fel.

"Malcolm Toal", sa Rebus, "jag anklagar er för mordet på Anthony Ellis Kane natten till den – "

Med ett vrål kastade Mad Malky sig över Rebus, händerna trevande efter hans hals.

De uniformerade fick till sist in honom i en cell, och Rebus satt på en stol i förhörsrummet och tittade på sina händer som skakade.

"Är du okej?" frågade Jack.

"Vet du om en sak, Jack? Du är som en trasig grammofonskiva."

"Vet du om en sak, John? Du är alltid i behov av att man frågar."

Rebus log och gned sig på halsen. "Jag mår bra."

När Toal kastat sig över honom hade Rebus satt ett knä i den unge mannens skrev, med tillräcklig kraft för att lyfta honom från golvet. Efter det hade de uniformerade funnit honom nätt och jämnt hanterlig, i synnerhet med ett dödligt grepp mot halspulsådern.

"Vad vill du göra?" frågade Jack.

"Ett ex av bandet går till krim här. Det kommer att ge dem tillräckligt att gå på tills vi är tillbaka."

"Från Aberdeen?" gissade Jack.

"Och längre norrut." Rebus pekade på maskinen. "Sätt i kopian igen och sätt på den." Jack gjorde så. "Gill, här kommer en liten present till dig. Jag hoppas du kommer att veta vad du ska göra med den." Han nickade, och Jack slutade spela in och tryckte ut bandet.

"Vi släpper av det på St Leonard's."

"Så vi *ska* tillbaka till Edinburgh?" Jack tänkte på morgondagens möte med Ancram.

"Bara tillräckligt länge för ett klädombyte och ett läkarintyg."

Utanför på parkeringsplatsen väntade en ensam figur: Eve.

"Ska ni åt mitt håll?" frågade hon.

"Hur kunde du veta det?"

Hon log sitt mest kattlika leende. "Därför att du är lite som jag – har oavslutade affärer i Aberdeen. Jag kommer bara att stanna så lång tid som det tar att besöka några banker och avsluta några konton, men där finns ju två hotellrum…"

En bra idé: de skulle behöva en bas, helst en som Lumsden inte kände till.

"Sitter han i en cell?" frågade hon.

"Ja."

"Hur många man behövde ni?"

"Bara två."

"Jag är förvånad."

"Alla förvånar vi oss ibland", sa Rebus och öppnade bakdörren på Jacks bil åt henne.

Rebus var däremot inte förvånad över att finna Gill Templers kontor låst för kvällen. Han tittade sig omkring på nattskiftet och såg Siobhan Clarke försöka göra sig osynlig. Hon bävade för deras första möte sedan hon ingått i undersökningsteamet i hans lägenhet. Han gick fram till henne med det gula vadderade kuvertet i handen.

"Det är okej", sa han. "Jag vet varför du var där. Jag borde nog egentligen tacka dig."

"Jag bara tänkte…"

Han nickade. Lättnaden i hennes ansikte fick honom att undra vad hon hade gått igenom.

"Jobbar du på något?" frågade han, tyckte att han var skyldig henne en minuts samtal. Jack och Eve satt nere i bilen och bekantade sig med varandra.

"Jag har hållit på med Johnny Bibels bakgrund: urtråkigt." Hon piggnade till. "Fast en sak. Jag gick igenom de gamla tidningarna på nationalbiblioteket."

"Ja?" Rebus hade också varit där: han undrade om det var hennes historia.

"En av bibliotekarierna berättade att någon tittat på nya tidningar och frågat om folk som beställt fram sådana från 1968 till -70. Jag tyckte kombinationen var lite märklig. De nya tidningarna var allihop från strax före det första Johnny Bibel-mordet."

"Och de andra var från de år då Bibel-John härjade?"

"Ja."

"En journalist?"

"Det är vad bibliotekarien säger. Utom att visitkortet han lämnade över var en förfalskning. Han kontaktade bibliotekarien på telefon."

"Hade bibliotekarien hittat något?"

"Några namn. Jag skrev ner dem, ifall ifall. Ett par av dem *är* journalister. En är du. De andra vete gudarna."

Ja, Rebus hade ägnat en lång dag åt att studera de gamla artiklarna, och låtit göra fotokopior av relevanta sidor… byggt upp sin samling.

"Och den mystiske journalisten?"

"Ingen aning. Jag fick ett signalement, men det hjälper inte mycket. Början av de femtio, lång, ljushårig…"

"Utesluter inte alltför många, va? Varför intresset för nya tidningar? Nej, vänta… Tittade efter grova missar."

Siobhan nickade. "Det var vad jag tänkte. Och frågar samtidigt om folk som visat intresse för det ursprungliga Bibel-John-fallet. Det är möjligt att det låter knäppt, men Bibel-John är kanske där ute och letar efter sin ättling. Grejen är att vem han än var… så har han nu ditt namn *och* din adress."

"Roligt att ha en beundrare." Rebus tänkte ett ögonblick. "De där andra namnen… kan jag få se dem?"

Hon hittade sidan i sin anteckningsbok. Ett namn hoppade fram: Peter Manuel.

"Något intressant?" frågade hon.

Rebus pekade. "Inte hans riktiga namn. Manuel var en mördare på femtiotalet."

"Så vem…?"

Läste på om Bibel-John, använde en mördares namn som alias. "Johnny Bibel", sa Rebus tyst.

"Bäst jag växlar ett ord till med den där bibliotekarien."

"Bums i morgon bitti", rådde Rebus. "På tal om det…" Han gav henne kuvertet. "Kan du se till att Gill Templer får det här?"

"Visst." Hon skakade på det. Kassetten skramlade. "Något jag borde känna till?"

"Definitivt inte."

Hon log. "Nu blir jag nyfiken."

"Bli inte det." Han vände sig om för att gå. Han ville inte att hon skulle se hur skakad han var. Någon annan jagade Johnny Bibel, någon som nu hade Rebus namn och adress. Siobhans ord: *Bibel-John… som letar efter sin ättling.* Signalement: lång, ljushårig, början av de femtio. Åldern var rätt för Bibel-John. Vem det än var, så hade han Rebus adress… och han hade haft inbrott i lägenheten, ingenting stulet, men tidningarna och klippen i oordning.

Bibel-John… som letade efter sin ättling.

"Hur går utredningen?" ropade Siobhan.

"Vilken av dem?"

"Spaven."

"Enkel match." Han stannade, gick tillbaka till henne. "Förresten, om du verkligen har tråkigt...?"

"Ja?"

"Johnny Bibel: det skulle kunna finnas en oljekoppling. Första offret studerade vid RGIT, geologi, tror jag. Ta reda på om det finns någon anknytning till olja, se om det finns något vi kan länka ihop med offer två och tre."

"Tror du att han bor i Aberdeen?"

"Just nu skulle jag kunna sätta en peng på det."

Sedan gick han. Ett stopp till att göra före den långa sträckan norrut.

Bibel-John körde genom Aberdeens gator.

Stan var tyst. Det tyckte han om. Resan till Glasgow hade varit till nytta, men det fjärde offret hade visat sig vara till ännu större nytta.

Från hotelldatorn fick han sin lista med tjugo företag. Tjugo gäster på Fairmount Hotel som veckorna före mordet på Judith Cairns hade betalat med olika företags kreditkort. Tjugo företag baserade i nordost. Tjugo individer som han måste kolla upp. Vem som helst av dem kunde vara Uppkomlingen.

Han hade lekt med sambandet mellan offren, och nummer ett och fyra hade gett honom hans svar: olja. Olja var ett centralt begrepp. Offer ett hade studerat geologi vid Robert Gordon's, och i nordost var geologistudier nära förknippade med ämnet provborrning efter olja. Det fjärde offrets firma räknade oljebolag och deras dotterföretag till sina bästa kunder. Han letade efter någon med anknytning till olje-industrin, någon mycket lik honom själv. Insikten hade skakat honom. Å ena sidan gjorde detta att det blev ännu mer nödvändigt att han fick tag i Uppkomlingen. Å andra sidan gjorde det leken betydligt farligare. Det handlade inte om fysisk fara – den speciella rädslan hade han för länge sedan besegrat. Det var risken för att bli av med identiteten som Ryan Slocum. Han tyckte nästan att han *var* Ryan Slocum. Men Ryan Slocum var bara en död man, en dödsannons han sett i en tidning. Så han hade ansökt om en ny födelseattest, sagt att originalet försvunnit i en eldsvåda. Detta hade varit före datorernas tid, lätt att gå i land med.

Och hans eget förflutna upphörde att existera… i varje fall för en tid. Kofferten på vinden berättade naturligtvis en annan historia. Den motsade hans identitetsbyte: man kunde inte ändra den man var. Hans koffert full av souvenirer, de flesta amerikanska… Han hade ordnat så att kofferten snart skulle bli flyttad, en dag när hans fru inte var hemma. En flyttfirma skulle skicka en Transit. Kofferten skulle fraktas till ett magasin. Det var förnuftigt som säkerhetsåtgärd, men han ångrade det ändå. Det var som att säga att Uppkomlingen hade segrat.

Oavsett utgången.

Tjugo företag att kolla upp. Hittills hade han avfärdat fyra möjliga misstänkta på grund av för hög ålder. Ytterligare sju företag hade efter vad han kunde se inget med oljeindustrin att göra – de hamnade längst ner på listan. Återstod nio namn. Det var en tidsödande uppgift. Han hade använt sig av list när han ringt till företagens kontor, men list räckte bara en bit på vägen. Han tvingades även anlita telefonkatalogen, leta upp adresser till namnen, hålla deras hem under uppsikt, vänta på skymten av ett ansikte. Skulle han känna igen Uppkomlingen när han såg honom? Han trodde det. Han skulle i varje fall känna igen typen. Fast Joe Beattie hade sagt samma sak om Bibel-John – att han skulle känna igen honom i ett rum fullt med folk. Som om en mans innersta syntes i ansiktets rynkor och konturer, som ett slags syndens frenologi.

Han parkerade bilen utanför ännu ett hus, ringde sitt kontor för att höra om det fanns några meddelanden. I hans bransch räknade de med att han var borta från kontoret stora delar av dagen, till och med dagar och veckor åt gången. Det var det perfekta jobbet. Inga meddelanden, inget han behövde tänka på förutom Uppkomlingen… och sig själv.

Förr hade han saknat tålamod. Så var det inte längre. Denna långsamma jakt på Uppkomlingen skulle bara göra den slutliga konfrontationen desto ljuvare. Men den tanken dämpades av en annan: att polisen också kunde närma sig. Informationen fanns ju där: det gällde bara att göra de rätta kopplingarna. Hittills var det bara den prostituerade i Edinburgh som inte stämde med mönstret, men om han kunde länka samman tre av fyra, så skulle han vara nöjd. Och han kunde slå vad om att när han väl kände till Uppkomlingens identitet, då kunde han placera honom i Edinburgh vid den tidpunkt hon blev dödad: hotellregister kanske, eller ett kvitto på bensin från en Edinburghmack... Fyra offer. Redan ett mer än sextiotalets Bibel-John. Det var irriterande, det måste han säga. Det grämde honom.

Och någon skulle få betala för det. Mycket snart.

Norr om helvetet

"Scotland will be reborn the day
the last minister is strangled with
the last copy of the *Sunday Post*."

Tom Nairn

28

Klockan var över tolv på natten när de kom till hotellet. Det låg nära flygplatsen, en av de nya glänsande byggnader som Rebus passerat på väg till T-Bird Oil. Det var för mycket ljus i vestibulen, för många speglar som återgav helfigursporträtt av tre trötta gestalter med torftigt bagage. Kanske skulle de ha väckt misstankar, men Eve var stamgäst och hade ett affärskonto, så det var inga problem.

"Allt går genom taxifirman", förklarade hon, "så jag bjuder på det här. Bara checka ut när ni är klara, så skickar de räkningen till Joe's Cabs."

"Era vanliga rum, miss Cudden", sa portiern och lämnade över nycklarna, "plus ett några dörrar längre bort."

Jack hade stått och tittat i hotellkatalogen. "Bastu, hälsoklubb, gym. Bör passa oss perfekt, John."

"För oljedirrar", sa Eve och ledde dem mot hissarna. "De gillar sådant. Håller dem i tillräcklig trim för att klara de dåliga varorna. Och då menar jag inte sådana man köper i affären."

"Säljer ni allting direkt till Fuller och Stemmons?" frågade Rebus. Eve kvävde en gäspning. "Du menar, langar jag själv?"

"Ja."

"Skulle jag vara så korkad?"

"Och kunderna – några namn?"

Hon skakade på huvudet, log trött. "Du ger aldrig upp, va?"

"Avleder tankarna." Närmare bestämt från: Bibel-John, Johnny Bibel... någonstans där ute, och kanske inte så långt bort...

Hon gav Rebus och Jack deras rumsnycklar. "Sov gott, pojkar. Jag har antagligen gett mig av för länge sedan när ni vaknar... och jag kommer inte tillbaka."

Rebus nickade. "Hur mycket tar du med dig?"

"Runt trettioåttatusen."

"En hygglig slant."

"Hyggliga vinster överlag."

"Hur länge dröjer det innan Farbror Joe får reda på vad som hänt Stanley?"

"Ja, Malcolm kommer inte att ha bråttom med att informera honom, och Joe är van vid att han försvinner en dag eller två.... Har jag tur är jag inte ens kvar i landet när bomben exploderar."

"Du ser ut att vara den tursamma typen."

De steg ur hissen på tredje våningen och kollade numren på sina nycklar. Rebus hamnade bredvid Eve: Stanleys gamla rum. Jack var två dörrar längre bort.

Rummet var rymligt och ståtade med vad Rebus gissade var de vanliga utsmyckningarna för bolagsfolk: minibar, byxpress, en liten skål med choklad på kudden, en badrock utlagd på sängen. Det satt ett meddelande på badrocken. Han ombads att inte ta den med sig hem. Om han ville, kunde han köpa en i hälsoklubben. "Tack för att ni är en hänsynsfull gäst."

Den hänsynsfulle gästen fixade sig en kopp Café Hag. Det låg en prislista ovanpå minibaren som specificerade fröjderna inuti. Han stoppade den i en låda. Garderoben innehöll ett minikassaskåp, så han tog minibarnyckeln och låste in den där. Ännu ett hinder att ta sig förbi, ännu en chans för honom att ändra sig om han verkligen ville ha den där drinken.

Under tiden smakade kaffet utmärkt. Han duschade, svepte in sig i badrocken och satt sedan på sängen och stirrade på dörren till rummet bredvid. Naturligtvis fanns det en dörr mellan rummen: kunde inte ha Stanley hoppande omkring i korridoren när som helst på dygnet. Det satt ett enkelt lås på hans sida, så som det säkert också gjorde på andra sidan. Han undrade vad han skulle hitta om han låste upp dörren: skulle Eves stå öppen? Om han knackade, skulle hon släppa in honom? Och om *hon* knackade? Han flyttade blicken från dörren, och den fastnade på minibaren. Han var hungrig – det skulle finnas nötter och chips inuti. Han kanske kunde…? Nej, nej, nej. Han vände åter uppmärksamheten mot dörren, lyssnade spänt, kunde inte höra minsta rörelse från Eves rum. Hon kanske redan sov – upp tidigt och sådär. Han upptäckte att han inte längre kände sig trött. Nu när han var här ville han komma igång och jobba. Han drog ifrån gardinerna. Det hade börjat regna, asfaltbeläggningen var blänkande och svart som ryggen på en jättestor, fet skalbagge. Rebus drog bort en stol till fönstret. Vind drev regnet, skapade skiftande mönster i natriumljuset. Medan han tittade började regnet påminna om rök, som kom böljande ut ur mörkret. Parkeringsplatsen nedanför var halvfull, bilarna tryckte sig intill varandra som boskap medan deras ägare bodde varmt och torrt.

Johnny Bibel fanns där ute, antagligen i Aberdeen, antagligen knuten till oljeindustrin. Han tänkte på de människor han träffat de här senaste dagarna, alla från major Weir till guiden Walt. Det var ironiskt att den person som fört honom hit – Allan Mitchison – inte bara hade anknytning till olja utan också var den ende kandidat han kunde utesluta, eftersom han varit död sedan länge när Vanessa Holden mötte sin mördare. Rebus hade dåligt samvete för Mitchisons skull. Hans fall höll på att trängas undan av seriemorden. Det var ett jobb, någonting Rebus var tvungen att göra. Men det satt inte fastkilat i halsen på honom så som Johnny Bibel-fallet gjorde, någonting han var tvungen att hosta upp om det inte skulle kväva honom.

Men han var inte den ende som var intresserad av Johnny. Någon hade brutit sig in i hans lägenhet. Någon hade kollat biblioteksregister. Någon som använt falsk identitet. Någon med något att dölja. Inte en reporter, inte en annan polis. Kunde Bibel-John verkligen fortfarande finnas där ute? Sovande tills han väckts till liv av Johnny Bibel? Ursinnig över imitationen, över dess dumdristighet och det kalla faktum att den på nytt drog in det ursprungliga fallet i ljuset? Inte bara ursinnig utan också med en känsla av att vara utsatt för fara – externt och internt: fruktan för att bli igenkänd och fångad; fruktan för att inte längre vara monstret.

Ett nytt monster för nittiotalet, någon att vara rädd för igen. En mytologi utplånad och ersatt av en annan.

Ja, Rebus kunde känna det. Han kunde ana Bibel-Johns fientlighet mot den unge pretendenten. Inget smickrande i imitation, inget alls…

Och han vet var jag bor, tänkte Rebus. Han har varit där, vidrört min fixa idé och undrat hur långt jag är beredd att gå med den. Men varför? Varför skulle han utsätta sig för fara på det sättet, bryta sig in i en lägenhet mitt på dagen? På jakt efter exakt vad? På jakt efter någonting speciellt? Men *vad*? Rebus vände och vred på frågan, undrade om en drink skulle hjälpa, kom så långt som till kassaskåpet innan han vände, stod där mitt i rummet, med hela kroppen knastrande av behov.

Hotellet verkade sova. Lätt att föreställa sig att hela landet sov och drömde oskyldiga drömmar. Stemmons och Fuller, Farbror Joe, major Weir, Johnny Bibel… alla var oskyldiga i sömnen. Rebus gick fram till dörren mellan rummen och låste upp den. Eves dörr stod lite på glänt. Tyst sköt han upp den. Hennes rum låg i mörker, gardinerna var fördragna. Ljus från hans eget rum föll som en pil över golvet, pekade mot den breda sängen. Hon låg på sidan, med en arm ovanpå täcket. Ögonen var slutna. Han tog ett steg in i hennes rum, inte bara en voyeur nu utan en inkräktare. Sedan stod han bara där och tittade på henne. Kanske skulle han ha stått så i långa minuter.

"Undrade hur länge det skulle dröja", sa hon.

Rebus gick fram till hennes säng. Hon sträckte upp båda armar mot honom. Hon var naken under täcket, varm och väldoftande. Han satte sig på sängen och tog hennes händer i sina.

"Eve", sa han tyst. "Jag vill att du gör mig en tjänst innan du reser."

Hon satte sig upp. "Förutom den här?"

"Förutom den här."

"Vadå?"

"Jag vill att du ringer till Judd Fuller. Säg till honom att du behöver träffa honom."

"Du borde hålla dig ifrån honom."

"Jag vet."

Hon suckade. "Men du kan inte?" Han nickade och hon rörde vid hans kind med handens baksida. "Okej, men nu vill jag att du gör mig en tjänst i gengäld."

"Vadå?"

"Tar ledigt resten av natten", sa hon och drog honom till sig.

Han vaknade ensam i hennes säng, och det var morgon. Han tittade för att se om hon lämnat en hälsning eller något, men det hade hon naturligtvis inte: hon var inte den typen.

Han gick genom den öppna dörren och låste på sin sida. Släckte sedan ljuset i sitt rum. Det knackade på hans dörr: Jack. Rebus drog på sig kalsonger och byxor och var halvvägs vid dörren när han kom ihåg något. Han gick tillbaka till sängen och tog bort chokladen från kudden, drog sedan ner täcket och rufsade till det. Han granskade scenen, tryckte in en huvudformad fördjupning i en kudde, öppnade sedan dörren.

Och det var inte alls Jack. Det var en hotellanställd, med en bricka.

"Godmorgon, sir." Rebus tog ett steg åt sidan för att släppa in honom. "Förlåt om jag väckte er. Miss Cudden bestämde tiden."

"Det är okej." Rebus såg hur den unge mannen lät brickan glida ner på bordet vid fönstret.

"Vill ni att jag öppnar den?" Menade halvbuteljen med champagne som vilade i en ishink. Där fanns en kanna nypressad apelsinjuice, ett kristallglas och ett hopvikt exemplar av morgonens *Press & Journal*. I en smal porslinsvas stod en ensam röd nejlika.

"Nej." Rebus lyfte upp hinken. "Den här kan du ta bort. Resten är bra."

"Ja, sir. Om ni bara vill sätta ert namn…"

Rebus tog den erbjudna pennan och lade en rejäl summa dricks till notan. Farbror Joe betalade. Den unge mannen sprack upp i ett stort leende och fick Rebus att önska att han var så här generös varje morgon.

"Tack, sir."

När han gått hällde Rebus upp ett glas apelsinjuice. Den nypressade sorten, kostade en förmögenhet i snabbköpet. Utanför var vägarna fortfarande fuktiga, och det var tjockt med moln, men himlen såg ut att kunna spricka upp i ett eget leende innan morgonen var förbi. Ett

lätt flygplan lyfte från Dyce, antagligen på väg till Shetlandsöarna.
Rebus tittade på klockan, ringde sedan till Jacks rum. Jack svarade med
ett brummande någonstans mitt emellan fråga och svordom.

"Er morgonväckning", drillade Rebus.

"Dra åt helvete."

"Välkommen in på apelsinjuice och kaffe."

"Ge mig fem minuter."

Rebus sa att det var det minsta han kunde göra. Sedan försökte han
få tag i Siobhan hemma – nådde bara hennes telefonsvarare. Sökte
henne på St Leonard's, men hon var inte där. Han visste att hon inte
skulle dröja med att utföra det arbete han gett henne, men han ville
vara nära henne, ville veta när hon fick resultat. Han lade på luren och
tittade på brickan igen. Log sedan.

Eve hade trots allt lämnat ett meddelande.

Matsalen var tyst, flertalet bord upptagna av ensamma män, en del av
dem redan i verksamhet med mobiltelefoner och bärbara datorer.
Rebus och Jack högg in – juice och cornflakes, sedan Stor Höglands-
frukost med en jättekanna te.

Jack knackade på sin klocka. "Om en kvart kommer Ancram att gå
i taket."

"Kanske bankar lite vett i honom." Rebus skrapade ut en klick
smör på sin rostade brödskiva. Femstjärnigt hotell, men det rostade
brödet var ändå kallt.

"Så hur ser vår anfallsplan ut?"

"Jag letar efter en flicka. Hon finns på fotografier tillsammans med
Allan Mitchison. Miljöaktivist."

"Var börjar vi?"

"Är du säker på att du vill vara med på det här?" Rebus såg sig om-
kring i matsalen. "Du skulle kunna tillbringa dagen här, prova hälso-
klubben, se en film… Farbror Joe bjuder."

"John, jag hänger med dig." Jack gjorde en paus. "Som en vän, inte
Ancrams passopp."

"I så fall är vår första destination Utställningscentret. Men ät nu
upp. Jag lovar att det kommer att bli en lång dag."

"En fråga."

"Ja?"

"Varför fick *du* apelsinjuice nu på morgonen?"

Utställningscentret låg nästan öde. De olika stånden och montrarna – många av dem, som Rebus nu visste, designade av Johnny Bibels fjärde offer – hade plockats ner och fraktats bort, golven dammsugits och bonats. Det fanns inga demonstranter utanför, ingen uppblåsbar val. De bad att få tala med någon ansvarig, och fördes till sist till ett kontor där en pigg glasögonprydd dam presenterade sig som "ställföreträdande" och frågade vad hon kunde hjälpa till med.

"Nordsjökonferensen", förklarade Rebus, "ni hade lite problem med aktivister."

Hon log, med tankarna på annat. "Lite sent att göra någonting åt det nu, eller hur?" Hon flyttade runt några papper på skrivbordet, letade efter något.

"Jag är intresserad av en speciell aktivist. Vad hette gruppen?"

"Det var inte så organiserat, kommissarien. De kom överallt ifrån: Jordens Vänner, Greenpeace, Rädda valen, Gud vet allt."

"Förorsakade de problem?"

"Inget vi inte klarade av." Ännu ett stelt leende. Men hon såg plågad ut: hon hade verkligen förlagt någonting. Rebus reste sig.

"Ledsen att vi har besvärat."

"Det var ingenting. Beklagar att jag inte kunde vara till hjälp."

"Ingen fara."

Rebus vände sig om för att gå. Jack böjde sig ner, tog upp ett papper från golvet och gav det till henne.

"Tack", sa hon. Sedan följde hon dem ut ur sitt rum. "Det var en lokal påtryckningsgrupp som arrangerade marschen på lördagen."

"Vilken marsch?"

"Den slutade i Duthie Park, det var visst musik efteråt."

Rebus nickade: Dancing Pigs. Dagen då han besökte Bannock.

"Jag kan ge er deras telefonnummer", sa hon. Leendet var mänskligt nu.

Rebus ringde till gruppens högkvarter.

"Jag söker en vän till Allan Mitchison. Jag vet inte vad hon heter, men hon har kort ljust hår, och en del av det flätat med pärlor och grejer. En fläta hänger ner i pannan till näsan. Amerikansk accent, tror jag."

"Och vem är det jag talar med?" Rösten var kultiverad. Av någon anledning trodde Rebus att den som talade hade skägg, men det var inte den kiltklädde Jerry Garcia, annan accent.

"Kommissarie John Rebus. Du vet att Allan Mitchison är död?"

En paus, sedan en utandning: cigarrettrök. "Jag har hört det. Förbannat tråkigt."

"Kände du honom väl?" Rebus försökte minnas ansiktena på fotografierna.

"Han var den blyga sorten. Träffade honom bara ett par gånger. Stort Dancing Pigs-fan, det var därför han jobbade så hårt på att få hit dem som huvudattraktion. Jag blev förvånad när det gick. Han bombarderade dem med brev. Kanske hundra eller fler, bröt antagligen ner allt motstånd."

"Och namnet på hans flickvän?"

"Kan jag tyvärr inte lämna ut till främlingar. Jag menar, jag har ju bara ditt ord på att du är polis."

"Jag skulle kunna komma över – "

"Jag tror inte det."

"Hör du, jag skulle verkligen vilja tala med dig…"

Men telefonen var död.

"Ska vi sticka dit?" föreslog Jack.

Rebus skakade på huvudet. "Han kommer inte att berätta någonting som han inte vill. Dessutom har jag en känsla av att när vi väl kom dit, så skulle han ha gått för dagen. Har inte råd att kasta bort tid."

Rebus slog pennan mot tänderna. De var tillbaka i hans rum. Telefonen hade en högtalare, och han hade haft den på så att Jack kunde höra. Jack försåg sig med gårdagskvällens choklad.

"Lokala polisen", sa Rebus och lyfte luren. "Den där spelningen hade antagligen rättigheter. Queen Street har kanske en förteckning över andra organisatörer."

"Värt ett försök", instämde Jack och satte i kontakten till vatten-kokaren.

Så Rebus tillbringade tjugo minuter med att känna sig som ett flip-perspel medan han skickades från det ena kontoret till det andra. Han utgav sig för att vara en av Trading Standards tjänstemän, intresserad av piratförsäljning och i färd med att följa upp en operation vid en tidi-gare Dancing Pigs-konsert. Jack nickade uppskattande. Ingen dålig historia.

"Ja, John Baxter här, Trading Standards, Edinburgh. Jag förklarade just för din kollega…" Och så drog han igång. När han kopplades vi-dare till ännu en röst, och kände igen den som tillhörande den första person han talat med, slängde han på luren.

"Fullständigt ineffektiva."

Jack räckte honom en kopp te. "Går inte?"

"Inte en chans." Rebus tittade i sin anteckningsbok, lyfte luren igen och blev kopplad till Stuart Minchell på T-Bird Oil.

"Kommissarien. Vilken trevlig överraskning."

"Ledsen att jag måste besvära er igen, mr Minchell."

"Hur går utredningen?"

"Sanningen att säga skulle jag kunna behöva lite hjälp."

"Sätt igång."

"Det gäller Bannock. Samma dag som jag var där fördes några akti-vister ombord."

"Ja, jag hörde det. Låste fast sig med handbojor vid relingen." Minchell lät road. Rebus kom ihåg plattformen, de kraftiga vindstö-tarna, hjälmen som inte ville sitta kvar på huvudet och helikoptern ovanför, som filmade alltihop…

"Jag undrade vad som hände med aktivisterna. Jag menar, blev de gripna?" Han visste att de inte blivit det: ett par av dem hade varit på konserten.

"Bästa person att fråga bör vara Hayden Fletcher."

"Ni skulle inte vilja fråga åt mig? I all tysthet."

"Jovisst. Ge mig ert telefonnummer i Edinburgh."

"Det är okej. Jag ringer tillbaka… om tjugo minuter?" Rebus sneg-lade mot fönstret: han kunde nästan se T-Birds huvudkontor härifrån.

"Beror på om jag kan få tag i någon."

"Jag försöker igen om tjugo minuter. Åh, och mr Minchell?"

"Ja?"

"Om ni skulle behöva tala med Bannock, kan ni skjuta in en fråga från mig till Willie Ford?"

"Hur lyder frågan?"

"Jag vill veta om han kände till att Allan Mitchison hade en flickvän, blond med flätat hår."

"Flätat hår." Minchell skrev ner det. "Det ska bli."

"I så fall skulle jag vilja ha hennes namn, och om möjligt en adress." Rebus funderade på någonting annat. "När aktivisterna kom till ert huvudkontor, då videofilmade ni, eller hur?"

"Jag minns inte."

"Skulle ni kunna ta reda på det? Det är väl säkerhetsavdelningen i så fall."

"Har jag fortfarande tjugo minuter till allt det här?"

Rebus log. "Låt oss säga en halvtimme."

Rebus lade på och stjälpte i sig sitt te.

"Vad sägs om ännu ett samtal?" frågade Jack.

"Till vem?"

"Chick Ancram."

"Jack, se på mig." Rebus pekade på sitt ansikte. "Skulle en man som är så här sjuk kunna lyfta telefonen?"

"Du kommer att få dingla."

"Som en pendel."

Rebus gav Stuart Minchell fyrtio minuter.

"Vet ni om en sak, kommissarien? Ni får slitet åt majoren att framstå som en dans på rosor."

"Glad att kunna vara till nytta. Vad har ni fått fram?"

"I stort sett allt." Prassel av papper. "Nej, aktivisterna blev inte arresterade."

"Var inte det väl generöst, med tanke på omständigheterna?"

"Det skulle bara ha gett mer dålig publicitet."

"Och det är inget ni behöver just nu?"

"Bolaget fick namn på aktivisterna, men de var falska. Ja, jag förmodar i varje fall att Jurij Gagarin och Judy Garland är tillfälligt tagna namn."

"Sund slutledning." Judy Garland: Flätade håret. Intressant val.

"Så de hölls kvar, fick något varmt att dricka och flögs tillbaka till fastlandet."

"Mycket hyggligt av T-Bird."

"Ja, visst var det?"

"Och videoinspelningen?"

"Det var, som ni gissade, vår säkerhetspersonal. Försiktighetsåtgärd, sa man. Om det blir problem, så har vi fysiska bevis."

"De använder inte filmen till att identifiera aktivisterna?"

"Vi är inte CIA, kommissarien. Vi är ett oljebolag."

"Ber om ursäkt. Fortsätt."

"Willie Ford säger att han visste att Mitch *hade* umgåtts med någon i Aberdeen – imperfekt. Men de diskuterade henne aldrig. Mitch var – citat – 'en *dark horse* när det gällde frågan om hans kärleksliv'– slut citat."

Återvändsgränder överallt.

"Var det allt?"

"Ja."

"Jaha, tack ska ni ha. Jag uppskattar verkligen det här."

"Det var ingenting, kommissarien. Men nästa gång ni vill be om en tjänst, försök att inte göra det samma dag som jag ska avskeda ett dussin ur vår arbetsstyrka."

"Hårda tider, mr Minchell?"

"En bok av Dickens, kommissarie Rebus. Adjö."

Jack skrattade. "Bra replik", sa han gillande.

Rebus gick bort till fönstret och såg ännu ett plan lyfta i det nära fjärran. Dånet av jetmotorerna avtog när det satte kurs norrut.

"Fått nog för en morgon?"

Rebus sa ingenting. Han hade väntat sig att Eve skulle ringa. Det var den där tjänsten. Han undrade om hon skulle göra det. Hon stod i tacksamhetsskuld till honom, men att gå i vägen för Judd Fuller lät inte som den klokaste rörelsen på dansgolvet. Hon hade dansat sina egna små steg i åratal: varför snubbla nu?

Jack upprepade sin fråga.

"Ett alternativ återstår", sa Rebus och vände sig mot honom.

"Vad är det?"

"Flygtur."

På DyceAirport visade Rebus sin polisbricka och frågade om de hade några flygningar ut till Sullom Voe.

"Inte på ett tag", fick han veta. "Kanske om fyra, fem timmar."

"Det är inte så kinkigt vem vi flyger med."

Axelryckningar, huvudskakningar.

"Det är viktigt."

"Ni kan alltid lifta till Sumburgh."

"Det är ju flera mil från Sullom Voe."

"Försöker bara vara hjälpsam. Ni kunde hyra en bil."

Rebus funderade på detta och fick sedan en bättre idé. "Hur snart skulle vi kunna flyga härifrån?"

"Till Sumburgh? En halvtimme, fyrtio minuter. En helikopter går ner där på väg ut till Ninian."

"Bra."

"Låt mig tala med dem." Hon tog telefonen.

"Vi är tillbaka om fem minuter."

Jack följde med Rebus bort till telefonautomaterna, där Rebus ringde ett samtal till St Leonard's. Han blev kopplad till Gill Templer.

"Jag är halvvägs genom bandet", sa hon.

"Bättre än *Saturday Night Theatre*, inte sant?"

"Jag sticker till Glasgow sedan. Jag vill tala med honom själv."

"Bra idé. Jag har lämnat en kopia av bandet hos Particks krim. Har du sett till Siobhan nu på morgonen?"

"Jag tror inte det. Vilket skift jobbar hon? Om du vill kan jag försöka få tag i henne."

"Bry dig inte om det, Gill. Det är dyrt att ringa riks."

"Åh fan, var är du nu?"

"Sjuk i sängen, om Ancram frågar."

"Och vad är det du vill ha hjälp med?"

"Ett telefonnummer. Lerwicks polisstation. Jag antar att det finns en sådan."

"Det gör det", sa hon. "Under Norra Divisionens ledning. Det var en konferens i Inverness förra året, de klagade över att de var tvungna att hålla ögonen på Orkney- och Shetlandsöarna."

"Gill…"

"Jag har slagit upp det medan jag pratat." Hon hasplade ur sig numret. Det fördes in i hans anteckningsbok.

"Tack, Gill. Hej då."

"John!"

Men han hade brutit samtalet. "Hur har du det med växel, Jack?" Jack visade honom några mynt. Rebus tog de flesta av dem och ringde sedan till Lerwick och frågade om de kunde låna ut en bil en halv dag. Han förklarade att det gällde en mordutredning, Lothian & Borders. Inget att hetsa upp sig över, de skulle bara tala med en vän till offret.

"Nja, en bil…" sa rösten släpigt, som om Rebus bett om ett rymdskepp. "När skulle ni komma?"

"Vi följer med en helikopter som lyfter härifrån om cirka en halvtimme."

"Två stycken?"

"Två stycken", sa Rebus, "vilket utesluter motorcykel."

Hans belöning: ett mörkt gurglande skratt. "Inte nödvändigtvis."

"Kan du ordna det?"

"Tja, *någon*ting kan jag ordna. Enda problemet är om bilarna är ute på annat håll. En del av våra utryckningar är till platser bortom all ära och redlighet."

"Om ingen är och möter oss i Sumburgh, så ringer jag igen."

"Gör ni det. Ajö!"

Tillbaka vid disken fick de veta att de hade plats på en flight om trettiofem minuter.

"Jag har aldrig flugit helikopter", sa Jack.

"En erfarenhet du aldrig kommer att glömma."

Jack rynkade pannan. "Kan du försöka en gång till med lite mer entusiasm?"

29

Det stod ett halvdussin plan på marken vid Sumburgh Airport, och lika många helikoptrar, flertalet av dem kopplade som med navelsträngar till närbelägna bränsletankar. Rebus promenerade in i Wilsnessterminalen, drog ner skyddsdräktens blixtlås medan han gick, såg sedan att Jack stod kvar utanför och tog in kustlandskapet och den kala inlandsslätten. Det blåste en hård vind och Jack hade borrat ner hakan i dräkten. Så här efter flygturen såg han blek och lätt illamående ut. Rebus för sin del hade ägnat all tid åt att försöka låta bli att tänka på sin mycket stora frukost. Till sist såg Jack att han vinkade och kom in från kylan.

"Ser inte havet blått ut?"

"Samma färg som du skulle ha fått efter två minuter till där ute."

"Och himlen… fantastisk."

"Inget New Age-kör nu, Jack. Låt oss komma ur de här dräkterna. Jag tror vår eskort med Escorten just har anlänt."

Utom att det var en Astra, och ganska så tättslutande med tre man i, särskilt som den uniformerade chauffören var byggd som en klippformation. Hans huvud – minus mössan med rutig bård – strök mot biltaket. Rösten var identisk med den i telefonen. Han hade skakat Rebus hand som om han hälsat på ett utländskt sändebud.

"Har ni varit på Shetlandsöarna förut?"

Jack skakade på huvudet. Rebus medgav att han varit där en gång, utan att gå in på detaljer.

"Och vart vill ni att jag kör er?"

"Tillbaka till er bas", sa Rebus från det trånga baksätet. "Vi släpper av dig och lämnar tillbaka bilen när vi är klara."

Den uniformerade – som hette Alexander Forres – uttalade sin besvikelse med dånande stämma. "Men jag har varit inom polisen i tjugo år."

"Och?"

"Det här skulle bli min första mordutredning!"

"Hör nu, assistent Forres. Vi är bara här för att tala med en vän till offret. Det är bakgrund – rutin och tråkigt som fan."

"Men ändå… jag hade sett fram mot det."

De körde A970 mot Lerwick, cirka tre mil norr om Sumburgh. Vinden buffade på dem och Forres väldiga händer kramade hårt om ratten, likt en jätte som kväver ett spädbarn. Rebus bestämde sig för att byta ämne.

"Fin väg."

"Betald med oljepengar", sa Forres.

"Vad tycker ni om att vara styrda från Inverness?"

"Vem säger att vi är det? Tror ni de kommer upp och kollar oss en gång i veckan?"

"Antagligen inte."

"Fullkomligt rätt, kommissarien. Det är som Lothian & Borders – hur ofta bryr sig någon från Fettes om att resa ner till Hawick?" Forres tittade på Rebus i backspegeln. "Tro inte att vi är idioter allihop här uppe, med bara tillräckligt med vett för att sätta fyr på båten i Up-Helly-Aa."

"Up-Helly-vad?"

Jack vände sig mot honom. "Där de bränner en storbåt, du vet, John."

"Sista tisdagen i januari", sa Forres.

"Märklig form av centralvärme", muttrade Rebus.

"Han är född cyniker", sa Jack till polisassistenten.

"Bara han inte dör sådan… vore synd." Forres blick var kvar i backspegeln.

I Lerwicks utkanter passerade de fula prefab-hus, som Rebus gissade hade anknytning till oljeindustrin. Polisstationen låg i New Town. De släppte av Forres, och han gick in för att hämta en karta över Mainland.

"Inte för att ni skulle kunna köra mycket vilse", sa han till dem. "Det är bara de tre stora vägarna att tänka på."

Rebus tittade på kartan och förstod vad han menade. Mainland hade lite formen av ett kors, med A970 som sin ryggrad, och 971 och 968 som armar. Brae var så långt norrut de kunde komma. Rebus skulle köra, Jack navigera – Jacks beslut. Han sa att det skulle ge honom en chans att titta på sevärdheter.

Färden var omväxlande imponerande och dyster: kustvyer lämnade plats för inre hedland, spridd bebyggelse, en massa får – många av dem på vägen – och några träd. Men Jack hade rätt, himlen *var* fantastisk. Forres hade sagt till dem att den här årstiden var "sjudande dunkel" – en tid på året utan verkligt mörker. Men på vintern blev dagsljus en dyrbar vara. Man kunde inte annat än respektera människor som valde att leva miltals från allt man själv tog för givet. Lätt nog att vara jägare och samlare i en stad, men här ute… Det var inte ett sceneri som inspirerade till samtal. De fann sin dialog falla ihop till grymtningar och nickar. Trots att de satt så nära i den framrusande bilen var de isolerade från varandra. Nej, Rebus var förbannat säker på att han aldrig skulle överleva här.

De tog av till vänster mot Brae och befann sig plötsligt på öns västkust. Det var fortfarande svårt att veta vad man skulle tro om platsen – Forres var den ende infödde Shetlandsbo de träffat. Den arkitektur de sett i Lerwick hade varit en blandning av skotska och skandinaviska stilar, ett slags Ikea-look. Ute på landet såg torpställena ut som överallt annars på de västra öarna, men namnen på gårdarna tydde på skandinaviskt inflytande. När de körde genom Burravoe och in i Brae insåg Rebus att han kände sig som en främling.

"Vart nu?" frågade Jack.

"Ge mig en minut. När jag var här förra gången kom vi in i stan från andra hållet…" Rebus gjorde en positionsbestämning och förde dem så småningom till det hus som Jack Harley delade med Briony. Grannar tittade ut på polisbilen som om de aldrig sett någon sådan förut. Kanske hade de inte det. Rebus knackade på Brionys dörr – ingen reaktion. Han knackade hårdare, ljudet ekade ödsligt. En blick in genom vardagsrumsfönstret: ostädat, men ingen röra. En kvinnas slarv, inte proffsigt nog. Rebus gick tillbaka till bilen.

"Hon jobbar i simhallen. Vi gör ett försök där."

Simhallen, med sitt blå metalltak, var svår att missa. Briony vandrade fram och tillbaka utmed bassängkanten och tittade på barnen som lekte. Hon hade samma uniform bestående av linne och joggingbyxor som när de senast träffats, men hade nu tennisskor på fötterna. Hon hade en visselpipa hängande om halsen, men ungarna uppförde sig som de skulle. Briony fick syn på Rebus och kände igen honom. Hon satte visselpipan i munnen och blåste tre korta signaler: en igenkänd signal – någon annan tog hennes plats vid bassängkanten. Hon gick fram till Rebus och Jack. Temperaturen närmade sig tropisk hetta, med matchande fuktighet.

"Jag sa ju till dig", sa hon. "Jake har fortfarande inte dykt upp."

"Jag vet, och du sa att du inte var orolig för honom."

Hon ryckte på axlarna. Hon hade kort mörkt hår som föll rakt ner tills det slutade i platta lockar. Frisyren tog bort fem, sex år, förvandlade henne till tonåring, men ansiktet var äldre – aningen hårt, om det berodde på klimat eller omständigheter kunde Rebus inte avgöra. Ögonen var små, liksom näsan och munnen. Han försökte låta bli att tänka på en hamster, men sedan rynkade hon på näsan och bilden var komplett.

"Han gör som han vill."

"Men du var orolig i förra veckan."

"Var jag?"

"När du stängde dörren framför näsan på mig. Jag har sett uttrycket tillräckligt många gånger för att känna igen det."

Hon lade armarna i kors. "Och?"

"Och då betyder det en av två saker, Briony. Antingen gömmer Jake sig för att han fruktar för sitt liv."

"Eller?"

"Eller så är han redan död. I båda fallen kan du vara till hjälp."

— 404 —

Hon svalde. "Mitch…"

"Berättade Jake för dig varför Mitch blev dödad?"

Hon skakade på huvudet. Rebus försökte låta bli att le: så Jake hade varit i kontakt sedan de senast talats vid.

"Han lever, eller hur?"

Hon bet sig i läppen och nickade sedan.

"Jag skulle vilja tala med honom. Jag tror jag kan hjälpa honom ur den här soppan."

Hon försökte bedöma sanningshalten i detta, men Rebus ansikte var som en mask. "Är han illa ute?" frågade hon.

"Ja, men det har inte med oss att göra."

Hon tittade bort mot bassängen, såg att allt var under kontroll. "Följ med mig", sa hon.

De körde tillbaka genom hedlandskapet och ner förbi Lerwick, mot en plats som hette Sandwick på Mainlands östra sida, bara en och en halv mil norr om flygfältet där deras helikopter hade landat.

Briony ville inte prata under bilfärden, och Rebus gissade att hon ändå inte visste särskilt mycket. Sandwick visade sig vara ett platt stycke mark med äldre bebyggelse och hus från oljeeran. Hon dirigerade dem till Leebotten, ett antal stugor vid stranden.

"Är det här han finns?" frågade Rebus när de steg ur bilen. Hon skakade på huvudet och pekade mot havet. Det fanns en ö där ute, som såg helt obebodd ut. Klippor och berghällar. Rebus tittade på Briony.

"Mousa", sa hon.

"Hur kommer vi dit?"

"Båt, under förutsättning att någon är villig att ta oss över." Hon knackade på en stugdörr. Den öppnades av en medelålders kvinna.

"Briony", sa kvinnan bara, mer konstaterande av faktum än hälsning.

"Goddag, mrs Munroe. Är Scott inne?"

"Ja." Dörren öppnades lite mer. "Kom in."

De steg in i ett ganska stort rum som tycktes vara både kök och vardagsrum. Ett rejält träbord upptog större delen av utrymmet. Vid den öppna spisen stod två fåtöljer. En man reste sig ur den ena och krokade av läsglasögonen från öronen. Han fällde ihop dem och stoppade dem i västfickan. Boken som han läst låg uppslagen på golvet: det var en familjebibel, svarta skinnpärmar och mässingsspännen.

"Men se, Briony", sa mannen. Han var medelålders eller något mer, men det väderbitna ansiktet var en gammal mans. Håret var silvervitt, omsorgsfullt hemmaklippt. Hans fru hade gått fram till vasken för att fylla på vatten till te.

"Nej tack, mrs Munroe", sa Briony innan hon vände sig mot mannen igen. "Har du sett till Jake på sista tiden, Scott?"

"Jag var över för ett par dar sedan, han verkade må bra."

"Kan du ta oss över?"

Scott Munroe tittade på Rebus, som sträckte fram handen.

"Kommissarie Rebus, mr Munroe. Detta är kommissarie Morton."

Munroe skakade båda händer, utan att lägga någon kraft i det: hade ingenting att bevisa.

"Tja, vinden har lagt sig lite", sa Munroe och strök över den grå skäggstubben på hakan. "Så det ska väl gå för sig." Han vände sig till sin fru. "Meg, vad sägs om lite bröd och skinka till grabben?"

Mrs Munroe nickade och började tyst plocka fram, medan hennes man gjorde sig i ordning. Han hittade oljeställ till allihop och stövlar åt sig själv, och när det var klart väntade ett paket med smörgåsar och en termos med te. Rebus stirrade på termosen och visste att Jack gjorde detsamma, båda längtade efter något att dricka.

Men det fanns inte tid till det. De gav sig av.

Det var en liten båt, nymålad med utombordsmotor. Rebus hade sett framför sig hur de roddes över.

"Där finns en brygga", sa Briony när de var på väg, och steg och sjönk med den krabba sjön. "En färja brukar ta över besökare. Vi får gå en bit, inte långt."

"Ett blåsigt ställe han har valt", ropade Rebus genom vinden.

"Inte så blåsigt", sa hon med skymten av ett leende.

"Vad är det?" frågade Jack och pekade.

Det låg på kanten av ön, alldeles där klipporna började slutta ner i det mörka vattnet. Får betade i gräset runt byggnaden. Rebus tyckte det såg ut som ett jättelikt sandslott eller en enorm upp och nervänd blomkruka. När de kom närmare såg han att det måste vara mer än tio meter högt, kanske fem meter i diameter vid basen, och att byggnadsmaterialet var stora platta stenar, tusentals av dem.

"Mousa Broch", sa Briony.

"Vad är det?"

"Som ett fort. De bodde där, det var lätt att försvara."

"Vem bodde där?"

Hon ryckte på axlarna. "Nybyggare. Kanske hundra år före Kristus." Bakom tornet fanns ett område med låga murar. "Det där var Haa. Det är bara stommen kvar nu."

"Och var är Jake?"

Hon vände sig mot honom. "Inne i tornet förstås."

De steg i land. Munroe sa att han skulle gå runt ön och vara tillbaka om en timme. Briony bar väskan med provianten och satte av mot tornet, iakttagen av de långsamt tuggande fåren och några fåglar som struttade omkring.

"Man bor i ett land i hela sitt liv", sa Jack, med oljeställets kapuschong uppfälld till skydd mot vinden, "och man *vet* inte ens att sådant här finns."

Rebus nickade. Det *var* en ovanlig plats. Att gå på gräset kändes inte som att gå över en gräsmatta eller en äng. Det var som om han var den första människan någonsin som gick där. De följde Briony genom en gång och in i själva tornet, i lä för blåsten men utan tak till skydd mot hotande regn. Munroes "en timme" var en varning: efter det skulle de få en svår om inte farlig överfart.

Det blå enmanstältet av nylon såg absurt ut inne på fortets gård. En man hade kommit ut ur det för att krama Briony. Rebus avvaktade. Briony lämnade över väskan med te och smörgåsar.

"Herregud", sa Jake Harley, "jag har redan mer än tillräckligt med mat."

Han verkade inte överraskad av att se Rebus. "Jag trodde nog hon skulle falla för trycket", sa han.

"Behövdes inget tryck, mr Harley. Hon är orolig för dig, det är allt.

Jag var också orolig ett tag – trodde att du kanske hade råkat ut för en olycka."

Harley lyckades le. "Med vilket du egentligen inte menar 'olycka'?" Rebus nickade. Han såg på Harley, försökte se honom som "mr H", den person som beordrat Allan Mitchisons avrättning. Men det verkade långt från målet.

"Jag säger inget om att du har hållit dig gömd", sa Rebus. "Antagligen det bästa du kunde göra."

"Stackars Mitch." Harley tittade ner på marken. Han var lång och välbyggd, med kort, glesnande svart hår och glasögon med metallbågar. Ansiktet hade behållit ett drag av skolpojke, men han var i stort behov av rakning och hårtvätt. Tältfliken var öppen och visade liggunderlag, sovsäck, en radio och några böcker. Lutad mot tornets innervägg stod en röd ryggsäck och intill ett campingkök och en bärkasse full med skräp.

"Kan vi tala om det?" frågade Rebus.

Jake Harley nickade. Han såg att Jack Morton var mer intresserad av tornet än av deras samtal. "Är det inte otroligt?"

"Jo, sannerligen", sa Jack. "Har det haft tak någon gång?"

Harley ryckte på axlarna. "De byggde skjul här inne, så de kanske inte behövde något tak där uppe. Väggarna är ihåliga, dubbla. Ett av gallerierna leder fortfarande upp till krönet." Han tittade sig omkring. "Det är mycket vi inte vet." Sedan såg han på Rebus. "Det har stått här i tvåtusen år. Det kommer att stå kvar långt efter det att oljan har försvunnit."

"Det tvivlar jag inte på."

"Vissa människor förstår inte det. Pengar gör dem kortsynta."

"Tror du allt det här handlar om pengar, Jake?"

"Inte allthop, nej. Kom ska jag visa er Haa."

Så de gick tillbaka ut i blåsten, över betesmarken och kom fram till den låga muren runt vad som varit ett ganska stort stenhus, av vilket bara ytterväggarna återstod. De följde gränsen runt, Briony tillsammans med dem, Jack längre bak, ovillig att lämna tornet.

"Mousa Broch har alltid varit bra för de jagade. Det finns en berättelse i *Orkneysagan*, om ett par som hade rymt och som sökte skydd här…" Han log mot Briony.

"Du fick veta att Mitch var död?" frågade Rebus.

"Ja."

"Hur?"

"Jag ringde till Jo."

"Jo?"

"Joanna Bruce. Mitch och hon hade hållit ihop." Så Flätade håret hade äntligen ett namn.

"Hur visste hon?"

"Det stod i Edinburghtidningen. Joe är mediafreak – hon läser alla tidningar på morgonen för att se om där finns något som de olika påtryckningsgrupperna borde känna till."

"Du berättade det inte för Briony?"

Jake tog sin flickväns hand och kysste den. "Du skulle bara ha oroat dig", sa han till henne.

"Två frågor, mr Harley: varför tror du Mitch blev dödad och vem låg bakom?"

Harley ryckte på axlarna. "Vem som gjorde det… jag skulle aldrig kunna bevisa något. Men jag vet varför han blev dödad – det var mitt fel."

"Ditt fel?"

"Jag berättade för honom vad jag misstänkte om *Negrita*."

Båten som Fårskinnsjackan hade nämnt på planet till Sullom Voe. För att sedan knipa käft.

"Vad hände?"

"Det var för några månader sedan. Vet du att Sullom Voe har några av de strängaste reglerna som finns? Jag menar, förr hände det att tankfartyg spolade ut sitt smutsiga slagvatten när de närmade sig kusten – på det sättet slapp de pumpa i land det vid terminalen… sparade tid, vilket betydde *pengar*. Förr blev vi av med tobisgrisslor, islommar, toppskarvar, ejdrar, till och med uttrarna. Det händer inte nu – de skärpte sig. Men misstag inträffar fortfarande. Det var det *Negrita* var, ett misstag."

"Ett oljeutsläpp?"

Harley nickade. "Inget stort, inte mätt med de normer som gäller för *Braer* och *Sea Empress*. Förste styrman, som skulle haft befälet, låg på sjukan – rejäl baksmälla antagligen. En besättningsman som inte gjort jobbet förut drog i fel spakar. Grejen var att besättningsmannen inte kunde någon engelska. Det är ingenting ovanligt nuförtiden: befälen är kanske britter, men den lejda hjälpen är den billigaste bolaget kan få tag i, vilket i allmänhet innebär portugiser, filippinare, hundra andra nationaliteter. Min gissning är att den stackars djäveln helt enkelt inte förstod instruktionerna."

"Det tystades ner?"

Harley ryckte på axlarna. "Var egentligen aldrig någon nyhet, inte ett tillräckligt stort utsläpp."

Rebus rynkade pannan. "Så vad är problemet?"

"Som jag sa berättade jag historien för Mitch…"

"Hur kände du till den?"

"Besättningen kom i land vid terminalen. De var i kantinen. Jag pratade med en av dem, han såg hemsk ut – jag kan lite spanska. Han berättade att han hade gjort det."

Rebus nickade. "Och Mitch?"

"Jo, Mitch fick reda på något som *hade* tystats ner. Nämligen tankfartygets verkliga ägare. Det är inte lätt med de här fartygen – de är registrerade på alla möjliga och omöjliga ställen, lämnar efter sig ett spår av papper. Inte alltid så lätt att få detaljer från vissa av registreringshamnarna. Och ibland säger namnet på papperna inte mycket – bolag äger andra bolag, fler länder är involverade…"

"En verklig labyrint."

"Helt avsiktligt: många av tankfartygen där ute är i chockerande dåligt skick. Men sjörätt är internationell – även om vi skulle vilja hindra dem från att lägga till, så kan vi inte det, inte utan tillåtelse från alla de andra undertecknarna."

"Mitch kom underfund med att T-Bird Oil ägde tankfartyget?"

"Hur kunde du veta det?"

"En kvalificerad gissning."

"Ja, det var det han sa till mig."

"Och du tror att någon på T-Bird lät döda honom? Men varför? Som du sa var det ju inget utsläpp som hade nyhetsvärde."

"Det skulle haft det med T-Bird som misstänkt. De gör sitt yttersta för att få regeringen att låta dem dumpa sina plattformar ute till havs. De propagerar för miljön och sitt rykte i det där området. Vi är Mr Clean, så låt oss göra vad vi vill." Harvey blottade lysande vita tänder när han talade, orden nästan som ett hångrin. "Så tala om för mig, kommissarien, lider jag av paranoia? Att Mitch blev utslängd genom ett fönster behöver ju inte betyda att han blev mördad, eller hur?"

"Han blev mördad, ingen tvekan om det. Men jag är inte säker på att *Negrita* hade så mycket med det att göra." Harley slutade gå och tittade på honom. "Jag tror att du lugnt kan återvända hem, Jake", sa Rebus. "Faktum är att jag är säker på det. Men först är det något jag behöver."

"Vadå?"

"En adress till Joanna Bruce."

30

Resan tillbaka var rena follikeltransplantationen – mer hårresande till och med än resan ut. De hade kört Jake och Briony tillbaka till Brae, sedan lämnat bilen i Lerwick och bett om skjuts till Sumburgh. Forres var fortfarande stött, men lät sig så småningom bevekas och kollade flyg tillbaka, varav ett gav dem tid för en Varma koppen på stationen.

På Dyce satte de sig åter i Jacks bil, och blev sittande några minuter och anpassade sig till att vara tillbaka på marken. Sedan körde de söderut på A92, enligt de direktiv Jake Harley gett dem. Det var samma väg som Rebus blivit körd natten när Tony El blivit dödad. De hade tagit Stanley för det – vad som än hände. Rebus undrade vad den unge psykopaten kunde tänkas erkänna mer, i synnerhet nu när han hade förlorat Eve. Han måste veta att hon hade flytt, han måste veta att hon inte skulle ha lämnat kvar pengarna. Kanske hade Gill fått ur honom fler berättelser.

Hennes lycka kunde vara gjord.

De såg skyltar till Cove Bay, följde Harleys anvisningar och kom till en rastplats, bakom vilken ett dussin skåpbilar, husvagnar, bussar och husbilar stod parkerade. Skumpande fram över verkningslösa jordhögar kom de in i en glänta framför en skog. Hundar skällde, barn lekte med en trasig fotboll. Klädstreck hängde mellan grenar, och någon hade tänt en eld. Några vuxna hade placerat sig runt elden och skickade marijuanacigarretter mellan sig. En kvinna knäppte på en gitarr. Rebus hade varit i sådana läger förut. Det fanns två typer av dem.

Det gammaldags zigenarlägret med fina husvagnar och lastbilar, där de som bodde där hade olivfärgad hy och talade ett språk som Rebus inte förstod. Och så var det "New Age-folket": i allmänhet med bussar som klarat sista kontrollbesiktningen med ett nödrop och en bön. De var unga och klipska, högg torr ved till bränsle och utnyttjade social-bidragssystemet, trots regeringens försök att förhindra det. De gav sina ungar namn som ungarna skulle vilja döda dem för när de växte upp.

Ingen brydde sig om Rebus och Jack när de gick mot lägerelden. Rebus höll händerna i fickorna och försökte låta bli att knyta dem.

"Vi söker Jo", sa han. Han kände igen gitarrackorden: "Time of the Preacher". Han försökte igen. "Joanna Bruce."

"Snedtändning, tråkig upplevelse", sa någon.

"Det kan ni också få", varnade Jack.

Jointen skickades runt. "Om tio år", sa någon annan, "kommer det här att vara tillåtet. Det kanske till med finns på recept."

Rök böljade ur flinande munnar.

"Joanna", påminde Rebus dem.

"Tillstånd?" frågade gitarristen.

"Du vet bättre än så", sa Rebus till henne. "Jag behöver bara ha till-stånd om jag vill göra en razzia här. Vill du att jag skaffar ett?"

"Macho Man!" sjöng någon.

"Vad vill ni?"

Där fanns en liten vit husvagn fastkrokad bakom en gammal Land Rover. Hon hade öppnat husvagnsdörren – bara övre halvan – och lutade sig ut.

"Känner du baconlukten, Jo?" frågade gitarristen.

"Jag behöver tala med dig, Joanna", sa Rebus och gick fram till hus-vagnen. "Om Mitch."

"Vad då om?"

"Varför han dog."

Joanna Bruce tittade på sina kamrater, såg att Rebus hade deras uppmärksamhet och låste upp nedre dörrhalvan. "Bäst ni kommer in", sa hon.

Husvagnen var trång och utan värme. Där fanns ingen TV, men hö-gar med tidskrifter och tidningar, en del med artiklar urklippta, och på

ett litet fällbord – bänkar på båda sidor, alltihop gick att göra om till
en säng – en laptop. Rebus huvud snuddade vid husvagnstaket. Joanna
stängde av datorn och tecknade åt Rebus och Jack att sätta sig på bän-
karna, medan hon själv balanserade på en tidningshög.

"Jaha", sa hon och lade armarna i kors. "Vad handlar det om?"

"Exakt min fråga", svarade Rebus. Han nickade mot väggen bakom
henne, där några fotografier nålats fast som dekoration. "Foton." Hon
vände sig om och tittade på bilderna. "Jag har just fått några till av de
där framkallade", förklarade Rebus: det var originalen som saknades i
Mitchs kuvert. Hon satt där med orörligt ansikte, avslöjade ingenting.
Hon hade kajal runt ögonen och håret lyste vitt i skenet från gas-
lampan. Under dryga sextio sekunder var det svaga bruset av tändgas
det enda ljudet i husvagnen. Rebus gav henne tid att ändra sig, men
hon använde den tiden till att resa ytterligare barrikader. Ögonen slöts
till springor, läpparna pressades ihop.

"Joanna Bruce", sa Rebus halvt för sig själv. "Intressant namnval."
Hon öppnade munnen till hälften, stängde den igen.

"Är Joanna ditt riktiga förnamn, eller har du ändrat det också?"

"Vad menar du?"

Rebus tittade på Jack, som satt tillbakalutad och försökte se ut som
den avspände besökaren, sa henne att det inte var två mot en, att hon
inte behövde vara rädd. När Rebus talade, talade han till Jacks ansikte.

"Ditt riktiga efternamn är Weir."

"Hur… vem har sagt det?" Försökte skratta bort det.

"Ingen behövde säga det. Major Weir hade en dotter. De blev
ovänner. Han ville inte kännas vid henne." Och ändrade hennes kön
till en son, kanske för att grumla vattnet. Så mycket hade Mairies källa
sagt.

"Han ville inte kännas vid henne? *Hon* ville inte kännas vid *ho-
nom!*"

Rebus vände sig mot henne. Ansikte och kropp var livliga nu, lera
väckt till liv. Hennes knutna händer borrade sig ner i knäna.

"Två saker gav mig ledtrådar", sa han lugnt. "Ett, det där efternam-
net: Bruce, som i Robert Bruce… som var och en som studerat skotsk
historia torde känna till. Major Weir är tokig i skotsk historia, han till

och med döpte sitt oljefält efter Bannockburn, vilket som vi vet vanns av Robert Bruce. Bruce och Bannock. Jag gissar att du valde namnet för att du trodde att det skulle reta honom."

"Det retar honom." Ett halvt leende.

"Det andra var Mitch själv, när jag väl visste att ni två var vänner. Jake Harley berättade för mig att Mitch hade snappat upp någon information om *Negrita*, topphemligt material. Det är möjligt att Mitch var påhittig på vissa områden, men jag kunde inte förstå hur han skulle klarat av att arbeta sig tillbaka genom ett pappersspår. Han reste med lätt bagage, inte skymten av anteckningar eller någonting sådant, varken i hans lägenhet eller i hans hytt. Jag tror han fick informationen av dig?" Hon nickade. "Och du måste verkligen ha ett horn i sidan till T-Bird Oil för att över huvud taget besvära dig med den sortens labyrint. Men vi vet redan att du har någonting emot T-Bird – demonstrationen utanför deras huvudkontor, att du kedjade fast dig vid Bannock inför TV-kamerorna. Jag trodde det kanske var någonting personligt…"

"Det är det."

"Major Weir är din far?"

Hennes ansikte blev buttert och besynnerligt barnsligt. "Bara i biologisk mening. Och kunde man få gjort en gentransplantation skulle jag stå först i kön." Rösten lät mer amerikansk än någonsin. "Dödade han Mitch?"

"Tror *du* att han gjorde det?"

"Jag vill gärna tro det." Hon såg på Rebus. "Jag menar, jag vill gärna tro att han skulle kunna sjunka så lågt."

"Men?"

"Inga men. Kanske gjorde han det, kanske gjorde han det inte."

"Du tror att han hade ett motiv?"

"Absolut." Omedveten om vad hon höll på med pillade hon på en nagel och bet sedan av den, innan hon började på nästa. "Jag menar, *Negrita* och hur T-Birds skuld tystades ner… och nu dumpningen. Han hade massor av ekonomiska skäl."

"Hotade Mitch att gå till pressen med nyheten?"

Hon tog bort en nagelflisa från tungan. "Nej, jag tror han försökte

med utpressning först. Lovade att hålla tyst om allt så länge T-Bird sat-
sade på ekologisk nedskrotning av Bannock."

"Allt?"

"Va?"

"Du sa 'allt', som om det fanns mer."

Hon skakade på huvudet. "Nej." Men hon såg inte på honom.

"Joanna, får jag fråga en sak: varför gick inte *du* till pressen, eller för-
sökte bedriva utpressning mot din far? Varför måste det vara Mitch?"

Hon ryckte på axlarna. "Han hade den rätta framfusigheten."

"Hade han?"

Ännu en axelryckning. "Vad annars?"

"För mig verkar det som om... du har ingenting emot att plåga din
pappa – så offentligt som möjligt. Du finns längst fram i varje demon-
stration, du ser till att du syns i TV... men om du verkligen trädde
fram och lät världen få veta vem du *är*, så skulle det vara ännu mer
effektivt. Varför så hemlighetsfull?"

Hennes ansikte blev barnsligt igen, munnen sysselsatte sig med fingrar,
knäna ihop. Den ensamma flätan föll ner mellan ögonen, som om hon
ville gömma sig för världen men samtidigt bli avslöjad – ett barns lek.

"Varför så hemlighetsfull?" upprepade Rebus. "Jag tror att det är just
för att det här är så personligt mellan dig och din far, som något slags
privat lek. Du tycker om att plåga honom, låta honom undra när du
ska gå till pressen med något av det här." Han gjorde en paus. "Jag tror
att du kanske utnyttjade Mitch."

"Nej!"

"Använde dig av honom för att komma åt din far."

"Nej!"

"Vilket betyder att han hade något som du tyckte var användbart.
Vad kan det ha varit?"

Hon reste sig. "Gå!"

"Någonting som drog er två till varandra."

Hon satte händerna för öronen och skakade på huvudet.

"Något från det förflutna... era barndomar. Något liknande blods-
band mellan er. Hur långt tillbaka går det, Jo? Mellan dig och din far –
hur långt in i det förflutna sträcker det sig?"

Hon snodde runt och slog till honom i ansiktet. Hårt. Rebus lät det vara, men det sved ändå.

"Adjöss med ickevåldsprotester", sa han och gned stället.

Hon sjönk ner på tidningarna igen, drog med en hand över huvudet. Den stannade vid en av flätorna, som hon snodde nervöst. "Du har rätt", sa hon, så tyst att Rebus nästan inte hörde.

"Mitch?"

"Mitch", sa hon och mindes honom äntligen. Tillät sig den smärtan. Bakom henne fladdrade ljuset över fotografierna. "Han var så stel när vi träffades. Ingen kunde tro sina ögon när vi började umgås – olika som natt och dag, sa de. De hade fel. Det tog ett tag, men en kväll öppnade han sig för mig." Hon tittade upp. "Känner du till hans bakgrund?"

"Föräldralös", sa Rebus.

Hon nickade. "Sedan på institution." Hon gjorde en paus. "Sedan utsatt för övergrepp. Han sa att det fanns gånger när han funderat på att ge sig till känna, berätta för människor, men efter all den här tiden… han undrade vad det skulle tjäna till." Hon skakade på huvudet, fick tårar i ögonen. "Han var den mest osjälviska människa jag någonsin har träffat. Men inuti var det som om han frättes upp, och *det* vet jag hur det känns."

Rebus förstod. "Din far?"

Hon snörvlade. "Han kallas för 'en institution' i oljevärlden. Jag levde verkligen som på anstalt…" Ett djupt andetag, ingenting teatraliskt med det: en nödvändighet. "Och sedan utsatt för övergrepp."

"Herregud", sa Jack tyst. Rebus hjärta bultade vilt. Han fick anstränga sig för att hålla rösten lugn.

"Under hur lång tid, Jo?"

Hon tittade ilsket upp. "Tror du jag skulle låta det svinet komma undan med det *två* gånger? Jag flydde så fort jag kunde. Fortsatte att fly i åratal och tänkte sedan: fan heller, det är inte *mitt* fel. Det är inte jag som ska hålla på så här."

Rebus nickade förstående. "Så du såg ett band mellan Mitch och dig?"

"Det stämmer."

"Och du berättade din historia för honom?"

"Som motprestation."

"Inklusive din fars identitet?" Hon började nicka men hejdade sig. Svalde istället. "Det var det han använde som utpressning mot din far – incesthistorien?"

"Jag vet inte. Mitch var död innan jag kunde ta reda på det."

"Men det var hans avsikt?"

Hon ryckte på axlarna. "Jag antar det."

"Vi kommer nog att behöva en redogörelse av dig, Jo. Inte nu, senare. Okej?"

"Jag ska fundera." Hon gjorde en paus. "Vi kan inte bevisa någonting, eller hur?"

"Inte än." Kanske aldrig, tänkte han. Han gled ur bänken. Jack gjorde likadant.

Utanför sjöngs det fler sånger runt lägerelden. Ljus dansade i kinesiska lyktor som hängde mellan träden. Ansikten hade blivit lysande gulröda, som pumpor. Joanna Bruce tittade från sin dörröppning, lutad mot nedre dörrhalvan som förut. Rebus vände sig om för att säga adjö.

"Stannar du här ett tag?"

Hon ryckte på axlarna. "Det vet man aldrig, så som vi lever."

"Tycker du om det du håller på med?"

Hon tänkte allvarligt över frågan. "Det är ett liv."

Rebus log och började gå.

"Kommissarien!" ropade hon. Han vände sig mot henne igen. Svart färg droppade nerför kinderna. "Om allting är så underbart, hur kommer det sig då att allt är så jävla struligt?"

Rebus hade inget svar på det. "Låt inte solen ertappa dig med att gråta", sa han istället.

På vägen tillbaka försökte han för sig själv besvara hennes fråga, och upptäckte att han inte kunde det. Kanske hade alltsammans med balans att göra, orsak och verkan. Där det fanns ljus måste det finnas mörker. Det lät som början på en predikan, och han avskydde predikningar. Han försökte med sitt eget privata mantra istället: Miles Davis, "So What?" Fast det lät inte så smart just nu.

Det lät inte alls smart.

Jack rynkade pannan. "Varför har hon inte gått ut offentligt med något av det här?" frågade han.

"För hennes del har det ingenting med oss att göra. Det hade inte ens någonting med Mitch att göra, han bara ramlade in."

"Lät mer som om han var inbjuden?"

"En inbjudan han borde ha tackat nej till."

"Tror du att major Weir gjorde det?"

"Jag är inte säker. Jag är inte ens säker på att det spelar någon roll. Han kommer ingenstans."

"Hur menar du?"

"Han är inne i det här lilla privata helvetet som hon har byggt upp åt dem båda. Så länge han vet att hon finns där ute och demonstrerar mot allt han håller kärt… är det hans straff och hennes hämnd. Ingen av dem kan komma undan."

"Fäder och döttrar, va?"

"Fäder och döttrar", instämde Rebus. Och gångna förseelser. Och hur de vägrade att försvinna…

De var helt slut när de kom tillbaka till hotellet.

"En golfrunda?" föreslog Jack.

Rebus skrattade. "Det enda jag orkar är kaffe och mackor."

"Okej för mig. Mitt rum om tio minuter."

Deras rum var städade, ny choklad på kuddarna, rena badrockar utlagda. Rebus bytte snabbt om, ringde sedan till receptionen för att höra om det fanns några meddelanden. Han hade inte frågat tidigare – hade inte velat att Jack skulle veta att han väntade ett.

"Ja", kvittrade receptionisten. "Jag har ett telefonmeddelande åt er." Rebus humör steg: hon hade inte bara gett sig av. "Ska jag läsa upp det för er?"

"Ja tack."

"Det lyder 'Burke's, en halvtimme efter stängningsdags. Försökte annan tid, annan plats, men han vägrade.' Inget namn."

"Det är bra, tack."

"Vi är alltid glada att kunna hjälpa till."

Självklart: han var ju affärskonto. Hela världen fjäskade för en om
man var knuten till ett bolag. Han fick en linje ut, försökte nå Siobhan
hemma, fick bara tag på hennes telefonsvarare igen. Försökte St Leo-
nard's, fick veta att hon inte var där. Försökte hem igen, bestämde sig
den här gången för att lämna sitt telefonnummer på hennes maskin.
Halvvägs igenom svarade hon.

"Varför använda telefonsvarare när du är hemma?" frågade han.

"Samtalsfiltrering", sa hon. "Jag har koll på om du är en flåsare eller
inte innan jag talar med dig."

"Jag har andningen under kontroll, så du kan prata med mig."

"Första offret", sa hon. "Jag talade med någon på Robert Gordon's.
Den avlidna studerade geologi, och i utbildningen ingick tid offshore.
Folk som studerar geologi där uppe får nästan alltid jobb inom olje-
industrin, hela kursen är inriktad på det. Eftersom hon tillbringade tid
offshore fick den avlidna en dos överlevnadskunskap."

Rebus tänkte: helikoptersimulator, doppad i simbassäng.

"Så", fortsatte Siobhan, "hon tillbringade tid på OSC."

"Offshore Survival Centre."

"Som bara jobbar med oljefolk. Jag fick dem att faxa över en perso-
nal- och studentförteckning till mig. Det var det första offret." Hon
gjorde en paus. "Offer nummer två verkade helt annorlunda: äldre,
annan uppsättning vänner, annan stad. Men hon var prostituerad, och
vi vet att många affärsmän använder sig av den sortens service när de
är hemifrån."

"Ja, inte vet jag."

"Offer nummer fyra arbetade nära oljeindustrin. Återstod Judith
Cairns, Glasgowoffret. Olika jobb, inklusive deltid som städerska på ett
cityhotell."

"Affärsmän igen."

"Så i morgon börjar de faxa namn till mig. De var inte pigga på det,
kundernas förtroende och allt det där."

"Men du kan vara övertygande."

"Ja."

"Så vad hoppas vi på? En gäst på Fairmount med anknytning till
Robert Gordon's?"

"Jag ska ta med det i min aftonbön."

"Hur snart i morgon kommer du att veta?"

"Det beror på hotellet. Jag blir kanske tvungen att köra dit och sätta fart på dem."

"Jag ringer."

"Om telefonsvararen tar det, så lämna ett nummer där jag kan nå dig."

"Okej. Hej då, Siobhan." Han lade på och gick bort till Jacks rum. Jack var iförd sin badrock.

"Jag blir kanske tvungen att köpa en av de här", sa han. "Mackor är på väg upp, likaså en stor kanna kaffe. Jag ska bara ta en dusch."

"Bra. Du, Siobhan har kanske någonting på gång." Han informerade Jack.

"Låter lovande. Fast å andra sidan…" Jack ryckte på axlarna.

"Herregud, och jag trodde jag var cynisk."

Jack blinkade och försvann ut i badrummet. Rebus väntade tills han hörde duschen plaska och Jack nynna vad som lät som "Puppy Love". Jacks kläder låg på en stol. Rebus kände i kavajfickorna och fick upp bilnycklarna, som han stoppade på sig.

Han undrade när Burke's stängde en torsdagskväll. Han undrade vad han skulle säga till Judd Fuller. Han undrade hur illa Fuller skulle ta det, vad *det* nu var.

Duschen tystnade. "Puppy Love" övergick i "What Made Milwaukee Famous". Rebus gillade en man med katolsk smak. Jack kom ut, insvept i sin badrock och imiterande en proffsboxare.

"Tillbaka till Edinburgh i morgon?"

"Det första vi gör", instämde Rebus.

"För att ta konsekvenserna."

Rebus sa inte att han kanske skulle få ta konsekvenser långt innan dess. Men när smörgåsarna kom märkte han att han hade tappat aptiten. Men törstig var han: fyra koppar kaffe. Han behövde hålla sig vaken. Lång natt väntade, ingen måne på himlen.

Mörker under den korta körningen in, lätt regn. Rebus kände sig omskakad av kaffe, lösa trådar gnistrade där hans nerver borde vara.

Kvart över ett på morgonen: han hade ringt till Burke's, telefon-
automaten vid baren, frågat en gäst när stället stängde.

"Festen är snart slut, jävla idiot!" Luren slängdes på. Bakgrunds-
musik: "Albatross", så det var dags för månskensdans. Två eller tre
långsamma, sista chansen att få tag i en frukostpartner. Desperata tider
på dansgolvet, lika desperata i fyrtioårsåldern som i tonåren.

Albatross.

Rebus försökte med radion – enfaldig pop, dunkande disco,
telefonprat. Sedan jazz. Jazz var okej. Jazz var fint, till och med i Radio
Two. Han parkerade nära Burke's, blev åskådare till en pantomim när
två utkastare gav sig på tre bondpojkar, vars flickvänner försökte dra
bort dem.

"Lyssna på damerna", muttrade Rebus. "Ni har visat vad ni går för.
Det räcker för i kväll."

Slagsmålet upplöstes i pekande fingrar och svordomar, och utkas-
tarna vaggade tillbaka in, med armar som inte rörde vid sidorna. En
sista spark mot dörrarna, saliv som träffade de hyttventilsliknande
fönstren, sedan släpade från stället bort längs gatan. Ridån uppe för
ännu en nordosthelg. Rebus steg ur och låste bilen, andades in stads-
luften. Rop och sirener från Union Street. Han gick över gatan och
satte kurs mot Burke's.

Dörren var låst. Han sparkade på den, men ingen kom: trodde antag-
ligen att lantisarna var tillbaka. Rebus fortsatte att sparka. Någon kikade
fram bakom de inre dörrarna, såg att han inte såg ut som en gäst, ropade
någonting in i klubben. Nu kom en utkastare, skramlande med en
nyckelknippa. Han såg ut som om han ville komma i säng efter avslutat
dagsverke. Dörren rasslade och han öppnade den några centimeter.

"Va?" morrade han.

"Jag har avtalat tid med mr Fuller."

Utkastaren stirrade på honom, drog upp dörren. Det var tänt i stora
baren, personalen tömde askkoppar och torkade av bord, samlade in
enorma mängder glas. I full belysning tedde sig interiören minst lika
dyster som ett hedlandskap. Två män som såg ut som discjockeys –
hästsvansar, svarta ärmlösa T-shirts – satt och rökte vid bardisken,
tömde ölflaskor. Rebus vände sig till utkastaren.

"Är mr Stemmons här?"

"Jag trodde det var mr Fuller du hade avtalat tid med."

Rebus nickade. "Undrade bara om mr Stemmons fanns tillgänglig." Tala med honom först – den förnuftige av de medverkande, affärsmannen, därför en lyssnare.

"Det är möjligt att han är där uppe." De gick tillbaka ut i foajén och uppför trappan mot Stemmons och Fullers kontor. Utkastaren öppnade en dörr. "In här."

Och Rebus klev in, och duckade för sent. Handen träffade hans nacke som en köttsida, golvade honom. Fingrar kände på hans hals, letade efter halspulsådern, tryckte till. Ingen hjärnskada, tänkte Rebus när synfältet mörknade i kanterna. Gode Gud, låt det inte bli någon skada…

31

Han vaknade nära att drunkna. Sög in skum och vatten genom näsan, munnen. Kolsyrad smak – inte vatten, öl. Han skakade vilt på huvudet, öppnade ögonen. Lager sipprade ner i halsen på honom. Han försökte hosta upp det. Någon stod bredvid honom, höll den nu tomma buteljen, skrockade. Rebus försökte vända sig om och upptäckte att armarna brann. Bokstavligen. Han kunde känna lukt av whisky, se en trasig flaska på golvet. Någon hade dränkt in hans armar med vätskan och tänt på. Han skrek, vred sig. En barhandduk daskade mot lågorna och de slocknade. Den rykande handduken föll till golvet. Skratt ekade kring väggarna.

Stället stank av alkohol. Det var en källare. Nakna glödlampor och aluminiumkaggar, lådor med flaskor och glas. Ett halvdussin tegelpelare bar upp taket. De hade inte bundit Rebus vid en av dessa. Istället hängde han i en krok, repet skar in i hans handleder, armarna höll på att lossna ur sina ledskålar. Rebus flyttade över mer tyngd på fötterna. Bakifrån honom slängde figuren ölflaskan i en back och kom runt och ställde sig framför honom. Slätkammat svart hår med en tjusarlock i pannan, och en stor krokig näsa mitt i ett ansikte plufsigt av laster. En diamant glittrade i en av tänderna. Mörk kostym, vit T-shirt. Rebus vågade sig på en vild gissning – Judd Fuller – men trodde tiden för presentationer var förbi.

"Beklagar att jag inte är lika skicklig med elektriska verktyg som Tony El", sa Fuller. "Men jag gör mitt bästa."

"Sett ur min synvinkel sköter du dig fint."

"Tackar."

Rebus tittade sig omkring. De var ensamma i källaren, och ingen hade tänkt på att binda ihop hans ben. Han kunde sparka Fuller i skrevet och...

Slaget kom lågt, träffade honom strax ovanför ljumsken. Han skulle ha vikt sig dubbel om han haft armarna fria. Som det nu var höjde han instinktivt knäna, lyfte fötterna från golvet. Hans axelleder talade om för honom att detta inte var världens smartaste drag.

Fuller gick en bit bort, böjde högerhandens fingrar. "Jaha, snuten", sa han med ryggen mot Rebus, "vad tycker du hittills?"

"Jag är mogen för ett avbrott om du är det."

"Det enda som ska brytas av här är din förbannade nacke." Fuller vände sig mot honom, flinade, tog sedan en ny ölflaska, slog av korken mot väggen och hällde i sig halva innehållet.

Lukten av alkohol var bedövande, och de få klunkar Rebus svalt tycktes redan göra verkan. Ögonen sved. Och detsamma gjorde hans händer där lågorna slickat dem. Blåsor höll på att slå upp kring handlederna.

"Vi har en fin klubb här", sa Fuller. "Alla har roligt. Du kan fråga vem som helst, det är ett populärt ställe. Vad ger dig rätt att förstöra festen?"

"Jag vet inte."

"Du gjorde Erik upprörd häromkvällen när du pratade med honom."

"Vet han om det här?"

"Det här kommer han *aldrig* att få veta något om. Erik mår bäst om han inte vet. Han har magsår, förstår du. Han *oroar* sig."

"Begriper inte varför." Rebus stirrade på Fuller. Om man såg hans ansikte i rätt skugga liknade han en ung Leonard Cohen, Travolta-jämförelsen var inte ens i *närheten*.

"Du är irriterande, det är vad du är, ett myggbett man måste klia."

"Du hajar inte, Judd. Du är inte i Amerika. Här kan du inte bara gömma undan en kropp och hoppas att ingen ska snubbla på den."

"Varför inte?" Fuller slog ut med armarna. "Det går båtar från

Aberdeen hela tiden. Utrustar dig med tyngder och tippar dig i Nordsjön. Vet du hur hungriga fiskarna är där ute?"

"Jag vet att det är *överfiskat* – vill du att någon trålare får upp mig i sitt nät?"

"Alternativ två", sa Fuller och lyfte två fingrar. "Bergen. Låt de satans fåren hitta dig, knapra dig ren in till benen. Massor av möjligheter, tro inte att vi inte har använt dem förut." Han gjorde en paus. "Varför kom du hit i kväll? Vad trodde du att du skulle kunna göra?"

"Jag vet inte."

"När Eve ringde… hon kunde inte dölja det, det fanns i rösten – jag visste att hon ljög, att hon gillrade en fälla för mig. Men jag måste erkänna att jag hade väntat mig en lite större utmaning."

"Ledsen att göra dig besviken."

"Men jag är glad att det är du. Jag har velat träffa dig igen."

"Ja, här är jag."

"Vad har Eve sagt?"

"Eve? Hon har inte sagt någonting."

En rallarspark tog tid: Rebus gjorde vad han kunde, vände sidan till, tog emot den i bröstkorgen. Fuller följde upp med ett slag mot ansiktet, handen rörde sig så långsamt att Rebus kunde se ärret på den – en lång ful rand. En tand klövs i två bitar, en av hans rotfyllningar. Rebus spottade tand och blod mot Fuller, som backade lite, imponerad av skadegörelsen.

Rebus visste att han hade att göra med någon som i bästa fall kunde kallas oberäknelig, i sämsta psykotisk. Utan Stemmons som höll honom i schack tycktes Judd Fuller kapabel till allt.

"Det enda", läspade Rebus, "var att jag gjorde en överenskommelse med henne. Hon ordnade mötet med dig, och jag lät henne löpa."

"Hon måste ha berättat *något*ting."

"Hon är inte lätt att pumpa. Och jag fick ännu mindre ur Stanley." Rebus försökte låta besegrad: inte svårt. Han ville att Fuller skulle svälja hela historien.

"Stanley och hon har stuckit tillsammans?" Fuller skrockade igen. "Farbror Joe kommer att skita på sig."

"För att uttrycka det milt."

"Säg hur mycket du vet, snutdjävel! Gör det bra, så kanske vi kan jobba fram något."

"Jag är öppen för erbjudanden."

Fuller skakade på huvudet. "Jag tror inte det. Ludo har redan testat dig på den punkten."

"Han hade inte precis de korten du har."

"Det stämmer." Fuller måttade ett slag mot Rebus ansikte med den trasiga flaskhalsen. Istället för glas kände Rebus luft stryka mot kinden. "Nästa gång", sa Fuller, "blir jag kanske oförsiktig. Du skulle kunna bli av med ditt stiliga utseende."

Som om den dödsdömde brydde sig om skönhet. Men Rebus darrade.

"Ser jag ut som en martyr? Jag gjorde bara mitt jobb. Det är det jag får betalt för, jag är inte gift med det."

"Men du är envis."

"Skyll på den helvetes Lumsden, han gjorde mig vansinnig!" Ett minne dök upp alldeles av sig självt: stängningsdags på Oxen, kvällar när de snubblat ut i kylan och skojat om att bli inlåsta i källaren och supa stället torrt. Det enda Rebus ville nu var att komma ut.

"Hur mycket vet du?" Det trasiga glaset var någon centimeter från hans näsa. Fuller sträckte ut armen tills flaskan befann sig under Rebus näsborrar. Lagerångor, det kalla glaset som pressade uppåt. "Minns du det gamla skämtet?" frågade Fuller. "Fråga dig hur du skulle lukta utan näsa."

Rebus fnös. "Jag vet allt", spottade han fram.

"Och hur mycket är det?"

"Knarket kommer upp från Glasgow, direkt hit. Ni säljer det och skeppar ut det till riggarna. Eve och Stanley samlade in pengarna, Tony El var Farbror Joes man på platsen."

"Bevis?"

"Nästan inga, i synnerhet med Tony El död och Eve och Stanley på flykt. Men – " Rebus svalde.

"Men vadå?"

Rebus höll munnen stängd. Fuller körde upp flaskan och ryckte bort den. Rebus näsa droppade blod.

"Jag kanske helt enkelt ska låta dig förblöda. 'Men vadå?'"

"Men det spelar ingen roll", sa Rebus och försökte torka näsan på skjortan. Ögonen tårades. Han blinkade, tårar droppade nerför båda kinder.

"Varför inte?" Fuller intresserad.

"Därför att folk snackar."

"Vem?"

"Du vet att jag inte kan – "

Flaskan flög mot hans högra öga. Rebus blundade hårt. "Okej, okej!" Flaskan stannade där den var, så nära att han var tvungen att fokusera förbi den. Han tog ett djupt andetag. Dags att röra om i grytan. Hans stora plan. "Hur många poliser har ni på lönelistan?"

Fuller rynkade pannan. "Lumsden?"

"Han har pratat… och någon har pratat med honom."

Rebus kunde nästan höra kuggarna knarra inne i Fullers huvud, men till och med han måste komma på det till sist.

"Mr H?" Fullers ögon blev stora. "Mr H talade med Lumsden, jag hörde det. Men det skulle handla om kvinnan som blev dödad…" Fuller tänkte intensivt.

Mr H – mannen som hade betalat Tony El. Och nu visste Rebus vem mr H var – Hayden Fletcher, utfrågad av Lumsden angående Vanessa Holden. Fletcher hade betalat Tony El för att ta hand om Allan Mitchison – de två männen hade antagligen träffats just här. Fuller själv hade kanske presenterat dem för varandra.

"Det är inte bara ni. De har tjallat på Eddie Segal, Moose Maloney…" Rebus halade fram namnen som Stanley hade nämnt.

"Fletcher och Lumsden?" sa Fuller för sig själv. Han skakade på huvudet, men Rebus kunde se att han var till hälften övertygad. Han tittade på Rebus, som försökte se så slut ut som en man kunde vara – inget stort skådespeleri krävdes.

"Narkotikaspanarna har något på gång", sa Rebus. "De har Lumsden och Fletcher som i en liten ask."

"De är slut…" sa Fuller till sist.

"Varför sluta mitt i det roliga?"

Ett kallt, ondskefullt leende. Fletcher och Lumsden hörde till framtiden: men Rebus var här och nu.

"Vi ska ut och åka", sa Fuller. "Var inte orolig, du har skött dig bra. Jag ska vara snabb. En kula i bakhuvudet. Du kommer inte att slockna skrikande." Han lät flaskan falla till golvet och trampade på glasbitar på vägen till trappan. Rebus tittade sig hastigt omkring, omöjligt att veta hur lång tid han hade på sig. Kroken såg ganska bastant ut – den hade klarat hans tyngd hittills, utan problem. Om han kunde stå på en låda, komma lite högre upp, så kunde han kroka loss repen. Där var tombacken, inte ens en meter bort. Rebus sträckte sig ut, med värkande armar, trevade med skon, rörde vid backens kant och började dra den till sig. Fuller hade klättrat upp genom en lucka, men lämnat den öppen. Rebus kunde höra en röst eka i baren. Fuller ville kanske ha tag i en utkastare, någon som kunde bevittna polismannens död. Backen fastnade i en spricka i golvet, gick inte att rubba. Rebus försökte lyfta den med skospetsen, kunde inte. Han var genomblöt: blod, sprit och svett. Backen lossnade och han drog in den under sig, klev upp på den och sköt på med knäna. Han befriade repet från kroken och tog långsamt ner armarna, försökte njuta av smärtan, kände blodet rinna tillbaka ner genom dem. Fingrarna förblev iskalla och utan känsel. Han tuggade på repknutarna, kunde inte få upp dem. Det fanns gott om trasigt glas runt omkring honom, men att såga sig igenom skulle ta för lång tid. Han böjde sig ner, tog upp en trasig flaska, såg sedan någonting bättre.

En billig rosa plasttändare. Fuller hade antagligen använt den till att sätta fyr på whiskyn på Rebus armar, sedan släppt den. Rebus tog upp den, tittade sig omkring. Det fanns gott om sprit här nere. Ingen annan väg ut än trappstegen. Han hittade en trasa, öppnade en flaska whisky och stoppade ner trasan i flaskhalsen. Inte riktigt en bensinbomb, men ändå ett vapen. Alternativ ett: tända den och slänga in den i klubben, få brandlarmet att utlösas och invänta kavalleriet. Om de nu kom. Om det nu skulle stoppa Judd Fuller…

Alternativ två: tänk igen.

Han såg sig omkring. CO_2-cylindrar, plastbackar, gummislangar. Hängande på väggen: en liten brandsläckare. Han ryckte till sig brandsläckaren, apterade den, klämde fast den under en arm så att han kunde bära whiskyflaskan uppför trappan.

Klubben verkade död, svagt upplyst. Någon hade låtit en glitterboll vara på. Den snurrade runt och kastade ädelstenar över väggar och golv. Han hade hunnit halvvägs över dansgolvet när dörren slängdes upp och Fuller stod där, bakifrån belyst av foajén. Han höll en ring med bilnycklar mellan tänderna, tappade dem när munnen öppnades. Han stack handen i kavajfickan samtidigt som Rebus fick fyr på trasan och slungade flaskan med två händer. Den vred sig i luften och krossades framför Fuller. En pöl med blå lågor spred sig över golvet. Rebus fortsatte att närma sig, med brandsläckaren redo. Vapnet vilade i Fullers hand när skummet träffade honom mitt i ansiktet. Rebus följde upp med en dansk skalle mot Fullers näsrygg och ett knä hårt i skrevet. Inte precis enligt instruktionsboken, men mycket effektivt. Amerikanen sjönk ner på knä. Rebus sparkade honom i ansiktet och sprang, drog upp dörrarna till yttervärlden och nästan ramlade över Jack Morton.

"Herregud! Vad har de gjort med dig?"

"Han har en pistol, Jack, så det är bäst att vi sticker härifrån snabbt som fan."

De sprang mot bilen. Jack tog upp nycklarna ur Rebus ficka. In i bilen och snabbt bort. Rebus fylld av en förvirrande blandning känslor, varav upprymdhet var den mest påtagliga.

"Du stinker som ett helt bryggeri", sa Jack.

"Fan, Jack, hur kom du hit?"

"Tog en taxi."

"Nej, jag menar…"

"Du kan tacka Shetlandsöarna." Jack snörvlade. "Blåsten där uppe, jag håller på att bli förkyld. Gick för att ta näsduken ur fickan… inga bilnycklar. Ingen bil på parkeringen, och ingen John Rebus i sin säng."

"Och?"

"Och receptionen upprepade det meddelande de gett dig, så jag ringde efter en taxi. Vad i helvete hände?"

"Jag fick stryk."

"Det skulle jag kalla en underdrift. Vem hade pistolen?"

"Judd Fuller, amerikanen."

"Vi stannar vid närmaste telefon och skickar dit ett beväpnat gäng."

"Nej."

Jack vände sig om. "Nej?" Rebus skakade på huvudet. "Varför inte?"

"Jag tog en kalkylerad risk, Jack."

"Dags att köpa ny kalkylator."

"Jag tror det funkade. Nu behöver vi bara vänta och se."

Jack begrundade detta. "Du vill att de ska vända sig mot varandra?" Han nickade. "Du har aldrig följt reglerna, va? Hälsningen var från Eve?" Rebus nickade. "Och du tänkte lämna mig utanför. Vet du om en sak? När jag märkte att nycklarna var borta blev jag så arg att jag nästan tänkte: 'Ge fan i det. Låt honom göra vad han vill, det är hans liv.'"

"Det var nära."

"Du är en dum djävel."

"Många års träning, Jack. Kan du stanna och knyta loss mig?"

"Jag föredrar att ha dig bunden. Akuten eller läkarutryckning?"

"Jag klarar mig." Det hade redan slutat blöda från näsan. Och det gjorde inte ont i den döda tanden.

"Så vad *gjorde* du där?"

"Jag gav Fuller en stickreplik, och jag fick veta att Hayden Fletcher lejde Allan Mitchisons mördare."

"Och det fanns inget enklare sätt?" Jack skakade sakta på huvudet. "Om jag så lever tills jag blir hundra kommer jag aldrig att begripa mig på dig."

"Jag tar det som en komplimang", sa Rebus och lutade huvudet tillbaka mot sätet.

Tillbaka på hotellet kom de överens om att det var dags att lämna Aberdeen. Rebus tog ett bad först, och Jack undersökte hans skador.

"Rena amatörsadisten, vår mr Fuller."

"Han ursäktade sig i början." Rebus studerade sitt glest-mellan-tänderna-leende i spegeln.

Varenda bit av hans kropp värkte, men han skulle överleva, och han behövde ingen doktor som höll med honom. De lastade bilen, checkade ut utan problem och var snart ute på vägen igen.

"Vilket slut på semestern", kommenterade Jack. Men hans enmans-publik sov redan.

När han hade fått ner listan till fyra individer, fyra företag, var det dags att använda "nyckeln"– Vanessa Holden själv.

Flera av de misstänkta hade visat sig vara för gamla, eller fel på något annat sätt: en, med förnamnet Alex, hade visat sig vara en kvinna.

Bibel-John ringde samtalet från sitt kontor, med stängd dörr. Han hade anteckningsblocket framför sig. Fyra företag, fyra individer.

Eskflo	James Mackinley
LancerTech	Martin Davidson
Gribbin's	Steven Jackobs
Yetland	Oliver Howison

Samtalet var till Vanessa Holdens företag. En receptionist svarade.

"Hej", sa han, "Queen Street-krim här, polisassistent Collier. Bara en fråga: jag undrar om ni någon gång har åtagit er arbete åt Eskflo Fabrication?"

"Eskflo?" Receptionisten lät tveksam. "Jag kopplar er till mr Westerman."

Bibel-John noterade namnet på sitt anteckningsblock, ritade en ring runt det. När Westerman svarade upprepade han sin fråga.

"Har detta med Vanessa att göra?" frågade mannen.

"Nej, men det var tråkigt det som hände med miss Holden. Ni har min djupaste sympati – det samma gäller alla här." Han tittade sig om-kring på väggarna i sitt kontor. "Och jag beklagar att jag måste ringa vid en så plågsam tidpunkt."

"Tack. Det var en svår chock."

"Självklart, och jag kan försäkra er att vi följer flera spår i fallet miss Holden. Men min fråga nu gäller misstanke om bedrägeri."

"Bedrägeri?"

"Det har ingenting med er att göra, mr Westerman, men vi under-söker flera företag."

"Inklusive Eskflo?"

"Stämmer." Bibel-John gjorde en paus. "Jag hoppas ni förstår att jag berättar det här i förtroende?"

"Naturligtvis."

"Jo, de företag jag är intresserad av är…" Han låtsades flytta runt papper, med ögonen på anteckningsblocket. "Här har vi det: Eskflo, LancerTech, Gribbin's och Yetland."

"Yetland", sa Westerman. "Vi gjorde något jobb åt dem nyligen. Nej, vänta… Vi försökte få ett kontrakt, men fick det inte."

"Och de andra?"

"Kan jag ringa upp er? Jag måste gå till arkivet. Jag kan visst inte koncentrera mig riktigt."

"Jag förstår. Jag är precis på väg ut… kan jag ringa er igen om en timme?"

"Det är kanske bättre att jag ringer er när jag är klar."

"Jag hör av mig om en timme igen, mr Westerman. Tack för hjälpen."

Han lade på, bet i en nagel. Skulle Westerman försöka ringa Queen Street och fråga efter polisassistent Collier? Han skulle ge honom fyrtio minuter.

Men till sist gav han honom bara trettiofem.

"Mr Westerman? Jag kom tillbaka lite tidigare. Jag undrar om ni har hittat någonting åt mig?"

"Ja, jag tror att vi har vad ni behöver."

Bibel-John koncentrerade sig på tonfallet, lyssnade efter tvivel eller misstänksamhet, någon eventuell aning Westerman kunde ha om att han inte talade med en polis. Han hittade ingen.

"Som jag sa", fortsatte Westerman, "försökte vi få ett Yetlandkontrakt, men fick det inte. Det var i mars i år. Lancer… för dem gjorde vi en panoramaskyltning i februari. De hade en monter på Säkerhet till Havs-konferensen."

Bibel-John tittade på sin lista. "Ni vet inte händelsevis vem som var er kontakt?"

"Jag beklagar, Vanessa höll i det. Hon hade bra hand med kunder."

"Namnet Martin Davidson säger er ingenting?"

"Tyvärr inte."

"Okej. Och de andra två företagen...?"

"Ja, vi har arbetat åt Eskflo tidigare, men inte på ett par år. Och Gribbin's... ska jag vara ärlig så har jag aldrig hört talas om dem."

Bibel-John ritade en ring runt Martin Davidsons namn. Satte ett frågetecken bredvid James Mackinley: ett par års fördröjning? Tveksamt, men möjligt. Kom fram till att Yetland var en svag trea, men för säkerhets skull...

"Skulle Yetland ha haft att göra med er eller miss Holden?"

"Vanessa var på semester vid den tiden. Det var strax efter Säkerhet till Havs, hon var helt slut."

Bibel-John strök både Yetland och Gribbin's från sin lista.

"Mr Westerman, ni har varit till stor hjälp. Jag är mycket tacksam."

"Glad att kunna hjälpa till. Bara en sak, polisassistenten?"

"Ja?"

"Om ni någonsin får tag i den djäveln som dödade Vanessa, så ge honom en omgång från mig."

Två M Davidson i telefonkatalogen, en James Mackinley och två J Mackinley. Adresser antecknade.

Sedan ännu ett telefonsamtal, den här gången till Lancer Technical Support.

"Hallå, detta är Handelskammaren, bara en allmän fråga. Vi håller på och sammanställer ett dataregister över lokala företag med anknytning till oljeindustrin. Det bör inkludera LancerTech, inte sant?"

"O, ja", sa receptionisten. "Definitivt." Hon lät lite sliten. Bakgrundsljud: personalprat, en kopieringsapparat, en annan telefon som ringde.

"Kan ni ge mig en snabbskiss?"

"Ja... vi, hm, vi bygger in säkerhetsaspekter i oljeriggar, stödfartyg..." Hon lät som om hon läste från en fusklapp. "Den sortens arbete." Rösten dog bort.

"Jag antecknar", sa Bibel-John till henne. "Om ni arbetar med säkerhetsfrågor förmodar jag att ni har kopplingar till RGIT?"

"O, ja. Vi samarbetar om flera projekt. Några av våra anställda är delvis baserade där."

Bibel-John strök under namnet Martin Davidson. Två gånger.
"Tack", sa han. "Adjö."

Två M Davidson i telefonkatalogen. En kunde vara en kvinna. Han kunde ringa, men det skulle vara att ge Uppkomlingen en förvarning... Vad skulle han göra med honom? Vad ville han göra med honom? Han hade påbörjat sin uppgift i ren ilska, men var nu samlad... och mycket nyfiken. Han kunde ringa polisen, ett anonymt tips, det var vad de väntade på. Men han visste nu att han inte skulle göra det. Vid en tidpunkt hade han trott att han helt enkelt kunde likvidera uslingen och återgå till sitt liv som förut, men det var helt enkelt inte möjligt. Uppkomlingen hade förändrat allt. Hans fingrar sökte sig till slipsen, kontrollerade knuten. Han drog loss pappret från anteckningsblocket och rev det i småbitar, som han lät fladdra ner i papperskorgen.

Han undrade om han borde ha stannat i Staterna. Nej, hemlängtan skulle alltid ha funnits där. Han kom ihåg en av de tidiga teorierna om honom – att han hade tillhört "Exclusive Brethren". Och i ett avseende hade han gjort det och gjorde det fortfarande. Och tänkte fortsätta att göra det.

Ett gott förstånd bereder ynnest, men de trolösas väg är alltid sig lik.

Så var det. Han undrade om han förstod Uppkomlingen. Han tvivlade på det, och var inte säker på att han ville förstå.

Sanningen var den, nu när han kommit så här långt, att han inte visste vad han ville.

Men han visste vad han behövde.

32

De kraschlandade på Arden Street vid frukostdags, ingen av dem kände precis för frukost. Rebus hade tagit över ratten i Dundee, så att Jack kunnat krypa in i baksätet en timme. Det var som att köra hem efter någon av hans helnätter, vägarna tysta, kaniner och fasaner på fälten. Den renaste tiden på dygnet, innan alla började stöka till igen.

Det låg post innanför lägenhetsdörren, och telefonsvararen var så full av meddelanden att den röda lampan knappt orkade blinka.

"Våga inte sticka någonstans", sa Jack innan han hasade in i gästrummet. Han lämnade dörren öppen. Rebus gjorde en mugg kaffe och sjönk sedan ner i stolen vid fönstret. Blåsorna på hans handleder såg ut som nässelfeber. I näsborrarna satt blodskorpor.

"Jaha", sa han till den uppvaknande världen, "det där gick så bra som man kunde ha väntat sig." Han slöt ögonen i fem minuter. Kaffet var kallt när han öppnade dem igen.

Telefonen ringde. Han hann svara före maskinen.

"Hallå?"

"Krim håller på att vakna. Det är som en Ray Harryhausen-film." Pete Hewitt från Howdenhall. "Alltså, jag borde inte göra det här, men strängt konfidentiellt…"

"Ja?"

"Alla de där proverna vi tog på dig – inget. Jag förmodar att de kommer att informera dig officiellt, men jag tyckte att jag skulle stilla dina farhågor."

"Om du ändå kunde det, Pete."

"Hård natt?"

"Ännu en som kommer att gå till hävderna. Tack, Pete."

"Adjö, kommissarien."

Rebus lade inte på luren, ringde Siobhan istället. Lyssnade på hennes telefonsvarare. Talade om för henne att han var hemma. Slog ännu ett hemnummer. Den här gången svar.

"Va?" Rösten omtöcknad.

"Godmorgon, Gill."

"John?"

"Pigg och glad. Hur gick det?"

"Jag talade med Malcolm Toal, han är god som guld – när han inte bankar huvudet i cellväggen, vill säga – men…"

"Men?"

"Men jag har lämnat allt vidare till knarkspanarna. De är ju trots allt experterna." Tystnad. "John? Jag är ledsen om du tycker att jag har svikit…"

"Du kan inte se mitt leende. Du har skött det alldeles rätt, Gill. Du kommer att få din del av äran, men låt dem göra grovjobbet. Du har lärt dig."

"Jag kanske har haft en god lärare."

Han skrattade tyst. "Nej, jag tror inte det."

"John… tack… för allt."

"Vill du veta en hemlighet?"

"Va?"

"Jag har slutat dricka."

"Bravo. Jag är verkligt imponerad. Vad hände?"

Jack kom lommande in i rummet, gäspade och kliade sig i huvudet.

"Jag har haft en god lärare", sa Rebus och lade på luren.

"Jag hörde telefonen", sa Jack. "Något kaffe på gång?"

"I kannan."

"Vill du ha?"

"Okej." Rebus gick ut i hallen och tog upp sin post. Ett kuvert var tjockare än de andra. Poststämplat i London. Han rev upp det medan han gick ut i köket. Det låg ett annat kuvert inuti, tjockt, med hans

namn och adress textat på. Där fanns också ett ensamt brevark. Rebus
slog sig ner vid bordet för att läsa det.

Det var från Lawson Geddes dotter.

*Min far lämnade efter sig bifogade kuvert med instruktioner om att det skulle skickas
vidare till dig. Jag har just kommit tillbaka från Lanzarote, efter att ha tvingats ordna
inte bara med begravningen utan också med försäljningen av mina föräldrars hus plus
sortering och bortflyttning av alla deras saker. Som du kanske minns var pappa lite av
en prylsamlare. Ledsen att det dröjt lite innan jag vidarebefordrar det här, men jag räk-
nar med att du förstår. Hoppas du och din familj mår bra.*

Hon hade skrivit under med Aileen Jarrold (född Geddes).

"Vad är det?" frågade Jack när Rebus rev upp det andra kuvertet.
Han läste de första raderna och såg sedan upp på Jack.

"Det är ett mycket långt självmordsbrev", sa han. "Från Lawson
Geddes."

Jack satte sig och de läste det tillsammans.

*John, jag sitter här i full förvissning om att jag står i begrepp att ta mitt liv: vi kallade
det alltid för den feges utväg, minns du det? Jag är inte längre så säker på det, men det
känns som om jag kanske är mer självisk än feg, självisk därför att jag vet att TV
undersöker Spaven igen – de har till och med skickat ett team hit till ön. Det här
handlar inte om Spaven, det handlar om Etta. Jag saknar henne, och jag vill vara hos
henne, även om livet efter detta bara består i att mina ben ligger bredvid hennes någon-
stans.*

Medan Rebus läste smälte åren bort igen. Han kunde höra Lawsons
röst, och se honom tåga in på stationen, eller marschera in på en pub
som om han ägde stället, med ett ord åt alla antingen han kände dem
eller inte... Jack reste sig och kom tillbaka med två muggar kaffe. De
läste vidare.

*Med Spaven död och mig ur vägen kommer TV-folket bara att ha dig att trakassera.
Jag tycker inte om att tänka på det – jag vet att du inte hade något med det att göra.
Så därför detta brev, efter alla dessa år, och kanske kommer det att förklara saker. Visa*

det för vem du vill. Det sägs att döende män inte ljuger, och kanske kommer de att acceptera att följande är sanningen sådan jag känner den.

Jag kände Lenny Spaven för länge sedan i Skotska gardet. Han råkade alltid i knipa och hamnade i buren eller till och med i militärfängelse ibland. Han skolkade också, och det var så han blev involverad med prästen. Spaven brukade gå i kyrkan på söndagar (jag säger "kyrkan" – på Borneo var det ett tält, hemma var det ett plåt-skjul). Men jag antar att en massa ställen kan vara kyrkor inför Gud. Jag kanske ska fråga när jag träffar honom. Det är trettio grader varmt och jag dricker eldvatten – den kära gamla whiskyn. Den smakar bättre än någonsin.

Rebus kände plötsligt den skarpa whiskysmaken längst bak i munnen: minnet spelar en spratt. Lawson brukade dricka Cutty Sark.

Spaven hjälpte prästen, lade ut psalmböcker på stolarna och räknade in dem efteråt. Du vet själv att det finns typer i armén som skulle sno en psalmbok lika gärna som någonting annat. Det var inte alltför många som gick regelbundet. Om läget blev vanskligt brukade ytterligare några själar dyka upp och be att det inte skulle vara de som blev inspikade i en låda vid pjäsens slut. Ja, som jag sa, Spaven levde ett latmans-liv. Jag hade inte mycket med honom att göra, eller med någon annan av kyrktyperna.

Grejen är, John, att det skedde ett mord – en prostituerad i närheten av vårt läger. En infödingsflicka från byn. Byborna skyllde på oss, och till och med gurkhas förstod att det sannolikt var en brittisk soldat. Det gjordes en utredning – civil och militär. Konstigt egentligen, jag menar, där for vi fram som jehun och dödade folk – det var det vi fick betalt för – och så fingranskade de ett enda mord. Hur som helst hittade de aldrig någon skyldig. Men saken är den att den där flickan blev strypt, och en av hennes sandaler återfanns aldrig.

Rebus vände blad.

Men, allt det där låg bakom mig. Jag var polis, tillbaka i Skottland och nöjd med min lott. Sedan blev jag indragen i Bibel-John-fallet. Du minns säkert att vi inte kände honom som "Bibel-John" förrän långt senare. Det var efter det tredje offret som vi fick beskrivningen av honom som en som citerade bibeln. Det var då tidningarna hittade på namnet. I alla fall, när jag tänkte på någon som citerade ur bibeln, en strypare och våldtäktsman, så kom jag ihåg Borneo. Jag gick till min chef och berättade alltihop för honom. Han sa att det var en vild chansning men att jag kunde följa spåret på min lediga tid om jag ville. Du känner mig, John, aldrig den som kunnat motstå en utmaning. Dessutom hade jag en genväg planerad – Lenny Spaven. Jag visste att han var tillbaka i Skottland, och han skulle ha info om alla som gick i kyrkan. Så jag tog kontakt med honom, men han hade gått från dålig till rutten och ville inte ha något med saken att göra. Jag är den envisa typen, och han beklagade sig över mig hos min chef. Det ledde till att jag blev tillsagd att lugna ner mig, men jag tänkte inte alls lugna ner mig. Jag visste vad jag ville: jag gissade att Lenny kunde ha fotografier från sin tid på Borneo, kanske på sig och resten av gänget. Jag ville visa dem för kvinnan som hade delat taxin med Bibel-John. Jag ville se om hon kände igen någon. Men den satans Spaven envisades med att stå i vägen för mig. Till sist lyckades jag få tag i några foton – gick den långa vägen, talade med armén först, spårade sedan upp prästen från den gången. Det tog veckor.

Rebus tittade på Jack. "Fotografierna som Ancram visade oss." Jack nickade.

Vi visade fotografierna för ögonvittnet. Kom ihåg att de var åtta eller nio år gamla, och inte särskilt bra från början, några av dem vattenskadade. Hon sa att hon inte kunde vara säker, hon tyckte att en av dem "var lik honom"– hennes ord. Men som min chef sa, det fanns hundratals män där ute i den stora vida världen som hade en fysisk likhet med mördaren: vi hade förhört de flesta av dem. Men det räckte inte för mig. Jag fick fram mannens namn, han hette Ray Sloane – ett nog så ovanligt namn, och det var inte svårt att spåra honom. Det var bara det att han hade stuckit. Han hade bott i en etta i Ayr och arbetat som verktygsmakare. Men han hade nyligen sagt upp sig och flyttat, ingen visste vart. Jag var övertygad om att han kunde vara mannen vi letade efter, men jag lyckades inte få min chef att satsa allt på att hitta honom.

Du förstår, John, den där förseningen medan jag hade att göra med armén, den var Spavens fel. Hade han hjälpt till skulle jag ha varit Sloane på spåret innan han haft en chans att packa och sticka. Jag vet det, jag känner det. Jag kunde kanske tagit honom. Istället hade jag bara min vrede och frustration, som jag båda gav offentligt uttryck åt. Chefen sparkade mig från utredningen, och så var det med det.

"Ditt kaffe blir kallt", sa Jack. Rebus tog en klunk och vände blad igen.

Eller var det i varje fall tills Spaven kom tillbaka in i mitt liv, flyttade till Edinburgh ungefär samtidigt som jag. Det var som om han hängde efter mig, och jag kunde inte förlåta det han hade gjort. Mitt förakt för honom tilltog med åren. Det var därför jag ville sätta dit honom för mordet på Elsie Rhind. Jag medger det, för dig och för varje annan person som läser det här, önskan att sätta dit honom var som en hård boll i magen, någonting som bara kunde opereras bort. När jag blev tillsagd att lämna honom ifred, så gjorde jag inte det. När jag blev tillsagd att styra bort från honom, styrde jag närmare. Jag skuggade honom – på min lediga tid – jag följde efter honom varje dag och varje natt. Det kunde gå tre dygn utan att jag sov. Men det var det värt när jag såg honom bege sig till det där garaget, ett ställe vi inte kände till. Jag var jublande glad, extatisk. Jag visste inte vad vi skulle hitta där inne, men jag kände att vi skulle hitta någonting. Det var därför jag kom rusande hem till dig, därför jag släpade med dig dit. Du frågade mig om en husrannsakningsorder, och jag sa åt dig att inte vara dum. Jag utsatte dig för hårt tryck, använde vår långa vänskap som utpressning – jag var febrig, jag skulle ha gjort vad som helst, och i det ingick förvisso att bryta mot regler jag nu såg som någonting som var till för att straffa polisen och skydda brottslingarna. Så vi gick in, och hittade massor av lådor, allt det där stöldgodset från fabriksjobbet i Queensferry. Plus väskan. Elsie Rhinds, som det visade sig. Jag nästan sjönk ner på knä och tackade Gud för att jag hittat den.

Jag vet vad en massa människor tänkte – du med. De trodde att jag hade planterat den där. Men jag svär på min dödsbädd (utom att jag skriver det här vid bordet) att jag inte gjorde det. Jag hittade den öppet och ärligt, även om jag bröt mot reglerna för att kunna göra det. Men det där viktiga beviset skulle ha förklarats icke godtagbart på grund av det sätt vi funnit det på, vilket är skälet till att jag – mot ditt bättre vetande – övertalade dig att hålla fast vid den historia som jag hittat på. Ångrar jag det? Ja och nej. Det kan inte vara så roligt för dig just nu, John, och det kan inte ha varit trevligt att leva med alla de här åren. Men vi fick mördaren, och som jag ser det – och jag har ägnat Gud vet hur lång tid åt att tänka på det, återuppleva det, gå igenom vad jag gjorde – är det det som verkligen räknas.

John, jag hoppas att allt ståhej lägger sig. Spaven är inte värd det. Ingen ägnar många tankar åt Elsie Rhind, eller hur? Offret kan aldrig vinna. Säg att det var för Elsie Rhinds skull. Att en skurk kan skriva gör honom inte till mindre skurk. Jag läste att kommendanterna i koncentrationslägren brukade lägga upp fötterna på kvällen och läsa klassikerna medan de lyssnade till lite Beethoven. Monster kan göra det. Jag vet det nu. Jag vet det på grund av Lenny Spaven.

Din vän Lawson.

Jack klappade Rebus på ryggen. "Han har just rentvått dig, John. Vifta med det här framför ansiktet på Ancram och saken är klar."

Rebus nickade och önskade att han kunnat känna lättnad, eller någon annan förnuftig känsla.

"Vad är det?" frågade Jack.

Rebus knackade på papppret. "Det här", sa han. "Jag menar, det mesta av det stämmer säkert, men det är ändå lögn."

"Va?"

Rebus tittade på honom. "Det vi hittade i garaget... jag såg det i Elsie Rhinds hus första gången vi var där. Lawson måste ha snott det senare."

Jack såg oförstående ut. "Är du säker?"

Rebus for upp på fötter. "Nej, jag är inte säker, och det är det jävligaste av allt! Jag kommer aldrig att bli säker."

"Det är tjugo år sedan, minnet kan svika dig."

"Jag vet. Och inte ens då var jag hundraprocentigt säker på att jag hade sett dem förut – jag kanske såg en annan väska, en annan hatt. Jag åkte hem till hennes lägenhet, tog mig en andra titt. Detta var när vi hade Spaven i häkte. Jag tittade efter hatten och väskan som jag hade sett där... och de var borta. Äh, fan, jag kanske aldrig såg dem, bara trodde att jag gjorde det. Det ändrar inte det faktum att jag *tror* att jag såg dem. Jag *tror* att det gillrades en fälla för Lenny Spaven, och jag har alltid trott det... och jag har aldrig gjort någonting åt det." Han satte sig ner igen. "Har aldrig ens berättat för någon förrän nu." Han försökte lyfta sin mugg, men handen skakade. "Delirium", sa han och tvingade fram ett leende.

Jack var tankfull. "Spelar det någon roll?" sa han till sist.

"Du menar om jag har rätt eller inte? Fan, Jack, jag vet inte." Rebus gnuggade sig i ögonen. "Det var så längesedan. Spelar det någon roll om mördaren gick fri? Även om jag hade trätt fram den gången, så skulle det kanske ha friat Spaven, men det skulle inte ha gett oss den verklige mördaren, eller hur?" Han släppte ut ett andetag. "Det har snurrat i min skalle alla de här åren. Skivan är nästan utsliten."

"Dags att köpa en ny?"

Rebus log på riktigt den här gången. "Du har kanske rätt."

"En sak begriper jag inte... varför förklarade inte Spaven själv någonting av det här? Jag menar, han berör det aldrig i sin bok. Han kunde bara ha talat om varför Geddes var förbannad på honom."

Rebus ryckte på axlarna. "Se på Weir och hans dotter."

"Du menar att det var personligt?"

"Jag vet inte, Jack."

Jack tog upp brevet, vände på sidorna. "Men intressant med Borneobilderna. Ancram trodde att de hade relevans därför att de visade Spaven. Nu vet vi att det var den här killen Sloane som Geddes var ute efter." Jack tittade på klockan. "Vi borde sticka över till Fettes och visa det här för Ancram."

Rebus nickade. "Okej. Men först vill jag ha en kopia på Lawsons brev. Som du sa, Jack, det är möjligt att jag inte tror på det, men det finns här svart på vitt." Han tittade upp på sin vän. "Vilket bör räcka för *Lag och rätt*."

Ancram såg ut som om han borde ha varit utrustad med tryckventil. Han var så arg att han nästan svängt varvet runt till stiltje. Rösten var som den första rökstrimman från en sovande vulkan.

"Vad är det?"

Rebus försökte ge honom ett dubbelvikt papper. De befann sig i Ancrams rum. Ancram satt, Rebus och Jack stod.

"Titta själv", sa Rebus.

Ancram stirrade på honom, vek sedan upp pappret.

"Det är ett läkarintyg", förklarade Rebus. "Fyrtioåtta timmars magbacill. Doktor Curt sa mycket tydligt ifrån att jag skulle isolera mig. Han sa att det kunde smitta."

När Ancram talade var rösten lite mer än en viskning. "Sedan när skriver rättsläkare ut sjukintyg?"

"Ni har inte sett köerna på min vårdcentral."

Ancram kramade ihop pappret till en boll.

"Det är daterat och allt", sa Rebus. Naturligtvis var det så: Doktor Curt hade varit den siste de besökt innan de kört norrut med Eve.

"Håll käften, sitt ner och lyssna på mig medan jag talar om för er varför ni är föremål för en officiell reprimand. Och tro inte att en reprimand kommer att vara slutet på historien."

"Ni borde kanske läsa det här först", sa Jack och lämnade över Geddes brev.

"Vad är det?"

"Inte så mycket slutet på historien", talade Rebus om för honom, "snarare pudelns kärna. Medan ni smälter det skulle jag kanske kunna få bläddra igenom pärmarna."

"Varför?"

"De där Borneobilderna, jag skulle vilja ta mig en titt till."

Efter de första meningarna i Lawson Geddes bekännelse var Ancram fast. Rebus skulle osedd ha kunnat promenera iväg med pärmarna under armen. Men istället skakade han ut fotografierna ur kuvertet och gick igenom dem, tittade på baksidan på vart och ett efter identifieran-de namn.

På ett foto var trean från vänster benämnd menige R Sloane. Rebus stirrade på ansiktet. Aningen suddigt, av vattenskada och ålder. En ung man, knappt mer än en tonåring, leendet lite snett, kanske beroende på tänderna.

Bibel-John hade enligt ögonvittnet en tand som satt snett över en annan.

Rebus skakade på huvudet. Det var verkligen att tänja på bevis-materialet, och det hade Lawson Geddes gjort så att det räckte för dem båda. Utan att veta riktigt varför, och först med en blick på Ancram för att förvissa sig om att denne fortfarande var fördjupad i brevet, lät Rebus fotografiet glida ner i fickan.

"Jaha", sa Ancram till sist, "det här måste uppenbarligen diskuteras."

"Uppenbarligen. Så det blir väl ingen utfrågning i dag?"

"Bara ett par frågor. För det första, vad i helvete har hänt med er näsa och tand?"

"Jag kom för nära en knytnäve. Någonting mer, sir?"

"Ja, vad i helvete har ni gjort med Jack?"

Rebus vände sig om och såg vad Ancram menade: Jack tungt sovan-de på en stol vid väggen.

"Jaha", sa Jack, "det här är den stora utmaningen."

De hade kommit till Oxford Bar, bara för att ha någonstans att vara.

Rebus beställde två glas apelsinjuice och vände sig sedan till Jack. "Vill du ha lite frukost?" Jack nickade. "Och fyra påsar chips, vilken smak som helst", sa Rebus till barflickan.

De höjde sina glas, sa "Skål" och drack.

"Sugen på en cigg?" frågade Jack.

"Jag skulle kunna döda för en", sa Rebus och skrattade.

"Och", sa Jack, "vad har åstadkommits?"

"Beror på hur man ser det", sa Rebus. Han hade frågat sig själv samma sak. Kanske skulle narkotikaspanarna haffa hela knarkgänget: Farbror Joe, Fuller, Stemmons. Kanske skulle Fuller innan det hände ha gjort någonting åt Ludovic Lumsden och Hayden Fletcher. Kanske. Hayden Fletcher var stamgäst på Burke's. Han träffade Tony El där, kanske till och med köpte nästalk av honom. Fletcher var kanske typen som gillade att umgås med gangsters – det fanns folk som var sådana. Såg att majoren var bekymrad och fick veta att Allan Mitchison var problemet... det skulle ha varit lätt att dryfta det med Tony El, och för Tony El att se chansen till lättförtjänta slantar... Kanske gav major Weir själv order om Mitchs död. Ja, han skulle säkerligen få sitt straff, det skulle hans dotter se till. Och hade Tony El egentligen någonsin tänkt döda Mitch? Inte ens det kunde Rebus vara säker på. Kanske skulle han i sista minuten ha dragit bort påsen från Mitchs huvud. Sedan skulle han kanske ha sagt åt honom att glömma allt om T-Bird Oil.

Det tycktes ingå i ett större mönster, olyckor som formerade sig till en associationsdans. Fäder och döttrar, fäder och söner, trolöshet, de illusioner vi ibland kallar minne. Gamla synder som kom tillbaka, eller gottgjordes genom falsk bikt. Kroppar kringströdda genom åren, mestadels glömda utom av gärningsmännen. Historien som möglade, eller bleknade bort som gamla fotografier. Slut... utan rim och reson. De bara hände. Man dog, eller försvann och glömdes bort. Man blev ett namn på baksidan av ett gammalt fotografi, och ibland inte ens det.

Jethro Tull: "Living in the Past". Rebus hade alldeles för länge varit slav under den rytmen. Det var arbetet som gjorde det. Som polis levde han i människors förflutna: brott begångna innan han kom till platsen, vittnens minnen rannsakade. Han hade blivit historiker, och rollen hade blött in i hans privatliv. Spöken, mardrömmar, ekon.

Men nu hade han kanske en chans. Se på Jack: han hade uppfunnit sig själv på nytt. Goda nyheter.

Telefonen ringde. Barflickan svarade och nickade till Rebus. Han tog luren.

"Hallå?"

"Jag försökte med ditt första hem, bestämde mig sedan för att försöka med ditt andra hem."

Siobhan. Rebus rätade på sig.

"Vad fick du fram?"

"Ett namn: Martin Davidson. Bodde på Fairmounts tre veckor före mordet på Judith Cairns. Rummet debiterat på hans arbetsgivare, en firma som heter LancerTech, som i teknisk support. Baserad i Altens, strax utanför Aberdeen. De planerar in säkerhetselement i plattforms-utrustning, den sortens arbete."

"Har du pratat med dem?"

"Så fort jag fick hans namn. Var inte orolig, jag nämnde honom inte. Jag bara ställde några allmänna frågor. Receptionisten sa att jag var den andra på två dagar som frågade henne om samma sak."

"Vem var den andra personen?"

"Handelskammaren", sa hon. De var tysta ett ögonblick.

"Och Davidson stämmer med Robert Gordon's?"

"Han höll i några seminarier tidigare i år. Hans namn fanns med på personallistan."

En solid koppling. Rebus kände den som ett knytnävsslag. Hans knogar vitnade om luren.

"Det finns mer", sa Siobhan. "Du vet hur företag ibland är trogna en hotellkedja? Fairmont har ett systerhotell här. Martin Davidson från LancerTech fanns i stan natten när Angie Riddell blev dödad."

Rebus såg hennes bild framför sig: Angie. Hoppades att hon gjorde sig redo för vila.

"Siobhan, du är ett geni. Har du berättat för någon annan?"

"Du är den förste. Det var ju faktiskt du som gav mig tipset."

"Jag gav dig en ledtråd, det var allt. Det var inte säkert det skulle ge något. Det här är din grej. Gå nu med den till Gill Templer – hon är din chef – berätta det som du just har berättat för mig, låt henne föra det vidare till Johnny Bibel-teamet. Håll dig till spelreglerna."

"Det är han, eller hur?"

"Vidarebefordra nyheten och se till att du får äran. Sedan avvaktar vi. Okej?"

"Ja, sir."

Han lade på, berättade för Jack vad hon just berättat för honom. Sedan stod de bara där och drack sin juice, stirrande in i spegeln bakom baren. Först lugnt, sedan med allt större upphetsning. Rebus var den förste som sa vad de båda kände.

"Vi måste vara där, Jack. *Jag* måste vara där."

Jack såg på honom, nickade. "Din eller min tur att köra?"

33

Telefonkatalogen hade två Martin Davidson i Aberdeen. Men fredag eftermiddag var han antagligen kvar på jobbet.

"Betyder inte att vi kommer att hitta honom i Altens", sa Jack.

"Vi kör dit i alla fall." Praktiskt taget enda tanken i Rebus huvud under hela körningen: han *måste* se Martin Davidson, inte nödvändigtvis tala med honom, bara se honom. Ögonkontakt: Rebus ville ha *det* minnet.

"Han kan jobba på OSC, eller var som helst för den delen", fortsatte Jack. "Han kanske inte ens är i Aberdeen."

"Vi kör dit i alla fall", upprepade Rebus.

Altens industriområde låg söder om stan, markerat med en skylt från A92. De hittade en karta vid infarten till området och slingrade sig med hjälp av den fram mot LTS – Lancer Technical Support. På ett ställe var det trafikstockning, bilar blockerade vägen, ingen kom någonstans. Rebus klev ur för att ta sig en titt, och nästan önskade att han inte gjort det. Det var polisbilar, omarkerade men med avslöjande atmosfäriska störningar från radioutrustningen. Siobhan hade vidarebefordrat informationen, och någon hade handlat snabbt.

En man närmade sig Rebus. "Vad i helvete gör du här?"

Rebus ryckte på axlarna, händerna i fickorna. "Informell observatör?"

Överkommissarie Grogans ögon smalnade. Men han hade tankarna på annat. Han hade varken tid eller lust att bråka.

"Är han där inne?" frågade Rebus och nickade mot LTS-huset, en typisk industribyggnad av fönsterlös, vit korrugerad plåt.

Grogan skakade på huvudet. "Vi kom ångande hit ner och nu verkar det som om han inte har varit här i dag."

Rebus rynkade pannan. "Ledig?"

"Inte officiellt. Växeln har sökt honom hemma, inget svar."

"Är det dit ni är på väg?"

Grogan nickade.

Rebus frågade inte om de kunde hänga med. Grogan skulle bara säga nej. Men ingen skulle märka en extra bil längst bak när konvojen väl satt sig i rörelse.

Han gick tillbaka till deras Peugeot och berättade vad han fått veta, medan Jack backade och hittade en undanskymd plats att parkera på. De såg polisbilarna utföra vändningsmanövrer i tre steg och köra tillbaka ut från området. Sedan lade de sig bakom det sista fordonet.

De körde norrut över Dee och längs Anderson Drive, passerade flera byggnader tillhörande Robert Gordon-universitetet och ett antal oljebolags huvudkontor. Till sist styrde de bort från Anderson Drive, förbi Summerhill Academy och in i en labyrint av förortsgator med grönområden bakom.

Ett par av bilarna lämnade konvojen, antagligen för att köra runt och nå Davidsons hus från andra hållet, stänga inne honom. Bromsljus tändes, bilarna stannade mitt på gatan. Dörrar öppnades, poliser dök upp. Snabba överläggningar, Grogan delade ut order, pekade till höger och vänster. Flertalet ögon var riktade mot ett hus med fördragna gardiner.

"Tror du han har stuckit?" frågade Jack.

"Låt oss ta reda på den saken." Rebus knäppte upp säkerhetsbältet och öppnade dörren.

Grogan skickade män till grannhusen, en del för att ställa frågor, en del för att slinka ut köksvägen och arbeta sig runt till baksidan av den misstänktes hus.

"Hoppas inte det här är förspilld möda", muttrade Grogan. Han såg Rebus, men fortfarande utan att egentligen registrera hans närvaro.

"Män på plats, sir."

Folk hade kommit ut ur sina hus, undrade vad som pågick. Rebus kunde höra den avlägsna bjällerklangen från en glassbil.

"Beväpnad enhet håller sig redo."

"Jag tror inte vi kommer att behöva dem."

"Utmärkt, sir."

Grogan snörvlade, drog ett finger under näsan och valde sedan ut två man till att följa med fram till den misstänktes dörr. Han tryckte på ringklockan, och alla höll andan medan de väntade. Grogan ringde igen.

"Vad kan de se på baksidan?"

En av Grogans män frågade via radio. "Gardiner fördragna uppe och nere, inga livstecken."

Precis som på framsidan.

"Ring en fredsdomare och säg att vi behöver ett tillstånd."

"Ska bli, sir."

"Och använd under tiden en slägga till den förbannade dörren."

Mannen nickade, vinkade och bakluckan på en bil öppnades. Inuti var det som i en byggmästarbil. Ut kom släggan. Tre slag och dörren var öppen. Tio sekunder senare hördes rop på ambulans. Tio sekunder efter det var det någon som föreslog en likvagn istället.

Jack var en bra polis: bagageutrymmet i *hans* bil innehöll brottsplatsutrustning, inklusive galoscher och handskar och det slags heltäckande plastoveraller som fick en att se ut som en vandrande kondom. Polismän tvingades stanna utanför huset för att inte smutsa ner på brottsplatsen. De trängdes i dörröppningen, försökte se så mycket som möjligt. När Rebus och Jack klev fram kände ingen igen dem, tog dem därför för tekniker. Hopen delade på sig ett ögonblick, och båda var inne.

Reglerna kring nersmutsning tycktes inte gälla överordnade poliser och deras lakejer: Grogan stod i vardagsrummet, med händerna i fickorna, och studerade scenen. En ung mans kropp låg i den svarta skinnsoffan. Det ljusa håret hade tovat ihop sig över ett djupt sår. Mer blod hade torkat på hans ansikte och hals. Där fanns spår av strid: soffbordet av glas och krom låg omkullvält, hopknycklade tidningar på golvet. En svart skinnjacka hade slängts över mannens bröst, en vänlig gest efter blodsutgjutelsen. När Rebus gick närmare såg han märken på halsen, synliga under blodränderna. På golvet framför kroppen stod en stor grön bag, en sådan man tog med till gymmet eller på en weekendtripp. Rebus kikade inuti, såg en ryggsäck, en ensam sko, Angie Riddells halsband... och en bit plastklädd tvättlina.

"Jag tror vi kan utesluta självmord", muttrade Grogan.

"Slagen medvetslös, sedan strypt", gissade Rebus.

"Tror du att det är han?"

"Bagen står inte där bara för skojs skull. Den som gjorde det här visste vem han var, och ville att vi också skulle veta."

"En medbrottsling?" frågade Grogan. "En kompis, någon han pratat med?"

Rebus ryckte på axlarna igen. Han var inriktad på likets ansikte, kände sig lurad av det: de slutna ögonen, lugnet. *Jag har kommit hela den här vägen för din skull, din djävel...* Han tog ett steg närmare, lyfte upp jackan några centimeter och kikade under. En svart sko hade stuckits in i Martin Davidsons vänstra armhåla.

"Åh, herregud", sa Rebus och vände sig mot Grogan och Jack. "Bibel-John har gjort det." Han såg tvivel blandat med skräck i deras ansikten. Rebus lyfte jackan lite högre så att de kunde se skon. "Han har varit här hela tiden", sa han. "Han gav sig aldrig av..."

Brottsplatsteamet gjorde sitt, fotograferade och videofilmade, lade viktiga bevis i påsar och tejpade ihop. Rättsläkaren undersökte kroppen, sa sedan att den kunde flyttas och föras till bårhuset. Det fanns journalister utanför, som hölls på avstånd av polisens avspärrning. När teknikerna var klara på övervåningen tog Grogan med sig Rebus och Jack dit upp för en titt. Han tycktes inte ha något emot att de var där, skulle antagligen inte haft något emot att ha Jack Uppskäraren själv som publik: Grogan var mannen som skulle synas i TV i kväll, mannen som fångat Johnny Bibel. Utom att han förstås inte hade gjort det – någon hade hunnit före.

"Berätta igen", sa Grogan när de gick uppför trappan.

"Bibel-John tog souvenirer – skor, kläder, handväskor. Men han placerade också en dambinda i vänster armhåla. Det där nere... det var han som lät oss veta vem som har gjort det här."

Grogan skakade på huvudet. Än var han inte övertygad. Under tiden hade han saker att visa dem. Det stora sovrummet var en sådan sak, men under sängen fanns kartonger med tidningar och videofilmer – sado-masochistisk hårdporr, liknande den som funnits i Tony Els rum, text på engelska och flera andra språk. Rebus undrade om det var någon av de amerikanska ligorna som fört in det till Aberdeen.

Det fanns ett litet gästrum med hänglås. Öppnat med bräckjärn motbevisade det en teori. Några kriminalare hade undrat om Johnny Bibel lurade dem – dödade en oskyldig och lät honom framstå som mördaren. Gästrummet talade om att Martin Davidson var Johnny Bibel. Det hade förvandlats till en helgedom tillägnad Bibel-John och andra mördare: dussintals album, tidningsklipp och fotografier fästa med knappnålar på de korktavlor som klädde väggarna, videodoku-mentärer om seriemördare, pocketböcker, fulla med kommentarer, och mitt i alltihop en förstoring av ett av flygbladen med Bibel-John: ansiktet nästan log, ett vänligt ansikte, och ovanför det samma funda-mentala fråga: Har du sett den här mannen?

Rebus hade så när svarat ja. Det var någonting med ansiktets form, han hade sett det förut... någonstans för inte så länge sedan. Han tog fram Borneofotografiet ur fickan, tittade på Ray Sloane och sedan på affischen igen. De var mycket lika. Men det var inte den likheten som irriterade Rebus. Det var någonting annat, *någon* annan...

Sedan frågade Jack honom någonting från dörren, och Rebus tap-pade det.

De följde med de andra tillbaka till Queen Street. Rebus och Jack hade blivit en del av teamet. Det rådde stillsam segeryra, dämpad av vetskapen om att en annan mördare fanns mitt ibland dem. Men som minst en polisman uttryckte det: "Om han fixade den där djävlen, så borde vi tacka honom."

Vilket, gissade Rebus, skulle vara den reaktion Bibel-John hoppades på. Han skulle hoppas att de inte tänkte anstränga sig alltför mycket för att hitta honom. *Om* han kommit ut från sin undangömda vrå, så hade det bara varit i ett enda syfte – att döda sin imitatör. Johnny Bibel hade lagt beslag på berömmelsen, tagit ifrån sin föregångare hans bedrift. Nu hade hämnden kommit.

Rebus satt inne på krims kontor, stirrade tomt framför sig och tänkte. När någon gav honom en mugg lyfte han den till munnen. Men hejdades av Jacks hand.

"Det är whisky", varnade han. Rebus tittade ner, såg den ljuva vätskan med samma färg som honung, stirrade på den ett ögonblick, ställde sedan ifrån sig muggen på skrivbordet. Det hördes skratt i rummet, hurrarop och sång, som fotbollspubliken efter ett bra resultat: samma sånger, samma mässande.

"John", sa Jack, "tänk på Lawson." Det lät som en varning.

"Vad är det med honom?"

"Han blev besatt."

Rebus skakade på huvudet. "Det här är annorlunda. Jag *vet* att det var Bibel-John."

"Och om det var det?"

Rebus skakade långsamt på huvudet. "Kom igen, Jack. Efter allt jag har berättat för dig? Efter Spaven och allting annat? Du vet bättre än att fråga så."

Grogan vinkade Rebus till telefonen. Leende, och med whiskydoftande andedräkt, gav han luren till Rebus.

"Någon vill prata med dig."

"Hallå?"

"Vad i herrans namn gör *du* där?"

"Åh, hej, Gill. Grattis, verkar som om allting ordnar sig för en gångs skull."

Hon smälte lite. "Siobhans verk, inte mitt. Jag bara vidarebefordrade informationen."

"Se till att det blir dokumenterat."

"Jag ska."

"Vi får prata sedan."

"John… när kommer du tillbaka?" Inte vad hon hade velat fråga.

"I kväll, kanske i morgon."

"Okej." Hon gjorde en paus. "Vi ses."

"Har du lust att hitta på något på söndag?"

Hon lät överraskad av frågan. "Som vad?"

"Jag vet inte. En biltur, en promenad, någonstans vid kusten?"

"Ja, okej."

"Jag ringer. Hej då, Gill."

"Hej."

Grogan fyllde på en mugg. Där fanns minst ett par lådor whisky, och tre backar öl.

"Var får ni det här ifrån?" frågade Rebus.

Grogan log. "Äh, du vet."

"Pubar? Klubbar? Ställen som står i tacksamhetsskuld till er?"

Grogan bara blinkade. Fler poliser strömmade till – uniformerade, civilklädda, till och med folk som såg ut att vara lediga: alla hade hört det, och alla ville vara med och fira. Höjdarna såg strama ut men log, avböjde påfyllning.

"Ludovic Lumsden kanske skaffar det åt er?"

Grogans ansikte blev skrynkligt. "Jag vet att du tror att han lurade dig, men Ludo är en bra polis."

"Var är han?"

Grogan såg sig omkring. "Ingen aning."

Faktum var att ingen visste var Lumsden fanns. Han hade inte synts till på hela dagen. Någon hade ringt hem till honom men bara fått telefonsvararen på tråden. Hans personsökare var på, men han hörde inte av sig. En polisbil som tog en omväg förbi hans hus hittade inget spår av honom, fastän hans bil stod utanför. Rebus fick en idé och gick ner till ledningscentralen. Där fanns det folk som arbetade – tog emot inkommande samtal, höll kommunikationen öppen med polisbilar och patrullerande poliser. Men de hade en egen whiskyflaska, och plastmuggar som gick runt. Rebus frågade om han kunde få se dagens anmälningar.

Han behövde bara gå en timme tillbaka. Ett samtal från en mrs Fletcher, som anmälde sin man saknad. Han hade kört till jobbet på morgonen som vanligt, men inte kommit fram, och inte kommit hem sedan dess. Rapporten innehöll detaljer om hans bil och ett kort signalement. Polisbilar hade blivit anmodade att hålla utkik. Om ytterligare tolv timmar eller så skulle de börja jobba mer seriöst på det.

Den försvunne makens förnamn: Hayden.

Rebus kom ihåg hur Judd Fuller talat om att dumpa kroppar till havs, eller på land, ställen där de aldrig skulle hittas, eftersom ingen någonsin var där. Han undrade om det skulle bli Lumsdens och Fletchers öde... Nej, han kunde inte göra det. Han skrev ett meddelande på baksidan av en av rapporterna och gav det till chefsoperatören, som läste det tyst innan han sträckte sig efter mikrofonen.

"Bil i närheten av stadskärnan, till College Street, Burke's Club. Grip Judd Fuller, delägare, och ta honom till Queen Street för förhör." Operatören vände sig till Rebus, som nickade. "Och kolla källaren", fortsatte han. "Personer kan befinna sig där mot sin vilja."

"Var god repetera", sa en polisbil. Meddelandet repeterades. Rebus gick tillbaka upp.

Trots festen utfördes fortfarande visst arbete. Rebus såg Jack manövrera in en av sekreterarna i ett hörn, jobba hårt på att snacka in sig hos henne. Bredvid dem satt ett par poliser och ringde i telefon. Rebus lyfte en ledig lur, ringde till Gill.

"Det är jag."

"Vad har hänt?"

"Inget. Du, vidarebefordrade du allt om Toal och Aberdeen till narkotikaspanarna?"

"Ja."

"Vem är din kontakt där?"

"Varför?"

"Därför att vem det än är, så har jag en hälsning till dem. Jag tror att Judd Fuller har haffat kriminalinspektör Ludovic Lumsden och en man som heter Hayden Fletcher, och tänker se till att de inte syns igen."

"Va?"

"En polisbil har kört till klubben, Gud vet vad de kommer att hitta, men knarkspanarna bör hålla ett öga på det. Om man hittar dem kommer de att föras till Queen Street. Narkotikapolisen kan vilja ha någon på plats."

"Jag ska ordna det. Tack, John."

"Ingen orsak."

Jag har börjat bli blödig på gamla dar, tänkte han. Eller så kanske jag bara har hittat mitt samvete igen.

Han promenerade runt, ställde samma fråga till några festglada och fick till sist oljekontaktmannen kommissarie Jenkins utpekad för sig. Rebus ville bara titta på honom. Hans namn nämndes i Stanleys bekännelse, tillsammans med Lumsden. Knarkspanarna skulle vilja tala med honom. Han log, såg obekymrad ut, solbränd och utvilad efter semestern. Det värmde Rebus att tänka på att karln snart skulle svettas i en internutredning.

Han kanske inte var så blödig i alla fall.

Han gick fram till de arbetande poliserna, tittade över axeln på dem. De höll på med det inledande arbetet kring mordet på Martin Davidson, kollade information från grannar och arbetsgivare, försökte hitta en närmast anhörig, samtidigt som de försökte mota bort media.

En av dem slängde på luren och hade plötsligt ett brett leende i ansiktet. Han sträckte sig efter sin mugg med whisky och tömde den.

"Något intressant?" frågade Rebus.

En boll av hopskrynklat papper träffade polismannen i huvudet. Skrattande kastade han tillbaka den.

"En granne kom hem från nattskiftet", sa han. "En bil blockerade hans infart. Blev tvungen att parkera på gatan. Säger att han inte hade sett bilen förut och tog sig en ordentlig titt så att han skulle känna igen den. Vaknade vid lunchtid, och den var borta. Blå metallic BMW, 5-serien. Han kom till och med ihåg en del av numret."

"Åh, fan!"

Polismannen sträckte sig efter sin telefon. "Bör inte ta alltför lång stund."

"Det är nog säkrast det", svarade Rebus, "för annars lär överkommissarie Grogan inte vara nykter nog att registrera det."

34

Grogan fångade in Rebus i korridoren, lade en arm om honom. Slipsen var borta och de två översta knapparna i skjortan uppknäppta, blottade tofsar av grått hår. Han hade dansat en jigg med ett par kvinnliga poliser och svettades ymnigt. Skiftet hade bytts ut, eller snarare, ett nytt skift hade gått på medan det gamla stannade kvar. Det förekom en del prat om pubar och restauranger, nattklubbar och bowlinghallar, men ingen tycktes gå, och det blev allmänna applåder när en indisk restaurang i närheten levererade kartonger och påsar fulla med mat – genom vänligt tillmötesgående från höjdarna, som vid det laget faktiskt *hade* lämnat platsen. Rebus hade försett sig med *pakora*, *keema nan* och *chicken tikka*, medan en kriminalare försökte förklara för en annan varför hans yttrande "Bhajis, vi behöver inga *steenking* bhajis" var ett skämt.

Att döma av Grogans andhämtning hade han inte tagit någon matpaus. "Min lille låglandspojk", sa han. "Hur har du det? Njuter du av vår gästfrihet här uppe på höglandet?"

"Det är ett präktigt kalas."

"Så varför detta ansikte som en tistel?"

Rebus ryckte på axlarna. "Det har varit en lång dag." Och en lång natt före den, kunde han ha tillagt.

Grogan klappade honom på ryggen. "Du är välkommen tillbaka när du vill, precis när du vill." Grogan satte kurs mot toaletterna, stannade och vände sig om. "Har Ludo synts till?"

"Han ligger på Citysjukhuset, i sängen bredvid en karl som heter Hayden Fletcher."

"Va?"

"Det finns en narkotikapolis i salen också, som väntar på att de ska vakna och lämna sina redogörelser. Så ren är Lumsden. På tiden att du blir medveten om fakta."

Rebus gick ner till förhörsrummen, öppnade dörren till det där *han* hade blivit förhörd. Där inne fanns ytterligare två knarkspanare. Och vid bordet Judd Fuller med en cigarrett. Rebus hade varit nere en gång tidigare, bara för att titta, och för att förklara för poliserna vad som hänt, hänvisat dem till Gills band och anteckningar.

"Godkväll, Judd", sa Rebus nu.

"Känner jag dig?"

Rebus gick fram till honom. "Din dumme fan, du lät mig komma undan men fortsatte ändå att använda källaren." Han skakade på huvudet. "Erik kommer att bli besviken."

"Åt helvete med Erik."

Rebus nickade. "Så nu gäller det att rädda sitt eget skinn, va?"

"Se till att få det undanstökat."

"Vad då?"

"Varför du är här." Fuller tittade upp på honom. "Vill du ha in en gratisträff på mig, så är detta den enda chans du kommer att få. Så gör det ordentligt."

"Jag har inget behov av att klippa till dig, Judd." Rebus flinade och visade sin förkrympta tand.

"Då är du feg."

Rebus skakade långsamt på huvudet. "Jag var det förr, men inte nu längre."

Han vände ryggen till och gick.

Uppe på krim var festen i full gång. En kassettspelare hade installerats, dragspelsreel på för hög volym. Bara två par dansade, och inte särskilt bra: det fanns knappast utrymme mellan skrivborden för professionella folkdansentusiaster. Tre eller fyra kroppar låg hopsjunkna vid sina skrivbord, huvudena på armarna. Någon annan låg raklång på golvet. Rebus räknade till nio tomma whiskyflaskor, och någon hade skickats ut efter fler backar öl. Jack pratade fortfarande med sekreteraren, hans kinder var röda av hettan i rummet. Stället började lukta som ett omklädningsrum efter matchen.

Rebus gick runt i rummet. Väggarna var fortfarande täckta med material som gällde Johnny Bibels lokala offer: kartor, diagram, tjänstgöringslistor, fotografier. Han studerade fotografierna, som för att memorera de leende ansiktena. Han såg att faxen just hade spytt ut någonting. Bilägardetaljer, BMW, blå metallic. Fyra i Aberdeen, men bara en med samma bokstavsrad som vittnet kom ihåg. Registrerad på ett företag som hette Eugene Construction med Peterhead-adress.

Eugene Construction? *Eugene Construction?*

Rebus tömde sina fickor på ett skrivbord och hittade bensinkvitton, anteckningsbok, papperslappar med telefonnummer, Rennies, tändstickor… där: visitkort. Överlämnat till honom av mannen som han träffat på konventet. Rebus studerade kortet. Ryan Slocum, försäljningschef, tekniska divisionen. Moderföretag: Eugene Construction, med Peterhead-adress. Darrande lyfte Rebus upp Borneofotografiet och tittade på det, mindes mannen som han träffat den där dagen i baren.

"Inte konstigt att det går åt pipan med Skottland. Och vi vill bli självständiga."

Han hade lämnat över sitt visitkort, sedan hade Rebus sagt att han var polis.

"Har jag sagt någonting komprometterande…? Gäller det Johnny Bibel?"

Ansiktet, ögonen, längden… nära mannen på fotografiet. Nära. Ray Sloane… Ryan Slocum. Någon hade brutit sig in i Rebus lägenhet, letat efter något, tagit något. Letat efter något som skulle kunna rikta misstankarna mot honom? Han tittade på visitkortet igen, sträckte sig sedan efter telefonen, hittade så småningom Siobhan hemma.

"Siobhan, killen du pratade med på nationalbiblioteket…"

"Ja?"

"Han gav dig ett signalement på den så kallade journalisten?"

"Ja."

"Ge mig det igen."

"Vänta." Hon gick för att hämta sin anteckningsbok. "Vad handlar det om?"

"Jag ska berätta sedan. Läs upp det."

"'Lång, blond, i början av de femtio, långsmalt ansikte, inga utmärkande drag.'"

"Någonting om hans accent?"

"Ingenting här." Hon gjorde en paus. "Jo, han sa faktiskt någonting. Han sa att den var nasal."

"Amerikansk?"

"Men skotsk."

"Det är han."

"Vem?"

"Bibel-John, precis som du sa."

"*Va?*"

"Som smyger efter sin ättling…" Rebus gnuggade sig i pannan, nöp sig i näsryggen. Han hade ögonen hårt hopknipna. Var det det eller var det det inte? *Var* han besatt? Hur olik var Johnny Bibels helgedom scenen i hans eget kök, bordet täckt med tidningsklipp?

"Jag vet inte", sa han. Men han visste. Han visste. "Vi pratar sedan", sa han till Siobhan.

"Vänta!"

Men det var det enda han inte kunde göra. Han måste få veta. Han måste få veta nu med detsamma. Han tittade sig omkring i rummet, såg upplösning och drömmar, ingen som kunde köra, inget stöd.

Utom Jack.

Som nu hade en arm om sekreteraren och viskade i hennes öra. Hon log, höll sin mugg med stadig hand. Hon kanske drack det samma som Jack: Coca-Cola. Skulle Jack ge honom nycklarna? Inte utan en förklaring, och Rebus ville göra det här ensam, var tvungen. Hans motiv: konfrontation, och kanske exorcism. Dessutom hade Bibel-John lurat honom på Johnny Bibel.

Rebus ringde ner. "Några bilar lediga?"

"Inte om du har druckit."

"Gör en alkotest på mig."

"Det står en Escort parkerad utanför."

Rebus letade i skrivbordslådor, hittade en telefonkatalog. Peterhead… Slocum R. Fanns inte med. Han kunde höra med televerket, men att få fram ett hemligt telefonnummer kunde ta tid. En annan möjlighet: ut på vägen. Det var ju ändå vad han ville.

Stadsgatorna var kaotiska: ännu en fredagskväll, lekande ungdom. Rebus sjöng "All Right Now". Övergång till: "Been Down So Long". Fyra och en halv mil norrut till Peterhead, djupvattenshamn. Tankfartyg och plattformar gick in där för service. Rebus trampade hårdare på gasen, inte mycket trafik ut från stan. Himlen lyste dovt rosa. Sjudande dunkel, som shetlandsborna kallade det. Rebus försökte låta bli att tänka på vad han gjorde. Bröt mot regler som han rått andra att inte bryta mot. Inget stöd. Ingen riktig auktoritet här uppe, långt hemifrån.

Han hade adressen till Eugene Construction, fick den från Ryan Slocums visitkort. *Jag stod bredvid Bibel-John i en bar. Han bjöd mig på en drink.* Rebus skakade på huvudet. En massa andra människor kunde antagligen säga samma sak, om de bara vetat. Rebus var inte så speciell. Företagets telefonnummer fanns på kortet, men det enda han fått på tråden var en telefonsvarare. Det betydde inte att ingen annan var där: nattvakter svarade inte nödvändigtvis i telefon. Visitkortet hade också ett personsökarnummer till Slocum, men Rebus tänkte inte använda det.

Företaget låg innanför ett högt nätstaket. Han fick köra runt i tjugo minuter och ställa frågor innan han hittade det. Det låg inte vid hamnen, som han väntat sig. Det fanns ett mässområde i utkanten av stan, och Eugene Construction gränsade till det. Rebus körde fram till grindarna. De var låsta. Han tutade. Där fanns ett portvaktshus, med ljuset tänt, men ingen i. Innanför grindarna fanns röd- och vitmålade bommar. Hans strålkastare hittade dem, och sedan bakom dem, släntrande mot honom, en figur i vaktuniform. Rebus lät motorn vara på när han gick fram till grinden.

"Vad är det?" frågade vakten.

Han tryckte polisbrickan mot nätet. "Polisen. Jag behöver adressen hem till en av era anställda."

"Kan det inte vänta till i morgon?"

Skar tänder. "Tyvärr inte."

Vakten – sextio någonting, pensionsålder, hängbuk – kliade sig på hakan. "Jag vet inte", sa han.

"Vem kontaktar du i en krissituation?"

"Mitt kontor."

"Och de kontaktar någon från företaget?"

"Jag antar det. Har inte behövt testa. Några ungar försökte klättra över stängslet för några månader sedan, men de – "

"Skulle du kunna ringa in?"

"Jag antar det, om det är viktigt." Mannen gick mot portvaktshuset.

"Och skulle du kunna släppa in mig medan du håller på? Jag behöver låna er telefon efteråt."

Vakten krafsade sig i huvudet, muttrade någonting men skakade fram en kedja med nycklar ur fickan och gick fram till grinden.

"Tack", sa Rebus till honom.

Portvaktshuset var sparsamt möblerat. Vattenkokare, mugg, kaffe och en liten burk med mjölk stod på en rostig bricka. Där fanns ett elektriskt element, två stolar och en pocketroman på skrivbordet: en western. Rebus tog telefonen och förklarade situationen för vaktens förman, som bad att få tala med vakten igen.

"Ja", sa vakten, "legitimation och allt." Stirrande på Rebus som om han kunde vara ledare för en stöldliga. Han lämnade åter över luren till Rebus, och förmannen gav honom det namn och telefonnummer han ville ha. Rebus slog numret och väntade.

"Hallå?"

"Mr Sturges?"

"Ja, det är jag."

"Ledsen att behöva störa så här sent. Mitt namn är John Rebus, kriminalkommissarie. Jag ringer från portvaktshuset till ert företag."

"Inget inbrott väl?" Mannen suckade. Ett inbrott betydde att han skulle bli tvungen att klä på sig och åka dit.

"Nej, jag behöver bara information om en av era anställda."

"Kan det inte vänta till i morgon?"

"Tyvärr inte."

"Vem gäller det förresten?"

"Ryan Slocum."

"Ryan? Vad har hänt?"

"Svår sjukdom." Rebus hade använt lögnen förut. "En äldre släkting. De behöver mr Slocums medgivande för att operera."

"Gode Gud."

"Det är därför det brådskar."

"Ja, jag förstår, jag förstår." Det fungerade alltid: mormödrar i livs-fara. "Ja, det är inte alla anställdas adress som jag har i huvudet."

"Men mr Slocums har du?"

"Varit där på middag några gånger."

"Är han gift?" För in en äkta hälft i ekvationen. Rebus hade inte föreställt sig Bibel-John gift.

"Frun heter Una, förtjusande par."

"Och adressen?"

"Ja, det är väl telefonnumret du vill ha?"

"Båda faktiskt. På det sättet kan vi skicka dit någon för att vänta, om ingen skulle vara hemma."

Rebus förde in uppgifterna i sin anteckningsbok, tackade mannen och lade på.

"Någon aning om hur man tar sig till Springview?" frågade han vakten.

35

Springview var ett modernt bostadsområde vid kustvägen söder om stan. Rebus parkerade utanför Rankeillor Close nummer tre, stängde av motorn och tog sig en grundlig titt på huset. Den anlagda trädgården på framsidan bestod av klippt gräsmatta, stenparti, buskar och blomrabatter. Varken häck eller staket skilde trädgården från gångbanan. Grannarnas tomter var likadana.

Själva huset var en ganska ny tvåvåningsvilla med sadeltak. Till höger om huset fanns ett sammanbyggt garage. Det satt en larmbox ovanför ett av sovrumsfönstren. En lampa var tänd bakom vardagsrummets gardiner. Bilen som stod parkerad på grusinfarten var en vit Peugeot 106.

"Nu eller aldrig, John", sa Rebus till sig själv och tog ett djupt andetag samtidigt som han klev ur bilen. Han gick fram till dörren och ringde på, tog sedan ett steg tillbaka ner från trappan. Om det var Ryan Slocum själv som öppnade ville Rebus ha lite distans. Han mindes sin militärutbildning – handgemäng – och en gammal maxim: skjut först, fråga sedan. Någonting han borde ha kommit ihåg när han hade kört till Burke's Club.

En kvinnas röst hördes genom dörren. "Ja? Vad gäller det?"

Rebus förstod att han var iakttagen genom ett titthål. Han klev tillbaka upp på trappstenen så att hon kunde se ordentligt. "Mrs Slocum?" Han höll upp polisbrickan framför sig. "Kriminalpolisen."

Dörren drogs upp. En liten tunn kvinna stod där, svarta ringar under ögonen, håret kort, mörkt och rufsigt.

"Åh, Gud", sa hon, "vad har hänt?" Accenten var amerikansk.

"Ingenting." Lättnad sköljde över ansiktet. "Varför skulle det ha hänt något?"

"Ryan", sa hon och snyftade till. "Jag vet inte var han är." Hon letade efter en näsduk, insåg att asken var kvar i vardagsrummet och sa åt Rebus att komma med in. Han följde henne in i ett stort, välmöblerat rum och passade medan hon drog fram pappersnäsdukar på att öppna gardinerna lite. Om en blå BMW dök upp, så ville han veta det.

"Jobbar sent kanske?" sa han och visste redan svaret.

"Jag har försökt med kontoret."

"Ja, men han är försäljningschef, kan han inte vara ute med en kund?"

"Han ringer alltid, han är mycket plikttrogen med det."

Plikttrogen: konstigt ordval. Rummet såg ut som den sorten som blev städat innan det någonsin var smutsigt. Una Slocum såg ut som den som städade. Det ryckte i händerna med bunten pappersnäsdukar, hela ansiktet var spänt.

"Försök att lugna er, mrs Slocum. Finns det ingenting ni kan ta?" Han kunde slå vad om att hon hade medicin någonstans i huset.

"I badrummet, men jag vill inte ta något. Det gör mig snurrig."

I rummets bortre del stod ett stort matsalsbord av mahogny och sex stolar framför ett tredelat skåp. Porslinsdockor bakom glas, badande i ljus från en dold lampa. En del silver. Inga familjefotografier…

"Kanske någon vän som skulle kunna…"

Una Slocum satte sig, reste sig igen, kom ihåg att hon hade en gäst. "Lite te, mr…"

"Rebus, kommissarie Rebus. Te vore gott."

Ge henne något att göra, sysselsätta tankarna med. Köket var bara aningen mindre än vardagsrummet. Rebus kikade ut i trädgården på baksidan. Den såg ut att vara kringbyggd, ingen lätt väg för Ryan Slocum att smyga fram till huset. Rebus öron var inställda på billjud…

"Han har gett sig av", sa hon och stannade plötsligt mitt på golvet med vattenkokaren i en hand, tekannan i den andra.

"Vad får er att säga det, mrs Slocum?"

"En resväska, en del kläder… de är borta."

"Affärer, kanske? Någonting i sista minuten?"

Hon skakade på huvudet. "Han skulle ha lagt en lapp eller något, lämnat besked på telefonsvararen."

"Har ni kollat?"

Hon nickade. "Jag var i Aberdeen hela dagen, shoppade och gick runt. När jag kom tillbaka kändes huset annorlunda på något sätt, ödsligare. Jag tror jag visste med detsamma."

"Har han sagt någonting om att ge sig av?"

"Nej." Skymten av ett leende. "Men en hustru lär sig att förstå, kommissarien. En annan kvinna."

"En kvinna?"

Una Slocum nickade. "Är det inte alltid det? Han har varit så… jag vet inte, bara *annorlunda* den senaste tiden. Retlig, splittrad… varit hemifrån när jag visste att han inte hade några affärsmöten." Hon nickade fortfarande, bekräftade för sig själv. "Han har gett sig av."

"Och ni har ingen aning om var han skulle kunna finnas?"

Hon skakade på huvudet. "Där *hon* är."

Rebus gick tillbaka genom vardagsrummet, undersökte fönstret: ingen BMW. En hand rörde vid hans arm och han snurrade runt. Det var Una Slocum.

"Åh, Gud", sa han. "Ni höll på att skrämma livet av mig."

"Ryan klagar alltid över att jag kommer så tyst. Det är mattan."

Halvtumstjock Wilton, metervis av den.

"Har ni några barn, mrs Slocum?"

Hon skakade på huvudet. "Jag tror att Ryan skulle ha velat ha en son. Det kanske var det som var problemet…"

"Hur länge har ni varit gifta?"

"Länge, femton år, nästan sexton."

"Var träffades ni?"

Hon log, gled tillbaka. "Galveston i Texas. Ryan var ingenjör, jag var sekreterare på samma företag. Han hade emigrerat från Skottland några år tidigare. Jag märkte att han längtade hem, jag visste att vi skulle flytta tillbaka till sist."

"Hur länge har ni varit här?"

"Fyra och ett halvt år." Och inga mord på den tiden, så Bibel-John *hade* kanske verkligen lämnat sin undangömda vrå bara för det här enda jobbet… "Fast", sa Una Slocum, "vi reser förstås tillbaka då och då för att träffa mina släktingar. De bor i Miami. Och Ryan reser över tre, fyra gånger om året i affärer."

Affärer. Rebus gjorde ett tillägg till sin tidigare tanke: *eller kanske inte.*

"Brukar han gå i kyrkan, mrs Slocum?"

Hon såg på honom. "Han gjorde det när vi träffades. Det avtog, men han har börjat gå igen."

Rebus nickade. "Jag skulle inte kunna få se mig omkring? Han kanske har lämnat någon ledtråd till vart han var på väg."

"Ja… det går väl bra." Vattenkokaren var klar och tystnade med ett knäpp. "Jag gör i ordning teet." Hon vände sig om för att gå, hejdade sig och kom tillbaka. "Kommissarien, vad gör ni här?"

Rebus log. "En rutinundersökning, mrs Slocum, som har med er mans arbete att göra."

Hon nickade som om detta förklarade allt, gick sedan tyst tillbaka ut i köket.

"Ryans arbetsrum är till vänster", ropade hon. Så Rebus började där.

Det var ett litet rum, som blev mindre av möblerna och bokhyllorna. Där fanns dussinvis med böcker om andra världskriget, en hel vägg klädd med dem. Papper låg i prydliga högar på skrivbordet – material från Slocums arbete. I lådorna fanns fler arbetsmappar, plus andra för skatt, hus och livförsäkring, pension. Ett liv indelat i fack. Där fanns en liten radio, och Rebus satte på den. Radio Tre. Han stängde av den igen, just som Una Slocum stack in huvudet genom dörren.

"Det finns te i vardagsrummet."

"Tack."

"Åh, en annan sak, han har tagit med sin dator."

"Dator?"

"Ni vet, en bärbar dator. Han använde den mycket. Han hade alltid den här dörren låst när han arbetade, men jag kunde höra knattret av tangenter."

Det satt en nyckel på insidan av dörren. När hon gått stängde Rebus dörren och låste in sig, vände sig sedan om och försökte föreställa sig det här som en mördares tillhåll. Det gick inte. Det var en arbetsplats, ingenting annat. Inga troféer och ingenstans att gömma dem. Ingen väska fylld med souvenirer, som Johnny Bibel hade haft. Och ingen helgedom, inga fasansfulla urklippsböcker. Inga tecken alls på att den här personen levde ett dubbelliv...

Rebus låste upp dörren, gick genom vardagsrummet för att undersöka fönstret igen.

"Hittade ni något?" Una Slocum hällde upp te i fina koppar. En Battenbergkaka låg uppskuren på ett fat av samma porslin.

"Nej", tillstod Rebus. Han tog emot en kopp och en skiva kaka. "Tack." Sedan drog han sig tillbaka till fönstret igen.

"När ens man är försäljare", fortsatte hon, "vänjer man sig vid att se honom oregelbundet, vid att vara tvungen att gå på tråkiga tillställningar och att ha middagsbjudningar där gästerna inte är de man själv skulle ha valt."

"Kan inte vara lätt", höll Rebus med.

"Men jag klagade aldrig. Kanske skulle Ryan ha ägnat mig större uppmärksamhet om jag hade gjort det." Hon tittade på honom. "Ni är säker på att han inte har råkat illa ut?"

Rebus satte upp sin mest ärliga min. "Fullkomligt säker, mrs Slocum."

"Ni förstår, jag lider av dåliga nerver. Jag har försökt allt – tabletter, helande drycker, hypnos... Men om man har någonting i sig, då är det inte mycket de kan göra, eller hur? Jag menar, om den finns där sedan man föddes, en liten tickande tidsinställd bomb..." Hon såg sig omkring. "Det kanske är det här huset, så nytt och så där, inget för mig att göra."

Aldous Zane hade siat om ett hus som det här, ett modernt hus...

"Mrs Slocum", sa Rebus, med ögonen på fönstret, "det här kanske låter som en fånig begäran, och jag kan inte förklara den, men tror ni att jag skulle kunna få titta på vinden?"

En kedja på övervåningens trappavsats. Man drog i den och luckan öppnade sig, trätrappan gled ner.

"Listigt", sa Rebus. Han började klättra. Una Slocum stannade nedanför.

"Strömbrytaren sitter till höger precis när ni kommer upp", ropade hon.

Rebus stack upp huvudet i tomrummet, halvt om halvt inställd på att bli nerklubbad, och trevade efter kontakten. En naken glödlampa lyste upp vinden.

"Vi har pratat om att inreda den", ropade Una Slocum. "Men varför göra sig besväret? Huset är redan för stort för oss som det är."

Vinden var några grader svalare än resten av huset, bevis på modern isolering. Rebus såg sig omkring, osäker på vad han skulle kunna hitta. Vad hade Zane sagt? Flaggor: stjärnbaneret och en svastika. Slocum hade bott i USA och verkade fascinerad av Tredje riket. Men Zane hade också sett en koffert på vinden i ett stort, modernt hus. Men någonting sådant kunde Rebus inte se. Packlådor, kartonger med julpynt, ett par trasiga stolar, en lös dörr, ett par resväskor som lät tomma...

"Jag har inte varit här uppe sedan i julas", sa Una Slocum. Rebus hjälpte henne upp för de sista stegen.

"Den är stor", sa Rebus. "Jag kan förstå att ni har funderat på att inreda den."

"Problemet skulle ha varit bygglov. Husen här får inte ändras. Man lägger ner en förmögenhet på ett ställe, och sedan får man inte göra någonting med det." Hon lyfte bort ett hopvikt rött tygstycke från en av resväskorna, borstade bort damm från det. Det såg ut som en duk, kanske en gardin. Men när hon skakade det vecklade det ut sig till en stor flagga, svart på en vit cirkel med röd kant. En svastika. Hon såg chocken i Rebus ansikte.

"Han brukade samla på sådant här." Hon tittade sig omkring, fick en rynka i pannan. "Det var konstigt."

Rebus svalde. "Vad?"

"Kofferten är borta." Hon pekade på ett ställe på golvet. "Ryan måste ha flyttat den." Hon tittade sig omkring, men den fanns uppenbarligen ingenstans på vinden.

"Koffert?"

"En stor gammal sak, han har haft den i evigheter. Varför skulle han flytta den? Och *hur* skulle han bära sig åt för att flytta den?"

"Vad menar ni?"

"Den var tung. Han hade den låst, sa att den var full av gamla grejer, minnen från hans liv innan vi träffades. Han lovade att han skulle visa mig en dag... Tror ni att han har tagit den med sig?"

Rebus svalde igen. "Det är möjligt", sa han och gick mot trappan. Johnny Bibel hade en stor bag, men Bibel-John behövde en hel koffert. Rebus började känna sig illamående.

"Det finns mer te i kannan", sa mrs Slocum när de gick tillbaka ner till vardagsrummet.

"Tack, men jag måste faktiskt gå." Han såg hur hon försökte dölja sin besvikelse. Det var ett grymt liv när det enda sällskap man hade var en polis som jagade ens man.

"Jag är ledsen", sa han, "för det här med Ryan." Sedan kastade han en sista blick ut genom fönstret.

Och där stod en blå BMW parkerad vid trottoarkanten.

Rebus hjärta bultade i bröstet. Han kunde inte se någon i bilen, ingen på väg mot huset...

Då ringde det på dörren.

"Ryan?" Mrs Slocum gick mot dörren. Rebus fångade in henne och drog henne tillbaka. Hon skrek.

Han satte ett finger till munnen, tecknade åt henne att stanna där hon var. Det vände sig i magen på honom, som om han kanske skulle få upp den currystuvade kycklingen. Hela hans kropp kändes elektrisk. Det ringde igen. Rebus tog ett djupt andetag, sprang fram till dörren och drog upp den.

En ung man stod utanför, jeansjacka, piggigt geléhår, akne. Han höll i en ring med bilnycklar.

"Var har du fått tag i den?" röt Rebus. Ynglingen tog ett steg tillbaka, snubblade ner från trappstenen. "Var har du fått tag i bilen?" Rebus var utanför dörren nu, lutade sig hotfullt över honom.

"Jobbet", sa ynglingen. "I-ingår i s-servicen."

"Vad då?"

"Att k-köra hem er bil. Från flygplatsen."Rebus stirrade på honom, krävde mer. "Vi tvättar och rengör. Och om ni lämnar in er bil och vill ha den hemkörd, så ordnar vi det. Sinclair Biluthyrning... ni kan kolla!"

Rebus sträckte ut en hand, drog upp ynglingen på fötter.

"Jag skulle bara fråga om ni ville ha den undanställd", sa ynglingen, vit i ansiktet.

"Låt den vara där den är." Rebus försökte sluta darra. En annan bil hade kört fram, tutade.

"Min skjuts", förklarade ynglingen, fortfarande med spår av skräck i ansiktet.

"Vart skulle mr Slocum?"

"Vem?"

"Bilens ägare."

Ynglingen ryckte på axlarna. "Hur ska jag kunna veta det?" Han lade nycklarna i Rebus hand och började gå därifrån. "Vi är inte Gesta-po",löd hans slutreplik.

Rebus lämnade över nycklarna till mrs Slocum, som stirrade på honom som om hon hade frågor, som om hon ville börja om från början. Rebus skakade på huvudet och marscherade iväg. Hon tittade på nycklarna i sin hand.

"Vad ska jag göra med två bilar?"

Men Rebus var borta.

Han berättade sin historia för Grogan.

Överkommissarien var nästan nykter – mer än redo att åka hem. Narkotikapolisen hade redan talat med honom. De hade sagt att de hade fler frågor till honom i morgon, alla att göra med Ludovic Lums-den. Grogan lyssnade med tilltagande otålighet och frågade sedan vad det fanns för bevis. Rebus ryckte på axlarna. De kunde placera Slocums bil nära mordplatsen, och vid en underlig tid på morgonen. Men mer än det kunde de inte göra. Kanske skulle teknikerna få fram någon koppling, men de gissade båda att Bibel-John var för smart för att låta det hända. Sedan var det historien som fanns skisserad i Lawson Geddes brev – en död mans berättelse – och fotografiet från Borneo.

Men det betydde ingenting utan en bekännelse från Ryan Slocum om att han en gång hade varit Ray Sloane, hade bott i Glasgow i slutet på sextiotalet och hade varit – och fortfarande var – Bibel-John.

Men Ryan Slocum hade försvunnit.

De kontaktade Dyce flygplats, men där fanns inga uppgifter om att han skulle ha tagit ett plan därifrån, och ingen taxi eller biluthyrningsfirma ville medge att de sett honom. Hade han redan lämnat landet? Vad hade han gjort med kofferten? Låg han lågt på något hotell i närheten och väntade på att uppståndelsen skulle avta?

Grogan sa att de skulle göra efterforskningar, larma hamnar och flygplatser. Han kunde inte se vad mer de kunde göra. De skulle skicka ut någon för att prata med mrs Slocum, kanske finkamma huset… I morgon eventuellt, eller dagen därpå. Grogan lät inte alltför entusiastisk. Han hade fått sin seriemördare för i dag, och hade ingen större lust att ge sig ut på jakt efter spöken.

Rebus hittade Jack i kantinen, där han drack te och åt pommes frites och bönor.

"Vart tog du vägen?"

Rebus slog sig ner bredvid honom. "Ville inte störa dig."

Jack skakade på huvudet. "Men det var inte långt ifrån att jag bett henne följa med till det där hotellet."

"Varför gjorde du inte det?"

Jack ryckte på axlarna. "Hon sa att hon aldrig kunde lita på en man som inte drack. Känner du för att köra tillbaka?"

"Varför inte?"

"John, vart *tog* du vägen?"

"Jag ska berätta i bilen. Hjälper dig kanske att hålla dig vaken…"

36

Nästa morgon, efter några timmars sömn i stolen, ringde Rebus till Brian Holmes. Han ville veta hur det var med honom och om Ancrams hotelser hade dunstat bort i ljuset av Lawson Geddes brev. Samtalet besvarades snabbt.

"Hallå?" En kvinnas röst: Nells. Rebus lade tyst på luren. Så hon var tillbaka. Innebar det att hon hade accepterat Brians arbete? Eller hade han lovat att sluta? Rebus skulle säkert få veta längre fram.

Jack promenerade in. Han ansåg att hans jobb som "vakt" var avslutat men hade ändå stannat över natten – för trött för att ens se milen hem till Falkirk som ett alternativ.

"Tack och lov att det är helg", sa han och körde båda händerna genom håret. "Några planer?"

"Jag tänkte att jag kanske skulle sticka ner till Fettes för att se hur läget är med Ancram."

"Bra idé. Jag följer med."

"Det behöver du inte."

"Men jag vill."

De tog Rebus bil som omväxling. Men när de kom fram till Fettes var Ancrams rum tomt, utan spår av att någonsin ha varit bebott. Rebus ringde till Govan och blev kopplad.

"Betyder det att det är klart?" frågade han.

"Jag ska skriva min rapport", sa Ancram. "Er chef kommer utan tvivel att vilja diskutera den med er."

"Och Brian Holmes?"

"Allt kommer att finnas i rapporten."

Rebus väntade. "Allt?"

"Får jag fråga en sak, Rebus, är ni smart eller har ni bara tur?"

"Är det någon skillnad?"

"Ni har verkligen trasslat till saker. Om vi hade fortsatt att bekämpa Farbror Joe, så kunde vi haft infiltratören."

"Ni kommer att ha Farbror Joe istället." Ancram grymtade ett svar.

"Ni *vet* vem infiltratören är?"

"Jag har en aning. Lennox, ni träffade honom den där dagen på The Lobby." Kriminalinspektör Andy Lennox: fräknar och rödblonda lockar. "Saken är bara att jag inte har några bevis."

Samma gamla problem. I juridik räckte det inte med att *veta*. Skotsk lag var ännu strängare: bekräftelse måste ovillkorligen till.

"Kanske nästa gång?" sa Rebus och lade på luren.

De körde tillbaka till lägenheten så att Jack kunde hämta sin bil. Men sedan blev han tvungen att följa med Rebus upp, eftersom han hade glömt en del av sina grejer.

"Tänker du någonsin lämna mig ifred?" frågade Rebus.

Jack skrattade. "När som helst nu."

"Ja, eftersom du ändå är här kan du hjälpa mig att flytta tillbaka prylarna in i vardagsrummet."

Det tog inte lång stund. Det sista Rebus gjorde var att hänga fiske-båten på väggen igen.

"Vad händer nu?" frågade Jack.

"Jag skulle kunna se till att få den här tanden fixad. Och jag sa att jag skulle träffa Gill."

"Jobb eller nöje?"

"Helt privat."

"Sätter en femma på att ni kommer att snacka jobb."

Rebus log. "Vadet är antaget. Du då?"

"Tänkte att när jag ändå är i stan kunde jag kolla upp det lokala AA, se om det är något möte. Det är alldeles för länge sedan sist." Rebus nickade. "Har du lust att hänga med?"

Rebus tittade upp, nickade. "Varför inte?" sa han.

"Annars skulle vi kunna fortsätta att måla."

Rebus rynkade på näsan. "Har tappat lusten."

"Du tänker inte sälja?" Rebus skakade på huvudet. "Ingen stuga vid havet?"

"Jag tror jag ska stanna där jag är, Jack. Det verkar passa mig."

"Och exakt var är det?"

Rebus tänkte över sitt svar. "Någonstans norr om helvetet."

Han kom tillbaka hem efter sin söndagspromenad med Gill Templer och stoppade en fempundssedel i ett kuvert, adresserade det till Jack Morton. Gill och han hade talat om familjen Toal och amerikanerna, om hur de skulle stupa på bandinspelningens styrka. Rebus ord skulle kanske inte räcka för att fälla Hayden Fletcher för anstiftan till mord, men han skulle göra ett rejält försök. Fletcher fördes söderut för förhör. Rebus hade en vecka med mycket jobb framför sig. Telefonen ringde medan han höll på att snygga upp i vardagsrummet.

"John?" sa rösten. "Det är Brian."

"Allt som det ska?"

"Fint." Men Brians röst var dov. "Jag bara tänkte att jag skulle… saken är den att… jag begär avsked." En paus. "Det är väl så det heter?"

"Herregud, Brian…"

"Jag har försökt lära av dig, men jag är inte säker på att du var rätt val. Lite för intensiv, kanske? Du förstår, John, det du har, vad det nu är, det har helt enkelt inte jag." En längre paus. "Och jag är inte ens säker på att jag vill ha det, om sanningen ska fram."

"Du behöver inte vara som jag för att vara en bra polis, Brian. Vissa skulle säga att du borde eftersträva att vara det jag inte är."

"Ja… jag har försökt ta ställning, jag har för helvete till och med försökt sitta på den jävla ställningen. Inget av det funkade."

"Jag är ledsen, Brian."

"Vi hörs."

"Visst, grabben. Sköt om dig."

Han satte sig i sin stol och stirrade ut genom fönstret. En ljus sommareftermiddag, perfekt för en promenad ner genom Meadows.

Bara det att Rebus just hade kommit hem från en promenad. Ville han verkligen ta en till? Telefonen ringde igen och han lät maskinen svara. Han väntade på ett meddelande, men det enda han kunde höra var statiskt knastrande, bakgrundssus. Någon var där, förbindelsen var inte bruten. Men personen tänkte inte lämna något meddelande. Rebus lade en hand på luren, väntade, lyfte den sedan.

"Hallå?"

Han hörde den andra luren läggas på, sedan bruset av den öppna linjen. Han blev stående ett ögonblick, lade sedan på och gick ut i köket, drog upp skåpsdörren och lyfte ut tidningarna och klippen. Slängde alltihop i soppåsen. Högg sin kavaj och tog den där promenaden.

Slutord

Upprinnelsen till den här boken var en historia som jag hörde alldeles i början av 1995, och jag arbetade med boken hela det året och var klar med ett utkast jag var nöjd med strax före jul. Sedan på söndagen den 29 januari 1996, just som min redaktör satte sig till rätta för att läsa manuskriptet, hade *Sunday Times* en artikel med rubriken "Bibel-John 'lever i stillhet i Glasgow'", baserad på information hämtad ur en bok som Mainstream skulle ge ut i april. Boken var *Power in the Blood* av Donald Simpson. Simpson hävdade att han träffat en man och blivit vän med honom, och att den här mannen så småningom erkänt att han var Bibel-John. Simpson påstod också att mannen vid ett tillfälle försökt döda honom och att det fanns bevis för att mördaren dödat utanför Glasgow. Och det finns förvisso många olösta västkustmord, plus två olösta från Dundee 1979 och 1980 – båda offren hittades avklädda och strypta.

Det kan naturligtvis vara en slump, men samma dags *Scotland on Sunday* meddelade att Strathclydepolisen hade nya bevis i den pågående Bibel-John-utredningen. Ny utveckling av DNA-analys hade gett dem ett genetiskt fingeravtryck från spår av sperma på det tredje offrets lår, och polisen hade bett så många av de ursprungliga misstänkta som de kunde hitta att träda fram och lämna blodprov för analys. En sådan misstänkt, John Irvine McInnes, hade tagit livet av sig 1980, så en anhörig till honom hade istället lämnat ett blodprov. Detta tycks ha stämt tillräckligt bra för att motivera att man grävde upp

– 478 –

McInnes kropp för att genomföra fler tester. I början av februari grävdes kroppen upp (tillsammans med McInnes mor, vars kista placerats ovanpå sonens). För dem som var intresserade av fallet började en lång väntan.

När jag skriver detta (juni 1996) pågår väntan alltjämt. Men känslan nu är att polisen och deras vetenskapsmän kommer att misslyckas – redan har misslyckats – med att hitta ovederläggliga bevis. För vissa är fröet redan sått – för dem kommer John Irvine McInnes att förbli den främste misstänkte – och det är sant att hans historia, jämförd med Bibel-Johns psykologiska profil sammanställd vid den aktuella tidpunkten, är fascinerande läsning.

Men det finns även tvivel – en del av det också baserat på förbrytarprofilering. Skulle en seriemördare helt enkelt sluta döda och sedan vänta elva år med att ta livet av sig? En tidning antar att Bibel-John "blev skrämd" på grund av utredningen, och att det hindrade honom från att döda igen, men enligt minst en expert på området stämmer detta helt enkelt inte med det vedertagna mönstret. Och så finns ögonvittnet, som chefsutredare Joe Beattie hade så stor tilltro till. Irvine McInnes deltog i en vittneskonfrontation några dagar efter det tredje mordet. Helen Puttocks syster kunde inte peka ut honom. Hon hade delat taxi med mördaren, hade sett sin syster dansa med honom, hade av och till tillbringat timmar i hans sällskap. När hon 1996 konfronteras med fotografier av John Irvine McInnes säger hon samma sak – mannen som tog livet av hennes syster hade inte McInnes utstående öron.

Det finns andra frågor – skulle mördaren ha uppgett sitt riktiga förnamn? Skulle de historier han berättade för de två systrarna under taxifärden vara sanna eller falska? Skulle han ha dödat sitt tredje offer, medveten om att han lämnade efter sig ett vittne? Det finns många, inklusive poliser och sådana som jag, som skulle vägra att låta sig övertygas ens av samma DNA-profil. För oss finns han fortfarande där ute, och – som Robert Black- och Frederick West-fallen visat – långt ifrån ensam.

Tack

Tack till: Chris Thomson, för att jag fått citera från hans sånger; doktor Jonathan Wills för hans synpunkter på Shetlandsliv och oljeindustrin; Don och Susan Nichol för fantastisk researchhjälp; det skotska industridepartementets energiavdelning; Keith Webster, Senior Public Affairs Officer, Conoco UK; Richard Grant, Senior Public Affairs Officer, BP provborrningar; Andy Mitchell, Public Affairs Advisor, Amerada Hess; Mobil North Sea; Bill Korton, för hans sakkunskap om offshore-säkerhet; Andrew O'Hagan, författare till *The Missing*; Jerry Sykes, som hittade boken åt mig; Mike Ripley, för videomaterialet; den berusade oljearbetare som Lindsey Davis och jag träffade på ett tåg söder om Aberdeen; Colin Baxter, Trading Standards Officer *extraordinaire*; mina researchmedarbetare Linda och Iain; personal på Caledonian Thistle Hotel, Aberdeen; Grampians regionfullmäktige; Ronnie Mackintosh; Ian Docherty; Patrick Stoddart och Eva Schegulla för e-posten. Stort tack till personalen på Skottlands nationalbibliotek (särskilt södra läsesalen) och Edinburghs centralbibliotek. Jag vill också tacka de många vänner och författare som hörde av sig när Bibel-John-fallet blev förstasidesstoff igen i början av 1996, antingen för att beklaga eller för att komma med förslag till justeringar av intrigen. Min redaktör, Caroline Oakley, var hela tiden full av tillförsikt och hänvisade mig till James Ellroy-citatet i början på min bok... Slutligen ett särskilt tack till Lorna Hepburn, som från början berättade en historia för mig...

Eventuella "plagiat" kommer från följande: *Fool's Gold* av Christopher Harvie; *A Place in the Sun* av Jonathan Wills; *Innocent Passage: The Wreck of the Tanker* Braer av Jonathan Wills och Karen Warner; *Blood on the Thistle* av Douglas Skelton; *Bible John: Search for a Sadist* av Patrick Stoddart; *The Missing* av Andrew O'Hagan.

Major Weirs citat – "varelser tämjda av grymhet" – är i själva verket titeln på Ron Butlins första diktsamling.